*Presentado a*

_____

*Por*

_____

*Fecha*

_____

# EL CAMINO BÍBLICO

### 366 -- DEVOCIONALES DIARIOS --
### DESDE GÉNESIS HASTA APOLCALIPSIS

**El amor de Dios no tiene fronteras.**

Con corazones unidos,
el autor Dr. John A. Hash, junto con el
Pastor Charles Alonso, quien ha sido usado
extensamente como maestro de la Biblia y traductor
al español, han preparado esta nueva edición de
«*El Camino Bíblico*», el devocional con comentarios
que proclama toda la Palabra de Dios
al mundo hispano.

*«Ya no hay judío ni griego; no hay esclavo ni libre;*
*no hay varón ni mujer; porque todos vosotros sois uno en Cristo Jesús»*
(Gálatas 3:28).

«*El Camino Bíblico*» es un devocional de lectura por toda la Biblia con comentarios centralizados en Jesucristo y no necesariamente una exposición teológica.

El pensamiento de cada devocional revela cómo es que la lectura de cada día se refiere a nuestra relación personal con Dios y con nuestro prójimo, como también nuestras necesidades espirituales.

«*El Camino Bíblico*» es el devocional con comentarios de toda la Biblia más leído en el mundo entero, y recomendado por líderes de todas las grandes denominaciones.

Las Escrituras usadas fueron tomadas de la versión *Reina-Valera,* 1960

Bible Pathway Ministries International
Ministerios Internacionales del Camino Bíblico
P.O. Box 20123
Murfreesboro TN 37129-0123 USA

ISBN 1-879595-35-4

# CONTENIDO

## Introducciones a los libros del Antiguo Testamento y del Nuevo Testamento
### Mapas y cuadros gráficos

**NOTA 1:** Las referencias bíblicas en los devocionales a veces incluyen más versículos que los que están actualmente citados para que el lector pueda tener un entendimiento completo.

**NOTA 2:** Cuando las referencias bíblicas son citadas del mismo libro en orden consecutiva, entonces solamente se menciona el libro en la primera cita.

**NOTA 3:** Los versículos de la Biblia están entre comillas y puestos en bastardillas, las otras sugerencias y la información pertinente al texto están sólo entre comillas o en paréntesis.

# INTRODUCCIÓN

### «Sepa lo qué usted cree. Sepa por qué lo cree. Entonces vívalo».

Este es el tema principal en cada clase que he enseñado del idioma griego y hebreo. También es el tema de este hombre cuyo ministerio sigue engrandeciéndose entre los ministerios que están establecidos por Dios para avanzar Su Reino.

Hace más de medio siglo que el Dr. John A. Hash primeramente comprendió lo que debe ser la conexión obvia entre la lectura de las Escrituras y el conocimiento de lo que uno cree. Todo lo que nosotros los cristianos creemos está revelado y escrito en la Palabra de Dios. A menos que usted sepa lo que dice esa Palabra de Dios, entonces en verdad no podrá saber lo que usted cree. Y a menos que usted sepa lo que cree, entonces no puede saber cómo vivirlo.

Este libro presenta la sabiduría que el Dr. Hash ha alcanzado por los años del continuo estudio de la Palabra de Dios, y ofrece dirección y ánimo en la presentación muy refinada de las verdades bíblicas. El plan es esencialmente el mismo que el Dr. Hash introdujo a su congregación hace muchos años con la idea de leer toda la Biblia, diciéndole: «Si ustedes toman solamente quince minutos cada día, leyendo las Santas Escrituras, siguiendo este guía, podrán leer toda la Biblia en un año».

Usted encontrará en las siguientes páginas, un guía para decirle cual pasaje de las Santas Escrituras debe de leer cada día. Además, el Dr. Hash explica a fondo la información sobre la historia bíblica, la cultura, la geografía, y otros detalles que le dará a su lectura de la Biblia un gran entendimiento y un enfoque más claro. Aquí encontrará tres invaluables secciones especiales que le ayudarán a esa meta:

[1] Cada libro de la Biblia es introducido con un bosquejo de su mensaje y un resumen de la narración bíblica. Desde el principio, usted verá cómo el mensaje del libro de Génesis está bien conectado con el mensaje del evangelio según el apóstol Juan o con el libro de Hebreos o con las epístolas del apóstol Pablo a los creyentes en Corinto. Usted podrá ver cómo cada libro de la Biblia se ajusta bien a la revelación completa que Dios ha dado al mundo, y al mismo tiempo comprenderá el impacto que los acontecimientos en cada caso tuvieron sobre las personas involucradas en esos tiempos. Consiguientemente, usted comprenderá mucho mejor lo aplicable que son las Santas Escrituras a su propia vida.

[2] En la parte de arriba de cada página usted encontrará «En la lectura de hoy», junto con el día del mes y la lectura diaria, ello le dará un resumen bien corto en forma de cápsulas sobre lo que aprenderá ese día. Por ejemplo: el día 13 de marzo, cuando hay que leer los capítulos en Josué 1-3, usted encontrará «En la lectura de hoy» el resumen de esos capítulos que dice: «Dios le habla a Josué; los espías son mandados a Jericó; ellos le hacen una promesa a Rahab; Israel cruza el Río Jordán». En el comentario de ese día sobre estos capítulos se

le enseña el significado de la fe de Josué y la parte que tuvo Rahab en la continua revelación del plan de Dios, el cual sigue desarrollándose por todas las edades (pues Rahab se encuentra en la genealogía de Jesucristo). Al final de cada página usted encontrará que el «Pensamiento para hoy» une los pensamientos de ese día y le ayudará a entender las implicaciones de las Santas Escrituras para su propia vida diaria.

[3] En diferentes partes del libro usted también encontrará mapas bíblicos y cuadros gráficos con información pertinente a lo que usted está leyendo. Al momento necesario usted encontrará unos gráficos con una explicación bien detallada del Tabernáculo en el desierto, de las cinco ofrendas, de la incredulez de Israel, y de los gobiernos mundiales. También encontrará una explicación sistemática de la victoria sobre Satanás, junto con una explicación completa sobre cada viaje y los compañeros que viajaron con el apóstol Pablo en sus tres viajes misioneros y su viaje a Roma.

Desde que el enfoque principal de «El Camino Bíblico» es el estudio de las Santas Escrituras, cada devocional hace referencia a los varios versículos claves que son apropiados al mensaje céntrico para cada día. Asegúrese de estar bien atento a los pasajes bíblicos que son citados en las explicaciones de cada día y así poder absorber el significado principal de estos versículos claves.

Finalmente, déjeme animarle a no pensar de sí mismo en los términos de que usted ha tenido «un gran éxito» o «un gran fracaso». Quizás que usted será tentado a pensar que ha «fracasado» si pierde un día de lectura, o también llegar al otro extremo de estar muy obsesionado con su propio «éxito» de leer toda la Biblia en 365 días. Pero lo más importante es que usted no deje de perder de vista la oportunidad que viene cada día de experimentar la paz de Dios y de recibir el mensaje a tiempo que Dios tiene para usted ese día. Si usted pierde un día: ¡No importa! Siga al próximo día y adelante. Si al siguiente día puede leer por dos días está bien, pero sea como sea ¡no se desanime ni lo deje!

Puede que hayan días cuando la claridad de una verdad en particular le lleve a «las alturas de las montañas». Pero también usted puede encontrar otros tiempos cuando Dios le comunicará Su dirección y Su propósito para su vida gradualmente por varios días, o aún por varias semanas de lectura. Pero usted puede estar seguro que Dios sí tiene un mensaje para usted, y que sí lo podrá saber y lo oirá de una manera fácil para entender. Su parte es serle fiel a la lectura del Libro que Dios le ha dado.

Acuérdese: «Quince minutos al día» es todo lo que usted necesita invertir. Asegúrese que a la vez que usted «lo lea» y «lo sepa», que también «lo viva».

**Samuel J. Gantt, III**
*Director Anterior - Instrucción sobre los lenguajes bíblicos*
Seminario Teológico de Fuller, Pasadena, California

# PREFACIO

Tenemos una razón suprema para vivir. La pregunta que necesita ser examinada es esta: «¿Leeremos cómo hay que vivir para agradar a nuestro Creador, o sufriremos las consecuencias?» Sentimos lástima de la persona que está perdiendo los cortos años de su vida tratando de alcanzar sus metas mundanas como la seguridad financiera, la popularidad, o el éxito en adquirir muchas posesiones, pero faltando en llegar a saber el propósito por el cual Dios le ha creado. Aun más dignos de lástima son las personas «religiosas» que creen que están bien preparadas para ir al cielo, cuando en verdad, *«los echarán en el horno de fuego; allí será el lloro y el crujir de dientes»* (Mateo 13:50). Jesús nos advirtió: *«Porque os digo que si vuestra justicia no fuere mayor que la de los escribas y fariseos, no entraréis en el reino de los cielos»* (Mateo 5:20). La Biblia es la única revelación que Dios ha proveído para prepararnos para la eternidad.

[1] La lectura de toda la Biblia es de suma importancia para conocer a nuestro Creador, el Único Dios Verdadero, quien es una Trinidad que se expresa en tres Personas: «Dios el Padre…Dios el Hijo (Jesús que nació en Belén), y . . . Dios el Espíritu Santo», quien mora adentro de cada creyente que ha llegado a *«nacer de nuevo»* (ver Mateo 28:18-20; Juan 3:3-5). Todos los otros dioses son dioses falsos, pretendientes muertos, que no pueden salvar a nadie de ser echado en un infierno de fuego eterno donde hay *«el lloro y el crujir de dientes»*. Esto es tan espantoso que Jesús lo dijo siete veces para que no hubiese duda: Mateo 8:12; 13:42,50; 22:13; 24:51; 25:30 y Lucas 13:28. Jesus es el Único Camino a Dios. Tal y como Él lo dijo: *«Yo soy el Camino, y la Verdad, y la Vida; nadie viene al Padre, sino por Mí. . . . Porque hay un solo Dios, y un solo Mediador entre Dios y los hombres, Jesucristo Hombre»* (Juan 14:6; I de Timoteo 2:5; ver Juan 16:13-15 y I de Juan 5:7). *«Y en ningún otro hay salvación; porque no hay otro nombre bajo el cielo, dado a los hombres, en que podamos ser salvos»* (Hechos 4:12).

[2] La lectura de toda la Biblia es muy esencial para que sepamos cómo prepararnos para nuestro destino eterno. Jesús nos advirtió: *«No todo el que Me dice: Señor, Señor, entrará en el reino de los cielos, sino el que hace la voluntad de Mi Padre que está en los cielos»* (Mateo 7:21). *«(Las) Sagradas Escrituras, (son) las (que) te pueden hacer sabio para la salvación por la fe que es en Cristo Jesús. Toda la Escritura es inspirada por Dios, y útil para enseñar (las doctrinas), para redargüir, para corregir, para instruir en justicia* (en una vida santa y nuestra conformidad a la voluntad de Dios: en la forma de pensar, en el propósito diario, y en las acciones hacia otras personas), *a fin de que el hombre de Dios sea perfecto* (adecuado), *enteramente preparado para toda buena obra»* (II de Timoteo 3:15-17). Jesucristo nos dijo: *«No sólo de pan vivirá el hombre, sino de toda Palabra que sale de la boca de Dios»* (Mateo 4:40). El *«pan»* se refiere a nuestra comida diaria tanto como a nuestro entendimiento espiritual.

«*Toda Palabra*» quiere decir empezando con Génesis 1:1 y terminando con Apocalipsis 22:21. Si fracasamos y no leemos «*Toda la Escritura*» (toda la Biblia), entonces seremos menos de lo que Dios espera de nosotros para poder cumplir Su voluntad.

[3] Tenemos una gran responsabilidad de: «*id, y haced discípulos a todas las naciones, …enseñándoles que guarden todas las cosas* (desde Génesis hasta Apocalipsis) *que os he mandado*» (Mateo 28:19-20).

**UN AVISO:** Sin duda, cada persona piensa que un día va a ir al cielo; pero necesitamos tomar en serio lo que nuestro Señor Jesucristo nos ha dicho: «*De cierto, de cierto te digo, que el que no naciere de nuevo, no puede ver el reino de Dios*» (Juan 3:3). Aun más serio es Su advertencia sobre la vida eterna: «*y pocos son los que la hallan*» (Mateo 7:14).

Yo le ruego a Dios que mientras vosotros leáis el devocional de cada día que podáis llegar a ser «*llenos del conocimiento de Su voluntad en toda sabiduría e inteligencia espiritual, para que andéis como es digno del Señor, agradándole en todo, llevando fruto en toda buena obra, y creciendo en el conocimiento de Dios*» (Colosenses 1:9-10; ver II de Pedro 3:18).

**– John A. Hash. D.D., Litt. D**
*Fundador y Editor Principal*
Bible Pathway Ministries International

# PRÓLOGO

Yo me acuerdo siendo un pequeño niño y caminando por los campos de la finca de mi abuelo (llamada «La Encarnación» — una tierra muy bendita en Cuba), y pensando en los milagros que Dios pudiese hacer y la posibilidad de encontrar un tesoro escondido o enterrado, no que me diera riquezas, pues lo que yo buscaba era «un mapa» o un escrito que me diera un correcto entendimiento sobrenatural de las cosas que el hombre común no podía comprender, pues me fascinaba toda la creación, el estudio de las estrellas, el universo, y los misterios de esta vida.

Durante mis años de estudio como un joven en los Estados Unidos nunca perdí ese deseo de saber lo que existía en el más allá. En el año 1972, después de muchos años perdidos en la contaminación de una sociedad arrastrada por los deseos y las pasiones sensuales, el Dios y Creador de todo el universo me mandó a un fiel siervo que me presentó ese regalo que desde niño yo buscaba, «mi mapa»; pero al mismo tiempo me propuso el plan que me llevó a escoger: o seguía en este mundo siendo arrastrado por las tinieblas o venía a la luz por medio del evangelio de Jesucristo. No queriendo perder más tiempo, pues ya sabía que la vida en esta tierra es muy corta, esa misma noche me arrodillé y le confesé a Dios que yo estaba perdido y que, aunque no lo entendía todo, en ese momento yo aceptaba a Jesucristo como mi Único Salvador personal, pidiéndole que yo quería ese entendimiento eterno. En el año 1975, el Señor me llamó a un ministerio donde empecé a ministrar la Palabra de Dios en inglés y en español en diferentes prisiones. Fue durante esos años que llegué a desarrollar un gran amor por las Santas Escrituras en español. Por más de treinta años he dedicado mi vida en tiempos buenos y en tiempos malos a leer ese gran regalo que recibí esa noche, siempre orándole a Dios: *«Abre mis ojos, y miraré las maravillas de Tu Ley (de Tu Palabra)»* (Salmo 119:18).

Durante estos últimos años de mi vida he visto a muchas personas tomar ese mismo paso y entrar en esa maravillosa relación con el Único Dios Verdadero por medio del sacrificio en la cruz de nuestro Señor Jesucristo. Al mismo tiempo he visto a muchas personas llegar a ese mismo punto cuando Dios les presenta ese regalo de Su Hijo Amado y se han vuelto a sus vidas sin esperanza, rechazando «el (Único) Camino» que Dios estableció en este mundo para obtener la vida eterna. Por eso Jesús nos dice: *«Yo soy el Camino, y la Verdad, y la Vida; nadie viene al Padre, sino por Mí»* (Juan 14:6).

La Biblia, la Palabra eterna de Dios, es el único libro en este mundo que dice: *«Así ha dicho Jehová»*, pero aunque muchos la han leído no todos llegan a un entendimiento eterno. El problema está en el corazón humano y en la desobediencia. El misterio que la Biblia nos muestra está en este dicho: *«Dios quiso dar a conocer las riquezas de la gloria de este misterio entre los gentiles; que es Cristo en vosotros, la esperanza de gloria»* (Colosenses 1:27). La persona que llega a crecer en el conocimiento de amar y adorar a Cristo recibe esta sana doctrina por la Palabra de Dios, y así puede llegar a, poco a poco, conocer todo lo que Dios ha hecho por nosotros. Pues no es en vano que la Biblia nos dice: *«En Él (en Cristo) también vosotros, habiendo oído la Palabra de verdad, el evangelio de vuestra salvación, y habiendo creído en Él, fuisteis sellados con el Espíritu Santo de la promesa . . . »* (Efesios 1:13-14). Dios nos explica que cuando primeramente creemos en Cristo es que somos sellados con el Espíritu Santo hasta el día que lleguemos al cielo — es sólo por medio del Espíritu Santo de Dios (dado a cada creyente al momento de creer en Cristo) que podemos entender, obedecer y crecer en todo lo que Dios nos ha escrito en Su Santa Palabra. *«Él os enseñará todas las cosas . . . y os hará saber las cosas que habrán de venir»* (Juan 14:16,26; 16:13). Es sólo por medio del poder del Espíritu Santo que podemos cumplir con el mandamiento que Jesucristo nos dio: *«Permaneced en Mí, y Yo en vosotros»* (Juan 15:4-5).

Para el creyente toda la vida es un crecimiento: *«Antes bien, creced en la gracia y el conocimiento de nuestro Señor y Salvador Jesucristo. A Él sea gloria ahora y hasta el día de la eternidad»* (II de Pedro 3:18). Dios nos ha dado las Santas Escrituras como el instrumento por el cual Él se ha revelado y por el cual Él nos habla – aquí es bien importante reconocer que Dios nos llama a vivir por fe – y la fe crece principalmente por oír y leer la Palabra de Dios. La fe es un proceso que nos lleva a la certeza de lo que esperamos y la convicción de lo que el ojo natural no puede ver - la seguridad de que un día vamos a estar eternamente con Jesús. (Romanos 10:17; Hebreos 11:1; I de Juan 3:2). Ahora, el problema en el corazón humano está en la obediencia (por razón de la naturaleza pecaminosa que todos tenemos), pues todos somos desobedientes en diferentes áreas de nuestras vidas, pero el verdadero remedio y la cura para la desobediencia está en la fe.

Si verdaderamente queremos saber y llegar a cumplir con la perfecta voluntad de Dios para nuestras vidas (la cual es buena, agradable, y perfecta – Romanos 12:1-2), entonces tenemos que crecer en nuestra fe, tenemos que participar en una iglesia local que enseña toda la Palabra de Dios y que *«(anuncia) todo el consejo de Dios»* como la única autoridad para nuestras vidas, y así, por medio de las buenas obras *«las cuales Dios preparó de antemano para que anduviésemos en ellas»* (Efesios 2:10), tenemos que también vivir y amar según la Palabra de Dios diaria y personalmente en nuestros hogares, en nuestros trabajos, y sobre todo en nuestras mentes (II de Corintios 10:3-6).

Aquí, en las Santas Escrituras, encontramos todos los tesoros eternos *«donde ni la polilla ni el orín corrompen, y donde ladrones no minan ni hurtan»* (Mateo 6:20), y por ellas también llegamos a entender las *«palabras de sabios, y sus dichos profundos»*, pues Dios les revela todo esto a Sus hijos que permanecen en Jesús y viven en obediencia a Su Palabra. Así es cómo Dios le da de Su poder a todos los creyentes para llevar el evangelio de Jesucristo por todo el mundo. *«El principio de la sabiduría es el temor de Jehová; (pero) los insensatos desprecian la sabiduría y la enseñanza»* (Proverbios 1:6-7). El Salmo 119 expresa el sentimiento de cada verdadero creyente: *«Con todo mi corazón te he buscado; no me dejes desviarme de Tus mandamientos. En mi corazón he guardado (cumplido) Tus dichos, para no pecar contra Ti»*.

Por todas estas razones, y por causa del camino por el cual Dios me ha llevado, me es un gran honor poder seguir en los pasos del Dr. Hash, uniéndonos a todos los hermanos y hermanas de Bible Pathway Ministries International, y haber podido trabajar junto con mi fiel esposa por casi un año para presentarles esta bella traducción al español, para que con gozo y unidos podamos *«(proseguir) a la meta, al premio del supremo llamamiento de Dios en Cristo Jesús»* (Filipenses 3:14).

**Pastor Charles Alonso**
*Traductor y Editor*
Misión Hispana del Desierto, P.O. Box 132, Spruce Pine NC 28777
(828) 765-1066 y 775-0009

# LA BIBLIA, LO MÁS IMPORTANTE QUE USTED LEERÁ EN SU VIDA

La Biblia es un libro que no admite comparación, pues es la única revelación escrita de nuestro Creador. Algunos hablan de escritos contemporáneos como si fueran «inspirados», pero ningún otro libro ha sido inspirado por Dios como la Biblia. Otros libros pueden proporcionar cierto grado de dirección, pero la Biblia es la única fuente de toda la verdad.

¿Qué es la verdad? Jesús le dijo a Pilato: «*Todo aquel que es de la verdad, oye Mi voz*» (Juan 18:37). Pilato, estando confundido, hizo la famosa pregunta: «*¿Qué es la verdad?*» (Juan 18:38).

El mundo está lleno de falsedad. Todas las personas del mundo siempre están buscando por el significado y las respuestas a las preguntas de esta vida, pero tarde o temprano muchas de ellas se dan por vencidas y aceptan las mentiras del mundo. Pero las mentiras nunca pueden satisfacer. Como Pilato, ellos seguirán preguntando: «*Qué es la verdad?*»

¡Gracias a Dios que nosotros sabemos la respuesta! Jesús dijo: «*Yo soy la Verdad*» (Juan 14:6). Existen muchas verdades en la vida, pero Jesucristo mismo es la Única Verdad completa y eterna.

Jesús, hablando de las Escrituras del Antiguo Testamento, dijo: «*...ellas son las que dan testimonio de Mí*» (Juan 5:39). Nuevamente, en Lucas 24:44, Jesús afirmó que «*. . . era necesario que se cumpliese todo lo que está escrito de Mí en la Ley de Moisés, en los profetas y en los Salmos*». A medida que usted va leyendo toda la Biblia sistemáticamente, confíe en que el Espíritu Santo aumente su conocimiento de Cristo, ya que Él solo es «*el Camino, la Verdad, y la Vida*» (Juan 14:6).

Después que Jesucristo resucitó de entre los muertos, Él se unió a dos de Sus discípulos en el camino a Emaús. «*Y comenzando desde Moisés, y siguiendo por todos los profetas, les declaraba en todas las Escrituras, lo que de Él decían*» (Lucas 24:27). De esta manera Él nos confirmó el motivo central para leer toda la Biblia – llegar a conocer a Jesucristo mucho mejor, el Único quien es la Verdad.

Muchos cristianos conocen muy poco de lo que dice la Biblia. Por eso, con frecuencia, llegan dificultades a sus vidas debido a que no leen la Biblia, y por consiguiente no conocen la voluntad de Dios. Algunos de los que leen la Biblia limitan su entendimiento leyendo sólo las porciones del Nuevo y Antiguo Testamentos que les son agradables, o estudiando sólo ciertos temas los cuales creen que son importantes. De tal manera desarrollan conclusiones incompletas y erróneas.

Además, es una actitud de un orgullo necio el creer que somos expertos para escoger qué porciones no leer de lo que Dios nos ha dado. Démosle a Dios el mérito de ser tan sabio como se lo damos a un autor corriente, quien espera que leamos su libro desde el capítulo uno, y continuemos así leyendo todo lo que ha escrito para obtener un entendimiento completo del tema.

Si vemos a la Biblia como el único libro de Dios, entonces le daremos la prioridad sobre todos los asuntos importantes en nuestros quehaceres diarios, y desearemos leer todo lo que Él nos ha escrito. La persona que desea agradar a Dios leerá todas las Escrituras con el propósito de hacer Su voluntad.

Cuando permitimos que la Palabra obre en nosotros, descubrimos que realmente tiene poder para cambiar nuestras vidas. Ella abrirá las puertas nuevas de la fe y del entendimiento – por el Señor y por usted mismo. Usted puede convertirse en la persona que Dios quiere que sea. Entonces lea la Biblia en oración . . . y confíe en que Su Palabra tenga un gran significado para usted cada día.

Querido amigo de la Palabra de Dios, Jesucristo nos dijo: «*A la verdad la mies es mucha, mas los obreros pocos . . .* » (Mateo 9:37). Cuando Jesús y Sus discípulos fueron por todas las ciudades predicando, enseñando y sanando, toda esta triste condición espiritual del mundo conmovió a Jesús y lo veía, en esa situación perdida y pecaminosa, como ovejas sin un pastor – caminando como ciegos por la vida. Jesús sabía que la tarea era enorme para tan pocos y por eso les dijo a Sus discípulos: «*Rogad, pues, al Señor de la mies, que envíe obreros a Su mies*» (Mateo 9:38).

Hoy en día, al principio del siglo vigésimo uno, Dios en Su sabiduría nos ha dado la responsabilidad en este mandato: «*Por tanto, id, y haced discípulos a todas las naciones . . . enseñándoles que guarden todas las cosas que os he mandado*» y Su mensaje sobre la vida eterna (Mateo 28:19-20).

Quizás la más sublime expresión de nuestro amor hacia Dios se ve cuándo damos Su Palabra a otras personas, no sólo porque amamos a Dios, sino también porque anhelamos ver que otros reciban este Pan de Vida. La Biblia, además, nos da otra razón: «*Dad, y se os dará; medida buena, apretada, remecida y rebosando darán en vuestro regazo; porque con la misma medida con que medís, os volverán a medir*» (Lucas 6:38).

En la actualidad hay más personas que no saben que Cristo murió por ellos que en los tiempos de Cristo. Todos los que hemos aceptado al Señor, somos responsables de alcanzar a nuestra generación con la Palabra de Dios. Necesitamos trabajar y sacrificarnos más y más para alcanzar al mundo con el evangelio. Nuestra tarea no es fácil, pero «*los campos*» nunca han estado más «*blancos para la siega*». Por eso nuestras oraciones y ofrendas son de suma importancia. Cada día que pasa significa más pérdidas adicionales – muchas personas perderán la vida eterna.

El cosechar es cosa seria. Cuando el grano está maduro la cosecha no espera. El Señor dijo: «*A la verdad la mies es mucha, mas los obreros pocos . . .* ». Pocos sienten la responsabilidad o reconocen que todo aquel que no reciba a Cristo como su Salvador personal estará eternamente perdido. Jesucristo dijo: «*Yo soy el Camino, y la Verdad, y la Vida; nadie viene al Padre, sino por Mí*» (Juan 14:6). Pedro continuó esta advertencia al decir: «*Y en ningún otro hay salvación; porque no hay otro nombre bajo el cielo, dado a los hombres, en que podamos ser salvos*» (Hechos 4:12).

Oremos por más obreros consagrados – creyentes que abandonen sus intereses propios, y sus placeres personales, y que con un sacrificio sagrado den sus diezmos y sus ofrendas, para que juntos podamos «*(ir, y hacer) discípulos a todas las naciones, . . . enseñándoles que guarden todas las cosas*» en Su Santa Palabra.

Vuestro en Su servicio,
**Dr. John A. Hash**

# CUÁNDO USTED ORE – LUCAS 11:1-4

*«Cuando oréis, decid: Padre nuestro que estás en los cielos, santificado sea Tu nombre. Venga Tu Reino. Hágase Tu voluntad, como en el cielo, así también en la tierra. El pan nuestro de cada día, dánoslo hoy. Y perdónanos nuestros pecados, porque también nosotros perdonamos a todos los que nos deben. . . . Y no nos metas en tentación, mas líbranos del mal; porque Tuyo es el reino, y el poder, y la gloria, por todos los siglos. Amén»* (Lucas 11:1-4; Mateo 6:13).

Orar es tan sencillo que hasta un niño lo puede hacer. Sin embargo, los apóstoles nunca le pidieron a Jesús que les enseñara a predicar o a enseñar, pero había algo en la oración de Jesús que hizo que ellos le pidieran: *«Señor, enséñanos a orar»* (Lucas 11:1).

***«Padre nuestro que estás en los cielos»*** No podemos orar a Dios como *«nuestro Padre»* sin primeramente establecer una relación correcta con Él (ver Hebreos 4:14,16; 10:19-23; 11:6). Los inconversos no son hijos de Dios, ellos son: *«los hijos de este siglo»* . . . *«hijos de ira»* . . . *«hijos de desobediencia»* (Lucas 16:8; Efesios 2:3; 5:6).

Jesús le dijo a Nicodemo, un hombre «religioso y bueno»: *«De cierto, de cierto te digo, que el que no naciere de nuevo, no puede ver el reino de Dios»* (Juan 3:3). También le dijo a los fariseos bien religiosos: *«Vosotros sois de vuestro padre el diablo»* (ver Juan 8:44).

Hasta que una persona no llegue a nacer de nuevo y ser parte de la familia de Dios, tal persona no puede poseer la naturaleza de Dios ni es parte de la familia de Dios, y por lo tanto no puede gozarse de los derechos y privilegios de un hijo de Dios. Es muy diferente para los que se han arrepentido de sus pecados y han creído y recibido a Jesucristo como su Salvador. Es así que usted llega a ser hijo o hija de Dios, coheredero con Cristo Jesús, y adoptado en la familia de Dios, y ahora es que *«habéis recibido el espíritu de adopción, por el cual clamamos, ¡Abba, Padre!»* (Romanos 8:15,17). Nuestro Señor Jesucristo hizo esto posible. Él fue crucificado – tomó nuestro lugar, y murió en una cruz por nuestros pecados.

Por medio de Cristo nosotros podemos aprender que Dios nos ama, pues Él nos dijo: *«¿Cuánto más vuestro Padre que está en los cielos dará buenas cosas a los que Le pidan?»* (Mateo 7:11).

Cuando nosotros oramos solamente para impresionar a otras personas con mucha palabrería o información la oración pierde su verdadero significado. Tampoco podemos vivir en desobediencia a la Palabra de Dios y esperar que Él conteste nuestras peticiones. Es solamente cuando leemos toda la Palabra de Dios que podemos saber todo lo que nuestro Padre Celestial nos manda a hacer. *«Amados, si nuestro corazón no nos reprende, confianza tenemos en Dios; y cualquiera cosa que pidiéremos la recibiremos de Él, porque guardamos Sus mandamientos, y hacemos las cosas que son agradables delante de Él»* (I de Juan 3:21-22; ver 5:14).

*«santificado sea Tu nombre»* Debemos de reconocer a nuestro Padre Celestial como el Todopoderoso Creador y el que controla todo el universo. De Él también decimos que Su nombre es *«santificado»* – sagrado y santo.

Su nombre jamás debe de ser usado en conversaciones vanas, ni con odio ni amargura, sino solamente en oraciones y alabanzas santas y reverentes. No nos atrevemos a usar el nombre de Dios en vano, diciendo, por ejemplo: «Oh, Señor esto y aquello» o «Oh, Dios mío» para hablar de cosas vanas, o referirnos a Él diciendo: «el Hombre de arriba». Jesucristo nos dijo: *«Mas Yo os digo que de toda palabra ociosa que hablen los hombres, de ella darán cuenta en el día del juicio»* (Mateo 12:36). Aquí podemos darnos de cuenta por qué algunas «peticiones» no reciben respuestas.

Un principio muy importante que es clave a una oración realmente eficaz es el deseo de honrar y glorificar a Dios. *«Porque de Él, y por Él, y para Él, son todas las cosas. A Él sea la gloria por los siglos. Amén»* (Romanos 11:36). Esto es ilustrado en las Santas Escrituras cuando Moisés oró para que Dios no destruyera a Israel en el desierto, aunque ellos se merecían ser destruidos. La preocupación mayor de Moisés no era con Israel, sino el honor de Dios entre las naciones paganas (ver Éxodo 32:11-13).

Muchos cristianos sinceros, al reconocer sus fracasos y pecados, a menudo carecen de fe en su relación personal con Dios para creer que obtendrán las respuestas a sus peticiones. Erróneamente ellos piensan que Dios pudiese estar más impresionado si alguna persona «más importante» orara por ellos. Pero Dios es un Padre amante que se deleita en las oraciones de todos Sus hijos. Por eso, debemos de *«(acercarnos), pues, confiadamente al trono de la gracia»* poniendo toda nuestra confianza en Cristo Jesús, el Mediador Perfecto entre nosotros y Dios el Padre (Hebreos 4:16; 13:6).

Las oraciones de cada creyente tienen una gran importancia en cumplir los propósitos del Señor. Todos tenemos un mandato de nuestro Rey: *«Como Me envió el Padre, así también Yo os envío»* (Juan 20:21). Por esa razón, Dios ha entregado Su perfecta voluntad a Sus hijos para ser realizada por ellos, y así cumplir con nuestra responsabilidad de derramar el poder de Dios por medio de la oración. Dios ha escogido cumplir Su obra en nosotros y por nosotros: *«porque Dios es el que en vosotros produce así el querer como el hacer, por Su buena voluntad»* (Filipenses 2:13).

*«Venga Tu Reino»* Cuando Jesús dijo: *«Venga Tu Reino»* a la tierra, Él quería que viéramos que todos los creyentes, los que ya hemos recibido al Rey en nuestras vidas, ya somos parte de Su reino. Jesús nos dijo: *«porque he aquí el reino de Dios está entre vosotros»* (Lucas 17:21). En la parábola de la cizaña del campo, Jesucristo nos dice que la buena semilla son los hijos del reino (Mateo 13:38-41).

Si sinceramente oramos: *«Venga Tu Reino»*, entonces tomaremos en serio el mandamiento de nuestro Señor, el cual nos dice: *«Por tanto, id, y haced discípulos a todas las naciones... enseñándoles que guarden todas las cosas que os he mandado»* (Mateo 28:19-20). Debemos de estar bien ocupados en llevar a todas las personas de cada nación del mundo la Palabra de Dios, y que, a través de la literatura que enseña toda la Biblia, podamos ayudarles a que *«guarden todas las cosas»*.

*«Hágase Tu voluntad, como en el cielo, así también en la tierra»* La negligencia a la lectura de la Biblia es una de las mayores razones que muchas peticiones no son contestadas. Es una vanidad necia el pensar que en verdad sabemos Su voluntad sin leer toda Su Palabra: *«El que aparta su oído para no oír la Ley, su oración también es abominable»* (Proverbios 28:9).

Si sinceramente deseamos que Dios conteste nuestras peticiones, entonces vamos a leer toda Su Palabra con un gran deseo – sin reservación alguna – de ser todo lo que Él quiere que seamos, como también hacer todo lo que Él nos manda a hacer. Es entonces que Su Santo Espíritu que mora en nosotros puede iluminar nuestras mentes y conmover nuestros corazones para así orar según Su santa voluntad. Él no inspiró ni aun un solo capítulo sin que tuviese importancia. Ninguna guía en esta tierra puede compararse a la Biblia, pues ella es el libro de guía de Dios que nos enseña a orar para poder obtener las respuestas a cada necesidad verdadera.

*«El pan nuestro de cada día, dánoslo hoy»* Las palabras *«el pan»*, tal como es usada en esta oración (ver Mateo 6:9-13), son las mismas palabras usadas por nuestro Señor cuando Él fue tentado por Satanás después de ayunar por 40 días. Jesucristo citó las Escrituras del Antiguo Testamento, diciendo: *«No sólo de pan vivirá el hombre, sino de toda Palabra que sale de la boca de Dios»* (Mateo 4:4; ver Deuteronomio 8:3). La petición: *«El pan nuestro de cada día, dánoslo hoy»*, nos lleva mucho más cerca al corazón de Dios, y no solamente pedir por el alimento físico; sino que es una oración para recibir el alimento espiritual – como dijo Jesús: *«mas Mi Padre os da el verdadero Pan del cielo. Porque el Pan de Dios es Aquel que descendió del cielo y da vida al mundo»* (Juan 6:32-33). Jesús usó estas Palabras para hacernos saber que nuestro Padre está sumamente interesado en todas nuestras necesidades – espirituales, materiales, y físicas (ver Filipenses 4:19). Esto no quiere decir que debemos de esperar que Él nos conceda cada cosa que se nos antoje, sino que debemos estar agradecidos por todas Sus provisiones: *«Así que, teniendo sustento y abrigo, estemos contentos con esto»* (I de Timoteo 6:8).

Podemos memorizar un menú de un restaurante, pero eso no nos alimenta hasta que realmente comamos de los alimentos que se anuncian en ese menú. Lo mismo ocurre en nuestra vida espiritual. Necesitamos diariamente el pan espiritual para alimentar nuestra vida interior – la verdadera persona, o sufriremos de desnutrición espiritual. Solamente Su *«Pan»* diario nos puede dar la fuerza para ser victoriosos sobre los enemigos internos del celo, la avaricia, el odio, y la lujuria (el deseo carnal). *«Desechando, pues, toda malicia, todo engaño, hipocresía, envidias, y todas las detracciones, desead, como niños recién nacidos, la leche espiritual no adulterada, para que por ella crezcáis para salvación»* (I de Pedro 2:1-2).

*«Y perdónanos nuestros pecados porque también nosotros perdonamos a todos los que nos deben»* Hay dos formas en que la palabra *«perdónanos»* es usada en la Biblia. Primeramente, todos los que vienen a Cristo para recibir la salvación y confían en Él tienen todos sus pecados perdonados – *«(Dios) os dio vida juntamente con Él (Jesucristo), perdonándoos todos los pecados»* (Colosenses 2:13). Pero también necesitamos ser perdonados día tras día para mantener la comunión con nuestro Padre Celestial (I de Juan 1:8-9).

Hay otro principio esencial sobre el perdón: *«mas si no perdonáis a los hombres sus ofensas, tampoco vuestro Padre os perdonará vuestras ofensas»* (Mateo 6:15; ver Mateo 18:21-22; Marcos 11:25-26).

Tenemos que perdonar a los demás con el mismo espíritu con que esperamos que nuestro Padre Celestial nos perdone. Esto significa mucho más que simplemente decirle a alguien: «Yo te perdono» y luego no queremos darle la cara. Seguramente que no nos gustaría que esa clase de separación ocurriera en nuestra relación con Dios.

*«Y no nos metas en tentación, mas líbranos del mal»* Todos somos víctimas de la tentación. Hasta Jesús mismo fue tentado por Satanás durante Sus 40 días de ayuno, pero también lo derrotó citando las Escrituras (ver Mateo 4:3-10). Jesús es nuestro ejemplo en cuanto a cómo ser victoriosos sobre cada tentación. La oración y Su Palabra son las armas de nuestra milicia para guardarnos de que la tentación no nos engañe ni nos derrote. Para poder recibir Sus provisiones, tenemos que también obedecer Sus amonestaciones: *«Absteneos de toda especie (apariencia) de mal. . . . Huye también de las pasiones juveniles, (y) . . . que os abstengáis de los deseos carnales que batallan contra el alma».* (I de Tesalonicenses 5:22; II de Timoteo 2:22; I de Pedro 2:11).

*«Y no nos metas en tentación»* nos enseña que necesitamos Su dirección durante todo el día, y no meramente cuando creemos que necesitamos ayuda.

*«(Mas) líbranos del mal»* nos recuerda de nuestra debilidad y de nuestra verdadera necesidad de ser librados de las manos del maligno diariamente. Satanás *«anda alrededor buscando a quien devorar»* (I de Pedro 5:8), y él nunca cesa en sus esfuerzos para desviarnos del buen camino.

Pero nosotros podemos ser *«más que vencedores»* (Romanos 8:37) sobre todas las tentaciones del enemigo. Por esta razón la Biblia nos dice: *«No os ha sobrevenido ninguna tentación que no sea humana; pero fiel es Dios, que no os dejará ser tentados más de lo que podéis resistir, sino que dará también juntamente con la tentación la salida, para que podáis soportar»* (I de Corintios 10:13).

*«porque Tuyo es el reino, y el poder, y la gloria, por todos los siglos. Amén»* (Mateo 6:13). No debemos de titubear sobre mantener estas palabras en nuestras peticiones. Porque estas palabras expresan una verdad que está en perfecta armonía con todas las Escrituras: *«Tuya es, oh Jehová, la magnificencia y el poder, la gloria, la victoria y el honor; porque todas las cosas que están en los cielos y en la tierra son Tuyas. Tuyo, oh Jehová, es el reino, y Tú eres excelso sobre todos»* (I de Crónicas 29:11).

No hay accidentes ni fuerzas que estén fuera del control de Dios. Cada una de las frases en esta oración revela la fórmula que Jesús nos dio para que nuestras peticiones sean aceptables a Dios. Mientras que oramos para poder traerle honor a Su nombre, es entonces que Dios nos da la seguridad que todas nuestras oraciones serán contestadas. *«Porque de Él, y por Él, y para Él, son todas las cosas. A Él sea la gloria por los siglos. Amén»* (Romanos 11:36).

# LISTA DE LECTURA BÍBLICA ANUAL PARA MARCAR

| Día | Lectura (enero) | ✔ |
|---|---|---|
| 1 | Génesis 1-3 | |
| 2 | Génesis 4-6 | |
| 3 | Génesis 7-9 | |
| 4 | Génesis 10-12 | |
| 5 | Génesis 13-15 | |
| 6 | Génesis 16-18 | |
| 7 | Génesis 19-21 | |
| 8 | Génesis 22-24 | |
| 9 | Génesis 25-27 | |
| 10 | Génesis 28-30 | |
| 11 | Génesis 31-33 | |
| 12 | Génesis 34-36 | |
| 13 | Génesis 37-39 | |
| 14 | Génesis 40-42 | |
| 15 | Génesis 43-45 | |
| 16 | Génesis 46-48 | |
| 17 | Génesis 49-Éxodo 1 | |
| 18 | Éxodo 2-4 | |
| 19 | Éxodo 5-7 | |
| 20 | Éxodo 8-10 | |
| 21 | Éxodo 11-13 | |
| 22 | Éxodo 14-16 | |
| 23 | Éxodo 17-19 | |
| 24 | Éxodo 20-22 | |
| 25 | Éxodo 23-25 | |
| 26 | Éxodo 26-28 | |
| 27 | Éxodo 29-31 | |
| 28 | Éxodo 32-34 | |
| 29 | Éxodo 35-37 | |
| 30 | Éxodo 38-39 | |
| 31 | Éxodo 40 | |

| Día | Lectura (febrero) | ✔ |
|---|---|---|
| 1 | Levítico 1-3 | |
| 2 | Levítico 4-6 | |
| 3 | Levítico 7-8 | |
| 4 | Levítico 9-10 | |
| 5 | Levítico 11-13 | |
| 6 | Levítico 14-15 | |
| 7 | Levítico 16-18 | |
| 8 | Levítico 19-21 | |
| 9 | Levítico 22-23 | |
| 10 | Levítico 24-25 | |
| 11 | Levítico 26-27 | |
| 12 | Números 1-2 | |
| 13 | Números 3-4 | |
| 14 | Números 5-6 | |
| 15 | Números 7 | |
| 16 | Números 8-9 | |
| 17 | Números 10-11 | |
| 18 | Números 12-13 | |
| 19 | Números 14-15 | |
| 20 | Números 16-18 | |
| 21 | Números 19-20 | |
| 22 | Números 21-22 | |
| 23 | Números 23-25 | |
| 24 | Números 26-27 | |
| 25 | Números 28-29 | |
| 26 | Números 30-31 | |
| 27 | Números 32-33 | |
| 28 | Números 34-35 | |
| 29 | Números 36 | |

**En los años que no son bisiestos se pueden leer los días 28 y 29 juntos.**

| Día | Lectura (marzo) | ✔ |
|---|---|---|
| 1 | Deuteronomio 1-2 | |
| 2 | Deuteronomio 3-4 | |
| 3 | Deuteronomio 5-7 | |
| 4 | Deuteronomio 8-10 | |
| 5 | Deuteronomio 11-13 | |
| 6 | Deuteronomio 14-16 | |
| 7 | Deuteronomio 17-20 | |
| 8 | Deuteronomio 21-23 | |
| 9 | Deuteronomio 24-27 | |
| 10 | Deuteronomio 28 | |
| 11 | Deuteronomio 29-31 | |
| 12 | Deuteronomio 32-34 | |
| 13 | Josué 1-3 | |
| 14 | Josué 4-6 | |
| 15 | Josué 7-8 | |
| 16 | Josué 9-10 | |
| 17 | Josué 11-13 | |
| 18 | Josué 14-16 | |
| 19 | Josué 17-19 | |
| 20 | Josué 20-21 | |
| 21 | Josué 22-24 | |
| 22 | Jueces 1-2 | |
| 23 | Jueces 3-5 | |
| 24 | Jueces 6-7 | |
| 25 | Jueces 8-9 | |
| 26 | Jueces 10-11 | |
| 27 | Jueces 12-14 | |
| 28 | Jueces 15-17 | |
| 29 | Jueces 18-19 | |
| 30 | Jueces 20-21 | |
| 31 | Rut 1-4 | |

| Día | Lectura (abril) | ✔ |
|---|---|---|
| 1 | I de Samuel 1-3 | |
| 2 | I de Samuel 4-7 | |
| 3 | I de Samuel 8-11 | |
| 4 | I de Samuel 12-14:23 | |
| 5 | I de Samuel 14:24-16 | |
| 6 | I de Samuel 17-18 | |
| 7 | I de Samuel 19-21 | |
| 8 | I de Samuel 22-24 | |
| 9 | I de Samuel 25-27 | |
| 10 | I de Samuel 28-31 | |
| 11 | II de Samuel 1-2 | |
| 12 | II de Samuel 3-5 | |
| 13 | II de Samuel 6-9 | |
| 14 | II de Samuel 10-12 | |
| 15 | II de Samuel 13-14 | |
| 16 | II de Samuel 15-16 | |
| 17 | II de Samuel 17-18 | |
| 18 | II de Samuel 19-20 | |
| 19 | II de Samuel 21-22 | |
| 20 | II de Samuel 23-24 | |
| 21 | I de Reyes 1-2:25 | |
| 22 | I de Reyes 2:26-4 | |
| 23 | I de Reyes 5-7 | |
| 24 | I de Reyes 8 | |
| 25 | I de Reyes 9-11 | |
| 26 | I de Reyes 12-13 | |
| 27 | I de Reyes 14-15 | |
| 28 | I de Reyes 16-18 | |
| 29 | I de Reyes 19-20 | |
| 30 | I de Reyes 21-22 | |

| Día | Lectura (mayo) | ✔ |
|---|---|---|
| 1 | II de Reyes 1-3 | |
| 2 | II de Reyes 4-5 | |
| 3 | II de Reyes 6-8 | |
| 4 | II de Reyes 9-10 | |
| 5 | II de Reyes 11-13 | |
| 6 | II de Reyes 14-15 | |
| 7 | II de Reyes 16-17 | |
| 8 | II de Reyes 18-20 | |
| 9 | II de Reyes 21-23:20 | |
| 10 | II de Reyes 23:21-25 | |
| 11 | I de Crónicas 1-2 | |
| 12 | I de Crónicas 3-5 | |
| 13 | I de Crónicas 6-7 | |
| 14 | I de Crónicas 8-10 | |
| 15 | I de Crónicas 11-13 | |
| 16 | I de Crónicas 14-16 | |
| 17 | I de Crónicas 17-20 | |
| 18 | I de Crónicas 21-23 | |
| 19 | I de Crónicas 24-26 | |
| 20 | I de Crónicas 27-29 | |
| 21 | II de Crónicas 1-3 | |
| 22 | II de Crónicas 4-6 | |
| 23 | II de Crónicas 7-9 | |
| 24 | II de Crónicas 10-13 | |
| 25 | II de Crónicas 14-17 | |
| 26 | II de Crónicas 18-20 | |
| 27 | II de Crónicas 21-24 | |
| 28 | II de Crónicas 25-27 | |
| 29 | II de Crónicas 28-30 | |
| 30 | II de Crónicas 31-33 | |
| 31 | II de Crónicas 34-36 | |

| Día | Lectura (junio) | ✔ |
|---|---|---|
| 1 | Esdras 1-2 | |
| 2 | Esdras 3-5 | |
| 3 | Esdras 6-7 | |
| 4 | Esdras 8-9 | |
| 5 | Esdras 10 | |
| 6 | Nehemías 1-3 | |
| 7 | Nehemías 4-6 | |
| 8 | Nehemías 7-8 | |
| 9 | Nehemías 9-10 | |
| 10 | Nehemías 11-12 | |
| 11 | Nehemías 13 | |
| 12 | Ester 1-3 | |
| 13 | Ester 4-7 | |
| 14 | Ester 8-10 | |
| 15 | Job 1-4 | |
| 16 | Job 5-8 | |
| 17 | Job 9-12 | |
| 18 | Job 13-16 | |
| 19 | Job 17-20 | |
| 20 | Job 21-24 | |
| 21 | Job 25-29 | |
| 22 | Job 30-33 | |
| 23 | Job 34-37 | |
| 24 | Job 38-40 | |
| 25 | Job 41-42 | |
| 26 | Salmos 1-9 | |
| 27 | Salmos 10-17 | |
| 28 | Salmos 18-22 | |
| 29 | Salmos 23-30 | |
| 30 | Salmos 31-35 | |

| Día | Lectura (julio) | ✔ |
|---|---|---|
| 1 | Salmos 36-39 | |
| 2 | Salmos 40-45 | |
| 3 | Salmos 46-51 | |
| 4 | Salmos 52-59 | |
| 5 | Salmos 60-66 | |
| 6 | Salmos 67-71 | |
| 7 | Salmos 72-77 | |
| 8 | Salmos 78-80 | |
| 9 | Salmos 81-87 | |
| 10 | Salmos 88-91 | |
| 11 | Salmos 92-100 | |
| 12 | Salmos 101-105 | |
| 13 | Salmos 106-107 | |
| 14 | Salmos 108-118 | |
| 15 | Salmo 119 | |
| 16 | Salmos 120-131 | |
| 17 | Salmos 132-138 | |
| 18 | Salmos 139-143 | |
| 19 | Salmos 144-150 | |
| 20 | Proverbios 1-3 | |
| 21 | Proverbios 4-7 | |
| 22 | Proverbios 8-11 | |
| 23 | Proverbios 12-15 | |
| 24 | Proverbios 16-19 | |
| 25 | Proverbios 20-22 | |
| 26 | Proverbios 23-26 | |
| 27 | Proverbios 27-31 | |
| 28 | Eclesiastés 1-4 | |
| 29 | Eclesiastés 5-8 | |
| 30 | Eclesiastés 9-12 | |
| 31 | Cantar de Cantares 1-8 | |

| Día | Lectura (agosto) | ✔ |
|---|---|---|
| 1 | Isaías 1-4 | |
| 2 | Isaías 5-9 | |
| 3 | Isaías 10-14 | |
| 4 | Isaías 15-21 | |
| 5 | Isaías 22-26 | |
| 6 | Isaías 27-31 | |
| 7 | Isaías 32-37 | |
| 8 | Isaías 38-42 | |
| 9 | Isaías 43-46 | |
| 10 | Isaías 47-51 | |
| 11 | Isaías 52-57 | |
| 12 | Isaías 58-63 | |
| 13 | Isaías 64-66 | |
| 14 | Jeremías 1-3 | |
| 15 | Jeremías 4-6 | |
| 16 | Jeremías 7-10 | |
| 17 | Jeremías 11-14 | |
| 18 | Jeremías 15-18 | |
| 19 | Jeremías 19-22 | |
| 20 | Jeremías 23-25 | |
| 21 | Jeremías 26-28 | |
| 22 | Jeremías 29-31 | |
| 23 | Jeremías 32-33 | |
| 24 | Jeremías 34-36 | |
| 25 | Jeremías 37-40 | |
| 26 | Jeremías 41-44 | |
| 27 | Jeremías 45-48 | |
| 28 | Jeremías 49-50 | |
| 29 | Jeremías 51-52 | |
| 30 | Lamentaciones 1-2 | |
| 31 | Lamentaciones 3-5 | |

| Día | Lectura (septiembre) | ✔ |
|---|---|---|
| 1 | Ezequiel 1-4 | |
| 2 | Ezequiel 5-9 | |
| 3 | Ezequiel 10-13 | |
| 4 | Ezequiel 14-16 | |
| 5 | Ezequiel 17-19 | |
| 6 | Ezequiel 20-21 | |
| 7 | Ezequiel 22-24 | |
| 8 | Ezequiel 25-28 | |
| 9 | Ezequiel 29-32 | |
| 10 | Ezequiel 33-36 | |
| 11 | Ezequiel 37-39 | |
| 12 | Ezequiel 40-42 | |
| 13 | Ezequiel 43-45 | |
| 14 | Ezequiel 46-48 | |
| 15 | Daniel 1-3 | |
| 16 | Daniel 4-6 | |
| 17 | Daniel 7-9 | |
| 18 | Daniel 10-12 | |
| 19 | Oseas 1-6 | |
| 20 | Oseas 7-14 | |
| 21 | Joel 1-3 | |
| 22 | Amós 1-5 | |
| 23 | Amós 6 - Abdías 1 | |
| 24 | Jonás 1-4 | |
| 25 | Miqueas 1-7 | |
| 26 | Nahum 1 - Habacuc 3 | |
| 27 | Sofonías 1 - Hageo 2 | |
| 28 | Zacarías 1-7 | |
| 29 | Zacarías 8-14 | |
| 30 | Malaquías 1-4 | |

| Día | Lectura (octubre) | ✔ |
|---|---|---|
| 1 | Mateo 1-4 | |
| 2 | Mateo 5-6 | |
| 3 | Mateo 7-9 | |
| 4 | Mateo 10-11 | |
| 5 | Mateo 12 | |
| 6 | Mateo 13-16 | |
| 7 | Mateo 15-17 | |
| 8 | Mateo 18-20 | |
| 9 | Mateo 21-22 | |
| 10 | Mateo 23-24 | |
| 11 | Mateo 25-26 | |
| 12 | Mateo 27-28 | |
| 13 | Marcos 1-3 | |
| 14 | Marcos 4-5 | |
| 15 | Marcos 6-7 | |
| 16 | Marcos 8-9 | |
| 17 | Marcos 10-11 | |
| 18 | Marcos 12-13 | |
| 19 | Marcos 14-16 | |
| 20 | Lucas 1 | |
| 21 | Lucas 2-3 | |
| 22 | Lucas 4-5 | |
| 23 | Lucas 6-7 | |
| 24 | Lucas 8-9 | |
| 25 | Lucas 10-11 | |
| 26 | Lucas 12-13 | |
| 27 | Lucas 14-16 | |
| 28 | Lucas 17-18 | |
| 29 | Lucas 19-20 | |
| 30 | Lucas 21-22 | |
| 31 | Lucas 23-24 | |

| Día | Lectura (noviembre) | ✔ |
|---|---|---|
| 1 | Juan 1-3 | |
| 2 | Juan 4-5 | |
| 3 | Juan 6-8 | |
| 4 | Juan 9-10 | |
| 5 | Juan 11-12 | |
| 6 | Juan 13-16 | |
| 7 | Juan 17-18 | |
| 8 | Juan 19-21 | |
| 9 | Hechos 1-3 | |
| 10 | Hechos 4-6 | |
| 11 | Hechos 7-8 | |
| 12 | Hechos 9-10 | |
| 13 | Hechos 11-13 | |
| 14 | Hechos 14-16 | |
| 15 | Hechos 17-19 | |
| 16 | Hechos 20-22 | |
| 17 | Hechos 23-25 | |
| 18 | Hechos 26-28 | |
| 19 | Romanos 1-3 | |
| 20 | Romanos 4-7 | |
| 21 | Romanos 8-10 | |
| 22 | Romanos 11-13 | |
| 23 | Romans 14-16 | |
| 24 | I de Corintios 1-4 | |
| 25 | I de Corintios 5-9 | |
| 26 | I de Corintios 10-13 | |
| 27 | I de Corintios 14-16 | |
| 28 | II de Corintios 1-4 | |
| 29 | II de Corintios 5-8 | |
| 30 | II de Corintios 9-13 | |

| Día | Lectura (diciembre) | ✔ |
|---|---|---|
| 1 | Gálatas 1-3 | |
| 2 | Gálatas 4-6 | |
| 3 | Efesios 1-3 | |
| 4 | Efesios 4-6 | |
| 5 | Filipenses 1-4 | |
| 6 | Colosenses 1-4 | |
| 7 | I de Tesalonicenses 1-5 | |
| 8 | II de Tesalonicenses 1-3 | |
| 9 | I de Timoteo 1-6 | |
| 10 | II de Timoteo 1-4 | |
| 11 | Tito 1 - Filemón 1 | |
| 12 | Hebreos 1-4 | |
| 13 | Hebreos 5-7 | |
| 14 | Hebreos 8-10 | |
| 15 | Hebreos 11-13 | |
| 16 | Santiago 1-5 | |
| 17 | I de Pedro 1-2 | |
| 18 | I de Pedro 3-5 | |
| 19 | II de Pedro 1-3 | |
| 20 | I de Juan 1-3 | |
| 21 | I de Juan 4-5 | |
| 22 | II de Juan, III de Juan, Judas | |
| 23 | Apocalipsis 1-2 | |
| 24 | Apocalipsis 3-5 | |
| 25 | Apocalipsis 6-8 | |
| 26 | Apocalipsis 9-11 | |
| 27 | Apocalipsis 12-13 | |
| 28 | Apocalipsis 14-16 | |
| 29 | Apocalipsis 17-18 | |
| 30 | Apocalipsis 19-20 | |
| 31 | Apocalipsis 21-22 | |

# INTRODUCCIÓN AL LIBRO DE
# GÉNESIS

El libro de Génesis es el primero de cinco libros que Dios le inspiró a Moisés a escribir, con la excepción de los diez mandamientos, los cuales fueron escritos en «. . . *dos tablas del testimonio, tablas de piedra escritas con el dedo de Dios*» (Éxodo 31:18). Esto nos muestra lo importantísimo que son los diez mandamientos y el ignorarlos es una gran ofensa contra Dios.

Las evidencias del poder de Su palabra que da vida se pueden ver al momento antes de cada acto de la creación, pues leemos: «*Entonces dijo Dios . . .* » y en ese momento fue creado (Génesis 1:3,6,9,11,14,20,24,26,29). «*Porque la Palabra de Dios es viva y eficaz . . .* » (Hebreos 4:12).

En el libro de Génesis encontramos el informe exacto del origen del universo, de la creación del hombre, del matrimonio, de la familia, del pecado, y del origen de la nación hebrea. La primera oración en la Biblia dice: «*En el principio creó Dios los cielos y la tierra*» (Génesis 1:1). Esto nos hace ver claramente que Dios es el Ser Viviente y Personal, quien es el Creador de todas las cosas, y el Absoluto Soberano sobre todo lo que Él creó (Juan 1:1-3; Colosenses 1:16-17).

La palabra en el idioma hebreo, que se usa en Génesis 1 para Dios, es el sustantivo plural Elohim, aunque también el sustantivo singular Eloah se pudiera haber usado si Dios lo hubiese querido (Deuteronomio 32:15,17; Habacuc 3:3). El primer capítulo de Génesis también nos dice: «*Entonces dijo Dios: Hagamos al hombre a Nuestra imagen, conforme a Nuestra semejanza*» (Génesis 1:26). A la vez que reconocemos la pluralidad del sustantivo Elohim y agregamos los pronombres plurales «Nosotros» o «Nuestro», así como la referencia al Espíritu de Dios (Génesis 1:2), encontramos una revelación clara que el Único Dios Verdadero es Trino y existe como Dios el Padre, Dios el Hijo, y Dios el Espíritu Santo.

Jesús también clarificó la Trinidad cuando Él dijo: «*Pero cuando venga el Consolador, a quien Yo os enviaré del Padre, el Espíritu de verdad . . . Él dará testimonio acerca de Mí. . . . (Él) no hablará por Su propia cuenta . . . otra vez dejo el mundo, y voy al Padre*» (Juan 15:26; 16:13,28). Es de mayor importancia que los creyentes reconozcan al Señor Jesucristo, como coigual y coeterno con Dios el Padre y Dios el Espíritu Santo, y le den Su legítimo y exaltado lugar en sus corazones.

La confianza que tenemos del relato histórico en Génesis también llega a ser indubitable en el evangelio de Mateo, donde Jesús hace referencia a Sodoma y Gomorra como ciudades que realmente existieron y fueron destruidas por el fuego de Dios, mencionando también a Noé como un hombre que vivió durante el tiempo del diluvio (Mateo 10:15; 24:37-38; Génesis 6:5,13; 7:6-23;

19:24-25). Además, cuando los críticos vinieron a Jesús y le preguntaron sobre el divorcio, Él confirmó la validez de la creación cuando les dijo: *«¿No habéis leído que el que los hizo al principio, varón y hembra los hizo, y dijo: Por esto el hombre dejará padre y madre, y se unirá a su mujer, y los dos serán una sola carne?»* (Mateo 19:4-6; Génesis 1:27; 2:24).

De toda la creación solamente el hombre tiene un espíritu, un alma, y un cuerpo (I de Tesalonicenses 5:23). En la imagen de Dios fue creado Adán. *«Dios es Espíritu; y los que le adoran, en espíritu y en verdad es necesario que adoren»* (Juan 4:24). Ningún animal tiene un espíritu, ni está consciente de Dios, ni tiene la capacidad de adorar a Dios.

En el libro de Génesis vemos la explicación de cómo Satanás engañó a Eva, quien junto con Adán, decidieron de no obedecer a su Creador. Por razón del pecado, toda la humanidad heredó una naturaleza pecaminosa y fue destinada a dos cosas: la muerte corporal y la muerte espiritual (Génesis 3:1-7,16-19). *«Porque así como en Adán todos mueren, también en Cristo todos serán vivificados»* (I de Corintios 15:22). Dios preparó el camino para que los pecadores arrepentidos pudieran recibir vida eterna con la primera promesa del Salvador (Génesis 3:15). La mujer iba a tener a un Hijo. El Hijo (Jesucristo) destruirá a Satanás y dará vida eterna *«. . . a todos los que le recibieron . . . engendrados . . . de Dios».* (Pues) *«. . . el que no naciere de nuevo, no puede ver el reino de Dios»* (Juan 1:12-13; 3:3). Para ilustrar cómo el Señor Jesús, el Cordero de Dios, moriría por el pecado, para que pudiésemos ser revestidos con la justicia de Dios en Él, Dios mismo mató los animales: *«Y Jehová Dios hizo al hombre y a su mujer túnicas de pieles, y los vistió»* (a Adán y a Eva) (Génesis 3:21; ver Hebreos 9:22; I de Corintios 1:30; I de Pedro 2:24; II de Pedro 1:1).

Los capítulos 1-11 registran los primeros 2.000 años* de la historia del hombre. Durante ese tiempo, seis acontecimientos de mayor importancia ocurrieron: [1] la creación de todas las cosas; [2] el pecado de Adán y Eva; [3] unos 1.600 años después, la construcción del arca por Noé; [4] el gran diluvio; [5] unos 200 años después del diluvio, la construcción de la torre de Babel; y [6] la diversificación de los idiomas y el esparcimiento de las personas por todo el mundo.

Los capítulos 12-50 cubren los siguientes 500 años* y se concentran en las vidas de cuatro hombres - Abraham, Isaac, Jacob, y José. A través de estos hombres podemos ver el amor de Dios para con Su creación, y Su disposición de proteger y proveer para todos los que son obedientes a Su Palabra revelada (Génesis 6:5,13; 7:6-23; 19:24-25).

*Nota: Las fechas son aproximaciones al período de ese tiempo y de poca importancia, pues si así no fuese, Dios las hubiera incluido en la Biblia.

ᗪios creó la humanidad a Su imagen y en Su semejanza. Él nos hizo diferentes a todos los animales que Él creó, pues cada uno de nosotros somos seres trinos, con un cuerpo, un alma, y un espíritu. *«Dios es Espíritu; y los que le adoran, en espíritu y en verdad es necesario que adoren»* (Juan 4:24). Ningún animal tiene un espíritu, ni está consciente de Dios, ni tiene la capacidad de adorar a Dios.

*«Tomó, pues, Jehová Dios al hombre, y lo puso en el huerto de Edén, para que lo labrara y lo guardase»* - (no para ser dueño) (Génesis 2:15). El hombre tenía la responsabilidad de obedecer la Palabra de Dios, y de cuidar el huerto. Sin embargo, Dios permitió que el amor, la lealtad y la obediencia de Adán fuesen probados.

En el huerto de Edén somos introducidos a Satanás, el cual vino enmascarado como *«la serpiente»* (Génesis 3:1). También se le llama *«el diablo . . . el enemigo . . . vuestro adversario . . . el que los acusaba»* (Apocalipsis 20:2; ver Isaías 14:12; Mateo 13:39; I de Pedro 5:8; Apocalipsis 12:9-10). Satanás no se reveló como el enemigo de Dios o como el engañador e inicuo, que viene con la intención de destruir cada gozo humano. Su intención fue, y sigue siendo, impedir que el hombre obedezca a su Creador. Primeramente, Satanás trató de crear dudas sobre la verdad que Dios les había declarado. Él les quiso insinuar a Adán y a Eva que Dios estaba negándoles los mejores bienes de la vida. Por eso, Satanás les preguntó: *«¿Conque Dios os ha dicho: No comáis de todo árbol del huerto?»* (Génesis 3:1). Después, siguió con sólo una parte de la verdad de lo que Dios les había declarado, lo cual se convierte en una mentira: *«Sino que sabe Dios que el día que comáis de él, serán abiertos vuestros ojos, y seréis como Dios, sabiendo el bien y el mal».* (Génesis 3:5). En ese momento, Eva escogió confiar en sí misma en vez de en Dios, y empezó a «codiciar» lo que solamente le pertenecía a Dios y a desatender la autoridad y la mayordomía de Dios. *«Y vio la mujer que el árbol era bueno para comer, y que era agradable a los ojos, y árbol codiciable para alcanzar la sabiduría»* (así ella decidió entrar sin derecho a la propiedad de Dios) *« . . . y tomó de su fruto, y comió»* (Génesis 3:6).

Eva se rindió a la codicia cuando deseó lo que Dios había reservado para Sí mismo. En ese día, Adán y Eva, el padre y la madre de toda la humanidad, decidieron comer del fruto prohibido. Ellos pecaron y murieron espiritualmente. Desde ese momento en adelante, todos los descendientes de Adán heredaron su naturaleza pecaminosa. *«Así la muerte pasó a todos los hombres . . . »* (Romanos 5:12).

**Pensamiento para hoy:** El único camino al cielo es por medio de Jesucristo.

## ✒ N LA LECTURA DE HOY

Los sacrificios de Caín y Abel; Caín mata a Abel; la genealogía de la raza humana desde Adán hasta Noé; el arca de Noé

*L*as consecuencias físicas, espirituales, y eternas del pecado son sorprendentes e irrevocables. No tomó mucho tiempo para que Adán y Eva se dieran cuenta de su naturaleza pecaminosa. Su hijo primogénito, Caín, se celó de su hermano Abel y estaba airado con Dios porque su sacrificio no fue aceptado.

*«Y Abel trajo también de los primogénitos de sus ovejas . . . Y miró Jehová con agrado a Abel y a su ofrenda . . . »* (Dios la recibió favorablemente), *«pero no miró con agrado a Caín y a la ofrenda suya»* (Génesis 4:4-5). El Señor se acercó a Caín en amor y le ofreció una oportunidad para arrepentirse de su pecado. *«Entonces Jehová dijo a Caín: ¿Por qué te has ensañado, y por qué ha decaído tu semblante? Si bien hicieres, ¿no serás enaltecido? y si no hicieres bien, el pecado está a la puerta»* (Génesis 4:6-7). Aunque la ofrenda de Caín, con las primicias del fruto de la tierra, reconoció a Dios como el Creador, eso no reconoció a Caín como pecador. *« . . . Y sin derramamiento de sangre no se hace remisión»* (no hay perdón de los pecados) (Hebreos 9:22). *«Por la fe Abel ofreció a Dios más excelente sacrificio que Caín, por lo cual alcanzó testimonio de que era justo, dando Dios testimonio de sus ofrendas»* (Hebreos 11:4). Abel trajo lo mejor a Dios como una ofrenda de acción de gracias, pero también reconoció que él era pecador cuando *«trajo también de los primogénitos de sus ovejas»* (Génesis 4:4), lo cual quiere decir que él ofreció el sacrificio de la sangre de un cordero como expiación por sus pecados.

La genealogía de *«los hijos de Dios»* (Génesis 6:2,4), continuó por medio del tercer hijo de Eva, Set (Génesis 5:3), y por medio de su linaje vendría Jesucristo al mundo (Lucas 3:38). Exactamente como las cosas a veces pasan hoy en día, así pasó en aquel entonces: *« . . . viendo los hijos de Dios que las hijas de los hombres eran hermosas* (las personas que vivían en desobediencia a Dios), *tomaron para sí mujeres»* (Génesis 6:2). A veces se piensa que el matrimonio de los creyentes con los incrédulos es de alguna ventaja. El corazón de ellos puede llenarse de orgullo al pensar que esos matrimonios en yugo desigual pueden dar hombres ilustres al mundo. *«Estos fueron valientes que desde la antigüedad fueron varones de renombre»* (Génesis 6:4). Pero estos hombres no vivieron en obediencia a Dios.

Desde el principio, el mandato bíblico ha siempre sido: *«No os unáis en yugo desigual con los incrédulos»* (II de Corintios 6:14).

**Pensamiento para hoy:** Jesucristo es el camino que nos guía desde donde estamos, como pecadores, a donde Dios está.

### *E*N LA LECTURA DE HOY

Noé y su familia, las siete parejas de animales limpios y una pareja que no era limpia de todas las criaturas vivientes que entraron en el arca, tal y *«como mandó Dios»* (Génesis 7:2,9,16); el gran diluvio mundial; el pacto del arco iris

*«*ijo luego Jehová a Noé: Entra tú y toda tu casa en el arca»* (Génesis 7:1). Noé pudo salvar a su familia y preservar a la humanidad porque su fe en la Palabra que Dios le había hablado le guio a construir el arca. Durante los muchos años que tomó para construir el arca, él también fue conocido como *«pregonero de justicia»* a un mundo impío (II de Pedro 2:5). Esto ilustra la verdad del Nuevo Testamento que nos dice: *«así también la fe sin obras está muerta»* (sin sentido) (Santiago 2:26). El arca fue un refugio y una protección de una muerte inevitable; fue un tipo (una sombra) de Cristo, quien provee un refugio espiritual para los creyentes. Cristo, nuestra Arca espiritual, está llamando a los que están perdidos hoy en día: *«Venid a mí todos . . . y Yo os haré descansar»* (Mateo 11:28).

Para Noé y su familia llegó el día, antes del diluvio mundial, cuando Dios les dijo que entraran en el arca, *«y Jehová le cerró la puerta»* (Génesis 7:16). Esto nos hace recordar que *« . . . he aquí ahora el día de salvación»* (II de Corintios 6:2). Todos los que esperan por un día o un tiempo más adecuado para ser salvos necesitan darse cuenta que nadie sabe el día que su puerta se cerrará, perdiendo esa oportunidad para siempre. *«Velad, pues, porque no sabéis el día ni la hora en que el Hijo del Hombre ha de venir»* (Mateo 25:13).

Tal y como Noé pudo descansar adentro del arca, protegido de las aguas de la muerte, así también nosotros podemos estar seguros en ese descanso espiritual, pues *« . . . vuestra vida está escondida con Cristo en Dios»* (Colosenses 3:3). Enseguida que Noé se paró otra vez en tierra seca, *«edificó Noé un altar a Jehová . . . y ofreció holocausto en el altar»* (Génesis 8:20). La obediencia en fe y la adoración a Dios van de acuerdo. Así como Dios no le dio a Noé un día exacto cuando el diluvio mundial iba a venir, tampoco nosotros sabemos el día de la segunda venida de nuestro Señor.

*«Mas como en los días de Noé, así será la venida del Hijo del Hombre. Porque como en los días antes del diluvio estaban comiendo y bebiendo, casándose y dando en casamiento, hasta el día en que Noé entró en el arca, y no entendieron hasta que vino el diluvio y se los llevó a todos, así será también la venida del Hijo del Hombre. . . . Por tanto, también vosotros estad preparados»* (Mateo 24:36-39,44).

**Pensamiento para hoy:** Nosotros no sabemos el día que nuestras vidas van a terminar – debemos de estar preparados.

## ☙N LA LECTURA DE HOY

Los descendientes de Noé; Babel; el origen de los idiomas; el llamamiento
y el pacto de Dios con Abram; su viaje a Canaán y a Egipto

*N*imrod es el primer rey mencionado en la Biblia: *«Y fue el comienzo de su reino Babel»* (Génesis 10:10). El nombre de Nimrod significa «rebelde». *«Este fue vigoroso cazador delante de Jehová»* (Génesis 10:9). Después leemos: *«Cus engendró a Nimrod; éste llegó a ser poderoso en la tierra»* (I de Crónicas 1:10).

Con Nimrod como el líder, las personas se unieron: *«Y dijeron: Vamos, edifiquémonos una ciudad y una torre, cuya cúspide llegue al cielo»* (Génesis 11:4). Ellos también dijeron: *«hagámonos un nombre, por si fuéremos esparcidos sobre la faz de toda la tierra».* Las palabras *«hagámonos un nombre»* revela el deseo por el poder y el dominio. El corazón humano busca cómo hacer de sí mismo un nombre poderoso o famoso, y no tiene deseo alguno de glorificar a Dios.

El *«poderoso»* Nimrod estableció y reinó sobre el primer imperio mundial. Su ambición de edificar una torre *«cuya cúspide llegue al cielo»* no significa que él esperaba llegar al trono del Dios Todopoderoso – su mayor deseo fue de hacer de sí mismo y de sus seguidores tan «poderosos» que pudiesen reinar sobre el mundo entero. Nimrod era un *«cazador»* – probablemente un *«cazador»* de hombres que apoyaran sus ambiciones. La frase *«delante de Jehová»* significa que este hombre rebelde siguió sus propios planes ambiciosos en desobediencia y desafío delante de Dios, quien había mandado a Adán, diciendo: *«Fructificad y multiplicaos»* (Génesis 1:28); y también a Noé le dijo: *«Fructificad y multiplicaos, y llenad la tierra»* (Génesis 9:1).

Así como en los días de Nimrod, hoy en día hay un movimiento mundial que quiere unirse para controlar todos los pueblos y todas las religiones del mundo, y así hacer un gobierno y una iglesia mundial. La única seguridad que tenemos para no ser engañados en este mundo desordenado está en conocer bien la Palabra de Dios. Solamente la Biblia da luz a las acciones de los líderes en los asuntos mundiales.

En una comparación sorprendente con Abram, quien simboliza la sumisión a Dios, Nimrod es un símbolo de la persona que busca su propia independencia fuera de la voluntad de Dios. El llamamiento de Dios vino a Abram y le dijo: *«Vete de tu tierra . . . a la tierra que te mostraré. . . . Y serán benditas en ti todas las familias de la tierra. Y se fue Abram . . . »* (Génesis 12:1-4).

El llamamiento de Dios demanda que tomemos una decisión. Aun las relaciones más cercanas de lealtad y cariño humano tienen que ser cortadas cuando están en conflicto con nuestra sumisión a Cristo y a lo que está escrito en Su Palabra. *«Y el que no toma su cruz y sigue en pos de Mí, no es digno de Mí»* (Mateo 10:38).

**Pensamiento para hoy:** Nada es más importante que el obedecer la Palabra de Dios.

## ÉN LA LECTURA DE HOY

Abram y Lot se separan; Abram se muda a Hebrón y edifica un altar;
Lot es rescatado; Melquisedec bendice a Abram; el pacto de Dios con Abram

*La* prueba de fe de Abram empezó después que él y Lot salieron de Ur de los caldeos, en un viaje de cerca de 1609 kilómetros, a la tierra prometida. Al llegar, se encontraron con una sequía que los llevó hacia el sur, cerca de Sodoma, donde había buen pasto. Abram y Lot tenían grandes rebaños de animales. Muy pronto *«hubo contienda entre los pastores del ganado de Abram y los pastores del ganado de Lot»* (Génesis 13:7). Abram podía haber escogido la mejor parte de la tierra para sí mismo, pues él era mayor que su sobrino Lot, y también era el líder espiritual de ellos. Pero, en cambio, Abram amorosamente le dijo a Lot: *«No haya ahora altercado entre nosotros dos . . . porque somos hermanos. ¿No está toda la tierra delante de ti? Yo te ruego que te apartes de mí. Si fueres a la mano izquierda, yo iré a la derecha . . . »* (13:8-9). El egoísmo de Lot lo llevó a aprovecharse de Abram y escogió toda la llanura del Jordán, que tenía bastante agua, cerca de Sodoma.

Fue después de esta experiencia que Abram recibió la promesa del Señor que Abram iba a ser una descendencia muy numerosa: *«Y haré tu descendencia como el polvo de la tierra»* (13:16). Abram fue hacia el norte *« . . . y moró en el encinar de Mamre, que está en Hebrón* (una región montañosa), *y edificó allí altar a Jehová»* (13:18).

Lot decidió ignorar sus necesidades espirituales de mantenerse en compañerismo con Abram. Al contrario, él hizo amistad con los hombres de Sodoma, quienes *«eran malos y pecadores contra Jehová en gran manera»* (13:10-13).

Lot fue igual que muchos cristianos de hoy en día, quienes lamentan nuestra maldita sociedad, pero al mismo tiempo toman decisiones que están basadas en sus propias ventajas materialistas. Sólo algunos oyen seriamente a su Salvador, quien les dice: *«Ningún siervo puede servir a dos señores»* (Lucas 16:13). Satanás quiere que tengamos dudas que, cuando obedecemos al Señor, hemos escogido lo mejor de esta vida.

El apóstol Pablo escribió: *« . . . estamos atribulados en todo . . . en apuros, mas no desesperados . . . perseguidos . . . derribados, pero no destruidos . . . por tanto, no desmayamos . . . porque esta leve tribulación momentánea produce en nosotros un cada vez más excelente y eterno peso de gloria»* (II de Corintios 4:8-17).

**Pensamiento para hoy:** Las pruebas que enfrentamos hoy, un día nos parecerán insignificantes, cuando podamos compararlas con lo que Dios pudo cumplir por ellas.

## 𝓔N LA LECTURA DE HOY

Ismael; se le cambia el nombre a Abram; el pacto de la circuncisión;
se le cambia el nombre a Sarai; Isaac es prometido a Abraham y a Sara;
la oración de Abraham por Sodoma

𝓐bram y Sarai no tenían hijos. Aunque Dios le había prometido a Abram un hijo, todavía a los 85 años de edad estaba sin hijos. En ese tiempo, *«dijo entonces Sarai a Abram: Ya ves que Jehová me ha hecho estéril; te ruego, pues, que te llegues a mi sierva* (Agar); *quizá tendré hijos de ella»* (Génesis 16:2). A los 86 años de edad, Abram recibió un hijo, Ismael, de Agar.

Después del nacimiento de Ismael pasaron trece años (16:16; 17:1). Entonces Dios le habló a Abram otra vez y le dijo: « . . . *Yo soy el Dios Todopoderoso; anda delante de Mí y sé perfecto. . . . Y no se llamará más tu nombre Abram, sino que será tu nombre Abraham . . . Y estableceré mi pacto entre Mí y ti, y tu descendencia . . . Mas Yo estableceré Mi pacto con Isaac, el que Sara te dará a luz por este tiempo el año que viene»* (17:1-21).

Abraham tenía entonces 99 años de edad y Sara tenía 90 años de edad, y a su edad era imposible, hablando como humano, tener hijos. Pero Dios le había revelado a Abraham: *«Yo soy el Dios Todopoderoso . . . »*, que significa – el Único que es todo suficiente. Por medio de Abraham, Dios nos enseñaría cómo es que nuestra fe puede fortalecerse cuando Él dijo: *«Porque Yo sé que mandará a sus hijos y a su casa después de sí, que guarden el camino de Jehová, haciendo justicia y juicio, para que haga venir Jehová sobre Abraham lo que ha hablado acerca de él»* (18:19).

Una de las mayores pruebas de nuestra fe en esta vida es esperar en el Señor. Puede que tome dos semanas, dos años, o como en el caso de Abraham, 25 años. El Espíritu Santo guio al apóstol Pablo a escribir sobre esta fe de Abraham, cuando nos dice que Abraham estaba: « . . . *plenamente convencido de que* (Dios) *era también poderoso para hacer todo lo que había prometido; por lo cual también su fe le fue contada por justicia»* (Romanos 4:21-22).

Dios le había dicho a Abraham: « . . . *anda delante de Mí y sé perfecto»* (que significa – dedicado a Dios) (Génesis 17:1). Nosotros también tenemos una gran responsabilidad en nuestro pacto y relación con Dios. *«Acerquémonos, pues, confiadamente al trono de la gracia, para alcanzar misericordia y hallar gracia para el oportuno socorro»* (Hebreos 4:16).

**Pensamiento para hoy:** La gran prueba de nuestra fe es esperar en el Señor, pero el resultado siempre es lo mejor que Dios tiene para nosotros.

## ᴇN LA LECTURA DE HOY

Sodoma fue destruida; Lot y sus hijas; el nacimiento de Isaac;
Agar e Ismael; el pacto entre Abraham y Abimalec

*L*ot pronto llegó a tener una posición prominente en Sodoma, pues *«Lot estaba sentado a la puerta de Sodoma»* donde los casos y los negocios legales eran conducidos (Génesis 19:1). Lot llegó a asociarse con la gente de Sodoma, aunque él estaba *« . . . abrumado por la nefanda conducta de los malvados . . . viendo y oyendo los hechos inicuos de ellos»* (II de Pedro 2:7).

Las escrituras denuncian el pecado de la homosexualidad por la cual era conocida Sodoma. Por ser la homosexualidad tan detestable en los ojos de Dios, debemos de orar por todos los pecadores para que se arrepientan y abandonen el pecado (II de Corintios 7:10). La Ley puso el pecado de la homosexualidad junto con los pecados del incesto y de la bestialidad (Levítico 18:22-30; Romanos 1:24-27).

*«Y Sara concibió y dio a Abraham un hijo en su vejez, en el tiempo que Dios le había dicho»* (Génesis 21:2).

Isaac, el hijo milagroso de la promesa, entró en la vida de la familia de Abraham, Sara, y Agar la sierva. Ismael, el hijo de Agar, pronto mostró su verdadero carácter en su desprecio de Isaac. En el Nuevo Testamento leemos que: *« . . . Abraham tuvo dos hijos; uno de la esclava, el otro de la libre. . . . pues estas mujeres son los dos pactos; el uno proviene del monte Sinaí, el cual da hijos para esclavitud; éste es Agar . . . Así que, hermanos, nosotros, como Isaac, somos hijos de la promesa. Pero como entonces el que había nacido según la carne perseguía al que había nacido según el Espíritu, así también ahora»* (Gálatas 4:22,24,28,29).

Estos dos hijos, Ismael e Isaac, ilustran la naturaleza de nuestras vidas. Nosotros somos primeramente *«nacidos de la carne»* (Juan 3:6), y esto simboliza a Ismael. Pero en aquel día de Pentecostés, cuando la gente preguntó: *«¿qué haremos? Pedro les dijo: Arrepentíos, y bautícese cada uno de vosotros . . . y recibiréis el don del Espíritu Santo»* (Hechos 2:38). El creyente entonces es poseedor de la naturaleza divina de Dios y de la nueva vida en Cristo, y esto simboliza a Isaac, el hijo de la fe (Romanos 10:9-10; I de Juan 3:1-2; 4:15).

El odio de Ismael contra Isaac es simbólico del odio que el mundo tiene contra Cristo y sus seguidores. *«Pero los que son de Cristo han crucificado la carne con sus pasiones y deseos»* (Gálatas 5:24).

**Pensamiento para hoy:** Dios guiará a todos los que leen Su Palabra.

> ## ᴇN LA LECTURA DE HOY
> La buena voluntad de Abraham en ofrecer a Isaac; el pacto de Dios
> es renovado; la muerte de Sara; el matrimonio de Isaac y Rebeca

*D*espués de esperar por el hijo de la promesa por 25 años, Dios le dijo a Abraham: «*. . . Ciertamente Sara tu mujer te dará a luz un hijo, y llamarás su nombre Isaac; y confirmaré Mi pacto con él . . .*» (Génesis 17:19). «*Aconteció, después de estas cosas, que probó Dios a Abraham, y le dijo . . . Toma ahora tu hijo, tu único, Isaac, a quien amas, y vete a tierra de Moriah, y ofrécelo allí en holocausto . . .*» (22:1-2).

Isaac era un muchacho joven cuando esta prueba final vino a probar la fe de Abraham. Un sacrificio de holocausto siempre tenía que ser un animal, lo mejor que el oferente tenía, y debería ser consumido por completo por el fuego. Esto era una expresión de una completa dedicación a Dios. Abraham sabía que Isaac iba a vivir, pues Dios le había dicho: «*. . . y confirmaré Mi pacto con él*» (17:19); pero aún, ahora el mandamiento de Dios era de ofrecer a Isaac como un sacrificio. En obediencia: «*. . . Abraham se levantó muy de mañana . . . y tomó consigo dos siervos suyos, y a Isaac su hijo; y cortó leña para el holocausto, y se levantó, y fue al lugar que Dios le dijo*» (22:3). Con una fe indiscutible en Dios, «*Entonces dijo Abraham a su siervos: Esperad aquí . . . y yo y el muchacho iremos hasta allí y adoraremos, y volveremos a vosotros*» (22:5).

Sobre un monte, en la tierra de Moriah, Abraham edificó un altar. Pero cuando Isaac le preguntó: «*. . . ¿dónde está el cordero para el holocausto?*» *. . . respondió Abraham: Dios se proveerá de cordero para el holocausto, hijo mío*» (22:7-8). Por los muchos años que Abraham había confiado en el Señor en ese momento tuvo fe en Dios. Este es un maravilloso testimonio de cómo la fe de Abraham había crecido a medida del paso de los años, hasta estar seguro de que Dios nunca comete errores, y él sabía «*. . . que Dios es poderoso para levantar* (le) *aun de entre los muertos*» (Hebreos 11:19).

«*Y extendió Abraham su mano y tomó el cuchillo para degollar a su hijo. Entonces El Ángel de Jehová le dio voces . . . Abraham . . . No extiendas tu mano sobre el muchacho, ni le hagas nada; porque ya conozco que temes a Dios . . . Entonces alzó Abraham sus ojos y miró, y he aquí a sus espaldas un carnero trabado en un zarzal por sus cuernos; y fue Abraham y tomó el carnero, y lo ofreció en holocausto en lugar de su hijo*» (Génesis 22:10-13).

Por medio de las pruebas y los sufrimientos, el Señor desarrolla nuestra fe. «*. . . pero fiel es Dios, que no os dejará ser tentados más de lo que podéis resistir, sino que dará también juntamente con la tentación la salida . . .*» (I de Corintios 10:13).

**Pensamiento para hoy:** Nuestra fe es fortalecida por medio de las situaciones difíciles, aun cuando ellas son dolorosas.

## ℰN LA LECTURA DE HOY
La muerte de Abraham; el nacimiento de Jacob y Esaú; Esaú vende
su primogenitura; Isaac bendice a Jacob con el Pacto de Abraham

𝒰n día cuando Esaú volvía « . . . *del campo, cansado, dijo a Jacob: Te
ruego que me des a comer de ese guiso rojo, pues estoy muy cansado»*. Jacob,
conociendo bien el carácter de su hermano, le dijo: *«Véndeme en este día tu
primogenitura»* (Génesis 25:29-31). Esaú no tenía interés alguno en las cosas
espirituales, y así concedió, diciendo: *«He aquí yo me voy a morir; ¿para qué,
pues, me servirá la primogenitura?»* (25:32-34). Es dudoso que Esaú estaba al
punto de morir por dejar de comer un día.

Aunque fue calumniado por Esaú y por otros, Jacob, en hecho, compró la
primogenitura por la cantidad que Esaú la valoró. Pero más importante, Dios
le había dicho a Rebeca que « . . . *el mayor servirá al menor»* (25:23).

Esaú y Jacob eran hermanos gemelos, pero Esaú había nacido primero y
era el heredero legal a la primogenitura de la familia, la cual incluía entre
muchas cosas, ser heredero del pacto entre Dios y Abraham. La primogenitura
era una conexión en la línea de los descendientes por la cual el Mesías iba a
venir (Números 24:17-19). Comparándolo con Esaú, « . . . *Jacob era varón
quieto, que habitaba en tiendas»* (Génesis 25:27). La palabra en el hebreo
para *«quieto»*, es la misma palabra que en otras Escrituras se traduce como
«perfecto, recto, o sin mancha»; así, la palabra *«quieto»* se refiere al carácter de
Jacob – un hombre de Dios. Dios dotó Su mayor alabanza y bendición para
Jacob cuando dijo: *«Porque JAH* (Jehová) *ha escogido a Jacob para Sí* (mismo)»
(Salmo 135:4). Parece que la admiración que Isaac tenía para su hijo mundano,
Esaú, le causó ignorar la profecía que Dios le había revelado a Rebeca antes
que los gemelos nacieran (Génesis 25:23), y escogió pasar por alto la venta
que Esaú hizo de la primogenitura a Jacob. (25:34).

Al momento que Isaac se dio cuenta de que Rebeca había transversado su
malvado plan, él rápida y abiertamente confirmó el Pacto de Abraham a Jacob,
y así admitió el gran error que había cometido (28:3-4). No hay ninguna
insinuación de que Isaac pensó que Rebeca había hecho algo malo. La palabra
hebrea «Yaacob (Jacob)» es traducida «suplantador». Un significado de la palabra
«suplantar» en el diccionario es – «tomar el lugar de otro o ser sustituto,
especialmente por razón de una excelencia superior». « . . . *No sea que haya
algún fornicario, o profano, como Esaú, que por una sola comida vendió su
primogenitura»* (Hebreos 12:16).

**Pensamiento para hoy:** Muchas veces estamos dispuestos a culpar a otros por
nuestros fracasos.

## 𝕰N LA LECTURA DE HOY

El Pacto de Abraham es otorgado sobre Jacob; la visión de la escalera;
el viaje a Padan-aram; el matrimonio de Jacob con Lea y con Raquel

𝕮uando Isaac se dio cuenta de que Dios había desautorizado su plan de darle la primogenitura a Esaú y no a Jacob, pues Dios lo había cambiado: *«se estremeció Isaac grandemente»* (Génesis 27:33). Él consultó con Rebeca, no para acusarla de haber hecho algo injusto, pero para decidir cómo planificar mejor el futuro de Jacob. Ellos no querían que Jacob fuese como Esaú, que violó la Palabra de Dios y se casó con una mujer idólatra, *«Y dijo Rebeca a Isaac . . . Si Jacob toma mujer . . . de las hijas de esta tierra, ¿para qué quiero la vida?»* (27:46). *«Entonces Isaac llamó a Jacob, y lo bendijo, y le mandó diciendo: No tomes mujer de las hijas de Canaán. Levántate, ve a Padan-aram . . . y toma allí mujer de las hijas de Labán, hermano de tu madre. Y el Dios Omnipotente te bendiga, y te haga fructificar . . . y te dé la bendición de Abraham, y a tu descendencia contigo»* (28:1-4). Esto fue una admisión bien clara del mal que Isaac había hecho en intentar de defraudar a Jacob.

Sin embargo, Esaú rápidamente culpó a Jacob por sus problemas diciendo: *« . . . y he aquí ahora* (Jacob) *ha tomado mi bendición»* (27:36). Esaú no fue muy diferente a cualquier otro pecador que irresponsablemente le gusta culpar a otras personas por sus fracasos.

Isaac vivió 43 años después de intentar de frustrar el plan de Dios, pero no se encuentra nada por escrito que muestre que Dios lo trató de usar otra vez. Pero para Jacob, no obstante, sus notables bendiciones empezaron desde la primera noche que se fue de la casa de sus padres.

Sin un mapa y sin un compañero, pero según el perfecto plan de Dios, Jacob dejó la casa de sus padres, para hacer un viaje de más de 804.5 kilómetros, y llegar sano y salvo a Padan-aram. Maravillosamente, Dios le guio hasta llegar a Raquel y a la casa del *«padre de* (su) *madre»* (28:2), donde fue bien recibido.

Así, igual que todos los que vivimos para agradar al Señor, Jacob también fue consagrado para ese propósito. Cuando los creyentes nos damos cuenta de esta gran verdad, nuestra actitud cambia hacia el cónyuge, el lugar de trabajo, las limitaciones físicas, y los tiempos difíciles de esta vida, pudiendo ver todo en la voluntad de Dios.

Al pasar el tiempo, José, el hijo de Jacob, sería vendido como esclavo por sus hermanos. Pero vemos que, 20 años después, José les diría a ellos: *«Vosotros pensasteis mal contra mí, mas Dios lo encaminó a bien»* (Génesis 50:20).

**Pensamiento para hoy:** Tesoros eternos están reservados para todos los que dejan atrás los placeres de este mundo para hacer la voluntad de Dios.

## ℰN LA LECTURA DE HOY

El celo de Labán; Jacob huye; Jacob luchó con el Ángel de Jehová;
Dios le cambió su nombre para Israel; la paz entre Jacob y Esaú

ℰl egoísmo de Labán y de sus hijos resultó en una actitud hostil contra Jacob, el siervo de Dios. «. . . *Jehová dijo a Jacob: Vuélvete a la tierra de tus padres . . . Yo estaré contigo . . . Yo soy el Dios de Betel . . . donde Me hiciste un voto*» (Génesis 31:3,13).

Después de 20 años, Jacob volvió a su casa con sus dos esposas, dos concubinas, once hijos y una hija, siervos, y mucho ganado. Esaú, quien había amenazado a Jacob a muerte (27:41-45), venía con 400 hombres: «*Entonces Jacob tuvo gran temor*» (32:3,6-7). Rápidamente, Jacob dividió en dos campamentos a sus esposas, sus hijos, y su ganado; pensando que si Esaú venía a destruir un campamento, el otro pudiera escapar en dirección opuesta. Entonces, en la oscuridad de la noche, Jacob se encontró solo. Él oró seriamente y le recordó al Señor que Él le había dicho: «*Vuélvete a tu tierra y a tu parentela, y Yo te haré bien*» (32:9). Aquí necesitamos aprender de Jacob esta lección: primeramente saber lo que Dios ha dicho, y después recordarle al Señor que estamos confiando en Sus promesas.

Jacob estaba también orando por el futuro cumplimiento del pacto de la promesa.

Este justo y humilde siervo del Señor pasó toda la noche solo, agonizando en oración, hasta que él fuese confirmado con el mayor honor dado por Dios a un hombre en la historia del Antiguo Testamento: «*No se dirá más tu nombre Jacob, sino Israel; porque has luchado con Dios y con los hombres, y has vencido*» (32:28). Por los siglos el pueblo de Dios sería llamado por su nombre – israelitas. Por medio de su hijo Judá, Jesús el Mesías fue prometido (49:10).

Nosotros también estamos en un pacto de relación con Dios por medio de Jesucristo, nuestro Salvador y Mediador, quien declaró que la vida cristiana requiere una lucha: «*Esforzaos a entrar por la puerta angosta; porque os digo que muchos procurarán entrar, y no podrán*» (Lucas 13:24).

**Pensamiento para hoy:** Mientras más amamos la Palabra de Dios, más amaremos al Dios de la Palabra.

## EN LA LECTURA DE HOY

Dina, hija de Jacob y Lea, fue violada; la venganza de Simeón y
Leví; Jacob vuelve a Betel; y el pacto de Abraham es renovado

Jacob continúa su camino a Betel, pues el Señor le había dicho: *«Yo soy el Dios de Betel... vuélvete a la tierra de tu nacimiento»* (Génesis 31:13). Pero, una corta distancia antes de llegar a Betel, Jacob descubrió bellos valles con buenas oportunidades para ganancias, cerca de *«la ciudad de Siquem, que está en la tierra de Canaán»* (cerca de la tierra prometida) (33:18).

Por diez años la estancia de Jacob en ese lugar parecía ser un buen éxito. Entonces leemos sobre la tragedia de su hija Dina: *«Y la vio Siquem hijo de Hamor heveo, príncipe de aquella tierra, y la tomó, y se acostó con ella, y la deshonró»* (34:2). En venganza de la violación de su hermana Dina, Simeón y Leví mataron a todos los hombres de Siquem.

A menudo, los buenos padres también se comprometen tanto en sus metas materialistas que se olvidan que Dios dijo: *«Instruye al niño en su camino ... "* (Proverbios 22:6). Esto a veces resulta en que las atracciones del mundo ganen el control del corazón de sus hijos, terminando en consecuencias trágicas.

Por seguro, de Jacob podemos aprender que la prosperidad de las cosas materiales no nos da una seguridad de que estamos en la voluntad de Dios. Pero la lección más grande que podemos aprender de las tragedias de Jacob es que no se rindió cuando se vio en situaciones desesperadas. Al contrario, él volvió al Señor, quien le había dicho: *«Levántate y sube a Betel, y quédate allí; y haz un altar al Dios que te apareció cuando huías de tu hermano Esaú»* (Génesis 35:1). Durante este tiempo de renovación, Jacob instruyó a su familia y les dijo: *«Quitad los dioses ajenos que hay entre vosotros, y limpiaos, y mudad vuestros vestidos. Y levantémonos, y subamos a Betel; y haré allí altar al Dios que..., ha estado conmigo en el camino que he andado»* (35:2-3).

Hay tres cosas que Jacob le dijo a su familia que están en paralelo con los cristianos. Primeramente él dijo: *«Quitad los dioses ajenos...»*, un buen recordatorio que los hábitos de nuestros pecados deben ser abandonados. En segundo lugar: *«...y limpiaos, y mudad vuestros vestidos»*, un recordatorio de *«Seguid la paz con todos, y la santidad, sin la cual nadie verá al Señor»* (Hebreos 12:14). En tercer lugar, debemos de adorar solamente a Dios: *«...Al Señor tu Dios adorarás, y a Él solo servirás»* (Lucas 4:8).

Nuestra participación en nuestros cultos de adoración en la iglesia local es una manera muy importante por la cual Dios nos habla, por la escuela bíblica, por los estudios bíblicos, y por los sermones. *«... Cristo amó a la iglesia, y se entregó a Sí mismo por ella, para santificarla, habiéndola purificado en el lavamiento del agua por la Palabra»* (Efesios 5:25-26).

**Pensamiento para hoy:** El compromiso sin moral siempre termina en la desilusión.

*J*osé era el único hijo de los 12 hijos de Jacob que había expresado algún interés en las cosas espirituales. José estaba muy preocupado por la mala conducta de sus hermanos mayores cuando ellos estaban lejos de la casa. *«José, siendo de edad de diecisiete años, apacentaba las ovejas con sus hermanos . . . e informaba José a su padre la mala fama de ellos»* (Génesis 37:2). El hecho de que Jacob «. . . *había tenido* (a José) *en su vejez»* (37:3), y que probablemente se interesaba por el bienestar espiritual de sus hermanos, esto llevó a Jacob a amarle *«más que a todos sus hermanos»* (37:4).

Hay personas que nos desaniman cuando sacamos a luz alguna injusticia, y hay otras personas que nos dicen que ellos no quieren involucrarse en eso. Pero José poseía una gran integridad espiritual, la cual lo llevó a enfrentarse al abuso de sus hermanos al exponer sus caminos malvados. La envidia de ellos se convirtió en odio cuando José compartió sus sueños proféticos (37:5-7). Sus hermanos se burlaban de él, diciéndole: *«¿Reinarás tú sobre nosotros? . . . Y le aborrecieron aun más a causa de sus sueños»* (37:8).

Los hermanos de José fueron «. . . *a apacentar las ovejas de su padre en Siquem»* que estaba bastante lejos de la casa (37:12). Algún tiempo despúes, Jacob, preocupado por el bienestar de sus hijos, mandó a José para ver si todo les iba bien a ellos (37:14). Después de buscarlos por largo tiempo, José encontró a sus hermanos cerca del pueblo de Dotán (37:17).

Cuando los hermanos vieron a José que venía, «. . . *ellos, conspiraron contra él para matarle. . . . y diremos: Alguna mala bestia lo devoró»* (para mentirle a su padre) (37:18-20). Tan espantoso como todo esto fue para el pobre muchacho, *«ellos quitaron a José su túnica de colores . . . y le tomaron y le echaron en la cisterna»* (37:23-24). José fue vendido como un esclavo a los ismaelitas, quienes lo vendieron en el mercado de los esclavos a Potifar, oficial de Faraón, el capitán de la guardia (37:27-28,36; 39:1). Las últimas memorias que los hermanos tuvieron de José, fue al recordar la angustia de su alma cuando rogaba por su vida (42:21).

Dios usó esta experiencia en la vida de José en Egipto para prepararlo para mantener en vida al pueblo de Dios, y así también el linaje del Mesías que iba a venir, Jesucristo. *«Y sabemos que a los que aman a Dios, todas las cosas les ayudan a bien, esto es, a los que conforme a Su propósito son llamados»* (Romanos 8:28).

**Pensamiento para hoy:** La fe se hace más fuerte cuando nuestras pruebas son aceptadas pacientemente.

> ## ᴇN LA LECTURA DE HOY
> José interpreta los sueños y es hecho gobernador de Egipto; sus hermanos vienen a comprar maíz y se inclinan delante de él; Simeón se queda preso

*T*rece años habían pasado desde que los hermanos de José lo habían vendido como esclavo. Siguiendo esa tragedia, José experimentó muchas tristes desilusiones. Consideremos todas las noches solo, sufriendo inocentemente, como un prisionero. *«Afligieron sus pies con grillos; en cárcel fue puesta su persona»* (Salmo 105:18). José pasó muchos años como esclavo pero nunca se amargó su vida. Él se mantuvo fiel al Señor.

A los 30 años de edad, José fue llamado para interpretar los sueños del Faraón. *«Respondió José a Faraón, diciendo: No está en mí; Dios será el que dé respuesta propicia a Faraón»* (Génesis 41:16). Porque el Señor le dio la interpretación de los sueños por medio de José, el Faraón reconoció a José como el hombre más sabio en Egipto. Este hombre, anteriormente desterrado, recibió el anillo del Faraón como una señal de su nueva autoridad como el segundo en mando sobre toda la tierra de Egipto (41:39-44). Los sueños que José había experimentado muchos años antes ahora eran una realidad.

Nosotros podemos soportar meses, y aun años, cuando parece que a Dios no le importa lo que nos está pasando, o no puede hacer nada sobre nuestras circunstancias. El crítico sin fe le echa la culpa a Dios por sus problemas, y murmura diciendo: «¿Por qué a mí?» Pero Dios tiene sublimes maneras de desarrollar nuestros talentos, de madurarnos espiritualmente, y de darle honor a todos los que permanecen fiel a Él.

Todos nosotros conocemos a alguien que parecía de gran esperanza para el futuro en la obra de Dios, pero que se dio por rendido a las tentaciones de Satanás, tal como el asistente del apóstol Pablo de quien escribió: *«porque Demas me ha desamparado, amando este mundo»* (II de Timoteo 4:10). Esto no quiere decir que Demas había rechazado las enseñanzas de Pablo. Pero en términos de hoy en día, se puede decir que Demas quería un futuro más seguro, mejor salario, menos trabajo, y beneficios de retiro. Demas dejó la obra del Señor por las recompensas de la vida mundana que muchas veces es una desilusión y raramente satisface. Aun en las mejores circunstancias, este estilo de vida es de corta duración en esta vida, pero de espantoso remordimiento por toda la eternidad. Todos nosotros necesitamos considerar que Jesucristo dijo: *«No os afanéis por vuestra vida . . . porque los gentiles* (los de mente mundana) *buscan todas estas cosas . . . Mas buscad primeramente el reino de Dios y Su justicia»* (Mateo 6:25-33).

**Pensamiento para hoy:** Las circunstancias adversas nunca pueden vencer a los fieles.

> ### 𝒞N LA LECTURA DE HOY
> Los hijos de Jacob vuelven a Egipto para comprar más comida; Judá se
> ofrece para tomar el lugar de Benjamín; José se revela a sus hermanos

*𝒫or* razón de la gran hambre que había, Jacob fue forzado a mandar a sus hijos a Egipto a comprar comida. Mientras que el segundo en autoridad sobre Egipto les hablaba por medio de un intérprete, ellos no se dieron cuenta de que era su hermano José, a quien habían vendido como esclavo 20 años atrás.

Después de preguntarle sobre su familia, José los metió en la prisión por tres días (Génesis 42:17). Durante su estancia en la prisión, ellos se recordaron cómo su hermano menor les rogaba que no lo vendiesen a los ismaelitas mercaderes en sus viajes a Egipto. Pero ahora, en una prisión en Egipto, ellos humildemente confesaban el hecho horrible y cruel que habían cometido: «*Y decían el uno al otro: Verdaderamente hemos pecado contra nuestro hermano, pues vimos la angustia de su alma cuando nos rogaba, y no le escuchamos; por eso ha venido sobre nosotros esta angustia*» (42:21).

Cuando los hermanos de José volvieron a su casa sin Simeón, le dijeron a Jacob que el gobernador mandó a que llevaran a Benjamín, su hijo más joven a Egipto, si querían comprar comida otra vez. Jacob estaba muy angustiado, y dijo: «*No descenderá mi hijo con vosotros . . .* » (42:38). Sin embargo, al ver que la escasez continuaba, Jacob no tuvo otra opción que dejar que Benjamín descendiera con sus hermanos a Egipto.

José mandó que sus hermanos fuesen llevados a su casa. Imagine su asombro cuando él les dijo, en el idioma hebreo: «*Yo soy José vuestro hermano, el que vendisteis para Egipto*» (45:4). Para más asombro, José les dijo amorosamente: «*Ahora, pues, no os entristezcáis, ni os pese de haberme vendido acá; porque para preservación de vida me envió Dios delante de vosotros*» (45:5).

Por muchos años, los hermanos de José habían engañado a su padre y habían escapado toda la responsabilidad por su cruel pecado contra José. Pero ahora eran forzados a enfrentarse a su hermano. José les explicó de esta forma: ustedes me vendieron, pero Dios me envió. Aunque Dios había usado sus maldades para cumplir Su voluntad, eso no disminuyó la culpabilidad de ellos. Pero, no importa lo cruel que alguien haya sido, cueste lo que cueste, «*. . . si no perdonáis a los hombres sus ofensas, tampoco vuestro Padre os perdonará vuestras ofensas*» (Mateo 6:14-15).

**Pensamiento para hoy:** No espere que las dificultades pasen para alabar a Dios.

---

### ☜N LA LECTURA DE HOY

La visión de Jacob en Beerseba; el viaje a Egipto; José y el hambre;
la mejor tierra dada a Jacob; la bendición de los hijos de José

---

*J*acob sabía que Dios había planificado para Su pueblo que viviesen en Canaán, no en Egipto, por eso él no se apresuró para ir a Egipto y reunirse otra vez con su precioso hijo José. Porque el hacer la voluntad de Dios estaba en primer lugar en su corazón, Jacob necesitaba la seguridad de que Dios estaría con él en su viaje a Egipto. Después de salir de Hebrón, él viajó por 40.23 kilómetros: «*Salió Israel con todo lo que tenía, y vino a Beerseba, y ofreció sacrificios al Dios de su padre Isaac. Y habló Dios a Israel en visiones de noche, y dijo: Jacob, Jacob. Y él respondió: Heme aquí. Y dijo: Yo soy Dios . . . no temas de descender a Egipto, porque allí Yo haré de ti una gran nación. . . . Yo también te haré volver*» (Génesis 46:1-4).

El Señor le aseguró a Jacob que su viaje a Egipto no iba a ser permanente, pero que sería un tiempo para preparar su familia para llegar a ser «*una gran nación*». La vida aquí en la tierra es solamente un tiempo de preparación para la eternidad (Lucas 12:21-22). La prioridad en nuestras vidas, y cómo vivimos, es una expresión de nuestra preparación para la eternidad. Nuestra mira no debe estar en las seguridades y ganancias mundanas, pero más eminente en ser la persona que Dios quiere que seamos, para cumplir con el propósito por el cual Él nos creó.

La vida de Jacob le da al creyente una forma más profunda de ver la soberanía de Dios, quien nos protege, nos dirige, y provee por las necesidades de todos los que son fiel a Él. Al pasar los años en Egipto, Jacob pudo ver cómo Dios le había guiado, protegido, y provisto durante toda su vida.

Este extraordinario hombre de Dios recibió tanto abuso durante su vida, pero Dios le otorgó más bendiciones que a ningún otro hombre en la historia del Antiguo Testamento. El nombre de Abraham, «*padre de todos los creyentes*», aparece más de 300 veces en las Escrituras. El nombre de Isaac aparece solamente 131 veces, y muchas veces sólo en conjunto con Abraham y Jacob. Sin embargo, el nombre de Jacob es mencionado más de 370 veces, y su nuevo nombre de Israel, refiriéndose a sí mismo y a su descendencia, aparece más de 2.500 veces. Es algo serio criticar al que Dios ha escogido estimar. Como Dios bien dijo: «*A Jacob amé, mas a Esaú aborrecí*» (Romanos 9:13; Malaquías 1:2-3).

**Pensamiento para hoy:** Los creyentes siempre deben de perdonar, cueste lo que cueste, sin considerar las consecuencias.

# INTRODUCCIÓN AL LIBRO DE
# ÉXODO

La palabra «Éxodo» significa «salida, partida, el camino a salir» (Hebreos 11:22). Este libro continúa la historia de los descendientes de los doce hijos de Jacob. En el primer capítulo del libro de Éxodo, sólo dos cortos versículos, 1:11 y 12, cubren el tiempo al que Dios se refiere, cuando le dijo a Abraham: «*Ten por cierto que tu descendencia morará en tierra ajena, y será esclava allí, y será oprimida cuatrocientos años*» (Génesis 15:13; Hechos 7:6).

Los capítulos 1:1–11:10, cubren el período del principio, cuando los israelitas se establecieron en la tierra más fértil de Egipto, hasta el tiempo cuando se convirtieron en esclavos de los egipcios y sobrellevaron muchos sufrimientos para alcanzar su alivio. Dios guio a Moisés a proclamar una serie de diez plagas en la tierra de Egipto.

Los capítulos 12:1–14:18, es cuando Dios escogió el cumplimiento del tiempo, y Él dijo: «. . . *ejecutaré Mis juicios en todos los dioses de Egipto. Yo Jehová*» (Éxodo 12:12). El milagroso rescate de los israelitas de Egipto fue posible por su obediencia a la Palabra de Dios, cuando ellos, por fe, aplicaron la sangre de un cordero inocente en el dintel de sus casas. Dios también les requirió que en «. . . *aquella noche comerán la carne asada al fuego, y panes sin levadura . . . Y lo comeréis así: ceñidos vuestros lomos, vuestro calzado en vuestros pies, y vuestro bordón en vuestra mano*» (12:7-11). Solamente después de obedecer a todo lo que Dios les había mandado hacer es que estaban listos para salir de Egipto.

Los capítulos 14:19–15:27, dan detalles sobre el relato del rescate victorioso de Israel de Egipto, y el cántico de Moisés alabando a Dios por redimirlos. Durante el tiempo del rescate de la esclavitud, habían como 600.000 hombres israelitas, sin contar las mujeres y los niños. También había una grande multitud de toda clase de gentes, quienes probablemente eran el resultado de casamientos con otras razas (12:37-38).

Los capítulos 16:1–18:27, nos dan el relato del viaje de los israelitas desde Elim, a lo largo del Mar Rojo, hasta el desierto de Sinaí, lo cual tomó como tres meses.

Los capítulos 19:1–40:38, empieza en el tercer mes del Éxodo, y relata el tiempo que los israelitas acamparon en el desierto de Sinaí, lo cual tomó como once meses. Durante este tiempo, el pacto de la relación entre Dios y los israelitas fue establecido. Dios les dijo desde el monte: «*Ahora, pues, si diereis oído a Mi voz, y guardareis Mi pacto, vosotros seréis Mi especial tesoro sobre todos los pueblos*» (Éxodo 19:3-5).

El libro de Éxodo revela cómo Dios protege y provee fielmente a Su pueblo en medio de grandes dificultades y furiosos enemigos.

## EN LA LECTURA DE HOY
Las profecías de Jacob; la muerte de Jacob y de José;
los hebreos son oprimidos en Egipto

*D*espués de la muerte de José, el privilegio que los israelitas tenían gradualmente desapareció. «*Entretanto, se levantó sobre Egipto un nuevo rey que no conocía a José*» (Éxodo 1:8), quien pensó no tener ninguna obligación con los descendientes de José. Este rey tenía miedo del gran número de israelitas, y les dijo a sus administradores: «*. . . el pueblo de los hijos de Israel es mayor y más fuerte que nosotros. . . . (Y) acontezca que viniendo guerra, él también se una a nuestros enemigos y pelee contra nosotros, y se vaya de la tierra. Entonces pusieron sobre ellos comisarios de tributos que los molestasen con sus cargas . . . Pero cuanto más los oprimían, tanto más se multiplicaban y crecían, de manera que los egipcios temían a los hijos de Israel*» (Éxodo 1:9-12). La palabra «*temían*» expresa una mexcla de odio y temor.

Desesperado por una respuesta a su dilema «*. . . habló el rey de Egipto a las parteras hebreas* (sobre los partos) *. . . si es* (un) *hijo, matadlo*» (Éxodo 1:15-16). Un tiempo después de este horrible edicto, «*un varón de la familia de Leví fue y tomó por mujer a una hija de Leví; la que concibió, y dio a luz un hijo* (Moisés) *. . . (y) le tuvo escondido tres meses*» (2:1-2). Pero entonces, por miedo de ser descubierta, «*. . . tomó una arquilla . . . y colocó en ella al niño y lo puso en un carrizal a la orilla del río*» (Éxodo 2:3).

Sin el cruel edicto del Faraón, Moisés nunca hubiese sido rescatado por la hija del Faraón, ni hubiese participado de todas las ventajas del mayor imperio mundial de aquel entonces. Dios estaba preparando a Moisés para llevar a los israelitas otra vez a la tierra prometida.

Nosotros también nos enfrentamos a sufrimientos, donde parece que estamos bajo el control de situaciones donde estamos sin poder, tal y como los israelitas. Puede que usted esté en una situación donde la muerte de una persona querida le ha dejado sin padres o sin cónyuge. Usted puede sentirse derrotado después de separarse su familia, o aun por recibir una diagnosis de muerte de su doctor. Todos nosotros tendremos que enfrentar muchos sufrimientos improvistos.

Cada creyente puede decir con el apóstol Pablo: «*Por lo cual estoy seguro de que ni la muerte, ni la vida, ni ángeles, ni principados, ni potestades, ni lo presente, ni lo por venir . . . ni ninguna otra cosa creada nos podrá separar del amor de Dios*» (Romanos 8:38-39).

**Pensamiento para hoy:** El Dios Todo-suficiente no muestra parcialidad.

## 𝒠N LA LECTURA DE HOY

La vida de Moisés como niño; su viaje a Madián; la zarza que no se quemaba; su llamamiento a rescatar la nación de Israel; su regreso a Egipto

𝓜oisés, el hijo de un esclavo israelita, se gozaba del lujo de los palacios de los egipcios. *«En aquellos días sucedió que crecido ya Moisés, salió a sus hermanos, y los vio en sus duras tareas, y observó a un egipcio que golpeaba a uno de los hebreos, sus hermanos. Entonces miró a todas partes, y viendo que no parecía nadie, mató al egipcio y lo escondió en la arena»* (Éxodo 2:11-12).

Moisés tenía 40 años de edad cuando mató al cruel egipcio. Esto fue su derecho legal, pues él era de la casa real de Egipto, y posiblemente el segundo en mando después del Faraón en la administración de la ley. Moisés estaba en la primavera de su vida, y de un punto de vista humano, hubiese sido el ideal tiempo para que Dios lo usara para rescatar a Su pueblo de sus sufrimientos.

Pero Moisés huyó de Egipto. Esto continuó por 40 años de soledad en el desierto como pastor de ovejas. Le pareció a Moisés como 40 años perdidos, sin hacer nada de importancia. Pero, con el Señor, tal tiempo nunca es de pérdida. Fue en el desierto que el Señor se le apareció y le dijo: *«No te acerques; quita tu calzado de tus pies, porque el lugar en que tú estás, tierra santa es»* (3:5). Moisés nunca hubiese aprendido lo que es ser humilde, o saber cómo *«acercarse»* a Dios en los palacios de Egipto. Allá él llegó a ser muy importante y siempre estaba ocupado. Pero estas dos experiencias fueron fundamentales para prepararlo a ser la persona que Dios podía usar para rescatar a Su pueblo de Egipto, y por las jornadas del desierto, y hasta el borde de la tierra prometida.

La sabiduría del mundo nunca nos puede capacitar para hacer las correctas decisiones en la vida. Debemos de ser enseñados por el Espíritu Santo mientras que leemos Su Palabra. Es la unción del Espíritu Santo en nuestras vidas, en lo que hacemos y decimos, que le da mérito al ser. Así, como Moisés, nuestra necesidad más básica es deshacernos de la autosuficiencia. Fue muy necesario para la vida espiritual de Moisés *«(apacentar) . . . las ovejas a través del desierto»* (3:1), y eliminar su propia voluntad hasta llegar a rendirse a la voluntad de Dios.

El apóstol Pablo, extremamente educado, escribió: *«No que seamos competentes por nosotros mismos para pensar algo como de nosotros mismos,* (o tomar decisiones sólo por nuestra sabiduría humana) *sino que nuestra competencia proviene de Dios»* (II de Corintios 3:5).

**Pensamiento para hoy:** Usted es una parte esencial del plan de Dios para alcanzar a otras personas.

## 𝒠N LA LECTURA DE HOY

Las demandas de Moisés al Faraón; Aarón habla por Moisés; la vara de
Moisés se convierte en una culebra; las aguas se convierten en sangre

𝒟ios mandó a Moisés a enfrentarse con el Faraón, quien se refería a sí
mismo como un dios, y Moisés y Aarón le dijeron: *«Jehová el Dios de Israel
dice así: Deja ir a Mi pueblo a celebrarme fiesta* (ofrecer sacrificio) *en el desierto.
Y Faraón respondió: ¿Quién es Jehová, para que yo oiga Su voz y deje ir a
Israel? Yo no conozco a Jehová, ni tampoco dejaré ir a Israel»* (Éxodo 5:1-2).

La reacción de Moisés fue inmediatamente de echarle la culpa a Dios, y le
dijo: *«Señor, ¿por qué afliges a este pueblo? ¿Para qué me enviaste* (al Faraón)?
*Porque desde que yo vine a Faraón para hablarle en Tu nombre, ha afligido a
este pueblo; y Tú no has librado a Tu pueblo»* (5:22-23). Muchas veces en
nuestras propias vidas nuestras preguntas son más numerosas que nuestras
respuestas: «¿Por qué una diagnosis de cáncer? ¿Por qué mi esposo se divorció
de mí? ¿Por qué se convirtió mi hijo en un drogadicto? ¿Por qué nació mi hijo
con desventajas físicas? ¿Por qué perdí mi trabajo? ¿Por qué?» Dios no le
respondió a Moisés sus preguntas, y casi nunca Él nos responde en la forma
que esperamos.

Cuando Moisés clamó *«Señor, ¿por qué?»* Dios solamente le recordó quien
Él era. Lo importante para nosotros recordar es que Dios nunca cambia, Él es
el Dios Todopoderoso y el amoroso Dios de la verdad. Él dijo: *«Yo os sacaré de
debajo de las tareas pesadas de Egipto, y os libraré de su servidumbre . . . y os
tomaré por Mi pueblo y seré vuestro Dios»* (6:6-8). Antes de que Dios dijera
por primera vez *«Yo os haré . . . »*, Dios había dicho: *«Yo soy JEHOVÁ»* (6:2),
que significa: «Yo soy el Único quien sabe lo que es mejor, y Yo soy todo
suficiente para suplir tus necesidades»; y después de decir por séptima vez *«Yo
lo haré . . . »*, Él repitió con énfasis: *«Yo JEHOVÁ»* (el que existe por Sí
mismo) (6:8). Dios nunca ha fallado en cumplir con Su Palabra; pero, muy
pocas veces Él cumple con Sus promesas en el momento que nosotros lo
esperamos, y casi nunca es tal y como nostros pensamos que será mejor.

El Faraón persistió en mantener a los israelitas bajo su cruel autoridad. Sin
embargo, tal y como fue predicho, el juicio de Dios fue derramado sobre cada
dios falso de Egipto, sobre cada casa de los egipcios, sobre el hijo de Faraón, y
finalmente sobre el Faraón mismo y sus ejércitos.

*«Si oyereis hoy Su voz, no endurezcáis vuestros corazones . . . »* (Hebreos 3:7-8).

**Pensamiento para hoy:** Algunas personas están más preocupadas sobre los
problemas presentes que ser sumisos al propósito del Señor.

## ᎬN LA LECTURA DE HOY

Las plagas de las ranas, de los piojos, de las moscas, de la muerte del ganado, de las úlceras, del granizo; de las langostas, de las tinieblas

ientras Dios continuaba Su proceso de rescatar a los israelitas, los egipcios sufrieron cada una de las diez plagas las cuales no afectaron a los hebreos. Hasta los hechiceros del Faraón reconocieron quién estaba en control de los juicios. Ellos le dijeron al Faraón: *«Dedo de Dios es éste. Mas el corazón de Faraón se endureció, y no los escuchó . . . »* (Éxodo 8:19). Después del granizo que destruyó . . . *«todo lo que estaba en el campo, así hombres como bestias . . . Entonces Faraón envió a llamar a Moisés y a Aarón, y les dijo: He pecado esta vez; Jehová es justo, y yo y mi pueblo impíos»* (9:25,27).

El Faraón le aseguró a Moisés que los israelitas podían salir libremente al momento que el granizo cesara. Pero, otra vez el Faraón cambió su mente y endureció su corazón contra la voluntad de Dios. Sin duda, *«el corazón de Faraón se endureció»*, cada vez que decidió rechazar la Palabra de Dios (7:13-14, 22;8:15,19, 32;9:7). Pero, llegó el tiempo cuando *« . . . Jehová endureció el corazón de Faraón»* (9:12).

Finalmente, el Faraón concedió a la propuesta de Moisés, diciendo: *«Andad, servid a Jehová vuestro Dios. ¿Quiénes son los que han de ir?" Moisés respondió: Hemos de ir con nuestros niños y con nuestros viejos, con nuestros hijos y con nuestras hijas; con nuestras ovejas y con nuestras vacas hemos de ir; porque es nuestra fiesta solemne para Jehová»* (10:8-9) – lo cual quería decir que todos deben alabar al Señor, desde los más jóvenes hasta los ancianos. Sin embargo, el Faraón insistió que los israelitas tenían que ir a servir a Jehová según las condiciones del Faraón. Sus propios siervos le dijeron: *« . . . Deja ir a estos hombres, para que sirvan a Jehová su Dios. ¿Acaso no sabes todavía que Egipto está ya destruido?»* (10:7). Rechazando sus consejos, cogieron a Moisés y Aarón y *« . . . los echaron de la presencia de Faraón»* (10:8-11).

La persona que más se engaña a sí misma es la persona que cree que puede adorar a Dios a su propia manera. Otros, también engañados, dicen que ellos vivirán para el Señor Jesús más adelante en sus vidas y, como el Faraón, rehúsan darle a Dios el control de sus vidas. Pero vendrá el día cuando el tiempo para encontrar el arrepentimiento ya haya pasado. Dios solo es el que decide cuanto insulto Él va a permitir.

*«Apártate del mal, y haz el bien, y vivirás para siempre. Porque Jehová ama la rectitud, y no desampara a Sus santos»* (Salmos 37:27-28).

**Pensamiento para hoy:** El único punto en disputa es: *«¿Quién está en control de su vida»?*

### 𝓔N LA LECTURA DE HOY

La muerte de los primogénitos; la Pascua de Jehová; el Éxodo;
la columna de nube de día, y de noche la columna de fuego

𝓒on cada juicio milagroso, Dios mostró que los dioses de los egipcios eran falsas deidades, y que Él era el Único Dios Verdadero quien controla toda Su creación. El último juicio fue el de la muerte. Dios le habló a Moisés: «. . . *A la medianoche Yo saldré por en medio de Egipto, y morirá todo primogénito en la tierra de Egipto, desde el primogénito de Faraón que se sienta en su trono, hasta el primogénito de la sierva . . .* » (Éxodo 11:4-5). Sin embargo, Dios amorosamente proveyó un camino para que todos los israelitas, por medio de su obediencia, pudieran salvar a sus primogénitos de la muerte. La sentencia de muerte no caería sobre ellos, sino sobre «*el animal . . . sin defecto . . . Y tomarán de la sangre, y la pondrán en los dos postes y en el dintel de las casas en que lo han de comer. Y aquella noche comerán la carne asada al fuego, y panes sin levadura; con hierbas amargas lo comerán. . . . Y lo comeréis así: ceñidos vuestros lomos, vuestro calzado en vuestros pies, y vuestro bordón en vuestra mano; y lo comeréis apresuradamente; es la Pascua de Jehová*» (12:5,7-11).

La palabra hebrea, traducida «expiación», nos da la imagen de cubrir algo, y así quitarlo de la presencia de Dios. Sin embargo, aun cuando una oveja inocente hacía una expiación temporánea, el pecado no era completamente erradicado. Aunque sabemos que habían sacrificios diarios, semanales, y mensuales por los pecados, los israelitas todavía tenían que observar anualmente un día entero para la Pascua de Jehová.

La ofrenda por el pecado, la ofrenda por la transgresión, y el día de la Pascua de Jehová, eran cumplidos regularmente como el supremo acto nacional por los pecados. Sin embargo, estas eran solamente ofrendas sustitutas hasta que Jesucristo viniese, el Único y Verdadero Sacrificio de Dios, quien murió por los pecados del mundo.

Puesto que Dios es Santo, Él no puede tener compañerismo con ningún humano en un estado pecaminoso. Por eso, Dios ha provisto Su Hijo Unigénito e Impecable como el perfecto y completo sustituto para morir por nuestros pecados. «*¿Cuánto más la sangre de Cristo, el cual mediante el Espíritu eterno se ofreció a Sí mismo sin mancha a Dios, limpiará vuestras conciencias de obras muertas para que sirváis al Dios vivo?*» (Hebreos 9:14).

**Pensamiento para hoy:** La cruz, que terminó la vida terrenal de Jesús, para siempre terminó con el poder de Satanás para controlar al creyente.

---

### ᴇN LA LECTURA DE HOY
El cruce del Mar Rojo; el cántico de Moisés; las aguas de Mara;
las murmuraciones; el maná y las codornices

---

*L*ibrados de la esclavitud de Egipto, los israelitas estaban en camino a la tierra prometida. Habían viajado solamente una corta distancia cuando vieron que los carros del ejército del Faraón venían tras ellos en un esfuerzo desesperado para recuperar a sus esclavos, « . . . *los alcanzaron acampados junto al mar . . . por lo que los hijos de Israel temieron en gran manera, y clamaron a Jehová. Y dijeron a Moisés: ¿No había sepulcros en Egipto, que nos has sacado para que muramos en el desierto?*» (Éxodo 14:7-11). Cuando los israelitas «*clamaron a Jehová*», no fue en fe, pero en temor, en hostilidad, y siendo críticos contra Moisés.

Los israelitas habían visto los milagros en Egipto que les habían dado la libertad; pero aún, ellos decidieron no confiar en Dios y en Su poder para proveer sus necesidades. Aunque Moisés no podía ver cómo el Señor los iba a salvar, él declaró confiadamente: « . . . *No temáis; estad firmes, y ved la salvación que Jehová hará hoy con vosotros*» (14:13). En una grandiosa exposición de Su poder, « . . . *Jehová derribó a los egipcios en medio del mar. Y volvieron las aguas, y cubrieron los carros y la caballería, y todo el ejército de Faraón*» (14:27-28).

Aunque Dios les suplió su necesidad milagrosamente, sólo tres días después, el Señor guio a los israelitas a Mara, donde ellos « . . . *no pudieron beber de las aguas de Mara, porque eran amargas . . . Entonces el pueblo murmuró contra Moisés . . . y Jehová le mostró* (a Moisés) *un árbol; y lo echó en las aguas, y las aguas se endulzaron*» (15:23-25).

La falta de confianza en Dios que los israelitas tenían fue evidente otra vez cuando se les acabó la comida. «*Y toda la congregación de los hijos de Israel murmuró contra Moisés y Aarón en el desierto; y les decían los hijos de Israel: Ojalá hubiéramos muerto por mano de Jehová en la tierra de Egipto . . . pues nos habéis sacado a este desierto para matar de hambre a toda esta multitud. Y Jehová dijo a Moisés: He aquí Yo os haré llover pan del cielo . . . para que Yo lo pruebe si anda en Mi ley, o no. . . . Y la casa de Israel lo llamó Maná . . . y lo recogían cada mañana . . .* » (16:2-4,15,21,31).

Jesús declaró que Él mismo es « . . . *el Verdadero Pan del cielo. . . . Aquel que descendió del cielo y da vida al mundo. . . . Yo soy el Pan de Vida*» (Juan 6:32-35).

**Pensamiento para hoy:** Un corazón lleno de fe en Dios nunca tiene espacio para el temor.

## EN LA LECTURA DE HOY

La sed causa al pueblo murmurar contra Moisés; el agua de la roca;
Amalec es vencido; el consejo de Jetro; Dios habla desde el monte de Sinaí

*M*ientras seguían su viaje hacia la tierra prometida, los israelitas se enfrentaron a otra prueba sobre su dependencia en Dios. «*Toda la congregación de los hijos de Israel partió del desierto . . . conforme al mandamiento de Jehová, y acamparon en Refidim; y no había agua para que el pueblo bebiese. . . . Así que el pueblo tuvo allí sed, y murmuró contra Moisés, y dijo: ¿Por qué nos hiciste subir de Egipto para matarnos de sed . . . ? Y llamó el nombre de aquel lugar Masah y Meriba, por la rencilla de los hijos de Israel, y porque tentaron a Jehová, diciendo: ¿Está, pues, Jehová entre nosotros, o no?*» (Éxodo 17:1,3,7). El Señor sabía que no había agua en aquel lugar, pero sin embargo, Él fue quien dirigió a los israelitas a ese mismo lugar.

El viaje por el desierto manifestó que los israelitas se habían negado a confiar en el Señor. Por eso Dios nos advierte: «*No endurezcáis vuestros corazones, como en la provocación, en el día de la tentación en el desierto, donde Me tentaron vuestros padres; Me probaron, y vieron Mis obras cuarenta años. A causa de lo cual Me disgusté contra esa generación, y dije: Siempre andan vagando en su corazón . . .* » (Hebreos 3:8-10).

El rescate de Israel de la esclavitud y el viaje en el desierto es simbólico del peregrinaje en la vida del creyente. De sus experiencias, podemos aprender cómo confiar en Dios aun cuando los recursos que anticipamos tener no están disponibles. Tal y como los israelitas culparon a Moisés, así también nosotros caemos en la tentación de culpar a otros. La frustración en el trabajo, la tensión emocional, el descontentamiento, el encontrar error con nuestras situaciones incómodas, el odio, el celo, momentos de ira – todos estos son evidencias de una vida autocéntrica que siempre busca su propio bienestar. Aun más serio, es una expresión de desconfianza en la sabiduría, competencia y bondad de Dios.

La fe del creyente no está basada en circunstancias favorables, pero en nuestro Creador Omnisciente. El secreto para obtener la paz en nuestras mentes y vencer todos los problemas de la vida está en confiar en la Palabra de Dios. El creyente es amonestado a expresar su fe cuando « *. . . tengáis que ser afligidos en diversas pruebas, para que sometida a prueba vuestra fe, mucho más preciosa que el oro, el cual aunque perecedero se prueba con fuego, sea hallada en alabanza, gloria y honra cuando sea manifestado Jesucristo*» (I de Pedro 1:6-7).

**Pensamiento para hoy:** El quejarse manifiesta la falta de fe.

---

## ᴱN LA LECTURA DE HOY
### Los diez mandamientos y otras leyes y regulaciones son dadas al pueblo

---

*L*os diez mandamientos son muy sagrados porque fueron escritos «*con el dedo de Dios*» (Éxodo 31:18). No es de gran sorpresa que los incrédulos odian cuando ellos son exhibidos. Ellos son una expresión de la conducta espirjual y moral del pueblo de Dios. Ocho de ellos son expresados negativamente: «*No . . .* ». Seis de ellos presentan los requerimientos para nuestra relación con otras personas. Cuatro de ellos revelan la perfección del Santo Dios, que es el Único Dios Verdadero, quien solo es digno de nuestra alabanza.

*«Y habló Dios todas estas palabras diciendo: Yo soy Jehová tu Dios . . . No tendrás dioses ajenos delante de Mí. No te harás imagen, ni ninguna semejanza de lo que esté arriba en el cielo, ni abajo en la tierra . . . porque Yo soy Jehová tu Dios, fuerte, celoso . . . y hago misericordia a millares, a los que me aman y guardan Mis mandamientos. No tomarás el nombre de Jehová tu Dios en vano; porque no dará por inocente Jehová al que tomare Su nombre en vano. Acuérdate del día de reposo para santificarlo. . . . Honra a tu padre y a tu madre . . . No matarás. No cometerás adulterio. No hurtarás. No hablarás contra tu prójimo falso testimonio. No codiciarás»* (20:1-17).

Somos advertidos que es malo hurtar – es malo hurtar en las tiendas, mentir en la declaración de los impuestos, o faltar de pagarle a un empleado por su trabajo. Es malo hablar falsos testimonios contra un prójimo, y es malo cometer adulterio. *«Pero los cobardes e incrédulos, los abominables y homicidas, los fornicarios y hechiceros, los idólatras y todos los mentirosos tendrán su parte en el lago que arde con fuego y azufre, que es la muerte segunda»* (Apocalipsis 21:8). Somos también amonestados contra la práctica de la hechicería, la bestialidad, y los sacrificios «*. . . a dioses excepto solamente a Jehová*» (Éxodo 22:18-20). Todos los que eran culpables de estos pecados recibieron inmediatamente la sentencia de muerte. La obediencia debe de venir del corazón. Si nosotros tenemos amor para nuestro prójimo entonces no vamos a robarle su propiedad, y cometer adulterio con su esposa, o fornicación con su hija. Vamos a proteger y respetar sus seres queridos porque ellos son propiedad de Dios.

La Ley es un espejo que revela lo que debemos de ser con exactitud absoluta. El apóstol Pablo nos dice: «*. . . Pero yo no conocí el pecado sino por la Ley; porque tampoco conociera la codicia, si la Ley no dijera: No codiciarás*» (Romanos 7:7).

**Pensamiento para hoy:** Nos gozamos de la paz de Dios cuando nuestro mayor deseo es: «Todo lo que a Ti te agrade, mi Señor, me agrada a mí».

---

### ᴇN LA LECTURA DE HOY

Las leyes son instituidas; tres fiestas deben ser celebradas; el Ángel de Jehová prometido cómo el guía; las instrucciones para los utensilios del tabernáculo

---

*L*os israelitas fueron mandados: «*Mas a Jehová vuestro Dios serviréis*» (Éxodo 23:25). Esta ordenanza continuó con 14 bendiciones que Dios le prometió a Israel por su obediencia, incluyendo esta seguridad: «*. . . porque pondré en tus manos a los moradores de la tierra, y tú los echarás de delante de ti*» (23:31). Después Dios les dio advertencias sobre los cananeos: «*No harás alianza con ellos, ni con sus dioses*» (23:32). Y todo el pueblo respondió, diciendo: «*Haremos todas las Palabras que Jehová ha dicho*» (24:3).

Sólo Dios determina lo que es una conducta y una adoración aceptable a Él. Así, Él le dio a Moisés instrucciones en detalles para edificar el tabernáculo donde Él aceptaría sus adoraciones.

El tabernáculo proveyó un camino para que el humano pudiera mantener una relación correcta con Dios y tener un lugar para adorar al Señor. Pero, más importante, era un lugar donde Dios moraba entre Su pueblo. En su fachada, cubierto de «*pieles de carneros*» (26:14), era poco atractivo, como Jesús, de quien Isaías dijo: «*. . . no hay parecer en Él, ni hermosura; le veremos, mas sin atractivo para que le deseemos*» (Isaías 53:2). Pero también, tal y como Jesús, nada nos inspira más que su interior, porque era el único lugar en la tierra donde Dios se reunía con Su pueblo. El atrio del tabernáculo era rectangular y encerrado y había solamente una puerta por la cual el ser pecador podía acercarse a Dios (Éxodo 26:36; 27:16-18).

La cortina de lino blanco servía como una pared de separación y simbolizaba la santidad de Dios donde los gentiles no podían entrar. Consecuentemente, los gentiles no podían ni mirar por encima de la cortina para observar lo que pasaba dentro del atrio, pues «*. . . el extraño que se acercare morirá*» (Números 1:51). Esta cortina de lino ilustraba que el pecado había separado al ser humano y pecaminoso de la santa presencia de Dios.

La Biblia nos dice: «*Pues la Ley por medio de Moisés fue dada, pero la gracia y la verdad vinieron por medio de Jesucristo*». Nuestro Señor Jesús nos dijo: «*Yo soy la Puerta; el que por Mí entrare, será salvo*» (Juan 1:17,29; 10:9).

**Pensamiento para hoy:** Si no tenemos algo bueno que decir de otra persona, entonces es mejor no decir nada.

*continúa en la página 33*

# EL TABERNÁCULO

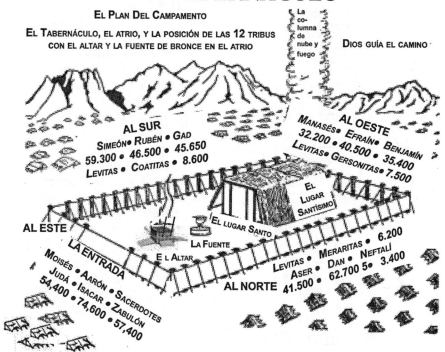

**EL PLAN DEL CAMPAMENTO**

**EL TABERNÁCULO, EL ATRIO, Y LA POSICIÓN DE LAS 12 TRIBUS CON EL ALTAR Y LA FUENTE DE BRONCE EN EL ATRIO**

La columna de nube y fuego

**DIOS GUÍA EL CAMINO**

**AL SUR**
SIMEÓN • RUBÉN • GAD
59.300 • 46.500 • 45.650
LEVITAS • COATITAS • 8.600

**AL OESTE**
MANASÉS • EFRAÍN • BENJAMÍN
32.200 • 40.500 • 35.400
LEVITAS • GERSONITAS • 7.500

EL LUGAR SANTÍSIMO

EL LUGAR SANTO

**AL ESTE**

LA FUENTE

E L ALTAR

**LA ENTRADA**
MOISÉS • AARÓN • SACERDOTES
JUDÁ • ISACAR • ZABULÓN
54.400 • 74,600 • 57,400

**AL NORTE** 41.500 •
LEVITAS • MERARITAS • 6.200
ASER • DAN • NEFTALÍ
62.700 5• 3.400

> *«Mira y hazlos conforme al modelo*
> *que te ha sido mostrado en el monte»* (Éxodo 25:40)

El lugar vallado – El altar de bronce – La fuente de bronce
El tabernáculo – El lugar santo – El candelero
La mesa de la Presencia – El altar de oro – El lugar santísimo
El arca del testimonio (El pacto de Jehová) – El propiciatorio

> *«Todas las cosas conforme al modelo»* (Hebreos 8:5).

## EL TABERNÁCULO

El tabernáculo era una estructura rectangular, midiendo unos 45 pies de largo y 15 pies de ancho, la cual fue hecha en el centro del campamento de las doce tribus. Estaba protegido por un vallado que medía unos 150 pies de largo y 75 pies de ancho. Nada fue dejado a la opinión humana.

Sesenta columnas, siete pies y medio de altura, estaban divididas en porciones iguales alrededor del tabernáculo. Esta pared separaba al incrédulo del alabador oferente y simbolizaba la justicia de Dios que prohibe al pecador estar en Su Presencia.

Había solamente una entrada por la cual un hombre pecaminoso podía acercarse a Dios (Éxodo 26:36). Esto simbolizaba a Cristo, quien dijo: *«Yo soy la Puerta; el que por Mí entrare, será salvo; y entrará, y saldrá, y hallará pastos»* (Juan 10:9).

# El Tabernáculo

**EL LUGAR SANTÍSIMO**

El Propiciatorio

El Arca Del Pacto

Velo

El Altar Del Incienso

El Candelero

El Pan de la Presencia

**EL LUGAR SANTO**

La Entrada

La Columna de Nube y Fuego
Dios Guía el Camino
Moisés, Aarón, Sacerdotes
Judá, Isacar, Zabulón

Los Gersonitas
con dos vagones cargando
el tabernáculo, las cortinas,
las coberturas,
las colgaduras, el portón,
la puerta, y las cuerdas

Los Meraritas
con cuatro vagones cargando
las tablas, las barras, las columnas,
las basas, las columnas del atrio,
las basas del atrio,
las espigas, y las cuerdas
Rubén, Simeón, Gad

Los Coatitas
cargando el
Arca del Testimonio —
Dios moraba entre ellos
la mesa,
el candelero de oro puro,
el altar de bronce,
el altar de oro,
los utensilios,
y la fuente de bronce,

Efraín, Manasés, Benjamín
Dan, Aser, Neftalí

---

## EL ALTAR DE BRONCE
### (Éxodo 38:1-7)

Después de pasar por la puerta y entrar al lugar cercado, el adorador se acercaba al altar de bronce, también llamado el altar del holocausto. Medía unos siete pies y medio cuadrados y cuatro pies y medio de altura, con un enrejado en el centro.

En este altar el adorador recibía un encubrimiento temporal para sus pecados por haber ofrecido los sacrificios por el pecado y por la recompensación.

Todos los sacrificios fueron ofrecidos en el altar de bronce con la excepción del sacrificio por el pecado, el cual era quemado afuera del campamento, excepto por la grosura, la cual era quemada en el altar de bronce. La sangre del sacrificio por el pecado fue rociada arriba del altar de oro y el resto fue echado al pie del altar de bronce (Levítico 4:4-12).

Nuestro Señor es ambos: *«(El) Cordero de Dios, que quita el pecado del mundo»*, y nuestro Sumo Sacerdote. *«(Tenemos) tal Sumo Sacerdote, el cual se sentó a la diestra del trono de la Majestad en los cielos»* (Juan 1:29; Hebreos 8:1; 9:11-14; Efesios 2:13; I de Pedro 2:24).

### LA FUENTE DE BRONCE
(Éxodo 29:4; 30:18-21; 38:8)

Después que el sacerdote ofrecía el sacrificio, se acercaba a la fuente de bronce que contenía el agua para los sacerdotes poder lavarse sus manos y sus pies antes de entrar a ministrar en el lugar Santo. Esto era simbólico de

la Palabra de Dios que revela nuestros pecados y tiene el poder para limpiar nuestras vidas (Juan 15:3; Tito 3:5; Santiago 1:23,25).

### LA MESA DE LA PRESENCIA
(Éxodo 25:23-30; 37:10-16)

Después que el sacerdote se lavaba sus manos y sus pies en la fuente de bronce, él iba al tabernáculo, pasando por el velo de lino, la única puerta al lugar Santo. Adentro del lugar Santo a la derecha estaba la mesa de la Presencia, hecha de madera de acacia y cubierta de oro puro. Doce panes sin levadura rociados con incienso estaban puestos en dos hileras de seis panes cada una sobre la mesa. Estos panes eran comidos solamente por los sacerdotes en el lugar Santo. Su

nombre *«el pan de la Presencia»* quería decir mucho más que el nutrimiento físico; ello indicaba el llegar a obtener un discernimiento espiritual que no se podía obtener de ninguna otra manera.

El Espíritu Santo puede hacer mucho más de lo que nosotros podemos explicar. Él nos ilumina, nos da el poder, y entonces transforma las vidas de todos los que por medio de la oración continúan a leer la Palabra de Dios con un gran deseo de cumplir con Su perfecta voluntad. Jesucristo nos dijo: *«Yo soy el Pan Vivo que descendió del cielo; si alguno comiere de este Pan, vivirá para siempre»* (Juan 6:51; Juan 6:29-38; 12:24-33).

### EL CANDELERO DE ORO PURO
(Éxodo 37:17-24)

Adentro del lugar Santo y a la izquierda estaba el candelero de oro puro con siete brazos que proveía la única fuente de luz. Sin esta luz, el cuarto entero hubiera estado en oscuridad completa. El candelero representa a Cristo, *«la Luz del mundo»*, quien se da a conocer por Su Palabra (Juan 8:12; Apocalipsis 1:12-20).

## EL ALTAR DE ORO
(Éxodo 30:1-10; 37:25-28; 40:5;
Levítico 16:12-13)

## EL ARCA DEL PACTO DE JEHOVÁ Y EL PROPICIATORIO
(Éxodo 37:1-9; Números 10:33)

Inmediatamente antes del velo que daba al lugar Santísimo había un altar de oro llamado el altar de oro del incienso (I de Reyes 6:22; Hebreos 9:4). Este altar medía como tres pies de altura, un pie y medio de ancho, y un pie y medio de profundo. El altar estaba hecho de madera de acacia y cubierto con oro puro.

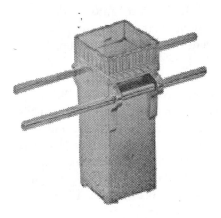

El altar de oro era usado exclusivamente para quemar el incienso por la mañana y por la tarde. Una brasa de fuego del altar de bronce se ponía en el altar cada mañana con el incienso puesto arriba de ella. Solamente el sumo sacerdote era permitido quemar incienso, un tipo de oración intercesora que ascendía al cielo día y noche.

El altar de oro era el mueble más pequeño en el tabernáculo y, así, puede que parezca insignificante. Pero era simbólico de Cristo como nuestro Intercesor (Juan 17:1-26; Hebreos 7:25). Es por Él que la alabanza como también las oraciones de personas que no se merecen misericordia llegan a ser preciosas delante de Dios (Hebreos 13:15).

El Arca del Pacto de Jehová también se conocía como el Arca del Testimonio (Éxodo 25:10-22). El arca estaba hecha de madera de acacia y cubierta adentro y afuera con oro puro. El arca contenía la vara de Aarón que había reverdecido, una vasija de oro con maná, y las dos tablas de piedra donde estaban escritos los diez mandamientos (Éxodo 16:33; 31:18; 34:29; Números 17:10; Deuteronomio 10:5; Hebreos 9:4).

El propiciatorio, o la tapa del arca, estaba hecha de oro puro. Sobre esta lámina habían dos querubines de oro con sus alas extendidas, cara a cara, pero mirando hacia abajo al propiciatorio. Entre estos dos querubines moraba la manifestación de la Presencia de Dios, que iluminaba al lugar Santísimo.

Solamente un hombre, el sumo sacerdote, simbólico de Cristo, podía entrar en el lugar Santísimo. Una vez al año, en el día de la expiación, el sumo sacerdote rociaba la sangre del animal sacrificado sobre el propiciatorio y después delante de él mismo siete veces, simbólico de la perfecta y completa salvación y el perdón del pecado hecho sólo posible por Jesucristo. Cristo, nuestro Sumo Sacerdote, presentó Su sangre como Su sacrificio para que pudiéramos ser aceptables a Dios (Hebreos 9:11-15; 10:19).

---

### 𝒞N LA LECTURA DE HOY

Las instrucciones para construir el tabernáculo; el atrio, los utensilios, las columnas; planes para el altar; la vestidura de Aarón el sumo sacerdote; el efod

---

𝒟entro del atrio, el cual rodeaba al tabernáculo, estaba el altar de bronce (Éxodo 27:1-8), también llamado: *«el altar del holocausto»* (30:28). Dios le había dicho a Moisés: *«Harás también un altar de madera de acacia . . . y lo cubrirás de bronce»* (27:1-2). Por toda la Biblia, el bronce es símbolo del juicio de Dios sobre el pecado (ver Números 21:6-9; Juan 3:14-16). Todos los sacrificios eran ofrecidos en el altar de bronce, con el fuego encendido por Dios: *«El fuego arderá continuamente en el altar; no se apagará»* (Levítico 6:13).

Cuando se ofrecía un animal sin defecto y sin mancha como sacrificio, el israelita entendía que la vida del animal se estaba ofreciendo como una pérdida en su lugar por los pecados que había cometido. Él sabía que era posible, solamente por la muerte del animal impecable sacrificado por sus pecados, establecer otra vez una correcta relación con Dios. El adorador entraba por la única puerta al atrio y se acercaba al altar de bronce. Entonces él ponía sus manos sobre su sacrificio, lo cual significaba que su culpabilidad era así transferida al animal inocente.

Entre el altar y el tabernáculo estaba una fuente de bronce hecha de muchos espejos que las mujeres que velaban a la puerta del tabernáculo de reunión habían provisto (Éxodo 38:8). Cada día después que el sacerdote ofrecía un sacrificio, él se acercaba a la *«fuente de bronce»* (30:17-19), y allí se lavaba sus manos y su pies antes de ministrar en el santuario. El agua y los espejos eran simbólicos, y representaban la Palabra de Dios que revela nuestros pecados y tiene el poder para limpiar y quitar el pecado en nuestras vidas (Tito 3:5; Santiago 1:23,25).

Dios usó a los romanos para destruir el templo de Herodes con su altar de bronce, la fuente de bronce, el candelero de oro puro, la mesa de la Presencia, y el altar de incienso de oro. El arca del pacto de Jehová, con su propiciatorio, se habían perdido desde el cautiverio en Babilonia. Todo esto fue simbólico de nuestro Señor Jesucristo, quien lo cumplió todo (Hebreos 9:1–10:22; 13:10-12). Desde la crucifixión, la resurrección, y la ascensión de Jesucristo, los judíos y los gentiles tienen solamente un camino, puesto por Dios, para limpiar sus pecados.

Cristo se dio a Sí mismo por la iglesia *« . . . para santificarla, habiéndola purificado en el lavamiento del agua por la Palabra»* (Efesios 5:26). Jesucristo también nos dijo: *«Ya vosotros estáis limpios por la Palabra que os he hablado»* (Juan 15:3).

**Pensamiento para hoy:** ¿Honrará a Dios lo que yo hago hoy?

## ÉN LA LECTURA DE HOY

Las instrucciones para los sacerdotes y los sacrificios;
el holocausto continuo; el altar del incienso; las almas rescatadas;
el aceite de la santa unción; regulaciones para el día de reposo;
Moisés recibe las dos tablas de piedra del testimonio

*L*os sacerdotes, quienes ministraban en el tabernáculo, tenían que estar limpios antes de entrar. *«Habló más Jehová a Moisés, diciendo: Harás también una fuente de bronce, con su base de bronce, para lavar; y la colocarás entre el tabernáculo de reunión y el altar, y pondrás en ella agua. Y de ella se lavarán Aarón y sus hijos las manos y los pies»* (Éxodo 30:17-19). Después que el sacerdote se lavaba sus manos y sus pies en la fuente, la cual proveía la limpieza de las actividades de la vida diaria, entonces era que él estaba capacitado para entrar en el tabernáculo y por el velo de lino torcido, el cual era la única entrada al lugar santísimo.

Afuera del lugar santísimo, al lado derecho estaba la mesa de la Presencia con sus 12 panes (tortas) sin levadura rociado con incienso. El nombre «el pan de la Presencia» sugiere más que algo nutritivo para el cuerpo. Esto da a entender que allí había un discernimiento espiritual, el cual no se podía obtener en ningún otro lugar. El pan era simbólico de Cristo, quien dijo: *«Yo soy el Pan de vida. . . . Yo soy el Pan vivo que descendió del cielo; si alguno comiere de este Pan vivirá para siempre»* (haciéndolo una parte indispensable de su vida) (Juan 6:48,51; 6:29-38; 12:24). Así como la comida diaria se asimila para mantener nuestros cuerpos, de la misma manera, cuando nosotros continuamos leyendo la Palabra de Dios, que es el pan de la vida, el Espíritu Santo ilumina y entonces transforma nuestras vidas. *«Desechando, pues, toda malicia, todo engaño, hipocresía, envidias, y todas las detracciones, desead, como niños recién nacidos, la leche espiritual no adulterada, para que por ella crezcáis para salvación»* (I de Pedro 2:1-2).

Al lado izquierdo, al frente de la mesa de la Presencia, estaba el candelero con siete lamparillas hecho de una pieza labrada a martillo, de oro puro. El candelero proveía la única fuente para alumbrar el lugar santo (Levítico 24:2-4).

Dios ha provisto sólo un libro – la Santa Biblia – como la fuente de luz para entender Su voluntad en nuestras vidas (Salmo 119:105,130; Proverbios 6:23).

Jesucristo nos dice: *« . . . Yo soy la Luz del mundo; el que Me sigue, no andará en tinieblas, sino que tendrá la luz de la vida»* (Juan 8:12).

**Pensamiento para hoy:** El ignorar la Palabra de Dios siempre nos lleva al engaño.

---

### ∂N LA LECTURA DE HOY

Moisés en el monte Sinaí; Aarón con el becerro de oro y su destrucción; la muerte de 3.000 israelitas; la Ley es renovada; el pacto de Dios; tres fiestas

---

*M*oisés estaba en el monte Sinaí cuando Dios le dio «*dos tablas del testimonio, tablas de piedra escritas con el dedo de Dios*» (Éxodo 31:18). Al mismo tiempo, algo trágico estaba pasando al pie de la montaña. «*Viendo el pueblo que Moisés tardaba en descender del monte, se acercaron entonces a Aarón, y le dijeron: Levántate, haznos dioses que vayan delante de nosotros; porque a este Moisés, el varón que nos sacó de la tierra de Egipto, no sabemos qué le haya acontecido*» (32:1). No le tomó a Aarón mucho tiempo para hacer un becerro de oro y «. . . *edificó un altar delante del becerro* . . . *Y al día siguiente madrugaron, y ofrecieron holocaustos, y presentaron ofrendas de paz*» (32:2-6).

Un holocausto verdadero era un deleite al Señor, pues simbolizaba un rendimiento completo delante de Él; pero estos sacrificios de idolátricos eran una gran hipocresía.

Al volver al campamento, Moisés vio rápidamente que los israelitas se habían corrompidos (32:7). ¿Pensaban ellos que un becerro de oro, el cual ellos podían ver, era un mejor recordador de lo que ellos adoraban, que el invisible, pero siempre presente Dios? ¿Querían ellos volver a Apis, un dios de los egipcios en la forma de un toro? Solamente seis semanas antes, la congregación entera había jurado: «*Todo lo que Jehová ha dicho, haremos*» (19:8).

La adoración falsa siempre nos lleva a una irresponsable conducta moral. Comparemos los pecados de los israelitas con nuestro comportamiento en el siglo vigésimo primero. Casi todos rechazaríamos ídolos hechos por los hombres; pero pensemos lo fácil que el dinero, las posesiones, los talentos, los pasatiempos, y la fama y el éxito se convierten en ídolos para muchas personas. El apóstol Pablo nos recuerda que aun «. . . *habiendo conocido a Dios, no le glorificaron como a Dios, ni le dieron gracias, sino que se envanecieron en sus razonamientos, y su necio corazón fue entenebrecido*» (Romanos 1:21).

El becerro de oro está como un símbolo de la inteligencia humana, la cual siempre desarrolla su propio sistema de adoración, añadiéndole o separándose de la Palabra de Dios. El mundo admira a la persona independiente, que vive con una resolución de estar en control de todo, «. . . *y en las obras de sus manos se regocijaron*» (Hechos 7:41).

**Pensamiento para hoy:** Si seguimos las opiniones de la gente siempre terminaremos en desastre.

## ℰN LA LECTURA DE HOY

Las ofrendas voluntarias y la construcción del tabernáculo; el arca del testimonio; el propiciatorio; la mesa de la Presencia, el candelero de oro; el altar del incienso cubierto de oro puro.

ℰl altar del incienso de oro puro fue hecho según las instrucciones que Dios le dio a Moisés, «... *de madera de acacia... y le hizo una cornisa de oro alrededor... Hizo asimismo el aceite santo de la unción, y el incienso puro, aromático*» (Éxodo 35:15; 37:25-26,26). Dios también le mandó a Moisés sobre el altar, diciendo: «*Y lo pondrás delante del velo que está junto al arca del testimonio, delante del propiciatorio que está sobre el testimonio, donde Me encontraré contigo. Y Aarón quemará incienso aromático sobre él; cada mañana cuando alistes las lámparas lo quemará.* ... (Como) *rito perpetuo delante de Jehová* ... » (Éxodo 30:6-8).

Los sacerdotes eran permitidos en el lugar santo, pero sólo el sumo sacerdote podía entrar en el lugar santísimo, una vez al año, en el día de expiación. Al frente del velo estaba el altar del incienso. Este altar era más pequeño que el altar de bronce, pero era mucho más costoso, pues estaba cubierto de oro puro. El altar de bronce, donde el holocausto se ofrecía, hablaba del juicio del pecado, y estaba cerca de la puerta a la entrada del atrio.

El altar del incienso era simbólico de Cristo como nuestro Intercesor (Juan 17:1-26; Hebreos 7:25). Cada mañana, Aarón el sumo sacerdote, llenaba las lámparas con aceite de oliva puro y quemaba incienso sobre el altar. Él cogía un incensario lleno de brasas de fuego del altar de bronce y lo llevaba al altar del incienso y allí quemaba y el perfume aromático molido que cubría el propiciatorio con una nube que ascendía hacia el cielo día y noche. Sólo Dios era la fuente del fuego sobre este altar.

Solamente Jesucristo puede hacer posible que nosotros nos acerquemos al Padre celestial en oración. « ... *Cristo es el que murió; más aun, el que también resucitó, el que además está a la diestra de Dios, el que también intercede por nosotros*» (Romanos 8:34). En el libro de Hebreos leemos: « ... *por lo cual puede también salvar perpetuamente a los que por Él se acercan a Dios, viviendo siempre para interceder por ellos*» (Hebreos 7:25).

Jesucristo es nuestro Sumo Sacerdote que siempre está intercediendo por nosotros cada vez que oramos. Nosotros también somos animados a que « ... *sean conocidas vuestras peticiones delante de Dios en toda oración y ruego, con acción de gracias*» (Filipenses 4:6-7).

**Pensamiento para hoy:** Es por medio de Jesucristo que las oraciones de personas indignas se convierten en oraciones preciosas para Dios.

## ᴇN LA LECTURA DE HOY
El altar de bronce del holocausto; el atrio del tabernáculo;
las vestiduras del sacerdote

ᴇn el monte Sinaí, el tabernáculo fue terminado según las intrucciones que el Señor le había dado a Moisés: *«Así fue acabada toda la obra del tabernáculo . . . y todos sus utensilios . . . el arca del testimonio y sus varas, el propiciatorio»* (Éxodo 39:32-43). *«El arca del testimonio»* (25:22; Números 10:33) contenía el pacto entre Dios y Su pueblo Israel. Era una caja (un arca) de madera cubierta de oro, por dentro y por fuera. El arca del testimonio era un ejemplar simbólico (tipo o figura) de Jesús el Mesías, el Hijo de Dios, quien solo puede expiar el pecado. La madera representaba Su naturaleza humana, tal y como lo dijo Isaías: *« . . . Subirá cual renuevo delante de Él, y como raíz de tierra seca»* (Isaías 53:2). El oro representaba Su naturaleza divina, pues Él es completamente Dios y completamente hombre. El arca fue hecho de la madera del árbol de acacia, que crecía en los desiertos, símbolo del sistema mundial.

La cobertura del arca fue hecha de oro puro y fue llamada *«el propiciatorio»*. Ella cubría la Ley que fue puesta en el arca. Todos los hombres son pecadores, pero Jesucristo, el Perfecto e Impecable Hijo de Dios, se convirtió en nuestro Sumo Sacerdote. Por Su perfecta expiación (propiciación) por nuestros pecados, Él nos proporcionó la misericordia y la salvación de Dios, representadas por *«el propiciatorio»*.

El arca estaba detrás del velo, adentro del lugar santísimo. Sin la Presencia del Señor sobre el arca, todos los servicios del tabernáculo hubiesen sido en vano. Podemos estar seguro que, mientras leemos la Palabra de Dios diariamente en oración y adoramos al Señor, Su presencia, que mora para siempre dentro, nos dará un buen significado a nuestras vidas.

En el día de expiación, el sumo sacerdote rociaba la sangre de un becerro inocente hacia *«el propiciatorio»* y esparciaba *« . . . con su dedo siete veces de aquella sangre»* (Levítico 16:14). El número siete es simbólico de la perfecta y completa salvación y perdón de nuestros pecados lo cual es hecho posible por Jesucristo.

La Ley provee *«el conocimiento del pecado»*, pero nunca *«el perdón de pecados»* (Romanos 3:20; Gálatas 2:16; 3:11). *«Pues la Ley por medio de Moisés fue dada, pero la gracia y la verdad vinieron por medio de Jesucristo»* (Juan 1:17). Jesucristo es el Único *«en Quien tenemos redención por Su sangre, el perdón de pecados»* (Colosenses 1:14).

**Pensamiento para hoy:** A la vez que reconocemos que somos indignos, más vamos a apreciar Su misericordia que nos da la salvación.

## ÉN LA LECTURA DE HOY

El tabernáculo es terminado y levantado; los utensilios son colocados;
la consagración de Aarón y sus hijos; la nube de Jehová cubre el tabernáculo

Én el monte Sinaí, Dios le enseñó a Moisés: «*Y harán un santuario para Mí, y habitaré en medio de ellos. Conforme a todo lo que Yo te muestre*» (Éxodo 25:8-9). Después de nueve meses, la obra del tabernáculo fue acabada (39:32; ver 19:1; 40:2). «*Y Moisés hizo conforme a todo lo que Jehová le mandó . . .*» (40:16). Esta frase le da énfasis a la suprema importancia de la obediencia a la voluntad de Dios (40:16-32). La obediencia de Moisés fue completa en cada detalle para hacer como 40 diferentes artículos, incluyendo: la tienda del santuario, los altares, los utensilios, los vasos, el altar de bronce, las vestiduras, los corchetes, las basas de bronce, las tablas, las barras, las columnas, y los muebles, etc. (25:40; 26:30; 39:42-43).

El primer artículo que se puso dentro del tabernáculo fue el arca del testimonio que contenía los Diez Mandamientos de Dios: «*En el primer día del mes primero harás levantar el tabernáculo, el tabernáculo de reunión; y pondrás en él el arca del testimonio . . . Y tomó* (Moisés) *el testimonio y lo puso dentro del arca . . . Luego metió el arca en el tabernáculo . . . como Jehová había mandado . . .*» (40:2-3,20-21).

La Palabra de Dios provee toda la sabiduría, instrucción espiritual, y la fuerza necesaria para vivir para Él. Es de suma importancia que nosotros, tal y como Moisés, hagamos toda la obra «*como Jehová* (ha) *mandado*».

Después que el tabernáculo fue levantado, la nube de Su Presencia (Éxodo 13:21) y el tabernáculo eran inseparables por todas las jornadas de los israelitas. Si la nube se alzaba y se movía, entonces el tabernáculo y el pueblo les seguía; si la nube se detenía, el pueblo no se movía hasta el día en que ella se alzaba otra vez (40:37).

Pronto, la gloriosa presencia de Dios se verá otra vez en la tierra, así como el apóstol Juan nos reveló cuando estaba encarcelado en Patmos, cuando escribió: «*Y yo Juan vi la santa ciudad, la nueva Jerusalén, descender del cielo, de Dios, dispuesta como una esposa ataviada para su marido. Y oí una gran voz del cielo que decía: He aquí el tabernáculo de Dios con los hombres, y Él morará con ellos; y ellos serán Su pueblo, y Dios mismo estará con ellos como su Dios*» (Apocalipsis 21:2-3).

**Pensamiento para hoy:** Permita que Cristo tome el cargo en los asuntos de su vida. Usted se gozará y se alegrará que lo hizo.

# INTRODUCCIÓN AL LIBRO DE
# $\mathscr{L}$EVÍTICO

El propósito de este libro era explicar cómo los israelitas podían tener una relación personal con Dios. Los primeros siete capítulos fueron empleados para explicar cinco sacrificios. Los capítulos 8-10 cubren el tema del sacerdote; los capítulos 11-16 expresan los requisitos para la santificación, y explican el día de la expiación; y el capítulo 17 acentúa el altar de bronce como el lugar donde los sacrificios eran ofrecidos. Estos cinco sacrificios levíticos eran necesarios para darnos un entendimiento completo de la muerte de « . . . *nuestro Señor Jesucristo, el cual se dio a Sí mismo por nuestros pecados para librarnos del presente siglo malo*» (Gálatas 1:3-4).

Los capítulos 18-27, revelan cómo la comunión con Dios es mantenida. El principio básico es igual hoy, *«porque escrito está: Sed santos, porque Yo soy santo»* (I de Pedro 1:16; Levítico 11:44-45; 19:2; 20:7). Los capítulos 18-22, expresan la norma para la santidad y las reglas para la santificación de los sacerdotes. Los capítulos 23-27, nos hablan *«del tiempo señalado por el Señor para los israelitas»* para mantener una comunión con el Dios Santo (23:44).

Las siete fiestas solemnes fueron establecidas según el tiempo señalado para que, cuando se estableciesen en la tierra prometida, los israelitas pudiesen ir a Jerusalén. *«Tres veces en el año se presentará todo varón delante de Jehová el Señor»* (Éxodo 23:17).

La primera jornada a Jerusalén sería en el primer mes del año religioso. Tres fiestas solemnes serían celebradas durante este mes. La Pascua de Jehová se celebraba el 14 del mes; la fiesta solemne de los Panes sin levadura a Jehová empezaba el 15 del mes, y duraba siete días; y la fiesta de las Primicias se celebraba *«en el día de reposo»* de la semana de Pascua, la cual siempre se celebraba el domingo (Levítico 23:1-14). Jesucristo es el perfecto Cordero de Pascua, así como el Pan sin levadura, quien resucitó el domingo de resurrección, el día del nuevo grano a Jehová: *«Mas ahora Cristo ha resucitado de los muertos; primicias de los que durmieron es hecho»* (I de Corintios 15:20).

La segunda jornada era siete semanas después. Ella conmemoraba el nuevo grano a Jehová, y se llamaba *«la fiesta solemne de las semanas a Jehová»*. Ella también era celebrada el domingo, el primer día de la semana (Levítico 23:16).

El tercer grupo de fiestas solemnes se celebraba durante el séptimo mes del año religioso. Incluso estaban la fiesta de las Trompetas (principio del año civil), en el primer día del mes, la fiesta de Expiación, en el décimo día, y la fiesta de Tabernáculos desde el quince hasta el veintiuno del mes.

Los días de reposo eran ocasiones para estar sin trabajar. Era el tiempo para enseñar la Palabra de Dios y para adorarle (23:2-4,7,8,21,24-28,35-37).

☾l primer sacrificio mencionado en los tres primeros capítulos de Levítico se llama *«ofrenda encendida de olor grato para Jehová»*, que significa que la ofrenda era voluntaria y agradable a Dios. *«Habla a los hijos de Israel y diles: Cuando alguno de entre vosotros ofrece ofrenda a Jehová, de ganado vacuno u ovejuno haréis vuestra ofrenda. Si su ofrenda fuere holocausto vacuno, macho sin defecto lo ofrecerá; de su voluntad lo ofrecerá a la puerta del tabernáculo de reunión delante de Jehová. Y pondrá su mano sobre la cabeza del holocausto, y será aceptado para expiación suya . . .»* (Levítico 1:2-4,9).

La primera ofrenda mencionada se llamaba *«el holocausto»*. Ello simbolizaba que el oferente daba su propia vida en completa sumisión a Dios y sin motivos egoístas. La ofrenda tenía que ser un becerro, una oveja, una cabra, unas tórtolas, o unos palominos, según la situación financiera del oferente (1:3,10,14). Si el oferente tenía ganado vacuno, entonces ofrecía un toro. Si, sin embargo, el oferente tenía rebaños de ovejas, entonces su ofrenda sería una cordero o una cabra; pero sería una ofensa a Dios si estos dos oferentes ofrecieran solamente un palomino. Pero, si el oferente era tan pobre que no tenía rebaño o ganado, entonces una ofrenda aceptable podía ser unas tórtolas o unos palominos. Esta fue la ofrenda hecha por José y María, la madre de Jesús, lo cual nos muestra lo pobre que ellos eran antes que los magos llegaran con sus costosos regalos (Lucas 2:22-24; Mateo 2:11; ver Levítico 12:2-8).

El proceso para la ofrenda era que el oferente tenía que poner sus manos fuertemente sobre la cabeza del animal, que simbolizaba la transferencia del pecado del culpable sobre el animal inocente para expiar por sus pecados. El pecador . . . *«Entonces degollará el becerro en la presencia de Jehová; y los sacerdotes hijos de Aarón ofrecerán la sangre, y la rociarán alrededor sobre el altar»* (1:5). La sangre ofrecida a Dios indicaba que una vida había sido presentada como sustituto por la persona que había pecado. Esto fue una sombra de la crucifixión *« . . . la esperanza bienaventurada y la manifestación gloriosa de nuestro gran Dios y Salvador Jesucristo, quien se dio a Sí mismo por nosotros para redimirnos de toda iniquidad y purificar para Sí un pueblo propio, celoso de buenas obras»* (Tito 2:13-14).

**Pensamiento para hoy:** Es el espíritu con que damos lo que más cuenta.

## ⅭN LA LECTURA DE HOY
La ofrenda por el pecado; la ofrenda de restitución; más instrucciones
sobre el holocausto, la oblación a Jehová, y el sacrificio expiatorio

*La* ofrenda del nuevo grano también se traduce como la ofrenda de trigo o la ley de la ofrenda. Se podía traer junta con la ofrenda del holocausto o el sacrificio de comunión; pero nunca se podía traer junta con el sacrificio por el pecado o la ofrenda de expiación (prevaricación) y restitución (por la culpa). *«Esta es la ley de la ofrenda: La ofrecerán los hijos de Aarón delante de Jehová ante el altar. . . . (Sin) levadura se comerá en lugar santo; en el atrio del tabernáculo de reunión lo comerán. No se cocerá con levadura . . . es cosa santísima, como el sacrificio por el pecado, y como el sacrificio por la culpa»* (Levítico 6:14-17).

La palabra en hebreo para la ofrenda de *«oblación a Jehová»* es la palabra «minchah», «un regalo» dado de una persona inferior a otra persona superior, a veces con el sentido de tributo pagado por un campesino a un rey. La porción para el Señor era holocausto quemado en el altar, y significaba que el oferente estaba ahora en una correcta relación con el Altísimo Dios.

La flor de harina le recordaba al pueblo que Dios les había dado su comida, y que ahora ellos le debían a Dios sus vidas. Comúnmente el grano era molido y hecho un polvo de harina fino, el cual a veces se mezclaba con el aceite y con el incienso, y siempre con sal, entonces cocido. El incienso puro, se quemaba con el holocausto, y daba un olor suave y grato a Jehová, y simboliza que las oraciones y peticiones intercesoras de todas las personas que están en pacto de relación con Dios son satisfactorias y de grato olor a Él.

Mientras que el holocausto representaba una consagración (dedicación) de uno mismo a Dios, la oblación representaba una consagración del servicio. Ello también ilustraba la vida de Cristo, el Salvador Impecable, que se despojó de Su gloria como el Dios de la creación para ser molido como un grano de trigo por la piedra del molino de la humillación. *«Mas Él herido fue por nuestras rebeliones, molido por nuestros pecados»* (Isaías 53:5). Él sobrellevó los azotes y el profundo sufrimiento, se burlaban de Él cuando le pusieron la corona de espinas, y finalmente murió sobre una cruz para perdonar los pecados de todo el mundo, pero ese perdón se aplica solamente a todos los pecadores arrepentidos que le reciben como Salvador y Señor.

La expiación que Jesucristo hizo le da al pecador la seguridad para recibir los beneficios del perdón de los pecados y la paz y la comunión con Él. *«(El) Hijo del Hombre no vino para ser servido, sino para servir, y para dar Su vida en rescate por muchos»* (Mateo 20:28).

**Pensamiento para hoy:** La lealtad y el ser digno de confianza son muchos más valiosos que las habilidades extraordinarias.

# LAS CINCO OFRENDAS

| La ofrenda | El propósito | El significado para hoy en día |
|---|---|---|
| **La ofrenda por el pecado** (la primera ofrenda requerida) Levítico 4:1-35; 6:24-30 Los becerros, las cabras, los corderos eran aceptables. El animal entero era quemado fuera del campamento. Los pobres podían traer dos palominos o dos tórtolas. | Esta ofrenda proveía propiciación para el pecador condenado quien estaba separado de Dios por sus pecados. Ella era la primera ofrenda, *«por cuanto todos pecaron, y están destituidos de la gloria de Dios»* (Romanos 3:23); nadie era excluido. Era ofrencida por todas las personas en los días de fiestas solemnes. Era un tipo de Cristo crucificado afuera de Jerusalén. | Cristo, el Perfecto e Impecable Hijo de Dios, se dio a Sí mismo como el Sacrificio final por nuestros pecados. *«Al que no conoció pecado, por nosotros lo hizo pecado, para que nosotros fuésemos hechos justicia de Dios en Él»* (II de Corintios 5:21; Gálatas 1:4; Hebreos 10:3-4; 13:12), y por eso proveyó una limpieza del pecado y una reconciliación con Dios para todos los que aceptan a Cristo como su Salvador (Juan 1:12). |
| **La ofrenda por la recompensación** (la ofrenda por la culpa era requerida) Similar a la ofrenda por el pecado. Levítico 5:1-19; 6:1-7; 14:12-18 | El pecador era requerido *«(pagar) lo que hubiere defraudado»* (Levítico 5:16), sea el pecado contra otra persona o contra Dios. | La persona lastimada era recompensada. La restitución incluía el 20% sobre el valor que era restaurado. El compañerismo con la persona dañada y con Dios también eran restaurados. |
| **La oblación** (A veces traducida la ofrenda de cereales) Levítico 2:1-16; 6:14-23; 7:9-10). La flor de harina, el pan sin levadura, las tortas, las hojaldres, y los granos eran ofrecidos – siempre con sal y aceite, y con incienso. Esto siempre seguía el holocausto de por la mañana y el de por la tarde. | Esta ofrenda voluntaria era una expresión de dar gracias: *«(un) olor grato a Jehová»* (Levítico 2:2). Los granos molidos para hacer una harina fina significa el quebrantamiento de Jesucristo en Su crucifixión por nosotros. Jesús fue completamente devoto a la voluntad de Su Padre. *«andad en amor, como también Cristo nos amó, y se entregó a Sí mismo por nosotros, ofrenda y sacrificio a Dios en olor fragante»* (Efesios 5:2). | Los granos individuales siendo molidos en una harina fina y mezclados con aceite simbolizan nuestra necesidad de perder nuestra propia identidad para llegar a ser parte del Cuerpo de Cristo. Nuestra completa sumisión a la voluntad de Dios, bajo la dirección del Espíritu Santo, hoy en día sube al cielo como *«un olor grato a Jehová»* (Levítico 2:2). *«Porque para Dios somos grato olor de Cristo en los que se salvan, y en los que se pierden»* (II de Corintios 2:15). |
| **El holocausto** (La ofrenda voluntaria) Levítico 1:1-17; 5:7; 6:8-13 Basado en la capacidad financiera: un becerro para los ricos; dos tórtolas o dos palominos para los pobres. | Después de las ofrendas por el pecado, por la culpa, y de la oblación, el oferente ahora estaba reconciliado con Dios y venía a adorarle. Un becerro, un carnero, un macho cabrío, unas tórtolas o unos palominos eran quemados por completo sobre el altar hasta ser ceniza. Esta era una ofrenda voluntaria. | Esta ofrenda ilustra el acto completo de rendirse a sí mismo (Mateo 22:37). Todos nosotros también debemos de presentar nuestros cuerpos a Dios *«en un sacrificio vivo»* (Romanos 12:1-2), esto quiere decir que vamos a presentarle a Dios lo mejor del tiempo, de los talentos, y de nuestras posesiones. |
| **La ofrenda del sacrificio de paz** (ofrenda voluntaria y era la última ofrenda) Levítico 3:1-17; 7:11-36 *«ofrecerla de ganado vacuno. . . . el sacerdote hará arder esto sobre el altar»* (3:1-2,6,11-12) | Esta es la única ofrenda que se compartía en compañerismo con Dios, con los sacerdotes, y con las familias, expresando alabanzas a Dios. Esto era un símbolo de felicidad y unidad, y era siempre un acontecimiento de gozo. (Efesios 1:2; 2:14-15; 5:2; ver Colosenses 1:20; 3:12-16). | Cristo es nuestro *«Sacrificio de Paz»*. Él solo hace posible la verdadera paz y el compañerismo entre Dios y los creyentes. Su oración fue esta: *«para que (todos) sean uno»* (Juan 17:22). Jesucristo nos prometió: *«paz os dejo, Mi paz os doy»* (Juan 14:27). |

## EN LA LECTURA DE HOY
Las leyes sobre los sacrificios; consagración de Aarón y de sus hijos
para el sacerdocio; las ofrendas de los sacerdotes

El «*sacrificio de paz*» (comunión) fue la única ofrenda que se compartía entre tres entidades. Primeramente: «*Y la grosura la hará arder el sacerdote en el altar, mas el pecho será de Aarón y de sus hijos. Y daréis al sacerdote para ser elevada en ofrenda, la espaldilla derecha de vuestros sacrificios de paz*» (Levítico 7:31-32), y todo lo que sobraba era para el consumo del oferente y su familia. La ofrenda para el sacrificio de paz tenía que ser un buey y un carnero (9:3-4). Pero las aves no se aceptaban para el sacrificio de paz. El animal tenía que ser sin defecto, lo cual es una característica de Jesucristo quien es Perfecto e Impecable.

El «*sacrificio de paz*» se podía traer por la respuesta de una petición, en conexión con un voto, o por un acto de dar gracias. No era un requerimiento, pero habían leyes estrictas que se tenían que cumplir. Para ofrendar el «*sacrificio de paz*» el oferente . . . «*Pondrá su mano sobre la cabeza de su ofrenda, y la degollará a la puerta del tabernáculo de reunión; y los sacerdotes hijos de Aarón rociarán su sangre sobre el altar alrededor*» (3:2). El sacerdote quemaba la grosura sobre el altar. La grosura siempre pertenecía a Dios y nunca se le permitía comerla a ninguna persona: «*Porque cualquiera que comiere grosura de animal, del cual se ofrece a Jehová ofrenda encendida, la persona que lo comiere será cortada de entre su pueblo*» (7:25).

En todos los sacrificios, la porción que pertenecía al Señor se presentaba primero. Nosotros nunca debemos de darle al Señor lo que queda después que hemos cumplido con todos nuestros deseos. Al Señor le debemos dar Su diezmo de todas nuestras ganancias. Además, una recta relación con Dios siempre resulta en amor y paz en comunión con otros creyentes. «*Justificados, pues, por la fe, tenemos paz para con Dios por medio de nuestro Señor Jesucristo*» (Romanos 5:1). El «*sacrificio de paz*» expresa una relación de paz con Dios al igual que con otras personas. Fue un tiempo de compartir, y de amistad, una ilustración perfecta que prefiguraba a la iglesia, y es un recordatorio para llevarnos a «*. . . no (dejar) de congregarnos, como algunos tienen por costumbre, sino exhortándonos; y tanto más, cuanto veis que aquel día se acerca*» (Hebreos 10:25).

**Pensamiento para hoy:** El orgullo y el celo son mortal para la salud; para la felicidad, para el compañerismo con otros, y para obtener la paz con Dios.

## ℰN LA LECTURA DE HOY

Los primeros sacrificios de Aarón; la ofrenda y la reconciliación por el pueblo; el pecado y la muerte de Nadab y Abiú; restricciones para el sacerdocio

ℰl *«sacrificio de expiación y restitución»* (Levítico 5:6-7) eran ofrendas mandatorias y eran los dos primeros sacrificios presentados. Eran requerimientos para restaurar la relación quebrantada entre Dios y el pecador. *«Y dijo Moisés a Aarón . . . haz tu expiación y tu holocausto, y haz la reconciliación por ti y por el pueblo»* (9:7).

*«Habló Jehová a Moisés, diciendo: Habla a los hijos de Israel y diles: Cuando alguna persona pecare por yerro en alguno de los mandamientos de Jehová sobre cosas que no se han de hacer, e hiciere alguna de ellas; si el sacerdote ungido pecare según el pecado del pueblo, ofrecerá a Jehová, por su pecado que habrá cometido, un becerro sin defecto para expiación. Traerá el becerro a la puerta del tabernáculo de reunión delante de Jehová, y pondrá su mano sobre la cabeza del becerro, y lo degollará delante de Jehová»* (4:1-4). Esto también sirvió como un recordatorio que el animal inocente muere en lugar del pecador. El cuerpo del animal fue entonces llevado afuera del campamento y quemado.

Las Santas Escrituras nos enseñan que la ignorancia no es una excusa para dejar de obedecer las leyes de Dios (Romanos 2:12-16). La desobediencia a la voluntad de Dios es un pecado y cada pecador debe de arrepentirse y hacer expiación por medio de Jesucristo.

Ningún animal puede ser un sustituto absoluto por el pecador, pero pudo (antes de la crucifixión de Cristo) proveer una cobertura temporánea por el pecado. Cristo es nuestra única ofrenda por el pecado. *« . . . Dios envió a Su Hijo, nacido de mujer y nacido bajo la Ley»* (Gálatas 4:4); Jesucristo murió en el lugar del pecador y por los pecados de toda la humanidad. *«Al (Cristo) que no conoció pecado, por nosotros (Dios) lo hizo pecado, para que nosotros fuésemos hechos justicia de Dios en Él»* (II de Corintios 5:21).

Cristo también es nuestra ofrenda de restitución. *«Y a vosotros, estando muertos en pecados y en la incircuncisión de vuestra carne, os dio vida juntamente con Él, perdonándoos todos los pecados, anulando el acta de los decretos que había contra nosotros, que nos era contraria, quitándola de en medio y clavándola en la cruz»* (Colosenses 2:13-14), y así todos los creyentes han *« . . . escapado de las contaminaciones del mundo, por el conocimiento del Señor y Salvador Jesucristo»* (II de Pedro 2:20).

**Pensamiento para hoy:** Nos defraudamos a nosotros mismos cuando le damos al Señor menos que lo mejor que tenemos.

### ＥN LA LECTURA DE HOY
Las leyes sobre la salud y el alimento; la purificación de la mujer
después del parto; las señales y las leyes acerca de la lepra

*M*ás de 40 veces en el libro de Levítico leemos: *«Porque Yo soy Jehová vuestro Dios»;* y más de seis veces el Señor demanda: *«y seréis santos, porque Yo soy Santo».* En la parte interior y en la parte exterior de nuestras vidas, moral y espiritualmente, tenemos que separarnos de todo lo que nos contamina: *«Porque Yo soy Jehová vuestro Dios; vosotros por tanto os santificaréis, y seréis santos, porque Yo soy Santo»* (Levítico 11:44). Los israelitas tenían que comer alimentos limpios (capítulo 11); tener cuerpos limpios (capítulos 12-13), tener vestiduras limpias (13:47-59), tener casas limpias (14:33-57), y llevar higiene personal (capítulo 15); y llegar a ser una nación limpia (capítulo 16).

La palabra *«inmundo»* se usa cerca de 100 veces en los capítulos 11 al 16, mostrándonos que Dios requiere que toda cosa inmunda sea quitada de nuestras vidas. Dios también requería que los israelitas se separaran de los paganos, de la idolatría, de la inmoralidad, y aun de los hábitos antihigiénicos. El pueblo de Dios no se podía casar con los gentiles incrédulos. Los muchos sacrificios, leyes, y regulaciones sobre lo que era limpio y lo que era inmundo (lo que contamina a la persona) nos lleva a entender cómo es que el pecado nos separa de Dios.

Esto es también un recordatorio diario para todo creyente del Nuevo Testamento que . . . *«Si, pues, coméis o bebéis, o hacéis otra cosa, hacedlo todo para la gloria de Dios»* (I de Corintios 10:31).

El Espíritu Santo guio al apóstol Pablo a escribir: *«Así que, hermanos, os ruego por las misericordias de Dios, que presentéis vuestros cuerpos en sacrificio vivo, santo, agradable a Dios, que es vuestro culto racional»* (Romanos 12:1). Y a la iglesia en Corinto, él le escribió: *«¿No sabéis que sois templo de Dios, y que el Espíritu de Dios mora en vosotros? Si alguno destruyere el templo de Dios, Dios le destruirá a él; porque el templo de Dios, el cual sois vosotros, santo es»* (I de Corintios 3:16-17). A los hermanos en Éfeso, les escribió: *«. . . para que fuésemos santos y sin mancha delante de Él»* (Efesios 1:4).

Por esto Dios también nos manda a *«(seguir) la paz con todos, y la santidad, sin la cual nadie verá al Señor»* (Hebreos 12:14).

**Pensamiento para hoy:** La persona que tiene su mente en las cosas de este mundo nunca puede percibir lo que Dios le revela a *«los de limpio corazón»* (Mateo 5:8).

## ℰN LA LECTURA DE HOY

La purificación después de una enfermedad de la piel; señales de la lepra; impurezas de hombres y mujeres; sacrificios para la limpieza de lo inmundo

*C*uando se le llamaba a un israelita leproso, Dios dijo: «... *el sacerdote lo declarará luego inmundo; ...llevará vestidos rasgados y su cabeza descubierta, y embozado pregonará: ¡Inmundo! ¡Inmundo! ... y habitará solo; fuera del campamento ...*» (Levítico 13:44-46). Para expresar su gran dolor y humillación, esta pobre y miserable persona tenía que pasar por el campamento por última vez, gritando: ¡Inmundo! ¡Inmundo!

Cuando la lepra primeramente aparecía, no lucía como algo dañino, sólo una mancha blanca o rosada, y en su primera etapa, totalmente sin dolor. La mancha puede estar presente por meses y aun años sin desarrollarse. Con el tiempo, la lepra se desarrolla a un desfiguramiento muy extremo y repulsivo de todo el cuerpo, incluyendo unos tumores estilo esponjas que se hinchan en la cara y en la cabeza. El movimiento de las coyunturas causa sangrientas, dolorosas y profundas fisuras. Los dedos de las manos y de los pies se desfiguran y se ponen ásperos y andrajosos. Las uñas se hinchan, se enrollan y se caen. Y mientras la lepra empeora, la carne desarrolla úlceras que supuran, y la encía empieza a sangrar. Finalmente, partes de las extremidades se caen. Mientras que los años pasan, el leproso se pone delgado y débil, atormentado con diarrea, una sed insaciable, y una fiebre alta.

La lepra ilustra lo insignificante que un pecado puede parecer al principio, pero al final es espantoso, abominable, y fatal. El pecado inmediatamente nos separa de Dios, pues somos *«Inmundo»*. Las personas que viven controladas por el pecado viven en un estado de muerte, a no ser que vengan a Cristo, se arrepientan verdaderamente, y abandonen sus pecados. Durante el ministerio de Jesucristo aquí en la tierra Él sanó a muchos leprosos, los cuales dieron testimonio de Su Deidad: *«Venid luego, dice Jehová, y estemos a cuenta: si vuestros pecados fueren como la grana, como la nieve serán emblanquecidos; si fueren rojos como el carmesí, vendrán a ser como blanca lana»* (Isaías 1:18). *«Bienaventurado el varón a quien el Señor no inculpa de pecado»* (Romanos 4:8).

Antes que Jesucristo viniese, sólo se hayan dos casos escritos de leprosos que fueron sanados – María (Números 12:10-16) y Naamán de Siria (II de Reyes 5:1-14), los dos casos fueron sanados soberanamente por Dios, «... *y la sangre de Jesucristo Su Hijo nos limpia de todo pecado»* (I de Juan 1:7).

**Pensamiento para hoy:** Los deseos de la carne y los deseos de los ojos nunca se pueden satisfacer.

## ☙N LA LECTURA DE HOY

El día de la expiación; el macho cabrío enviado al desierto; prohibición de comer sangre; leyes civiles y religiosas; actos de inmoralidad prohibidos

*A*nualmente, en el día de la expiación, Aarón, el sumo sacerdote, tenía que primeramente presentar un becerro como sacrificio por sus propios pecados antes de continuar con las ofrendas del pueblo. Dios había dicho: «*Con esto entrará Aarón en el santuario: con un becerro para expiación, y un carnero para holocausto. . . . Después tomará los dos machos cabríos y los presentará delante de Jehová, a la puerta del tabernáculo de reunión. . . . Después degollará el macho cabrío en expiación por el pecado del pueblo, y llevará la sangre detrás del velo adentro . . . y la esparcirá sobre el propiciatorio y delante del propiciatorio. . . . (Y) pondrá Aarón sus dos manos sobre la cabeza del macho cabrío vivo, y confesará sobre él . . . todos sus pecados* (del pueblo), *poniéndolos así sobre la cabeza del macho cabrío, y lo enviará al desierto . . . Y aquel macho cabrío llevará sobre sí todas las iniquidades de ellos . . . Porque en este día se hará expiación por vosotros*» (Levítico 16:3-30).

Dos cabríos eran necesarios para expresar la expiación doble de nuestro Señor Jesucristo. Un cabrío era sacrificado en el altar como sacrificio expiatorio. Entonces Aarón ponía sus manos sobre la cabeza del otro macho cabrío, el que se iba a escapar, y confesaba los pecados del pueblo, y así transfería sus pecados al macho cabrío vivo, «*. . . y lo enviará al desierto por mano de un hombre destinado para esto*» (16:21-22), donde se desaparecía de su vista, un símbolo de: «*Cuanto está lejos el oriente del occidente, hizo alejar de nosotros nuestras rebeliones*» (Salmos 103:12). No había justificación por esa acción, solamente una «cobertura» de los pecados de aún otro año para los israelitas. Pero Cristo, nuestro gran Sumo Sacerdote, no necesitaba ofrecer un sacrificio por Sí mismo, porque Él es «*Santo*». «*Porque tal Sumo Sacerdote nos convenía: . . . que no tiene necesidad cada día, como aquellos sumos sacerdotes, de ofrecer primero sacrificios por sus propios pecados, y luego por los del pueblo; porque esto lo hizo una vez para siempre, ofreciéndose a Sí mismo*» (Hebreos 7:26-27).

El macho cabrío que se escapaba tiene una aplicación adicional para nosotros, pues nosotros debemos de olvidar y no recordar las ofensas que son cometidas contra nosotros. Por lo tanto: «*Quítense de vosotros toda amargura, enojo, ira, gritería y maledicencia, y toda malicia. Antes sed benignos unos con otros, misericordiosos, perdonándoos unos a otros, como Dios también os perdonó a vosotros en Cristo*» (Efesios 4:31-32).

**Pensamiento para hoy:** Nunca debemos de condenarnos a nosotros mismos, ni a otros, por pecados ya confesados y abandonados – porque ya Dios los perdonó.

---

### ✐N LA LECTURA DE HOY
Las leyes de santidad y de justicia para el pueblo y los sacerdotes;
el castigo por la idolatría y la inmoralidad;
las leyes sobre la contaminación de los sacerdotes

---

*L*os sacerdotes tenían que representar al Señor todos los días. También tenían que representarlo en sus vidas personales y relaciones familiares, para que no se blasfemara el santuario de Dios. *«Jehová dijo a Moisés: Habla a los sacerdotes hijos de Aarón, y diles que no se contaminen por un muerto en sus pueblos. . . . No se contaminará como cualquier hombre de su pueblo, haciéndose inmundo. . . . Santos serán a su Dios, y no profanarán el nombre de su Dios, porque las ofrendas encendidas para Jehová y el pan de su Dios ofrecen, por tanto, serán santos. Con mujer ramera o infame no se casarán, ni con mujer repudiada de su marido; porque el sacerdote es santo a su Dios»* (Levítico 21:1,4,6-7; Ezekiel 44:22). El estado matrimonial del sacerdote era tan importante que Dios repitió: *«No tomará viuda, ni repudiada, ni infame ni ramera, sino tomará de su pueblo una virgen por mujer»* (Levítico 21:14). El sacerdote representaba al Altísimo Dios. Ciertamente una mayor norma de conducta se le debe requerir al anciano, al ministro, al pastor, al diácono, o al sacerdote de hoy (Tito 1:6-7; I de Timoteo 3:12).

El lóbulo de la oreja derecha del sacerdote, el pulgar de su mano, y el pulgar de su pie derecho tenían que ser ungidos con sangre. La oreja ungida con sangre le recordaba que tenía que oir la voz de Dios por encima de otras voces; el pulgar de la mano ungido con sangre le recordaba el privilegio de poder servir en el tabernáculo como sacerdote; y el pulgar del pie ungido con sangre le recordaba que tenía que vivir en obediencia a la Palabra de Dios (Levítico 8:23).

Por ser el líder espiritual en medio de su pueblo, el sacrificio por los pecados del sacerdote requería un buey, que era el animal de más valor. En comparación, este fue el mismo sacrificio que se requería por los pecados del pueblo. El sacerdote era el modelo de la vida espiritual quien podía influenciar la congregación entera a pecar (4:3,22-23). Como representante de Dios, un sacerdote que desatendía los requisitos del servicio *«será cortado de Mi presencia* (muerto). *Yo Jehová»* (22:3-7).

Como creyentes debemos de poner el ejemplo y abstenernos de cualquier conducta que influya a otros a ser menos que lo mejor en Cristo. Pues Él *« . . . nos hizo reyes y sacerdotes para Dios, Su Padre»* (Apocalipsis 1:6).

**Pensamiento para hoy:** El creyente representa al Señor Dios todo el tiempo.

# LAS FIESTAS SOLEMNES ANUALES QUE TODOS LOS HOMBRES TENÍAN QUE ASISTIR

| LAS FIESTAS SOLEMNES | SIGNIFICADO PARA ISRAEL | SIGNIFICADO PARA HOY |
|---|---|---|
| **LA PASCUA**<br>- un día -<br>Nisan 14<br>(marzo / abril)<br><br>y | El principio del año religioso (Lv. 23:5-8). La Pascua conmemoraba su rescate de la muerte al haber puesto la sangre del cordero en el dintel y en los postes de las puertas, de cuando comieron el cordero, y de su preparación para el éxodo. | Nuestro rescate de la penalidad y de la muerte por los pecados viene por Cristo, el Cordero de Dios, que murió en nuestro lugar (Juan 1:29; I de Co. 5:7; I de Pedro 1:18-19). |
| **LOS PANES SIN LEVADURA**<br>- siete días -<br>Nisan 15-21<br>(marzo / abril) | La levadura es simbólica del pecado y era prohibido durante esta semana. Este día consistía de una limpieza muy cuidadosa, incluyendo el techo interior, las paredes, los pisos, y cada mueble. Todos los utensilios de la cocina eran hervidos en agua. Esto fue un recordatorio de que ellos eran un pueblo santo y separado para el Señor. | El pan sin levadura ilustra la característica impecable de Cristo, *«el Pan de Vida»* (Juan 6:35,48). *«Por lo cual, salid de en medio de ellos, y apartaos, dice el Señor, y no toquéis lo inmundo* (impropio); *y Yo os recibiré»* (II de Co. 6:17). |
| **LAS PRIMICIAS**<br>El día después del día de reposo de la semana de la Pascua<br>(marzo / abril) | Una gavilla de los primeros frutos de la siega de la cebada era presentada como una ofrenda mecida, indicando el principio de la siega. | Jesucristo resucitó en la fiesta solemne de las primicias. *«Más ahora Cristo ha resucitado de los muertos; primicias de los que durmieron* (han muerto) *es hecho»* (I de Co. 15:20). |
| **EL DÍA DE PENTECOSTÉS**<br>La fiesta de las semanas<br>La fiesta de la siega<br>- un día -<br>Sivan<br>(mayo / junio) | Este día era celebrado siete semanas (50 días) después del día de las primicias. Era una acción de gracias por la siega (Lv. 23:15-22; Dt. 16:9-12). Esto incluía la presentación de dos flautas de pan con levadura de las primicias de la siega del trigo que conmemoraba el fin de la siega del verano. | La venida y la llenura del Espíritu Santo llegó el día de Pentecostés, 50 días después de la resurrección de Cristo (Hechos 2). Pentecostés significa quincuagésimo en griego. Las dos flautas de pan con levadura ilustran la naturaleza pecaminosa tanto de los judíos como de los gentiles. |
| **LAS TROMPETAS**<br>- un día -<br>Tishri 1<br>(septiembre / octubre) | El principio del año civil. Simbólico de la voz de Dios. Los sacrificios especiales se traían ese día (Lv. 23:23-25; Nm. 29:1-6). | La Palabra de Dios predicada significa la trompeta de Dios (II de Ti. 4:1-2; Ap. 4:1). |
| **EL DÍA DE LA EXPIACIÓN**<br>- un día -<br>Tishri 10<br>(septiembre / octubre) | El sumo sacerdote presentaba un sacrificio para la expiación de los pecados de toda la nación del año anterior. Primeramente ofrecía el sacrificio, y después rociaba la sangre sobre el propiciatorio y en la base del altar de bronce. Dos machos cabríos eran escogidos también para una ofrenda por el pecado – uno para ser matado y el otro para confesar sobre él los pecados del pueblo y ser llevado al desierto donde se soltaba (Lv. 23:26-32). | Jesucristo, nuestro Sumo Sacerdote, se entregó a Sí mismo como el perfecto sacrificio. No sólo hizo esto por nosotros al morir en la cruz por nuestros pecados, pero también quitó la culpabilidad y las consecuencias eternas del pecado. Dios nos dice que Él nunca más se recordará de nuestros pecados (He. 7:27; 8:12; 10:17; I de Jn. 1:7-9). |
| **LOS TABERNÁCULOS**<br>La fiesta de las tiendas<br>La fiesta de la cosecha<br>- siete días -<br>Tishri 15-21<br>(septiembre / octubre) | Durante esta fiesta solemne el pueblo vivía en tiendas temporarias conmemorando las provisiones bondadosas de Dios durante los 40 años en el desierto (Éx. 23:16; Lv. 23:36; Nm. 29:12-34; Dt. 16:13-15). | Jesucristo se mostró a Sí mismo como la Fuente de Agua Viva durante esta fiesta solemne (Juan 7:37-39). *«Y aquel Verbo* (los dichos de Dios) *fue hecho* (llegó a ser) *carne, y habitó* (hizo Su templo) *entre nosotros»* (Juan 1:14). |

## ❦N LA LECTURA DE HOY
La pena de muerte para el sacerdote contaminado que come
de lo sagrado; las ofrendas aceptadas; el día de Reposo, la Pascua,
las fiestas solemnes, y otros requerimientos

*L*a Pascua fue la primera fiesta solemne del año religioso. «. . . *en el mes primero, a los catorce del mes, entre las dos tardes, Pascua es de Jehová. Y a los quince días de este mes es la fiesta solemne de los panes sin levadura a Jehová; siete días comeréis panes sin levadura*» (Levítico 23:5-6). «*La fiesta solemne de los panes sin levadura*» duraba siete días durante sólo se podía comer el pan sin levadura (Éxodo 34:18-19). El pan sin levadura representa la naturaleza impecable de nuestro Cristo. «*Y Jesús les dijo: De cierto, de cierto os digo: No os dio Moisés el pan del cielo, mas Mi Padre os da el verdadero Pan del Cielo. Porque el Pan de Dios es Aquel que descendió del cielo y da vida al mundo*» (Juan 6:32-33). La razón porque Israel tenía que abstenerse de la levadura por siete días fue para recordarles que ellos eran un pueblo separado para el Señor su Dios.

Tomaba siete semanas para recoger la cosecha, empezando con la cosecha de la cebada en la primavera. Después venía la cosecha de los olivos y el fruto de las viñas, seguido por la cosecha del trigo al final del verano. Así como había un día para la fiesta de la Siega en la primavera, también la fiesta de Semanas, conocida como la fiesta de la Cosecha, expresaba gratitud por el fin de la cosecha del verano (Éxodo 23:16). También se llamaba «*Pentecostés*» porque la palabra «pente» en el griego significa 50, y esta fiesta tomaba lugar 50 días después de ofrendar la gavilla de la ofrenda mecida durante la fiesta de la Siega (Levítico 23:15-16).

En contraste con el pan sin levadura, requerido durante la Pascua, encontramos los «*dos panes para ofrenda mecida*» que eran cocidos con levadura para la fiesta de Semanas (Pentecostés) (23:17). La levadura es simbólica de nuestra naturaleza pecaminosa y era requerida en los «*dos panes para ofrenda mecida*» que representaban los creyentes judíos y los gentiles dentro de la iglesia.

«*Limpiaos, pues, de la vieja levadura, para que seáis nueva masa, sin levadura como sois; porque nuestra Pascua, que es Cristo, ya fue sacrificada por nosotros. Así que celebremos la fiesta, no con la vieja levadura, ni con la levadura de malicia y de maldad, sino con panes sin levadura, de sinceridad y de verdad*» (I de Corintios 5:7-8).

**Pensamiento para hoy:** El creyente siempre tiene un deseo de agradar al Señor y ser limpio en mente, cuerpo y espíritu.

### ÊN LA LECTURA DE HOY

El tabernáculo, el candelero, el Pan de la Presencia; la blasfema; el año de jubileo; las leyes de la redención de la herencia y del hermano pobre

*A*continuación de decir: «*Manda a los hijos de Israel que te traigan para el alumbrado aceite puro de olivas machacadas, para hacer arder las lámparas continuamente*» (Levítico 24:2), a ellos se les dieron exactas instrucciones para hacer el Pan de la Presencia. «*Y tomarás flor de harina, y cocerás de ella doce tortas . . . Y las pondrás en dos hileras, seis en cada hilera, sobre la mesa limpia delante de Jehová. . . . Cada día de reposo lo pondrá continuamente en orden delante de Jehová, en nombre de los hijos de Israel, como pacto perpetuo*» (24:5-9).

Las palabras «el Pan de la Presencia» literalmente significa «el pan de la cara» y «Presencia de Dios», y quiere decir que sólo Él y Su Palabra mantenían sus vidas. Cuando el sacerdote comía el pan, confirmaba la dependencia de Israel en su Dios. Los panes eran hecho de «*flor de harina*» muy fina, la harina gruesa no se podía usar, porque estos panes representaban a Jesucristo, el Único perfecto, «*. . . santo, inocente, sin mancha, apartado de los pecadores, y hecho más sublime que los cielos*» (Hebreos 7:26).

El incienso aromático que se requería para ponerlo sobre los panes es simbólico de la alabanza a Dios, así como un recordatorio que Jesucristo, nuestro «*Pan de Vida*», provee una satisfacción verdadera; «*¡Cuán dulces son a mi paladar Tus Palabras! Más que la miel a mi boca*» (Salmo 119:103).

Los panes también muestran a Jesucristo, quien se enfrentó al violento horno de la aflicción y la crucifixión para salir como: «*el Pan de Vida*». Jesucristo declaró: «*. . . el que a Mí viene, nunca tendrá hambre; y el que en Mí cree, no tendrá sed jamás*» (Juan 6:35). Los doce panes idénticos eran un recordatorio que el Señor era quien satisfacía y sustentaba a las 12 tribus.

La luz revela la verdad, y el candelero iluminaba sobre el pan de la proposición que era un símbolo de Jesucristo. «*Porque el Pan de Dios es aquel que descendió del cielo y da vida al mundo*» (Juan 6:33). Mientras nosotros leemos Su Palabra, el Espíritu Santo, quien mora en cada creyente, provee luz a los valores morales y espirituales de nuestras vidas. Esta luz facilita al creyente para cumplir con una de las misiones más importantes del mundo: «*Así alumbre vuestra luz delante de los hombres, para que vean vuestras buenas obras, y glorifiquen a vuestro Padre que está en los cielos*» (Mateo 5:16).

**Pensamiento para hoy:** Todo lo que nosotros poseemos es un galardón de Dios.

## ᴇ̃N LA LECTURA DE HOY

Las bendiciones por la obediencia; las maldiciones por la desobediencia;
la redención de las personas y las herencias;
el diezmo es cosa dedicada a Jehová

ᴇ̃l Señor advierte a Su pueblo: *«No haréis para vosotros ídolos . . . para inclinaros a* (ellos); *porque Yo soy Jehová vuestro Dios. Guardad Mis días de reposo, y tened en reverencia Mi santuario. Yo Jehová. . . . (Y si) guardareis Mis mandamientos . . . vosotros seréis Mi pueblo. . . . Pero si no Me oyereis, ni hiciereis todos estos Mis mandamientos . . . Pondré Mi rostro contra vosotros, y seréis heridos delante de vuestros enemigos . . . y a vosotros os esparciré entre las naciones»* (Levítico 26:1-33). A los israelitas se les recordaba que el primero y el cuarto de los Diez Mandamientos son el fundamento de una relación correcta y la verdadera adoración de nuestro Creador.

Numerosas bendiciones fueron registradas como beneficios a la obediencia de la Palabra de Dios (26:3-13). También registrados fueron avisos claros sobre el pecado y la desobediencia a Su Palabra que se cumplieron después (26:14-39).

Aunque el libro de Levítico fue escrito a los israelitas, sus verdades básicas son precisamente relevantes para nosotros hoy en día. El Dios de la santidad *« . . . es el mismo ayer, y hoy, y por los siglos»* (Hebreos 13;8).

A pesar de que ellos continuamente rechazaron a Jesús el Mesías, los judíos terminarán reconociendo su cegera espiritual, se arrepentirán, y adorarán a su Mesías Jesucristo, la verdadera Fuente de la paz eterna. Así como dijo Dios de antemano: *« . . . (Yo) los volveré a esta tierra . . . y Me serán por pueblo, y Yo les seré a ellos por Dios; porque se volverán a Mí de todo su corazón»* (Jeremías 24:6-7). El tiempo de los gentiles que empezó con el Rey Nabucodonosor pronto terminará, y Jesucristo, el Rey de reyes, reinará justamente al mundo desde Jerusalén.

La maravillosa compasión de Dios y Su amor son claramente observadas en Su deseo de perdonar y restaurar al pecador otra vez a una comunión con Él. Sin embargo, nadie se puede escapar de las pérdidas y las tragedias de una vida malgastada. Si reconocemos las consecuencias eternas del pecado, veremos que la confesión a Dios es de suma importancia. *«Si confesamos nuestros pecados, Él es fiel y justo para perdonar nuestros pecados, y limpiarnos de toda maldad»* (I de Juan 1:9).

**Pensamiento para hoy:** La tragedia de las pérdidas de una vida malgastada no se pueden revivir ni recuperar otra vez, pero Dios las puede perdonar.

# INTRODUCCIÓN AL LIBRO DE
## $\mathcal{N}$ÚMEROS

El libro de Números continúa la historia de los israelitas donde había terminado el libro de Éxodo. Solamente un mes había pasado desde que el tabernáculo se había terminado (Éxodo 40:17) hasta que Dios mandó a tomar el censo de toda la congregación (Números 1:1-2). Durante este tiempo, las leyes del libro de Levítico fueron dadas. Este primer censo de todos los hombres mayores de 20 años nos relata que habían 603.550 hombres que estaban listos para servir en el ejército de Israel (1:1-10:10).

*«En el año segundo, en el mes segundo, a los veinte días del mes, la nube se alzó del tabernáculo del testimonio»* (10:11), y los israelitas siguieron la nube mientras que se movía hacia Cades-barnea, unas 257.44 kilómetros al norte (10:11-14:45). Sin embargo, no pasó mucho tiempo antes que el pueblo empezara a murmurar y entonces se rebelara contra Dios.

Después que los israelitas llegaron a Cades-barnea, 12 espías fueron mandados a investigar cómo era la tierra (13-14; Deuteronomio 1:22-40). Cuando ellos volvieron 40 días después, *« . . . Caleb hizo callar al pueblo delante de Moisés, y dijo: Subamos luego, y tomemos posesión de ella; porque más podremos nosotros que ellos»* (Números 13:30). Diez de los espías protestaron fuertemente, diciendo: *« . . . No podremos subir contra aquel pueblo, porque es más fuerte que nosotros»* (13:31). Sin embargo, Josué y Caleb rogaron: *« . . . y con nosotros está Jehová; no los temáis»* (14:9). Pero el pueblo se unió a los diez espías incrédulos (14:1-45). Por ser incrédulos Dios mandó Su castigo sobre esa generación (14:26-45).

De tal manera, ellos malgastaron 38 años peregrinando por el desierto, hasta que todos los mayores de 20 años de aquella generación, cuando se pronunció el primer censo, habían muerto (15:1-21:35).

Después, el Señor mandó a Moisés y a Eleazar, el hijo de Aarón y sucesor, que tomaran un segundo censo de la nueva generación, sólo de los hombres mayores de 20 años y que sus padres habían salido de Egipto (26:1-65). Ese segundo censo tomó lugar casi 40 años después del primer censo, en el décimo día del año cuadragésimo (1:19; 26:4; ver Éxodo 1:1-5; Deuteronomio 1:3).

Solamente Josué y Caleb, los dos hombres de fe de la primera generación de los israelitas que salieron de Egipto, vivieron hasta entrar en la tierra prometida. La nueva generación que entró en la tierra prometida, por estimación, fue un pueblo de más de dos millones de personas. Ellos se reunieron en los campos de Moab, al norte del Mar Muerto y al este del Río Jordán, al otro lado de Jericó, listos para tomar la tierra que sus padres rechazaron.

𝒞omo 70 veces en el libro de Números, leemos: *«Jehová dijo»*, o *«Habló
Jehová a Moisés»*. Estas fueron las palabras de nuestro Padre Celestial hablándole
a Sus hijos. El deseo de Dios era tener un pueblo que le amara, que le obedeciera,
y que le siguiera sin reservaciones. Él, en recompensa, sería su Dios, y les
guiaría a la tierra prometida. Mientras que los israelitas estaban en el monte
Sinaí, dos veces se dijo de ellos: *« . . . E hicieron los hijos de Israel conforme a
todas las cosas que mandó Jehová a Moisés»* (Números 1:54; 2:34). Con tal
que los israelitas estuviesen sin cumplir nada para el Señor o sin moverse de
donde estuviesen acampados, solamente hablando de lo que iban a hacer, ellos
estaban satisfechos. Pero, solamente días después de partir *« . . . del monte de
Jehová camino de tres días . . . buscándoles lugar de descanso . . . Aconteció que
el pueblo se quejó . . . ¡Quién nos diera a comer carne! . . . Y ahora nuestra
alma se seca; pues nada sino este maná ven nuestros ojos»* (10:33; 11:1,4,6). Al
contrario de ver sus dificultades como una oportunidad para creer en Dios y
Su poder para suplir sus necesidades continuamente y guiarlos a la tierra
prometida, ellos escogieron estar disgustados con sus circunstancias.

De la misma manera, nuestra vida aquí es un viaje por un desierto, una
jornada cada día por un territorio no conocido. Vamos a no olvidarnos que,
desde el tiempo que los israelitas fueron guiados a empezar su jornada, en
obediencia a la Palabra de Dios, Satanás estaba presente para crear descontento
en ellos.

Cuando los creyentes encuentran faltas en su vida y se quejan en sus
adversidades, tal y como los israelitas hicieron, ellos también se encuentran
descalificados de las mejores bendiciones que el Señor tiene para ellos.

Solamente algunos cuantos fieles, como Josué y Caleb, y como Moisés,
reconocieron que Dios está en control de todas las cosas y ha ordenado Su
plan para nuestras vidas. Todos nosotros podemos evitar los años que se viven
en vano. A medida que fielmente leemos la Biblia con un gran deseo y sin
reservaciones para ser todo lo que Dios quiera que seamos, y para hacer todo
lo que Él quiera que hagamos, entonces es que Su Espíritu Santo, que mora en
nosotros, nos ilumina nuestras mentes y conmueve nuestros corazones a orar.
*« . . . La oración eficaz del justo puede mucho»* (Santiago 5:16).

**Pensamiento para hoy:** No se descalifique de las mejores bendiciones del Señor
por encontrar faltas en su vida o por quejarse de sus circunstancias.

*L*os dos hijos mayores de Aarón, Nadab y Abiú, habían recibido gran honor al ser incluidos, con Moisés y los otros 73 ancianos en el monte Sinaí, para oir la voz de Dios (Éxodo 24:1,9). Ellos fueron reconocidos nacionalmente y ordenados por Dios a ser líderes espirituales. Pero, todo esto no los protegió de las consecuencias de su desobediencia. Los nuevos ordenados sacerdotes « . . . *Nadab y Abiú murieron delante de Jehová cuando ofrecieron fuego extraño delante de Jehová en el desierto de Sinaí*» (Números 3:4). Ellos tomaron la libertad de quemar incienso, simbólico de las oraciones del pueblo, con un fuego no autorizado, ni encendido por Dios sobre el altar de bronce (Levítico 9:23-24; 10:1-2).

Su fuego no autorizado recalca lo serio que es cuando nos separamos de los mandamientos de Dios. Esto nos enseña que nadie es tan importante o popular como un «líder espiritual» para que Dios pase por alto su desobediencia a la Palabra de Dios. Ser un ministro, o aun un miembro de una iglesia, sin intención de someterse toda la vida para agradar a Cristo, eso es hipocrecía.

La decisión de ignorar cualquier mandamiento de Dios es pecado. Nunca debemos de usar las circunstancias para justificar una excepción a Su Palabra. Ni tampoco hay una opción para escoger una parte de Su Palabra que se pueda descuidar o rechazar, pues toda es inspirada por Dios. La Palabra de Dios es la fuente para suplir las necesidades del corazón humano; es la única y final fuente para encontrar la verdad absoluta.

Tanto en el Antiguo como en el Nuevo Testamento, «*Toda la Escritura es . . . útil para enseñar*» (II de Timoteo 3:16). Todas las doctrinas del Nuevo Testamento están basadas en los principios del Antiguo Testamento. «*Porque si pecáremos voluntariamente después de haber recibido el conocimiento de la verdad, ya no queda más sacrificio por los pecados, sino una horrenda expectación de juicio . . . El que viola la Ley de Moisés, por el testimonio de dos o de tres testigos muere irremisiblemente. ¿Cuánto mayor castigo pensáis que merecerá el que pisoteare al Hijo de Dios, y tuviere por inmunda la sangre del pacto en la cual fue santificado, e hiciere afrenta al Espíritu de gracia?*» (Hebreos 10:26-29).

**Pensamiento para hoy:** Ningún creyente es digno, pero hemos sido aceptados por nuestro Salvador por Su amor que nos perdona y por la gracia de Dios.

## ℰN LA LECTURA DE HOY
Las leyes sobre la limpieza, la confesión, la restitución y los celos;
el voto de nazareo

ℰl voto de nazareo comprometía a un individuo a una vida consagrada a Dios por un período específico o aun por toda una vida. El voto de nazareo tenía prohibiciones: «. . . *no beberá vinagre de vino, ni vinagre de sidra, ni beberá ningún licor de uvas, ni tampoco comerá uvas frescas ni secas. . . . No se acercará a persona muerta. . . . Porque la consagración de su Dios tiene sobre su cabeza. Todo el tiempo de su nazareato, será santo para Jehová»* (Números 6:2-8).

La consagración del nazareo a Dios fue expresada en varias formas: [1] En abstenerse de fruto de la vid, su jugo y aun las uvas frescas o las secas, que representaban la satisfacción física; [2] en negarse a ser contaminado con alguien muerto, representando la muerte espiritual (6:6-12). Sin embargo, el hombre con voto de nazareo también tenía que cumplir con su responsabilidad en ofrecer todos los sacrificios usuales, tal como el sacrificio expiatorio. Esto nos muestra que, cuando hacemos todo lo posible para separarnos del mundo, aun no estamos libre de la contaminación espiritual.

Hay solamente dos personas registradas en el Antiguo Testamento con voto de nazareo por vida. Uno fue Sansón (Jueces 13:7), quien falló en su separación del mundo y consecuentemente no cumplió con la oportunidad de guiar a los israelitas en victoria contra los filisteos. Lo contrario a Sansón fue Samuel. La dedicación de Samuel al Señor (I de Samuel 1:28), le guio a libertar la nación de la dominación de los filisteos, y unir las tribus en preparación para un reino unido. Aunque el voto de nazareo ya no se aplica hoy en día, nuestra consagración y dedicación es de suma importancia para cumplir con la voluntad de Dios.

No había nada malo en comer uvas, pues Dios creó el fruto de la vid; pero a veces, aun lo «bueno» puede tomar el lugar de Cristo en nuestras vidas. Todos los que tienen un deseo de dedicar sus vidas a Cristo crucificarán los placeres que interfieren con lo que deben hacer para servirle y cumplir con Su Palabra: «. . . *Absteneos de toda especie de mal»* (I de Tesalonicenses 5:22).

El apóstol Pablo fue guiado a escribir: *«Así que, hermanos, os ruego por las misericordias de Dios, que presentéis vuestros cuerpos en sacrificio vivo, santo, agradable a Dios, que es vuestro culto racional. No os conforméis a este siglo, sino transformaos por medio de la renovación de vuestro entendimiento, para que comprobéis cuál sea la buena voluntad de Dios, agradable y perfecta»* (Romanos 12:1-2).

**Pensamiento para hoy:** La dedicación muchas veces requiere el negarse a sí mismo, a veces aun de cosas que en sí no son pecaminosas.

### EN LA LECTURA DE HOY
Las ofrendas de los príncipes de las tribus para
la dedicación del tabernáculo

«*Aconteció que cuando Moisés hubo acabado de levantar el tabernáculo, y lo hubo ungido y santificado, con todos sus utensilios, y asimismo ungido y santificado el altar y todos sus utensilios, entonces los príncipes de Israel, los jefes de las casas de sus padres, los cuales eran los príncipes de las tribus, que estaban sobre los contados, ofrecieron; y trajeron sus ofrendas delante de Jehová, seis carros cubiertos y doce bueyes; por cada dos príncipes un carro, y cada uno un buey, y los ofrecieron delante del tabernáculo. Y Jehová habló a Moisés, diciendo: Tómalos de ellos, y serán para el servicio del tabernáculo de reunión; y los darás a los levitas, a cada uno conforme a su ministerio*» (Números 7:1-5).

Estas ofrendas no fueron divididas igualmente entre los levitas. La familia de Gersón recibió dos carros y cuatro bueyes por sus deberes (ver 4:25-26; 7:7). La familia de Merari, que tenía una carga bien dura para rendir (4:31-32; 7:8), recibió cuatro carros y ocho bueyes. Pero los hijos de Coat no recibieron ofrendas. Ellos eran los que llevaban los muebles del tabernáculo: «*Pero* (Moisés) *a los hijos de Coat no les dio, porque llevaban sobre sí en los hombros el servicio del santuario*», incluyendo el candelero de oro puro, la mesa de la Presencia, el altar de incienso, la fuente de bronce, el altar de bronce, el propiciatorio, y el arca del pacto del Señor. Todos estos eran simbólicos de Jesucristo (4:1-5; 3:31; 7:9).

Aunque todas las ofrendas eran idénticas, cada príncipe de familia era reconocido por su ofrenda. De este ejemplo podemos aprender que cada ofrenda y obra del Señor es recordada fielmente por Dios. El monte Sinaí es a veces asociado con la severidad de la Ley. Pero el tabernáculo que fue edificado en aquel entonces, ilustra el amoroso cuidado que Dios tiene para comunicarse y llevar un compañerismo con Su pueblo, y así dirigirlos por la vida. Todos los príncipes de familia demostraron su gratitud por medio de sus generosas ofrendas y oblaciones de buena voluntad. Todos respondieron igualmente a la necesidad que tenían.

El saber dar siempre beneficia al dador. Sus ofrendas misioneras pueden quitar cargas, proveer gozo, contestar oraciones, y salvar almas de un infierno eterno. Dios nos ha dicho: «*Dad, y se os dará; medida buena, apretada, remecida y rebosando darán en vuestro regazo; porque con la misma medida con que medís, os volverán a medir*» (Lucas 6:38).

**Pensamiento para hoy:** Cuando enfocamos nuestros pensamientos en agradar a Dios, y no a nosotros mismos, entonces es que nos gozamos de la paz mental.

*L*os israelitas obtuvieron su libertad de Egipto después de observar la primera Pascua. La sangre había sido puesta en el dintel de las puertas, pero de igual importancia, ellos fueron mandados a comer el cordero.

La liberación de Egipto no significaba que ellos eran libres para hacer lo que querían. En Egipto ellos estaban bajo la cruel esclavitud del Faraón; pero ahora ellos eran libres para seguir el liderazgo del Único Dios Verdadero.

*«Habló Jehová a Moisés en el desierto de Sinaí, en el segundo año de su salida de la tierra de Egipto, en el mes primero, diciendo: Los hijos de Israel celebrarán la Pascua a su tiempo. El decimocuarto día de este mes, entre las dos tardes, la celebraréis a su tiempo; conforme a todos sus ritos y conforme a todas sus leyes la celebraréis»* (Números 9:1-3).

La Pascua era un recordatorio de cómo los israelitas habían obtenido su libertad. Ellos no solamente tenían que participar en celebrar la Pascua como una fiesta solemne, pero eran también requeridos a traer la ofrenda del Señor: *«Mas el que estuviere limpio, y no estuviere de viaje, si dejare de celebrar la Pascua, la tal persona será cortada de entre su pueblo* (condenado a muerte); *por cuanto no ofreció a su tiempo la ofrenda de Jehová»* (9:13).

Cuando nosotros observamos la cena del Señor, estamos recordando que, por la expiación que tenemos en la muerte de Cristo, somos libres del castigo del pecado, somos hechos hijos de Dios, y somos preparados para la jornada de nuestro desierto por esta vida. *«. . . (Porque) nuestra Pascua, que es Cristo, ya fue sacrificada por nosotros»* (I de Corintios 5:7). Fue nuestro Señor Jesucristo quien nos dijo: *«Así, pues, todas las veces que comiereis este pan, y bebiereis esta copa, la muerte del Señor anunciáis hasta que Él venga»* (I de Corintios 11:26).

Así como el Señor determinó la jornada de las tribus de Israel, Él también tiene un plan para usted durante este viaje aquí en esta vida. Nuestra meta suprema debe ser de cumplir Su propósito por habernos creado. Cuando Dios es nuestro Guía, ¿qué podemos temer? Él nos ha provisto un Guía de tres dobleces para nuestro camino – Su perfecta Palabra, el Espíritu Santo que mora con nosotros, y el poder de la oración: *«porque Dios es el que en vosotros produce así el querer como el hacer, por Su buena voluntad»* (Filipenses 2:13).

**Pensamiento para hoy:** Nuestro objetivo en esta vida siempre debe ser el cumplir Su propósito por habernos creado.

❧sta era la responsabilidad del sacerdote: «... *Hazte dos trompetas de plata; de obra de martillo las harás, las cuales te servirán para convocar la congregación, y para hacer mover los campamentos*» (Números 10:2). Las trompetas fueron hechas de tubos largos y derechos, con las puntas en estilo de campanas. No se podían hacer de metal inferior, ni de los fragmentos de plata; al contrario, tenían que hacerse de piezas enteras de plata. Sin importar a que distancia una persona estaba del tabernáculo, los claros tonos de las trompetas de plata le comunicaban los varios mensajes: «*Y cuando tocareis alarma la segunda vez, entonces moverán los campamentos de los que están acampados al sur; alarma tocarán para sus partidas. Pero para reunir la congregación tocaréis, mas no con sonido de alarma. ... Y cuando saliereis a la guerra en vuestra tierra contra el enemigo que os molestare, tocaréis alarma con las trompetas; y seréis recordados por Jehová vuestro Dios, y seréis salvos de vuestros enemigos. Y en el día de vuestra alegría, y en vuestras solemnidades, y en los principios de vuestros meses, tocaréis las trompetas sobre vuestros holocaustos, y sobre los sacrificios de paz, y os serán por memoria delante de vuestro Dios. Yo Jehová vuestro Dios*» (10:6-10; Levítico 23:24; II de Crónicas 5:12-14; 7:6; 29:26-29; Esdras 3:10; Nehemías 12:35,41).

Si ellos adoraban, o si iban a guerra, o si viajaban, cada movimiento del pueblo era guiado por la obediencia a los varios sonidos de las trompetas. Las dos trompetas de plata representan la verdad de la Palabra de Dios y nos recuerda que los dos Testamentos, el Nuevo y el Antiguo, son cada uno parte de la completa Palabra de Dios.

El pueblo de Dios debe siempre estar sujeto y dependiendo por completo en la voluntad de Dios así revelada en Su Palabra. Si nuestros corazones se acostumbran a oír la verdadera «*trompeta de plata*», que hoy en día es por oír Su Palabra, entonces estaremos en armonía con el movimiento del Espíritu Santo cuando tenemos que decidir lo que hacer o lo que no hacer. Su Palabra siempre nos guía y nos mantiene en buen camino para no descarriarnos de la voluntad de Dios.

Nuestro Señor nos asegura: «*Pero cuando venga el Espíritu de verdad, Él os guiará a toda la verdad; porque no hablará por Su propia cuenta, sino que hablará todo lo que oyere, y os hará saber las cosas que habrán de venir*» (Juan 16:13).

**Pensamiento para hoy:** La persona más insignificante es importante para Cristo.

> ### 𝒺N LA LECTURA DE HOY
> María y Aarón hablan contra Moisés; María es castigada con la lepra;
> Moisés ora por ella; los 12 espías van a Canaán y vuelven con su reporte

𝓜aría era la hermana de Moisés y de Aarón el sumo sacerdote. Ella llevaba un gran honor entre las mujeres de Israel, tenía un don profético, y era una aficionada a la música y al canto (Éxodo 15:20; Miqueas 6:4).

«*María y Aarón hablaron contra Moisés a causa de la mujer cusita que había tomado . . . Y dijeron: ¿Solamente por Moisés ha hablado Jehová? ¿No ha hablado también por nosotros? Y lo oyó Jehová*» (Números 12:1-2).

En seguida, Dios demandó una reunión con María, Aarón, y Moisés. María podía haber pensado que Dios estaba también disgustado con Moisés tal y como ella y Aarón, y que Dios iba a estar de acuerdo con su crítica. Sin duda, ella experimentó un tremendo susto cuando Dios le dijo: « . . . *Cara a cara hablaré con él* (con Moisés) . . . *¿Por qué, pues, no tuvisteis temor de hablar contra Mi siervo Moisés? Entonces la ira de Jehová se encendió contra ellos*» (12:8-9). Para más horror para ellos fue cuando « . . . *miró Aarón a María, y he aquí que estaba leprosa. Y dijo Aarón a Moisés: ¡Ah! señor mío, no pongas ahora sobre nosotros este pecado; porque locamente hemos actuado, y hemos pecado*» (12:10-11).

La codicia y el orgullo nunca se pueden saciar. Aun el poseer dones espirituales puede llevarnos al orgullo, y al mismo tiempo llevarnos al celo, y a competir cuando nos encontramos con otras personas que tienen dones espirituales similares a los nuestros. Cuando sabemos que alguna persona en la oficina de trabajo es menos capacitada que nosotros, y que tal persona recibe una promoción o reconocimiento mayor que el nuestro, entonces puede que nosotros también caigamos en el mismo pecado de María y critiquemos a tal persona. El orgullo se manifiesta en muchas formas. Puede ser basado en la belleza física, en las riquezas, en la educación, o en los talentos; pero el orgullo siempre termina en la destrucción personal y el pecado de la decepción personal.

María había llegado a un punto, tal y como otros también llegan, cuando pensó que sus preocupaciones estaban basadas en un motivo «espiritual». Pero Dios pudo ver las intenciones más profundas, su celo, su envidia, su orgullo, y sus malos sentimientos. En sí, ella estaba poniendo en desafío el liderazgo de Moisés y no a quién él había escogido como esposa o qué estaba él enseñando. Dios claramente había declarado «*No toquéis, dijo, a Mis ungidos, ni hagáis mal a Mis profetas*» (I de Crónicas 16:22; Salmo 105:15).

**Pensamiento para hoy:** Las personas codiciosas nunca alcanzan a tener suficiente dinero, las personas orgullosas nunca llegan a tener suficiente alabanza, y las personas egocéntricas nunca reciben suficiente atención.

## ✐N LA LECTURA DE HOY

Moisés intercede en oración por los israelitas; la vida malgastada de Israel; las leyes sobre las ofrendas, los pecados, y el día santo

*P*artiendo del desierto de Sinaí, los israelitas fueron guiados hacia el norte hasta que llegaron a Cades-barnea, donde, por primera vez, el pueblo podía actualmente ver la tierra prometida delante de ellos. La jornada al salir de Egipto, incluyendo los 12 meses que estuvieron en el monte de Sinaí (Horeb), había tomado unos 16 meses. Ahora ellos estaban a la entrada de la gloriosa tierra prometida. Un líder de cada tribu había tomado 40 días para espiar la tierra. Cuando ellos volvieron, los israelitas fueron asegurados por todos los espías que: «... *Nosotros llegamos a la tierra a la cual nos enviaste, la que ciertamente fluye leche y miel; y este es el fruto de ella*» (Números 13:27). Esta fue la confirmación de que la tierra prometida era muy fructuosa. Caleb uno de los 12, rápidamente dijo: «... *Subamos luego, y tomemos posesión de ella; porque más podremos nosotros que ellos*» (13:30). Sin embargo, diez de los espías desanimaron al pueblo, diciendo: «... *El pueblo que habita aquella tierra es fuerte, y las ciudades muy grandes y fortificadas*» (13:28,31). «*Entonces toda la congregación gritó, y dio voces; y el pueblo lloró aquella noche. Y se quejaron ... y les dijo toda la multitud: ¡Ojalá muriéramos en la tierra de Egipto*» (14:1-2). Aquí marcó el fin de su viaje a la tierra prometida y empezaron los 38 años de su peregrinaje por el desierto.

El pueblo de Israel, quien «... *lloró aquella noche*» nos recuerda de Esaú quien había crecido descuidando su santo llamamiento y había vendido su primogenitura. «*Porque ya sabéis que aun después, deseando heredar la bendición, fue desechado, y no hubo oportunidad para el arrepentimiento, aunque la procuró con lágrimas*» (Hebreos 12:17); pero Dios no oyó sus oraciones. Su único interés había estado en las ganancias personales, y no en cómo él podía ser usado por el Señor.

El objetivo de Satanás es hacernos tomar decisiones iguales que los israelitas incrédulos y no como Caleb. Satanás busca cómo desviar los pensamientos de los creyente de confiar en el Señor. Tal desviación es una oposición a la mirada de fe que acepta a Dios y a Su Palabra, y que pone al Señor primero y delantero sobre todas las otras consideraciones. «... *(Acerquémonos) con corazón sincero, en plena certidumbre de fe, purificados los corazones de mala conciencia, y lavados los cuerpos con agua pura*» (Hebreos 10:22).

**Pensamiento para hoy:** «*Fiel es el que os llama, el cual también lo hará*» (I de Tesalonicenses 5:24).

# LA INCREDULEZ DE ISRAEL

*«Jehová dijo: . . . todos los que vieron Mi gloria y Mis señales que he hecho en Egipto y en el desierto, y Me han tentado ya diez veces, y no han oído Mi voz, no verán la tierra de la cual juré a sus padres»* (Números 14:20-23).

| EL LUGAR | LA REBELIÓN | LA MISERICORDIA DE DIOS SE REVELA | PENSAMIENTO CLAVE |
|---|---|---|---|
| **EL MAR ROJO** Éx. 14:10-12 | Los israelitas murmuraron contra Moisés al ver los carros de los egipcios. | Dios destruyó a sus enemigos y proveyó el camino de la salvación (Éx. 14:21-31). | Es una gran tentación desear las cosas malas del pasado (I de Juan 2:15-17). |
| **MARA** Éx. 15:23-24 | Murmuraron porque Dios les llevó a las aguas amargas. | Dios endulzó las aguas (Éx. 15:25-26). | Los contratiempos proveen oportunidades para ejercer nuestra fe (II de Co. 4:16-17). |
| **EL DESIERTO** Éx. 16:2-3 | Murmuraron porque temían el morir de hambre. | Dios proveyó el maná (Éx. 16:14-15). | Dios provee todas nuestras necesidades *«conforme a Sus riquezas en gloria»* (Fil. 4:19). |
| **EL DESIERTO** Éx. 16:20 | Desconfiaron en Dios al guardar el maná para el próximo día. | Dios continuó Sus provisiones por 40 años (Éx. 16:35). | La Palabra de Dios es esencial y se debe obedecer (II de Ti. 3:16-17). |
| **EL DESIERTO** Éx. 16:26-27 | Ignoraron a Dios y buscaron el maná en el día de reposo. | Dios todavía les proveyó un día de descanso (Éx. 16:28-30). | Debemos de mostrar el propio respeto durante el día de descanso (Hebreos 10:25). |
| **REFIDIM** Éx. 17:1-3 | Discutieron con Moisés sobre la falta de agua. | Dios les proveyó agua de la peña (Éx. 17:6). | Los creyentes deben de depender en Dios (Mateo 6:33). |
| **HOREB** Monte Sinaí Éx. 32:1-10 | Adoraron al becerro de oro. | Dios perdonó a los que no habían pecado (Éx. 32:32-33). | Satanás nos proveerá oportunidades para volver al pecado (II de Ti. 4:10). |
| **TABERA** Nm. 11:1 | Se quejaron contra Dios por sus calamidades. | Dios contestó la petición de Moisés (Nm. 11:2-3). | El remedio para el pecado es la obediencia amorosa (Juan 14:21). |
| **KIBROT-HATAAVA** Nm. 11:10-15,34 | Lloraron por una variedad de comida como las otras personas del mundo. | Dios les proveyó codornices en abundancia (Nm. 11:31-32). | El descontentamiento es una falta de confianza en el amor de Dios (I de Ti. 6:8; Fil. 4:11; He.13:5). |
| **CADES-BARNEA** Nm. 14:2-10 | Se negaron a creer en Dios y a entrar en la tierra prometida. | Dios preservó a Josué, a Caleb, y a todos los niños menores de 20 años (Nm. 14:20-31). | Dios siempre recompensa a los fieles (He. 11:6). |

---

### 𝒆N LA LECTURA DE HOY

Coré guía a un grupo contra Moisés y Aarón; Dios manda Su juicio; la vara de Aarón; las responsabilidades para los sacerdotes; la ofrenda del diezmo

---

𝒞oré, Dotán, y Abiram « . . . *se levantaron contra Moisés con doscientos cincuenta varones de los hijos de Israel, príncipes de la congregación . . . Coré había hecho juntar contra ellos toda la congregación»* (una conspiración para trastornar el liderazgo de Moisés) (Números 16:2,19).

Otra vez, Moisés se enfrentó a la oposición, esta vez con sus propios primos y los príncipes de las 12 tribus. Doscientos cincuenta de los hombres líderes de Israel fueron influenciados por Coré, Dotán, y Abiram y se rebelaron contra Moisés y Aarón. Ellos acusaron a Moisés y Aarón de asumir mucha autoridad, y su argumento parecía muy convincente: *«Y se juntaron contra Moisés y Aarón y les dijeron: ¡Basta ya de vosotros! Porque toda la congregación, todos ellos son santos, y en medio de ellos está Jehová; ¿por qué, pues, os levantáis vosotros sobre la congregación de Jehová?»* (16:3). Ellos se negaron a reconocer que Moisés y Aaron habían sido nombrados por Dios para guiar al pueblo y que ellos eran actualmente *« . . . los que os juntáis contra Jehová»* (16:11).

Coré no solamente cometió un error, pero cometió un pecado muy serio, como escrito por Judas, quien nos dijo: *«Mas quiero recordaros, ya que una vez lo habéis sabido, que el Señor, habiendo salvado al pueblo sacándolo de Egipto, después destruyó a los que no creyeron. . . . ¡Ay de ellos! porque han seguido el camino de Caín, y se lanzaron por lucro en el error de Balaam, y perecieron en la contradicción de Coré»* (Judas 1:5,11).

Coré era creyente en Dios y de la tribu escogida de Leví. Él estaba encargado de guiar al pueblo en adoración y enseñarle la voluntad de Dios. Sin embargo, parece que Coré quería servir al Señor sólo si eso resultaba en traerle fama delante del pueblo.

Algunas personas que son obstinadas y afanadas a la gratificación personal, siempre se niegan a someterse a las autoridades o a una vida de santidad. Nos da consuelo saber que *« . . . ninguna condenación hay para los que están en Cristo Jesús»*, (Notas adicionales: algunas traducciones añaden: *« . . . los que no andan conforme a la carne, sino conforme al Espíritu».*) (Romanos 8:1).

**Pensamiento para hoy:** Vamos a vivir tal y como si fuésemos a reunirnos con Cristo hoy mismo.

---

### ℰN LA LECTURA DE HOY

El sacrificio de la vaca alazana; la muerte de María; Moisés golpea la peña con su vara dos veces; Edom se niega a darle paso a Israel; la muerte de Aarón

---

ℰl sacrificio de la vaca alazana fue instituido en el desierto de Parán en el momento que todo Israel estaba bajo sentencia de muerte. La Ley requería esto: *«Todo aquel que tocare cadáver de cualquier persona, y no se purificare, el tabernáculo de Jehová contaminó»* (Números 19:13).

La sangre de la vaca alazana se quemaba con todo su cuerpo, y su ceniza se mexclaba con el agua que corría, y se rociaba sobre los que estaban contaminados para restaurarlos al Dios Santo. La palabra en hebreo para «que corría» también significa «viviente» – implicando no sólo la limpieza del pecado, pero una vida renovada. El agua de la purificación fue hecha de las cenizas de una vaca alazana, la cual era suficiente para ofrecerla por todo el pueblo.

Por medio de la ordenanza de la vaca alazana, Dios dio una nueva revelación de lo importante que es la limpieza de la contaminación – sea por medio de nuestros pensamientos, nuestra conversación, los libros que leemos, nuestra asociación con incrédulos, o cualquier otra cosa que contamine nuestras mentes o cuerpos. Dios ha dicho: «. . . *Sed santos, porque Yo soy Santo*» (I de Pedro 1:16).

La vaca alazana es simbólica de Jesucristo. Por medio de Su muerte en la cruz, *«por medio de las cuales nos ha dado preciosas y grandísimas promesas, para que por ellas llegaseis a ser participantes de la naturaleza divina, habiendo huido de la corrupción que hay en el mundo a causa de la concupiscencia»* (II de Pedro 1:4). Es el perfecto plan de Dios que la vida de Cristo sea reproducida en cada creyente.

Desde que la humildad es el camino para vencer el orgullo, el celo, la avaricia, y la envidia, algunos dicen que debemos de orar por la humildad; pero la verdadera necesidad es de orar para que Cristo sea magnificado en nuestras vidas. Dios no nos da la humildad, la paciencia, o el amor como dones separados de Su gracia. El Cristo que mora en nosotros es la respuesta a cada necesidad. Mientras que oramos para que Él viva Su vida en nuestras vidas, entonces es que mostraremos la humildad, la paciencia, el amor, y todas las cosas que revela Su carácter. El apóstol Pablo nos dijo: *«Con Cristo estoy juntamente crucificado, y ya no vivo yo, mas vive Cristo en mí; y lo que ahora vivo en la carne, lo vivo en la fe del Hijo de Dios, el cual me amó y se entregó a Sí mismo por mí»* (Gálatas 2:20).

**Pensamiento para hoy:** Cuando tratamos de impresionar a otros con nuestra importancia, el Señor no será glorificado en nosotros.

## ✑N LA LECTURA DE HOY

Las serpientes venenosas; la serpiente ardiente de bronce; Israel derrota al Rey de Arad, a los amorreos y los moabitas; Balaam llamado para maldecir a Israel

*L*os israelitas estaban cerca de su último campamento y pronto iban a cruzar el Río Jordán para entrar en la tierra prometida. Muchos de ellos eran niños cuando, con sus padres, salieron de Egipto; otros habían nacido en el desierto. «. . . *(Y) se desanimó el pueblo por el camino. Y habló el pueblo contra Dios y contra Moisés: ¿Por qué nos hiciste subir de Egipto para que muramos en este desierto? Pues no hay pan ni agua, y nuestra alma tiene fastidio de este pan tan liviano»* (Números 21:4-5). Fue en este entonces que «. . . *Jehová envió entre el pueblo serpientes ardientes . . . y murió mucho pueblo de Israel. . . . Y Moisés oró por el pueblo»* (21:6-7).

La respuesta a «la oración» de Moisés fue inmediata. «*Y Jehová dijo a Moisés: Hazte una serpiente ardiente* (de bronce), *y ponla sobre una asta; y cualquiera que fuere mordido y mirare a ella, vivirá»* (21:8). La serpiente de bronce era un símbolo del juicio de Dios por su pecado, y también de Su misericordia y amor para todos los que se arrepienten y verdaderamente creen en Él.

Muchos siglos después, en Su conversación con «*Nicodemo, un principal entre los judíos»* (Juan 3:1-21), Jesucristo le dijo que la serpiente que Moisés había levantado en el desierto ilustra a Sí mismo como el Único que sería levantado sobre la cruz, como el único camino para que los pecadores pudieran ser salvos de la muerte eterna (3:14; 12:32). Jesucristo no le dijo a Nicodemo que clase de vida tenía que vivir para tener la vida eterna, más bien le dijo cómo llegar a tener vida otra vez. Jesús le respondió a Nicodemo: «*De cierto, de cierto te digo, que el que no naciere de agua y del Espíritu, no puede entrar en el reino de Dios»* (3:5). Esto es mucho más exigente que cambiar nuestro estilo de vida, dejar atrás nuestros malos hábitos, o empezar de nuevo. Toda la humanidad, con sólo una excepción, «. . . *estabais muertos en vuestros delitos y pecados»* (Efesios 2:1). Cada persona ha nacido con la naturaleza humana de nuestros padres, cuando recibimos a Jesucristo como nuestro Único Salvador, es entonces que nacemos «de nuevo» y recibimos Su naturaleza espiritual: «*Mas a todos los que le recibieron, a los que creen en Su nombre, les dio potestad de ser hechos hijos de Dios»* (Juan 1:12).

Como hijos de nuestro Padre Celestial, nos recordamos: «*No reine, pues, el pecado en vuestro cuerpo mortal, de modo que lo obedezcáis en sus concupiscencias . . . sino presentaos vosotros mismos a Dios»* (Romanos 6:12-13).

**Pensamiento para hoy:** Es imposible tener una correcta actitud para con Dios y al mismo tiempo mantener una mala actitud para con la autoridad delegada.

## ⚡N LA LECTURA DE HOY
Las profecías de Balaam; los pecados de Israel;
la mortandad cesó por la intercesión de Finees

⚡l último campamento de los israelitas fue al lado este del Río Jordán en los campos de Moab al noreste del Mar Muerto cerca del monte Nebo, unas cuantas kilómetros al sur del pueblo presente hoy en día de Amman, Jordán (Números 33:49; Josué 3:1). Todo parecía estar en paz, sin ningún peligro. Sin embargo, al ver que esta gran multitud de israelitas quienes habían desafiado al Faraón, habían salido de Egipto y conquistado todos los que estaban en el camino a Canaán, que los moabitas, que vivían cerca de allí, tuvieron miedo que ellos también iban a ser pronto destruidos. Este temor llevó al rey Balac a hacer una alianza con los madianitas vecinos contra Israel (Números 22:4-7). Aun entonces, sabiendo que ellos no podían vencer a Israel en guerra, Balac mandó a buscar al profeta Balaam para que maldiciese a Israel. El profeta vivía en Petor, una ciudad al noreste de Mesopotamia (cerca del presente Iraq). Este lugar estaba cerca de donde Abraham había vivido en el principio de su vida. *«Entonces dijo Dios a Balaam: No vayas con ellos, ni maldigas al pueblo, porque bendito es»* (22:12).

Sabiendo que el juicio de Dios vendría sobre Israel si pudieran hacer que los israelitas pecaren contra Dios, y codiciaran las recompensas del rey, Balaam perversamente sugirió que las mujeres moabitas se acercaran amistosamente a los hombres de Israel. Esta amistad de las mujeres moabitas pronto hizo que los hombres israelitas se involucraran en inmoralidad sexual y adoración de ídolos, y así quebrantaron el pacto de lealtad al Único Dios Verdadero.

La desobediencia resultó en una gran mortandad *«Y murieron de aquella mortandad veinticuatro mil»* (25:9).

Algunas personas dicen que no debemos de pasar juicio, que debemos tolerar la inmoralidad y estilos (alternativos) de vida que están de moda. Pero los pecados sexuales siguen siendo hoy en día ultrajantes a Dios: *«¿No sabéis que vuestros cuerpos son miembros de Cristo? ¿Quitaré, pues, los miembros de Cristo y los haré miembros de una ramera? De ningún modo. . . . (Mas) el que fornica, contra su propio cuerpo peca. ¿O ignoráis que vuestro cuerpo es templo del Espíritu Santo, el cual está en vosotros, el cual tenéis de Dios, y que no sois vuestros? Porque habéis sido comprados por precio; glorificad, pues, a Dios en vuestro cuerpo»* (I de Corintios 6:15-20).

**Pensamiento para hoy:** La codicia siempre termina en derrota personal.

*C*asi 40 años habían pasado desde la salida de los israelitas de Egipto. Todos los hombres (603.550) que fueron incluidos en el primer censo habían muerto, con la excepción de Josué y Caleb. La segunda generación estaba ahora cerca de la tierra prometida. *«Aconteció después de la mortandad, que Jehová habló a Moisés y a Eleazar hijo del sacerdote Aarón, diciendo: Tomad el censo de toda la congregación de los hijos de Israel, de veinte años arriba, por las casas de sus padres, todos los que pueden salir a la guerra en Israel»* (Números 26:1-2). Esto se llevó a cabo « . . . *en los campos de Moab, junto al* (Río) *Jordán frente a Jericó»* (26:3).

Otro mayor acontecimiento iba a tomar lugar antes que los israelitas entraran a la tierra prometida. *«Jehová dijo a Moisés: Sube a este monte Abarim (el monte de Nebo), y verás la tierra que he dado a los hijos de Israel. Y después que la hayas visto, tú también serás reunido a tu pueblo, como fue reunido tu hermano Aarón. Pues fuisteis rebeldes a Mi mandato en el desierto de Zin, en la rencilla de la congregación, no santificándome en las aguas a ojos de ellos. Estas son las aguas de la rencilla de Cades en el desierto de Zin. Entonces respondió Moisés a Jehová, diciendo: Ponga Jehová, Dios de los espíritus de toda carne, un varón sobre la congregación . . . Y Jehová dijo a Moisés: Toma a Josué hijo de Nun, varón en el cual hay espíritu* (Espíritu Santo), *y pondrás tu mano sobre él»* (27:12-16,18).

A pesar de la reprimenda y su gran disgusto por no ser permitido a entrar en la tierra prometida, « . . . *Moisés hizo como Jehová le había mandado, pues tomó a Josué y lo puso delante del sacerdote Eleazar, y de toda la congregación»* (27:22). Sin vacilar, Moisés dejó su posición de guía y anunció que su ayudante, Josué, sería su sucesor para guiar al pueblo de Dios (27:23). Moisés bendijo a Josué y « . . . *puso sobre él sus manos»*, simbólico de la transferencia del liderazgo.

Dios había dicho que Moisés era el varón más manso sobre la tierra (12:3). Una prueba de su mansedumbre fue el hecho de rendir su posición prominente a otra persona. Así como los que siguen a Jesucristo, Dios nos enseña a *«Nada hagáis por contienda o por vanagloria; antes bien con humildad, estimando cada uno a los demás como superiores a él mismo»* (Filipenses 2:3).

**Pensamiento para hoy:** Debemos de mantenernos fieles en servir al Señor, aun cuando tenemos que dejar nuestro lugar de autoridad.

## *E*N LA LECTURA DE HOY

Las ofrendas y sacrificios diarios y semanales, las ofrendas y sacrificios mensuales es y del día Santo, y las ofrendas y sacrificios de las fiestas señaladas

*E*l año civil de los israelitas empezaba en el otoño con la fiesta de trompetas: *«En el séptimo mes, el primero del mes, tendréis santa convocación; ninguna obra de siervos haréis; os será día de sonar las trompetas»* (Números 29:1). Este alegre día de sonar las trompetas continuó 10 días después con el solemne día de la Expiación. Este día solemne fue seguido por la fiesta solemne de los Tabernáculos (tiendas), que también se llamaba la fiesta de la Siega, porque las labores del campo habían cesado y el tiempo había llegado para el pueblo descansar de sus labores. Fue un tiempo de mucho regocijo que duraba siete días, desde el 15 hasta el 21 del mes Tishri (septiembre/octubre) (Éxodo 23:16; 34:22; Levítico 23:33-44). Esta fiesta continuó el día octavo con una santa convocación el día 22 del mes, la cual estaba conectada directamente con la fiesta de los Tabernáculos, aunque no era parte de esa fiesta pues el pueblo ya no vivía en *«tabernáculos»* (tiendas).

La fiesta de los Tabernáculos era la última de las fiestas del año religioso. Por siete días, todos los residentes de Israel, vivían temporalmente en tiendas como un recordatorio del tiempo cuando moraron en tiendas por 40 años en el desierto. Los árboles que se usaban en estas tiendas temporales también tenían un significado simbólico. La higuera les daba sombra, y también servía para recordarle al pueblo de la infinita protección y provisión del Señor. La palmera era un emblema de la victoria, y el olivo era el símbolo de paz y de la Presencia del Señor (Nehemías 8:15). Los *«sauces de los arroyos»* significa un pueblo bendito y próspero. También era un recordatorio de que cada creyente: *«Será como árbol plantado junto a corrientes de aguas, que da su fruto en su tiempo, y su hoja no cae; y todo lo que hace, prosperará»* (Salmo 1:3).

La vida del creyente es una jornada casi igual que la de los israelitas por el desierto. Siempre debe ser una gran aventura de seguir con el Señor a las experiencias más profundas y de mayor fe. Junto con el apóstol Pablo vamos a decir: *«prosigo a la meta, al premio del supremo llamamiento de Dios en Cristo Jesús»* (Filipenses 3:14).

**Pensamiento para hoy:** Es imposible obtener lo mejor del Señor cuando nuestros corazones están afanados por obtener más y más cosas del mundo.

---

## ❧N LA LECTURA DE HOY
La ley en cuanto a los votos; los madianitas son conquistados;
el repartimiento del botín; los jefes de millares
y de centenas traen ofrendas al Señor

---

*L*os madianitas eran descendientes de Abraham por su segunda esposa Cetura, con quien se casó después de la muerte de Sara (Génesis 25:1-2). Los madianitas habían arruinado a Israel, no como enemigos quienes habían ganado la guerra contra ellos, sino por sus amistosos adoradores de ídolos quienes engañaron a los israelitas en su adulterio espiritual. Israel se involucró en la adoración de su dios pagano Baal-peor y en el adulterio físico con sus mujeres. Esto había resultado en la muerte de 24.000 israelitas (Números 25:9). Un tiempo después, *«Jehová habló a Moisés, diciendo: Haz la venganza de los hijos de Israel contra los madianitas . . . y hagan la venganza de Jehová en Madián»* (31:1-2).

En esta guerra, *« . . . Moisés los envió a la guerra; mil de cada tribu envió; y Finees hijo del sacerdote Eleazar fue a la guerra con los vasos del santuario, y con las trompetas en su mano para tocar»* (31:6), para ejecutar el juicio de Dios sobre los madianitas. *«Las trompetas»* eran símbolos de la verdad y la dirección de Dios. Ni aun un israelita murió en esta guerra la cual resultó en la muerte de los cinco reyes de la alianza y todos los varones madianitas (31:7-9,15-17). *«Mataron también, entre los muertos de ellos, a los reyes de Madián . . . también a Balaam* (el prominente profeta) *hijo de Beor mataron a espada»* (31:8). No fue algo contingente que Balaam había escogido vivir en lujo entre los madianitas mientras se gozaba del estima del rey y del pueblo.

Balaam era de Mesopotamia la cual incluía a Ur de los caldeos, donde Abraham vivió antes de su llamamiento de Dios (Deuteronomio 23:4; ver Génesis 15:7; Hechos 7:2). Balac le había dicho a Balaam: *« . . . Ven, maldíceme a Jacob, y ven, execra a Israel»* (Números 23:7). Como Balaam, a veces es fácil decir: *« . . . todo lo que Jehová me diga, eso tengo que hacer»* (ver 22:18,38; 23:26; 24:13). *« . . . Muera yo la muerte de los rectos, y mi postrimería sea como la suya»* (23:10). Pero tal y como Balaam, la avaricia y el compromiso han engañado a muchos quienes no han muerto *«la muerte de los rectos»*. Su destino es el fuego eterno del infierno. *«Pero vosotros, amados, edificándoos sobre vuestra santísima fe, orando en el Espíritu Santo, conservaos en el amor de Dios, esperando la misericordia de nuestro Señor Jesucristo para vida eterna»* (Judas 1:20-21).

**Pensamiento para hoy:** Todas las riquezas terrenales no se pueden comparar con nuestra herencia celestial.

## 𝓔N LA LECTURA DE HOY

Rubén, Gad, y la media tribu de Manasés acamparon al este del Río Jordán;
un resumen de los 40 años de Israel en el desierto

𝓜ás de 40 años habían pasado desde que Moisés, todavía estando en Egipto, había predicho que Dios iba a guiar a los israelitas a la tierra que Él les había prometido a Abraham, Isaac, y Jacob. Mientras que se movían con gran anticipación para cumplir esa promesa, ya casi al entrar en la tierra prometida, dos de las doce tribus, ellos de Rubén y Gad, quienes «. . . *tenían una muy inmensa muchedumbre de ganado*», decidieron de no entrar (Números 32:1). Pensando que sería de mejor ganancias para ellos si se quedaran al lado este del Río Jordán, ellos le dijeron a Moisés: «*la tierra que Jehová hirió delante de la congregación de Israel, es tierra de ganado, y tus siervos tienen ganado. Por tanto, dijeron . . . dése esta tierra a tus siervos en heredad, y no nos hagas pasar el* (Río) *Jordán*» (32:4-5). Moisés les respondió: «. . . *¿Y por qué desanimáis a los hijos de Israel, para que no pasen a la tierra que les ha dado Jehová?*» (32:7). Los príncipes de estas dos tribus se unieron con la media tribu de Manasés. Hablando humanamente, era una decisión con buenas ganancias; pero era un acto de compromiso conveniente. La unidad de la nación y de estar todos cerca del tabernáculo y de la Presencia de Dios debería ser de mayor importancia para ellos.

Estas dos tribus y la media tribu es un tipo del «cristiano» que busca sólo la satisfacción de sus propios deseos, quien permite que las ventajas físicas le impidan el cumplir con la voluntad de Dios. Ellos están escritos como ejemplos y advertencias a todos los que escogen los intereses en los negocios, los adelantos sociales, o los lugares de prominencias, sobre cómo poder servir mejor al Señor. Algunos llamados «cristianos» están consumidos con perseguir las ganancias del mundo, las cuales les mantienen lejos de darle su tiempo y su diezmo al Señor. Su indiferencia espiritual muchas veces causa que sus hijos sigan sus ejemplos, hasta llegar al punto de que la oportunidad para influenciar a sus hijos a vivir para el Señor pasa para siempre.

Las instrucciones del Señor sobre Su voluntad son para todos nosotros hoy en día. «*Y estas Palabras que Yo te mando hoy, estarán sobre tu corazón; y las repetirás a tus hijos, y hablarás de ellas estando en tu casa, y andando por el camino, y al acostarte, y cuando te levantes. Y las atarás como una señal en tu mano, y estarán como frontales entre tus ojos; y las escribirás en los postes de tu casa, y en tus puertas*» (Deuteronomio 6:6-9).

**Pensamiento para hoy:** Los hombres de fe siempre encuentran modos de obedecer a Dios y de agradarle – pero los otros hombres solamente afirman sus excusas.

## ℰN LA LECTURA DE HOY
Los límites y la repartición de la tierra de Canaán;
la herencia de los levitas

*D*iferente a las otras tribus, la tribu de Leví, la cual incluía a los sacerdotes, no recibieron una herencia separada en la tierra. Ellos tenían que depender del diezmo del pueblo, tal y como Dios lo había mandado. Cuarenta y ocho ciudades y tierra de pasto fueron distribuidas a las otras tribus y se les asignó a ellos como sus residencias permanentes (Josué 21:1-42). De sus 48 ciudades, seis fueron asignadas como ciudades de refugio, las cuales estaban bien accesibles a todas las doce tribus. Para los que fueron sospechados de homicidio, estas ciudades eran de suma importancia como lugares de refugio, hasta que una corte pudiese determinar su culpabilidad o su inocencia (Números 35:11).

Nuestro Creador demanda que «. . . *Cualquiera que diere muerte a alguno* (intencionalmente), *por dicho de testigos morirá el homicida; mas un solo testigo no hará fe contra una persona para que muera. Y no tomaréis precio por la vida del homicida, porque está condenado a muerte; indefectiblemente morirá. . . . Y no contaminaréis la tierra donde estuviereis; porque esta sangre amancillará la tierra, y la tierra no será expiada de la sangre que fue derramada en ella, sino por la sangre del que la derramó».* (35:30-31,33).

Cuando era comprobado hasta la satisfacción de la congregación que la persona acusada era culpable de ser homicida, tal persona tenía que ser condenado a muerte, sin considerar la edad o si era hombre o mujer. No había ninguna consideración de darle encarcelamiento, ni libertad bajo caución, ni rehabilitación, ni ninguna clase de pago.

Sin duda, la prosecución y ejecución de los criminales es una situación muy dolorosa que todos prefiriéramos evitar; pero aún es necesaria para mantener la justicia y el orden, el bienestar de nuestra sociedad, y aún más importante, la aprobación de Dios. «*Bienaventurados los que lavan sus ropas, para tener derecho al árbol de la vida, y para entrar por las puertas en la ciudad. Mas los perros estarán fuera, y los hechiceros, los fornicarios, los homicidas, los idólatras, y todo aquel que ama y hace mentira*» (Apocalipsis 22:14-15).

**Pensamiento para hoy:** Nuestro Dios demanda el mayor respeto para la vida humana, pues el creó al hombre en Su imagen.

---

## *E*N LA LECTURA DE HOY
### Las leyes sobre la herencia de las mujeres dentro de su tribu patriarcal

---

«*V*inieron las hijas de Zelofehad . . . de las familias de Manasés hijo de José
. . . y se presentaron delante de Moisés y delante del sacerdote Eleazar, y delante
de los príncipes y de toda la congregación, a la puerta del tabernáculo de reunión*»
(Números 27:1-2), esperando una decisión sobre su territorio según su tribu
después de sus casamientos. «*Y Moisés llevó su causa delante de Jehová*» (27:5).
El Señor les declaró por medio de Moisés: «*Esto es lo que ha mandado Jehová
acerca de las hijas de Zelofehad, diciendo: Cásense como a ellas les plazca, pero
en la familia de la tribu de su padre se casarán . . . porque cada uno de los hijos
de Israel estará ligado a la heredad de la tribu de sus padres*» (36:6-7).

Aunque tenían el derecho legal de casarse «*como a ellas les* (placieran)»,
ellas tenían que considerar la responsabilidad que se había establecido sobre
sus acciones. Si se casaban con alguien de otra tribu perderían la herencia de
su padre. La decisión involucraba un principio muy importante de negarse a
sí mismas los deseos personales y permanecer fiel a cumplir la voluntad de
Dios. «*Como Jehová mandó a Moisés, así hicieron las hijas de Zelofehad*» (36:10).

Nadie debe de pasar por alto cómo es que esta petición de las cinco «*hijas
de Zelofehad*» corresponde a nuestra relación con Cristo. Nostros también a
veces nos enfrentamos con deseos personales que no son pecaminosos, pero
que pueden causar que abandonemos las oportunidades espirituales.

En contraste, nadie que se mantiene fiel a Cristo pierde lo mejor de esta
vida. Una decisión de cumplir con la Palabra de Dios, siempre preserva y
aumenta la estimación de la felicidad del creyente, en vez de causar daño.
Nuestro enemigo Satanás muchas veces aparece como un ángel de luz, buscando
cómo hacer que nos rindamos al pecado, aunque sea una vez, para darle una
entrada, y así, gradualmente, hacer hincapié en nuestras vidas.

El libro de Hebreos continuamente nos da las amonestaciones de Dios:
« . . . *No endurezcáis vuestros corazones, como en la provocación, en el día de
la tentación en el desierto . . . Mirad, hermanos, que no haya en ninguno de
vosotros corazón malo de incredulidad para apartarse del Dios vivo; antes
exhortaos los unos a los otros cada día, entre tanto que se dice: Hoy; para
que ninguno de vosotros se endurezca por el engaño del pecado*» (Hebreos
3:8,12-13; ver Salmo 95:8).

**Pensamiento para hoy:** Siempre perdemos lo mejor de Dios cuando
desatendemos Su Palabra.

# INTRODUCCIÓN AL LIBRO DE
# $\mathcal{D}$EUTERONOMIO

Los hechos en el libro de Deuteronomio tomaron lugar en el cuadragésimo año después que salieron de Egipto, durante las últimas semanas en la vida de Moisés. Durante ese tiempo, Moisés repasó los 40 años de las jornadas del desierto y la razón por la cual sus padres no pudieron entrar en la tierra prometida (Números 14:22-24; Deuteronomio 1:22-36). La primera generación de adultos (excepto por Josué, Caleb, y Moisés), todos habían muerto por su incredulez, la cual les había llevado a la desobediencia. Ahora la nueva generación de israelitas estaba acampada en los campos de Moab, y listo para entrar a la tierra prometida (29:1-5).

Desde Génesis hasta Números, el amor de Dios no se había mencionado; pero ahora, cuatro veces Moisés revela: *«Y por cuanto Él amó a tus padres, escogió a su descendencia después de ellos . . . y os ha rescatado de servidumbre»* (4:37; 7:7-8; 10:15; 23:5). *« . . . (Para) traernos y darnos la tierra que juró a nuestros padres»* (6:20-23).

Moisés les dijo que el Señor había hecho un pacto con sus padres en Horeb (el monte de Sinaí), pero que ellos continuamente faltaron en cumplir con Él. Después de darles la Ley de Dios a la nueva generación, Moisés puso mucho énfasis sobre la importancia de obedecer a la Palabra de Dios y de enseñársela a sus hijos (4:9,44; 5:31-33; 11;19). *«Mas si llegares a olvidarte de Jehová tu Dios y anduvieres en pos de dioses ajenos, y les sirvieres y a ellos te inclinares . . . de cierto pereceréis»* (8:19).

Moises les recordó la importancia de su lealtad a Dios, diciéndoles: *«Ahora, pues, Israel, ¿qué pide Jehová tu Dios de ti, sino que temas a Jehová tu Dios, que andes en todos Sus caminos, y que Lo ames, y sirvas a Jehová tu Dios con todo tu corazón . . . para que tengas prosperidad?»* (10:12-13; 27:1-29:1; 30:20). Las dos palabras claves *« . . . para que tengas prosperidad»* son las palabras: *«obedece»* y *«haz»* las cuales aparecen en este libro más de 170 veces. Esta clave (la llave) para obtener el éxito es el mensaje central de Deuteronomio, así como el mensaje central de la Biblia entera.

Las instrucciones fueron dadas también sobre la importancia de los diezmos y las ofrendas. De un significado muy particular es la revelación que *«Profeta de en medio de ti, de tus hermanos, como yo, te levantará Jehová tu Dios; a Él oiréis»* (18:15). Mil quinientos años más tarde el apóstol Pedro aplicó esta profecía a Jesús (Hechos 3:22-23), así como también lo hicieron Esteban y el apóstol Felipe (7:37; Juan 1:45).

El libro de Deuteronomio termina con la muerte de Moisés después de encomendar a Josué, un hombre *«lleno del espíritu de sabiduría»*, para guiar a los israelitas a entrar a la tierra prometida (Deuteronomio 34:1-9).

## ℰN LA LECTURA DE HOY

Moisés recuerda los 40 años en la historia de Israel; el mandato de partir del monte Sinaí; se niegan a entrar en la tierra prometida; 38 años descarreados

ℰn su primer mensaje a la nueva generación (Deuteronomio 1:1-4:43), Moisés les recuerda que solamente: *«Once jornadas (días) hay desde Horeb (monte Sinaí), camino del monte de Seir, hasta Cades-barnea»* (unas 265.49 kilómetros) (1:2). Este mensaje fue dado *«. . . a los cuarenta años»* después de salir de Egipto (1:3). A pesar de su rescate milagroso de Egipto, esa generación ya mayor de edad pecaron contra Dios en no creer que Él les daría la victoria sobre los cananeos. Por fe, la tierra prometida podía haber sido de ellos.

La generación de israelitas adultos que habían salido de Egipto no reconocieron que los problemas que ellos enfrentaron fueron diseñados para probar su fe en Su Palabra. Por consecuencia a su pecado de incredulidad, esa primera generación faltó en cumplir la voluntad de Dios, y malgastaron sus vidas viajando por el desierto sin objeto hasta que todos ellos murieron. Ahora, la nueva generación también tendría sus pruebas. ¿Podrán ellos creer en Dios y en Su Palabra?

Nosotros también tenemos una decisión. Podemos escoger el ser como muchos de los israelitas que encontraban falta con todo, o podemos escoger el ser como Caleb y Josué que, teniendo fe en la Palabra de Dios, pudieron sobrellevar todo temor y frustración.

También, hoy en día, se puede decir lo mismo de muchos creyentes que, aunque han aceptado a Jesucristo como su Único Salvador, ellos no han llegado a crecer espiritualmente desde que primeramente creyeron. Ellos sólo hacen lo menos posible, pues ellos no han llegado a aceptar el señorío del Señor en sus vidas. Este mandato es también nuestra responsabilidad: *«Pero sed hacedores de la Palabra, y no tan solamente oidores . . . »* (Santiago 1:22).

La amorosa sumisión al Señor desarrolla nuestra fe en Su habilidad para guiar, proteger, y proveer todas nuestras necesidades. Así como Dios tuvo un plan para Israel, así mismo Él tiene un plan para cada creyente.

En medio de «gigantes» problemas, el Espíritu Santo está disponible a todos los que, como Caleb y Josué, no dependen en sí mismos para vencer sus «gigantes». La Palabra de Dios es nuestra Única Guía infalible. *«Porque somos hechura Suya, creados en Cristo Jesús para buenas obras, las cuales Dios preparó de antemano para que anduviésemos en ellas»* (Efesios 2:10).

**Pensamiento para hoy:** En medio de «gigantes» problemas, la fuerza para ser victoriosos, por medio del Espíritu Santo, es disponible a los que confían en Él.

> ## 𝓔N LA LECTURA DE HOY
> Las divisiones de la tierra al este del Río Jordán; la oración de Moisés; las ciudades de refugio fueron establecidas al este del Jordán

𝓜oisés le recuerda a la nueva generación de israelitas que el vivir según la Palabra de Dios traería una realización completa y perdurable de todas Sus promesas. Él empezó a explicar la Ley que Dios le había dado a sus padres 40 años antes en el monte Sinaí (Deuteronomio 1:5). «...*(Declarar) esta Ley*» significaba mucho más que «repetirla»; quería decir «explicar su significado». En su primer mensaje Moisés acentúa la importancia de cumplir con toda la Palabra de Dios, «...*para que los ejecutéis, y viváis, y entréis y poseáis la tierra ... para que guardéis los mandamientos de Jehová vuestro Dios... Guardadlos, pues, y ponedlos por obra; porque esta es vuestra sabiduría y vuestra inteligencia ... Porque ¿qué nación grande hay que tenga dioses tan cercanos a ellos como lo está Jehová nuestro Dios en todo cuanto le pedimos?*» (4:1-7).

Para que «...*los ejecutéis y viváis*» significaba que los israelitas podían gozarse de lo mejor de esta vida. El mayor requerimiento esencial para mantenerse en la tierra era la obediencia a la Palabra de Dios. Moisés le advierte que si «...*hiciereis lo malo ante los ojos de Jehová vuestro Dios... no estaréis en ella largos días sin que seáis destruidos*» (4:25-26). Dios también les había dicho: «*Mas si desde allí buscares a Jehová tu Dios, lo hallarás, si lo buscares de todo tu corazón y de toda tu alma*» (4:29).

Nosotros también necesitamos recordar diariamente este mandato: «... *guarda tu alma con diligencia, para que no te olvides de las cosas que tus ojos han visto, ni se aparten de tu corazón todos los días de tu vida; antes bien, las enseñarás a tus hijos, y a los hijos de tus hijos*» (4:9).

Los niños empiezan a desarrollar un respeto para con Dios cuando por primero se les enseña cómo comportarse con respeto para con sus padres. Desafortunadamente, si los niños no aprenden respeto para con sus padres, pocas veces aprenden a respetar y a obedecer a Dios, quien nos dice: «*Instruye al niño en su camino, y aun cuando fuere viejo no se apartará de él*» (Proverbios 22:6).

La Biblia nos provee nuestra única fuente para conocer la voluntad y el carácter de nuestro Creador: «... *guarda Sus estatutos y Sus mandamientos, los cuales yo te mando hoy, para que te vaya bien a ti y a tus hijos después de ti*» (Deuteronomio 4:40).

**Pensamiento para hoy:** Es nuestra fe en Dios – no nuestra fuerza o sabiduría – la que nos lleva a la victoria.

> ## *E*N LA LECTURA DE HOY
> Moisés examina el pacto hecho por Dios en Horeb (el monte Sinaí);
> escogidos para ser un pueblo santo;
> el mandamiento de destruir la adoración a los ídolos

*M*oisés les recuerda a los israelitas que: «*. . . Jehová nuestro Dios, Jehová uno es*» (Deuteronomio 6:4-5).

La palabra hebrea «*Elohenu*» es traducida «*nuestro Dios*» y significa «nuestros Dioses». Esto, entonces, es lo que Moisés dijo: «*Oye, Israel: Jehová* (el Único que existe por Sí mismo) *nuestro Dios, Jehová uno es*» (6:4). La palabra hebrea «echad» expresa «uno» en una forma colectiva. La palabra significa una unidad compuesta. «*Jehová uno es*» explica la gloriosa revelación del Único Dios Verdadero quien es uno, y al mismo tiempo tres personas distintas: el Padre, el Hijo, y el Espíritu Santo. «*Entonces dijo Dios: Hagamos al hombre a nuestra imagen*» (Génesis 1:26); «*Y dijo Jehová Dios: He aquí el hombre es como uno de Nosotros*» (3:22); «*Y dijo Jehová . . . Ahora, pues, descendamos y confundamos allí su lengua*» (11:6-7); «*Después oí la voz del Señor, que decía: ¿A quién enviaré, y quién irá por Nosotros?*» (Isaías 6:8).

La misma palabra hebrea «echad» es usada en Génesis 2:24, donde Dios enseña que el hombre se unirá a su mujer, «*y serán una sola carne*», aun con muchos hijos, todavía se les llama «una» familia, y de los soldados se dijo: «*formando un solo ejército*» (II de Samuel 2:25).

La palabra hebrea para el número «uno», en el sentido de la singularidad absoluta, es la palabra «yacheed» y significa «uno absoluto». Esta palabra nunca es usada en referencia a la Divinidad. Moisés tenía esta palabra «yacheed» disponible; pero obviamente Dios guio a Moisés a referirse a Dios con la palabra «echad» que significa una unidad compuesta. Este hecho revela que esas personas que rechazan a Jesucristo como el completo Dios y también el completo Hombre, están rechazando la verdadera revelación de Dios el Padre, Dios el Hijo, y Dios el Espíritu Santo. Es de suma importancia entender que los que adoran «otros dioses» están engañados.

«*En el principio es el Verbo, y el Verbo era con Dios, y el Verbo era Dios. Este era en el principio con Dios. Todas las cosas por Él fueron hechas, y sin Él nada de lo que ha sido hecho, fue hecho*». «*Y aquel Verbo fue hecho carne, y habitó entre nosotros . . .* » (Juan 1:1-3,14).

«*Porque hay un solo Dios, y un solo mediador entre Dios y los hombres, Jesucristo hombre*» (I de Timoteo 2:5).

**Pensamiento para hoy:** ¡Regocijaos! Jesucristo pronto volverá a este mundo para reinar como el Rey de reyes.

## €N LA LECTURA DE HOY

Exhortación para cumplir los mandamientos; recordatorio de la rebelión de sus padres, el becerro de oro; las tablas del testimonio por segunda vez

Jesús empezó Su ministerio público con una cita de Deuteronomio: *«Escrito está: No sólo de pan vivirá el hombre, sino de toda Palabra que sale de la boca de Dios»* (Mateo 4:4; ver Deuteronomio 8:3). Esta fue Su respuesta a la tentación de Satanás, cuando le quiso tentar en el desierto, para que hiciera pan de las piedras para comer después de haber ayunado por 40 días. Satanás le había dicho: *«. . . Si eres Hijo de Dios, dí que estas piedras se conviertan en pan»* (Mateo 4:3), queriendo decir: «De todas las personas del mundo: ¿Por qué vas Tú a pasar hambre? Si Tú eres el Hijo de Dios, entonces debes usar Tus poderes para satisfacer Tu hambre».

Satanás, el tentador, citó las Escrituras, pero las usó impropiamente en su significado. Jesús otra vez citó a Deuteronomio en la segunda tentación, diciéndole: *«Escrito está también: No tentarás al Señor tu Dios»* Mateo 4:7; ver Deuteronomio 6:16). Jesucristo no se comprometió ni aun una vez – una lección que algunos creyentes necesitamos aprender. Durante la tercera tentación, Jesucristo otra vez citó Deuteronomio: *«. . . porque escrito está: Al Señor tu Dios adorarás, y a Él sólo servirás»* (Mateo 4:10; ver Deuteronomio 6:13). Una clave esencial para vencer a Satanás está en conocer bien la Palabra de Dios por la cual somos habilitados para ser más que vencedores. *«Porque la Palabra de Dios es viva y eficaz . . . »* (Hebreos 4:12), y es la única arma que necesitamos para vencer a Satanás. Mientras leemos la Palabra de Dios, es que el Espíritu Santo la trae a nuestras mentes cuando la necesitamos.

Necesitamos recordar el advertimiento que Moisés le da a Israel: *«Cuídate de no olvidarte de Jehová tu Dios, para cumplir Sus mandamientos . . . (Y) digas en tu corazón: Mi poder y la fuerza de mi mano me han traído esta riqueza. Sino acuérdate de Jehová tu Dios, porque Él te da el poder para hacer las riquezas»* (Deuteronomio 8:11,17-18).

Después de revisar los mandamientos, Moisés añadió: *«Ahora, pues, Israel, ¿qué pide Jehová tu Dios de ti, sino que temas a Jehová tu Dios, que andes en todos Sus caminos, y que Lo ames, y sirvas a Jehová tu Dios con todo tu corazón y con toda tu alma; que guardes los mandamientos de Jehová y Sus estatutos, que yo* (Moisés) *te prescribo hoy, para que tengas prosperidad?»* (Deuteronomio 10:12-13).

Jesús no solamente citó estos versículos para que Sus discípulos los aplicaran, pero a todos: *«El que tiene Mis mandamientos, y los guarda* (los cumple)*, ése es el que Me ama . . . El que Me ama, Mi Palabra guardará»* (Juan 14:21-23).

**Pensamiento para hoy:** ¿Es Jesucristo el que recibe el crédito por lo que hacemos?

## 𝒺N LA LECTURA DE HOY

Israel debe amar y obedecer a Dios; advertencias en contra los dioses falsos,
y en contra quitar o añadir algo a la Palabra de Dios

𝒫ara hacer perpetuo el amor y la lealtad para con Dios en las generaciones futuras, la Palabra de Dios tenía que gobernar las vidas de todos los israelitas. Para cumplir esto Dios dijo: *«Y las enseñaréis a vuestros hijos...»* (Deuteronomio 11:19). Nuestra primera ocupación cada día debe ser de enseñarle a nuestros hijos cómo amar al Señor y cómo ser obedientes a Él. Al mismo tiempo no debe de haber duda de que nosotros también amamos al Señor y somos obedientes a Él. Si nuestros corazones están llenos de la Palabra de Dios, entonces (Su Palabra) rebosará de nuestro ser: *«... hablando de ellas cuando te sientes en tu casa, cuando andes por el camino, cuando te acuestes, y cuando te levantes»* (11:19).

Moisés les repitió a la nueva generación lo mismo que el Señor les había dicho a sus padres, recordándoles que era muy importante: *«Porque si guardareis cuidadosamente todos estos mandamientos que yo (Moisés) os prescribo para que los cumpláis, y si amareis a Jehová vuestro Dios, andando en todos Sus caminos, y siguiéndole a Él, Jehová también* (hará) *...»* (11:22-25).

Dios había dicho: *«... y os alegraréis, vosotros y vuestras familias, en toda obra de vuestras manos en la cual Jehová tu Dios te hubiere bendecido»* (12:7).

Lo que nuestros hijos serán, usualmente depende de lo que ellos aprenden de nosotros y del valor que nosotros le damos a las cosas. Lo que nosotros somos, en gran manera es lo que nuestros hijos serán. Por eso es tan importante que los padres de niños pequeños dediquen de su tiempo a conformar sus mentes que tan rápido se van desarrollando. Es de suma importancia que los padres guíen a sus hijos, aun los más jóvenes, a rendirle reverencia a Dios, a adorarle, a orar, y reconocer la Biblia como la voz de Dios por la cual Él les habla.

Las influencias fuera del hogar a veces presentan a nuestros hijos con mensajes muy fuertes que están en contra los valores que deseamos para sus vidas. Es cada día más importante para los padres, durante este tiempo de decadencia moral, proveerle a nuestros hijos un fuerte ambiente espiritual.

Los niños necesitan también temer a Dios (con una profunda actitud de reverencia con el propósito de ser obediente), y saber que Dios dijo: *«Honra a tu padre y a tu madre, que es el primer mandamiento con promesa; para que te vaya bien, y seas de larga vida sobre la tierra»* (Efesios 6:2-3).

**Pensamiento para hoy:** Los padres cristianos tienen la responsabilidad de instruir a sus hijos en el camino que ellos necesitan para vivir (Proverbios 22:6).

---

### 𝒞N LA LECTURA DE HOY

Los alimentos limpios e inmundos; la ley del diezmo; la dedicación del
primogénito; las tres fiestas para observar; los jueces y la justicia

---

𝒬a prosperidad de Israel en la tierra prometida no dependía de las avanzadas
técnicas agrícolas, pero en la obediencia a la Palabra de Dios (Deuteronomio
10:10-15). Los israelitas fueron enseñados: *«Indefectiblemente diezmarás todo
el producto del grano que rindiere tu campo cada año. . . . (Para) que aprendas
a temer a Jehová tu Dios todos los días»* (14:22-23).

El diezmo le recordaba al pueblo que ellos, y la tierra, pertenecían al Señor,
quien tenía que tomar el primer lugar en sus vidas. Puesto que todas las cosas
que ellos tenían era el resultado de la amorosa provisión del Señor, entonces
antes de cumplir con cualquier otra consideración, sus diezmos al Señor eran
ofrendados primero. Además, ningún israelita podía venir delante de Señor
sin una ofrenda en consonancia con su ingreso. Traer delante del Señor
solamente lo que sobraba o una pequeña miseria de los ingresos sería una
expresión de desobediencia y de ingratitud.

El mandamiento era claro: *« . . . Y ninguno se presentará delante de Jehová
con las manos vacías; cada uno con la ofrenda de su mano, conforme a la
bendición que Jehová tu Dios te hubiere dado»* (16:16-17).

Los israelitas no solamente fueron instruidos a traer sus diezmos delante
del Señor como una obligación espiritual y moral, pero ellos también podían
«regocijarse» con un agradecimiento de corazón, por el privilegio de poder
honrar a Dios con sus diezmos y ofrendas; *« . . . para que Jehová tu Dios te
bendiga en toda obra que tus manos hicieren»* (14:29).

Quinientos años antes de recibir la ley de Moisés, Abraham, *«padre de
todos los creyentes»* (Romanos 4:11), pagó la décima parte (el diezmo) como
una ofrenda aceptable al Señor. Este principio continuó por todo el Antiguo
Testamento, e incluye a todos los creyentes de hoy en día que somos llamados
*« . . . los que son de fe, éstos son hijos de Abraham»* (Gálatas 3:7). Hoy en día,
todos los ministros del Señor, los misioneros, las iglesias, las escuelas bíblicas,
las publicaciones bíblicas, los traductores, y otras agencias son mantenidas
por los diezmos y las ofrendas del pueblo de Dios. A veces gastos inesperados
prueban la sinceridad de nuestra fe. Todos nosotros nacimos siendo ya egoístas
y egocéntricos, deseando de quedarnos con todas las cosas. Sin embargo, todas
las cosas que llamamos «nuestras posesiones», hasta aun nosotros mismos,
pertenecen a Dios. Jesucristo nos dijo: *«Dad, pues, a César lo que es de César,
y a Dios lo que es de Dios»* (Mateo 22:21).

**Pensamiento para hoy:** El diezmo es el reconocimiento de que todo es
propiedad de Dios.

## ᴇN LA LECTURA DE HOY

La muerte de los idólatras y la obediencia a los que están en autoridad;
las ofrendas para los sacerdotes y los levitas; las prácticas idólatras;
la profecía en cuanto a la venida de Cristo; las ciudades de refugio

ᴍoisés profetizó diciendo: «*Profeta de en medio de ti* (Jesucristo), *de tus hermanos, como yo, te levantará Jehová tu Dios; a Él oiréis . . . Y Jehová me dijo . . . pondré Mis Palabras en Su boca, y Él les hablará todo lo que Yo le mandare*». (Deuteronomio 18:15,17-19). El profeta Jeremías también profetizó sobre el pacto que Dios iba a hacer con Su pueblo durante los postreros días (Jeremías 31:31-34).

Un día, hablando con sus críticos, Jesús les dijo que Moisés y las Escrituras eran las que daban testimonio de Él: «*Porque si creyeseis a Moisés, Me creeríais a Mí, porque de Mí escribió él. Pero si no creéis a sus escritos, ¿cómo creeréis a Mis Palabras?*» (Juan 5:46-47).

Jesucristo declaró delante de Poncio Pilato: «*Mi reino no es de este mundo . . .*» (18:36), que quiere decir que Su reino no es de origen terrenal, pero que es un reino espiritual que no tiene fin (18:36). En el día de Pentecostés, el apóstol Pedro con denuedo declaró que Jesucristo había cumplido las profecías de Moisés, cuando dijo: «*Porque Moisés dijo a los padres: El Señor vuestro Dios os levantará profeta de entre vuestros hermanos, como a mí; a Él oiréis en todas las cosas que os hable; y toda alma que no oiga a aquel Profeta, será desarraigada del pueblo. Y todos los profetas desde Samuel en adelante, cuantos han hablado, también han anunciado estos días*» (Hechos 3:22-24; ver Deuteronomio 18:18-19). El Profeta del cual habló Moisés es Jesucristo, quien nos dijo: «*Yo soy la Luz del mundo; el que Me sigue, no andará en tinieblas, sino que tendrá la Luz de la vida*» (Juan 8:12).

El escritor del libro de Hebreos escribió: «*El que viola la ley de Moisés, por el testimonio de dos o de tres testigos muere irremisiblemente. ¿Cuánto mayor castigo pensáis que merecerá el que pisoteare al Hijo de Dios, y tuviere por inmunda la sangre del pacto en la cual fue santificado, e hiciere afrenta al Espíritu de gracia?*» (Hebreos 10:28-29).

**Pensamiento para hoy:** Jesucristo puede salvar perpetuamente a todos los que vienen al Padre por medio de Él, y está siempre para interceder por ellos.

---

## ÉN LA LECTURA DE HOY

Las leyes sobre los asesinatos y las mujeres cautivas de guerra,
sus matrimonios, sus divorcios; la propiedad de otro;
leyes humanitarias y las relaciones humanas

---

*L*os israelitas habían sido enseñados que todo pertenecía a Dios y que ellos eran solamente los que cuidaban Sus posesiones. Porque ellos estaban en un pacto de relación con el Señor, ellos eran responsables también del bienestar y de la propiedad de sus vecinos: *«Si vieres extraviado el buey de tu hermano, o su cordero, no le negarás tu ayuda; lo volverás a tu hermano»* (Deuteronomio 22:1-4).

Bajo las leyes de nuestro país, puede que no seamos responsables para cuidar de que otras personas no tengan pérdidas financieras. Pero nuestra responsabilidad como administradores de la gracia de Dios requiere que estemos listos para ayudar en las necesidades de otras personas con un espíritu de amor al igual que Cristo.

En el Sermón del Monte, nuestro Señor enseñó a Sus seguidores de ir más allá de solamente ayudar a preservar la propiedad de un vecino. Como discípulos de Jesucristo, tenéis que *« . . . Amad a vuestros enemigos, bendecid a los que os maldicen, haced bien a los que os aborrecen, y orad por los que os ultrajan y os persiguen; para que seáis hijos de vuestro Padre que está en los cielos»* (Mateo 5:44-45).

Jesús ilustró bien esto cuando dijo: *«Un hombre descendía de Jerusalén a Jericó, y cayó en manos de ladrones . . . dejándole medio muerto. Aconteció que descendió un sacerdote . . . Asimismo un levita»* (el ministro oficial del templo), *« . . . y viéndole, pasó de largo»* (puede que habían terminado sus responsabilidades religiosas en Jerusalén, e iban en camino a sus casas en Jericó, la ciudad de las palmeras, donde muchos de los sacerdotes del templo vivían. Si cualquiera de los dos paraba a ayudar a este hombre herido, entonces se hubiesen contaminado y estuviesen inmundos para las ceremonias del templo). *«Pero un samaritano, que iba de camino, vino cerca de él, y viéndole, fue movido a misericordia»* (no buscó excusas para ver si el hombre herido se merecía su ayuda o no), *«y acercándose, vendó sus heridas . . . y cuidó de él»* (Lucas 10:30-34).

El apóstol Juan fue guiado a recordarnos: *«Hijitos míos, no amemos de palabra ni de lengua, sino de hecho y en verdad»* (I de Juan 3:18).

**Pensamiento para hoy:** Debemos de aprovecharnos de cada oportunidad que tenemos para expresar el amor de Cristo a todos los que nos rodean.

## ᘓN LA LECTURA DE HOY

Las leyes sobre el divorcio y las relaciones domésticas; las primicias y los diezmos; la Ley sobre el monte Ebal; el altar sobre el monte Gerizim

*M*oisés, el legislador y el profeta de Dios, puso mucho énfasis sobre la necesidad de ser honesto y verdadero en todas las áreas de nuestras vidas. En su segundo mensaje, él advierte contra las ganancias que vienen por aprovecharse de las desventajas de otros. Él ilustra esto usando un mercante que tenía dos diferentes pesas y dos diferentes medidas – una para comprar y otra para vender: *«No tendrás en tu bolsa pesa grande y pesa chica, ni tendrás en tu casa efa grande y efa pequeño. Pesa exacta y justa tendrás; efa cabal y justo tendrás, para que tus días sean prolongados sobre la tierra que Jehová tu Dios te da. Porque abominación es a Jehová tu Dios cualquiera que hace esto, y cualquiera que hace injusticia»* (Deuteronomio 25:13-16).

Dios odia la mentira y el soborno. Cada uno de nosotros tenemos la oportunidad de emplear el principio de la justicia y la imparcialidad o aprovecharnos de otros. Esto puede presentarse en varias formas de deshonestidad, como cuando perdemos el tiempo en el trabajo, tomar algo que no es nuestro, hacer transacciones de negocios fuera de lo moral, las mentiras, el fraude, o cualquier otro acto deshonesto.

Nuestra relación con otras personas va más allá de las palabras y los hechos; pues aun llega hasta los motivos escondidos que se encuentran en nuestros corazones y revelan lo que verdaderamente somos. Esto quiere decir que los pensamientos del creyente siempre deben de ser la misma expresión de lo que Jesús haría.

La actitud de justicia y consideración para el bienestar de otras personas se aplica a la conducta diaria del creyente. La vida egocéntrica del «yo» tiene que darle el lugar a Cristo y rendirse a Su control.

Es posible tener malos pensamientos de amargura y envidia mientras hacemos buenas obras, y poder decir amorosas palabras teniendo una actitud y motivos erróneos. Pero, nuestra naturaleza pecaminosa, que vino desde Adán, y su conducta egoísta pueden ser vencidas por la naturaleza Cristo-céntrica que Cristo ha puesto en nuestro ser. Abraham, *«padre de todos los creyentes»* (Romanos 4:11), nos dio el ejemplo de esta clase de vida, cuando le rindió su derecho de poseer la mejor tierra a su sobrino Lot, para componer una disputa.

*«(Porque) las armas de nuestra milicia no son carnales, sino poderosas en Dios para la destrucción de fortalezas, derribando argumentos y toda altivez que se levanta contra el conocimiento de Dios, y llevando cautivo todo pensamiento a la obediencia a Cristo»* (II de Corintios 10:4-5; ver Génesis 13:8-9).

**Pensamiento para hoy:** El creyente debe de resistir todas las tentaciones de mentir, de engañar, o de hurtar. Todas estas maldades resultarán en el castigo de Dios.

## ℰN LA LECTURA DE HOY
Las bendiciones por la obediencia; las consecuencias por la desobediencia

Moisés les dio a los israelitas un relato de las bendiciones que el pueblo iba a recibir: *«Acontecerá que si oyeres atentamente la voz de Jehová tu Dios, para guardar y poner por obra todos Sus mandamientos que yo te prescribo hoy ... Te abrirá Jehová Su buen tesoro, el cielo, para enviar la lluvia a tu tierra en Su tiempo, y para bendecir toda obra de tus manos»* (Deuteronomio 28:1,12). Los israelitas podían escoger entre vivir tal y como Su Palabra les dirigía y gozarse de las bendiciones del Señor o rechazar Su Palabra, así como sus padres habían hecho, y habían sufrido las consecuencias. Moisés además les advierte: *«Jehová traerá sobre ti mortandad, hasta que te consuma de la tierra a la cual entras para tomar posesión de ella. Jehová te herirá ... y te perseguirán hasta que perezcas. ... (Y) no serás sino oprimido y robado todos los días, y no habrá quien te salve»* (28:21-22,29).

Hay casi cuatro veces más versículos en la Biblia que nos amonestan sobre las maldiciones por la desobediencia, que sobre las bendiciones por hacer el bien. La conclusión es bien evidente en la Palabra de Dios, pues cada pecado tiene su consecuencia – y definitivamente así es. Sin embargo, este hecho se puede usar impropiamente, tal y como en el caso de los discípulos de Jesús cuando le preguntaron: *«Rabí, ¿quién pecó, éste o sus padres, para que haya nacido ciego? Respondió Jesús: No es que pecó éste, ni sus padres, sino para que las obras de Dios se manifiesten en él»* (Juan 9:2-3). Lo que parecía una maldición, llegó a ser una bendición, pues trajo a este hombre a su Salvador.

Esto nos muestra que no todas las desgracias son el resultado del pecado, y que no todas las riquezas y la buena salud son necesariamente las bendiciones de Dios. Consideremos el ejemplo del joven rico quien escogió quedarse con todas sus riquezas, pero perdió la oportunidad de negarse a sí mismo y llegar a ser un discípulo (seguidor) de Jesús.

La victoria sobre nuestros «gigantes cananeos» de hoy en día – «... *los deseos de la carne, los deseos de los ojos, y la vanagloria de la vida»* (I de Juan 2:16) – se obtiene, no por nuestras habilidades, pero por nuestro compromiso en cumplir la voluntad de Dios. El poder de la victoria se encuentra cuando cooperamos con el Espíritu de Cristo, quien mora en nosotros. Así como el apóstol Pablo nos reveló: *«Todo lo puedo en Cristo que me fortalece»* (Filipenses 4:13).

**Pensamiento para hoy:** Dios conoce cada pensamiento del corazón.

---

## 🖎N LA LECTURA DE HOY

El pacto de la nueva generación; las advertencias sobre la desobediencia;
Josué, el sucesor de Moisés; los últimos consejos de Moisés

---

🖎l Creador escogió a la pequeña nación de Israel como el pueblo por el cual Él se iba a revelar como el Único Dios Verdadero que existe por Sí mismo. *«Guardaréis, pues, las palabras de este pacto, y las pondréis por obra, para que prosperéis en todo lo que hiciereis. . . . (Para) confirmarte hoy como Su pueblo, y para que Él te sea a ti por Dios, de la manera que Él te ha dicho, y como lo juró a tus padres Abraham, Isaac y Jacob»* (Deuteronomio 29:9,13). Moisés continuó advirtiendo al pueblo sobre las consecuencias de descuidarse de sus responsabilidades del pacto: *«No sea que haya entre vosotros varón o mujer, o familia o tribu, cuyo corazón se aparte hoy de Jehová nuestro Dios, para ir a servir a los dioses de esas naciones; no sea que haya en medio de vosotros raíz que produzca hiel y ajenjo, y suceda que al oír las palabras de esta maldición . . . »* (29:18-19).

Un pacto es un acuerdo obligatorio entre dos o más personas para hacer o dejar de hacer algunos hechos, en los cuáles ellos aceptan voluntariamente las condiciones del acuerdo. Los israelitas ignoraron su pacto de relación con el Señor y lógicamente sufrieron la pérdida de su tierra.

Cuando los israelitas entraron en la tierra prometida, ellos estaban rodeados de muchas influencias que iban a probar su lealtad al Único Dios Verdadero. Ellos se enfrentaron con pueblos que parecían tener muchas «ventajas», como carros de guerra, y un sistema religioso muy «atractivo», con imágenes que ellos podían ver y tocar. Los israelitas fueron tentados a desviarse de su lealtad a su Dios. En el último mensaje de Josué, él proclamó: *« . . . si traspasareis el pacto de Jehová vuestro Dios que Él os ha mandado, yendo y honrando a dioses ajenos, e inclinándoos a ellos. Entonces la ira de Jehová se encenderá contra vosotros, y pereceréis prontamente de esta buena tierra que Él os ha dado»* (Josué 23:16).

Mientras que las naciones del mundo se convierten en vecinos cercanos, algunos serán tentados a creer que sus falsos dioses son parte del Único Dios Verdadero, solamente con otro nombre, y que la fe de ellos es también una de las muchas formas de adorar al Dios Todopoderoso. Pero todos los adoradores de esos falsos dioses siempre rechazan y no aguardan *«la esperanza bienaventurada y la manifestación gloriosa de nuestro gran Dios y Salvador Jesucristo»* (Tito 2:13).

**Pensamiento para hoy:** Nuestro amor para con Dios es igual que nuestro amor para con la Palabra de Dios.

*L*os israelitas fueron llamados a proclamar: «*Engrandeced a nuestro Dios. . . . Porque todos Sus caminos son rectitud; Dios de verdad . . . justo y recto*». Dios es la Roca todopoderosa que nunca desampara a los fieles. «*Él es la Roca, cuya obra es perfecta, porque todos Sus caminos son . . . sin ninguna iniquidad en Él; es justo y recto*» (Deuteronomio 32:3-4). Moisés les predijo sobre las bendiciones y la felicidad que serían de ellos, si ellos vivieran en obediencia a la Palabra de Dios (33:6-29).

Después de otorgar las bendiciones espirituales sobre cada una de las tribus, Moisés terminó alabando a Dios: «*El eterno Dios es tu refugio, y acá abajo los brazos eternos; Él echó de delante de ti al enemigo*» (33:27). Aunque está escrito: «*Y nunca más se levantó profeta en Israel como Moisés, a quien haya conocido Jehová cara a cara*» (34:10), Moisés perdió el privilegio de guiar a Israel y entrar en Canaán por causa de su propio pecado (32:48-52; ver Números 20:1-13). Así, Moisés fue un ejemplo para todo Israel, y dio testimonio de que Dios es Santo y no puede permitir que Su Ley sea quebrantada sin consecuencias. La vida de Moisés había sido casi perfecta. Sin embargo, aunque él había sido el legislador del Señor, él también había quebrantado la Ley una vez, y la Ley de Dios no permite ninguna excepción. A lo último, se ve Moisés solo, subiendo una de las más prominentes montañas en Moab, de donde él es permitido ver la tierra prometida, aunque no pudo entrar a ella. El castigo de Moisés ilustra que aunque tengamos el perdón del pecado, eso no quiere decir que las consecuencias aquí en la tierra son quitadas (Santiago 2:10).

Siglos después, Moisés, como símbolo de la Ley de Dios, se paró en el monte Hermón, en la tierra prometida, junto con Elías, quien simbolizaba los profetas de Dios. Juntos hablaron con Jesús: «*y se transfiguró* (Jesús) *delante de ellos, y resplandeció Su rostro como el sol, y Sus vestidos se hicieron blancos como la luz . . . Mientras Él* (Jesús) *aún hablaba* (con Moisés y Elías), *una nube de luz los cubrió; y he aquí una voz desde la nube, que decía: Este es Mi Hijo amado, en quien tengo complacencia; a Él oíd*» (Mateo 17:2,5).

**Pensamiento para hoy:** Vamos a expresar la misma paciencia con otras personas, tal y como esperamos recibirla del Señor.

# INTRODUCCIÓN AL LIBRO DE
## JOSUÉ

El libro de Josué cubre un período de unos 25 años, y es una continuación de la historia de Israel tal y como fue escrita en el libro de Números.

Por medio de Moisés, Dios le habló a Josué, diciéndole: *«Nunca se apartará de tu boca este libro de la Ley, sino que de día y de noche meditarás en él, para que guardes y hagas conforme a todo lo que en él está escrito; porque entonces harás prosperar tu camino, y todo te saldrá bien»* (Josué 1:8).

Eventos mayores en el libro de Josué:

1. Los hombres van a espiar la tierra y hacen un pacto con Rahab (2:1-24).

2. Los israelitas parten de Sitim y llegan a la orilla este del Río Jordán, donde permanecen por tres días para *«santificarse»* (3:5).

3. Las aguas crecientes del Jordán se dividieron milagrosamente (3:9-16).

4. Al cruzar el Río Jordán: *«Josué también levantó doce piedras en medio del Jordán»* (4:9,24).

5. En la tierra prometida, el pueblo primeramente acampa en Gilgal, cerca de las aguas del Río Jordán donde *« . . . Jehová dijo a Josué: Hazte cuchillos afilados, y vuelve a circuncidar la segunda vez a los hijos de Israel»* (5:2,5). En Gilgal erigieron por segunda vez un monumento (4:20).

6. Ellos observan la Pascua en la tierra prometida por primera vez (5:10).

7. Jericó y Hai son conquistados (6:1 – 8:29).

8. Josué ofrece un holocausto y ofrenda de paz en el monte Ebal, cerca del pozo de Jacob. *«También escribió allí sobre las piedras una copia de la Ley de Moisés, la cual escribió delante de los hijos de Israel»* (8:30-32).

9. El engaño de los gabaonitas y el tratado de paz (9:1-17).

10. La guerra contra los reyes del sur. Josué los conquistó por la intervención milagrosa del Señor (10:1-43).

11. Los reyes que quedaron son derrotados juntos con sus ejércitos (11:1-23). El punto clave para conquistar a los cananeos es hecho claro: *«De la manera que Jehová lo había mandado a Moisés Su siervo . . . así Josué lo hizo sin quitar palabra de todo lo que Jehová había mandado a Moisés»* (11:15).

12. El territorio es dividido entre las tribus (13:1 – 22:34), con la excepción de la tribu de Leví (21:41), a la cual se le dieron 48 ciudades entre todas las tribus. *«No faltó palabra de todas las buenas promesas que Jehová había hecho a la casa de Israel; todo se cumplió»* (21:43-45; ver 1:1-6).

13. El mensaje de despedida de Josué es claro: *«Esforzaos, pues, mucho en guardar y hacer todo lo que está escrito en el libro de la Ley de Moisés, sin apartaros de ello ni a diestra ni a siniestra»* (23:6).

## ℰN LA LECTURA DE HOY

Dios le habla a Josué; los espías mandados a Jericó; ellos le hacen
una promesa a Rahab; Israel cruza el Río Jordán

*J*osué fue nacido en la esclavitud de Egipto. Mientras que la mayoría estaba murmurando y buscándole faltas a Moisés durante sus pruebas en el desierto, Josué llegó a ser un fiel compañero de trabajo para Moisés.

El primer encuentro de Israel con los cananeos en la tierra prometida fue en la poderosa ciudad de Jericó y sus murallas. El pueblo de Jericó había oído «. . . *que Jehová hizo secar las aguas del Mar Rojo delante de vosotros cuando salisteis de Egipto, y lo que habéis hecho a los dos reyes de los amorreos . . . a los cuales habéis destruido*» (Josué 2:10). Rahab se arrepintió de sus dioses falsos, dejó atrás su vida de prostituta, y llegó a confiar en la misericordia del Único Dios Verdadero. No fue un accidente que los espías vinieron a su casa para traer la protección de Dios sobre ella y su familia. Ella les dijo a los espías: «*Sé que Jehová os ha dado esta tierra . . . porque Jehová vuestro Dios es Dios arriba en los cielos y abajo en la tierra*» (2:9,11).

Por su fe en el Señor, Rahab llegó a estar en la ascendencia del Rey David y en el linaje Mesiánico de Jesucristo (Mateo 1:5; Lucas 3:32), y también ella está en la lista de los muchos héroes de la fe (Hebreos 11:31).

Moisés dejó su vida en el palacio y su posible derecho a ser el Faraón de Egipto, «*escogiendo antes ser maltratado con el pueblo de Dios, que gozar de los deleites temporales del pecado, teniendo por mayores riquezas el vituperio de Cristo que los tesoros de los egipcios*» (11:25-26). Josué se mantuvo fiel a Dios aun cuando la mayoría de su pueblo lo había amenazado a muerte (Números 14:6-10). Una prostituta, Rahab, dejó atrás su pecado y rinde su vida para agradar al Señor. Estos tres personajes abandonaron al mundo y a sus placeres y vinieron a ser disponibles a Dios para cumplir Su voluntad por medio de ellos.

Todos nosotros nos hemos enfrentado, o nos enfrentaremos, a tener que elegir así como lo tuvo que hacer Moisés, Josué y Rahab. No queremos ser como la mayoría, pero: «. . . *despojémonos de todo peso y del pecado que nos asedia, y corramos con paciencia la carrera que tenemos por delante*» (Hebreos 12:1).

**Pensamiento para hoy:** Casi todos nosotros pasaremos a la eternidad con metas incompletas; pero si el trabajo de nuestras vidas es de Dios, seguirá bendiciendo a otros.

> ### 𝔈N LA LECTURA DE HOY
> El monumento en Gilgal; la circuncisión; la Pascua en Gilgal;
> el maná cesa; la conquista y la destrucción de Jericó

𝒟ios dijo: *«(Porque) Yo os la he dado* (la tierra) *para que sea vuestra propiedad»* (Números 33:53); pero, las promesas de Dios siempre incluyen las responsabilidades personales para los que reciben las promesas. Antes de seguir adelante a la tierra prometida, *« . . . Jehová le dijo a Josué . . . vuelve a circuncidar la segunda vez a los hijos de Israel»* (Josué 5:2-5).

El rito de la circuncisión había sido instituido por el Señor con Abraham, el padre de los fieles, como una señal visible del pacto de relación con Él (Génesis 17:9-14). Y era un requerimiento antes de que alguien pudiera comer la Pascua (Éxodo 12:48).

Después de ser circuncisos, los varones de la nueva generación se identificaron como el pueblo del pacto con el Señor y eran aprobados para participar de la Pascua (Josué 5:8,10). La Pascua conmemoraba el rescate que el Señor hizo para con Su pueblo en Egipto, y señalaba el camino al Libertador, el Mesías (I de Corintios 5:7). La circuncisión y la Pascua son sombras que muestran las ordenanzas del bautismo del creyente y la Cena del Señor para la iglesia.

Durante Su última Pascua aquí en la tierrra, nuestro Señor Jesucristo nos reveló que Su muerte en la cruz cumpliría y reemplazaría la Pascua. El apóstol Pablo nos habló de este nuevo pacto, diciendo: *« . . . Que el Señor Jesús, la noche que fue entregado, tomó pan; y habiendo dado gracias, lo partió, y dijo: Tomad, comed; esto es Mi cuerpo que por vosotros es partido; haced esto en memoria de Mí. Asimismo tomó también la copa, después de haber cenado, diciendo: Esta copa es el nuevo pacto en Mi sangre; haced esto todas las veces que la bebiereis, en memoria de Mí. Así, pues, todas las veces que comiereis este pan, y bebiereis esta copa, la muerte del Señor anunciáis hasta que Él venga»* (11:23-26).

La circuncisión del creyente también es explicada por el apóstol Pablo: *«En Él también fuisteis circuncidados con circuncisión no hecha a mano, al echar de vosotros el cuerpo pecaminoso carnal, en la circuncisión de Cristo; sepultados con Él en el bautismo, en el cual fuisteis también resucitados con Él, mediante la fe en el poder de Dios que le levantó de los muertos. Y a vosotros, estando muertos en pecados y en la incircuncisión de vuestra carne, os dio vida juntamente con Él, perdonándoos todos los pecados»* (Colosenses 2:11-13).

**Pensamiento para hoy:** El Espíritu Santo, por medio de la Palabra de Dios, nos capacita para ser llevados por encima de nuestras tentaciones.

## ✎N LA LECTURA DE HOY

El pecado de Acán; Hai derrota a Israel; el castigo de Acán; Israel derrota a Hai; el altar en el monte Ebal; el pacto renovado; la Ley fue leída

✎l Señor aguantó las aguas del Río Jordán en el tiempo del año cuando el Río Jordán se desbordaba por todas sus orillas, *«y todo Israel pasó en seco»* a Canaán (Josué 3:6-17). Después de la victoria en Jericó, los israelitas se regocijaron. Sin embargo, sin buscar la dirección de Dios, los israelitas atacaron la ciudad de Hai. *«Y los de Hai mataron de ellos a unos treinta y seis hombres, y los siguieron desde la puerta hasta Sebarim, y los derrotaron en la bajada»* (7:5).

Nueve veces en los primeros seis capítulos de este libro se dice que el Señor dirigió a Josué (1:1; 3:7; 4:1,8,10,15; 5:2,15; 6:2). Por no consultar con el Señor, la derrota de Israel fue inevitable (7:2-5). Por un momento Josué había olvidado de considerar que el Señor mismo era su Comandante de grado mayor, y que sólo Él podía dar las órdenes que resultarían en la victoria (1:5). Primeramente el malvado pecado de Acán tenía que ser castigado. Después de esto fue que el Señor dirigió a Josué a una completa victoria sobre Hai.

El razonamiento de los israelitas que les llevó a la derrota en Hai ha sido repetido por casi todos nosotros. Cuando vemos que no existen problemas muy serios, tenemos demasiada confianza en nosotros mismos, confiando en nuestra propia capacidad, y asumimos que el Señor quiere que usemos «nuestro mejor sentido común». Sin embargo, si nos separamos de ser sumisos a la presencia del Espíritu Santo que mora en nosotros, entonces la tentación más pequeña llegará a ser mucho más poderosa que nosotros. Él es el Único que puede impartir discernimiento por medio de nuestro deseo de leer y obedecer Su Palabra.

Muchos empiezan sus vidas como cristianos en oración y leyendo la Biblia diariamente, pero tarde o temprano se llenan de confianza en sí mismos y se olvidan de que *«(antes) del quebrantamiento es la soberbia, y antes de la caída la altivez de espíritu»* (Proverbios 16:18). La verdad más importante aquí es que nosotros no ganamos las victorias porque somos cristianos, tal y como Josué tampoco ganó la victoria sobre Hai porque él era un israelita.

*«Porque la Palabra de Dios es viva y eficaz, y más cortante que toda espada de dos filos; y penetra hasta partir el alma y el espíritu, las coyunturas y los tuétanos, y discierne los pensamientos y las intenciones del corazón»* (Hebreos 4:12).

**Pensamiento para hoy:** Cualquier cumplimiento de nuestros talentos que son de valor siempre es el resultado de Dios trabajando en nuestras vidas.

---

**ᐧEN LA LECTURA DE HOY**
La alianza con Gabaón; Gabaón los ataca; Dios interviene, y causa que
el sol y la luna se detengan; la derrota de los reyes amorreos

---

*D*epués de las victorias de Josué sobre Jericó y Hai, cinco reyes se unieron para pelear contra los israelitas. Sin embargo, los gabaonitas, situados entre la tierra de los reyes cananeos y el campamento de Israel (Josué 9:17), decidieron que su oportunidad para sobrevivir esta guerra sería mejor si hicieran una alianza con los israelitas en vez de unirse a los reyes cananeos. Ellos le dijeron a Josué: « . . . *Tus siervos han venido de tierra muy lejana, por causa del nombre de Jehová tu Dios; porque hemos oído Su fama, y todo lo que hizo en Egipto . . . Por lo cual nuestros ancianos y todos los moradores de nuestra tierra nos dijeron: Tomad en vuestras manos provisión para el camino, e id al encuentro de ellos, y decidles: Nosotros somos vuestros siervos; haced ahora alianza con nosotros. . . . Y los hombres de Israel tomaron de las provisiones de ellos, y no consultaron a Jehová. Y Josué hizo paz con ellos, y celebró con ellos alianza concediéndoles la vida»* (9:9-11,14-15) – una violación de la Ley (Éxodo 23:32-33; 34:12). Esto nos lleva a entender que la ignorancia de la Palabra de Dios no anula los resultados.

Esta alianza con los gabaonitas nos debe impresionar sobre la astucia del enemigo para engañarnos. También podemos aprender que nuestro razonamiento humano es a veces erróneo. Si Josué hubiese orado para recibir la dirección del Señor, esa alianza nunca se hubiera hecho.

Los israelitas no quebrantaron su acuerdo, aunque los gabaonitas los engañaron. Sin embargo, unos 400 años después, el rey Saúl quebrantó este pacto, lo que resultó en tres años consecutivos de hambre en Israel (II de Samuel 21:1). Por esta historia, el Señor nos enseña que el mal hecho por otros no nos da el derecho de hacerle el mismo mal. Un pecado nunca justifica a otro pecado. La característica de los hijos de Dios que nos distingue de todos los otros pueblos es que nosotros *«vence* (mos) *con el bien el mal»* (Romanos 12:21). Dios quiere que nosotros aprendamos de este pacto con los gabaonitas lo importante que es tener integridad propia y cumplir con todas nuestras obligaciones.

El pan ya seco y mohoso parecía ser una visible y buena evidencia de la palabra de los gabaonitas (Josué 9:12-13). Muchas veces somos necios en hacer decisiones basadas en lo que vemos o en lo que pensamos. *«Fíate de Jehová de todo tu corazón, y no te apoyes en tu propia prudencia. Reconócelo en todos tus caminos, y Él enderezará tus veredas»* (Proverbios 3:5-6).

**Pensamiento para hoy:** La fe siempre hace desaparecer al miedo de lo porvenir.

## ÉN LA LECTURA DE HOY

La conquista de los reyes del norte; la obediencia de Josué; los reyes derrotados; dos tribus y media se establecen al lado este del Río Jordán

*T*odas las personas en Jericó sabían de la reputación del Dios de Israel, así como lo sabía Rahab, quien confesó: «... *Oyendo esto, ha desmayado nuestro corazón; ni ha quedado más aliento en hombre alguno por causa de vosotros, porque Jehová vuestro Dios es Dios arriba en los cielos y abajo en la tierra»* (Josué 2:11). Sólo Rahab puso su fe en el Dios de los hebreos, y no solamente fue ella salva, pero su nombre fue incluido en la genealogía de Jesús (Mateo 1:5; Hebreos 11:31; Santiago 2:25). Los reyes cananeos sabían lo mismo que los gabaonitas sabían, pero ellos decidieron defender a sus dioses falsos, e ir en contra del Dios Verdadero.

La noticia de la invasión de Josué rápidamente se extendió por toda la tierra de Canaán. Jabín, rey de Hazor, en el norte, enlistó la ayuda de los reyes que estaban en la región del norte en las montañas (Josué 11:1-2,8).

El ejército de Josué, que era comparadamente más pequeño, recibió noticia de que ellos se iban a enfrentar a «... *mucha gente, como la arena que está a la orilla del mar en multitud, con muchísimos caballos y carros de guerra. Todos estos reyes se unieron ... Mas Jehová dijo a Josué: No tengas temor de ellos, porque mañana a esta hora Yo entregaré a todos ellos muertos delante de Israel ... Y Josué, y toda la gente de guerra con él, vino de repente contra ellos junto a las aguas de Merom. . . . (Hiriéndolos) hasta que no les dejaron ninguno»* (Josué 11:4-8).

*«Tomó, pues, Josué toda la tierra, conforme a todo lo que Jehová había dicho a Moisés . . . y la tierra descansó de la guerra»* (Josué 11:23). Treinta y un reyes por todos habían sido derrotados. Josué así estableció un control militar sobre toda la tierra prometida. Sin embargo, las tribus mismas tenían que llevar a cabo la destrucción de los cananeos (Éxodo 23:29-30; Deuteronomio 7:22).

El castigo que vino sobre los cananeos es una sombra del juicio final que vendrá sobre todos los que continúan en sus pecados. *«Porque es justo delante de Dios pagar con tribulación a los que os atribulan . . . cuando se manifieste el Señor Jesús desde el cielo con los ángeles de Su poder, en llama de fuego, para dar retribución a los que no conocieron a Dios, ni obedecen al evangelio de nuestro Señor Jesucristo; los cuales sufrirán pena de eterna perdición, excluidos de la presencia del Señor y de la gloria de Su poder»* (II de Tesalonicenses 1:6-9).

**Pensamiento para hoy:** La obediencia a la Palabra de Dios es la clave para la victoria.

---

### *E*N LA LECTURA DE HOY

Josué distribuye la tierra entre las tribus; los territorios dados por herencia a Judá, a Caleb, a Efraín, y a Manasés

---

*J*osué había destruidos a los anaceos de los montes de Hebrón, unos cinco años antes de este tiempo (Josué 10:2-11; 11:21-22). Ahora, ellos habían vuelto a tomar control de su territorio – y sin duda, con una determinación mucho más poderosa para retener la tierra que se le había prometido a Caleb.

A los 85 años de edad, cuando Caleb se jubiló, él le relató a la nueva generación cómo fue que Dios le había cuidado hasta este entonces y les dijo: *«Yo era de edad de cuarenta años cuando Moisés siervo de Jehová me envió de Cades-barnea a reconocer la tierra; y yo le traje noticias como lo sentía en mi corazón. Y mis hermanos, los que habían subido conmigo, hicieron desfallecer el corazón del pueblo; pero yo cumplí siguiendo a Jehová mi Dios»* (14:7-8). La inmutable fe de Caleb se puede ver en su reporte de cuando fue espía: *«yo le traje noticias como lo sentía en mi corazón».* Él habló las convicciones de su corazón mientras se efrentaba a la oposición de los otros espías y del pueblo. Solamente él se paró junto con Josué. Nosotros a veces tememos hablar sobre nuestra fe cuando nuestras convicciones no son muy populares; pero la persona bendecida por Dios siempre habla lo que está en su corazón sobre las cuestiones espirituales.

Caleb valientemente dijo: *«pero yo cumplí siguiendo a Jehová mi Dios».* Su decisión no fue afectada por lo que otras personas decían o hacían. Los pocos fieles quienes tienen sus corazones enlazados al Señor, y confían en Su Palabra, no temen hablar y seguir adelante para cumplir la voluntad del Señor sin tener en cuenta lo que otros hacen o dicen.

El valeroso espíritu de Caleb no solamente nos inspira hoy en día, pero nos recuerda que *« . . . los que esperan a Jehová tendrán nuevas fuerzas; levantarán alas como las águilas; correrán, y no se cansarán; caminarán, y no se fatigarán»* (Isaías 40:31). Los bendecidos de verdad siempre son fieles a Dios.

Sí, casi todos nosotros nos enfrentaremos a dificultades como gigantes «cananeos» en nuestra vida, como también con amigos quienes tratarán de desanimarnos. Por seguro, nuestra fe debe de sobrepasar la fe de Caleb, pues *« . . . Cristo es el que . . . está a la diestra de Dios, el que también intercede por nosotros. ¿Quién nos separará del amor de Cristo? ¿Tribulación, o angustia, o persecución, o hambre, o desnudez, o peligro, o espada? . . . Antes, en todas estas cosas somos más que vencedores por medio de Aquel que nos amó»* (Romanos 8:34-35,37).

**Pensamiento para hoy:** Dios honra sólo la fe que está establecida en Su Palabra.

ᴸa conquista de Canaán fue concluida y la tierra repartida, no por el voto de la mayoría, pero por el Señor. Cuando « . . . *(toda) la congregación de los hijos de Israel se reunió en Silo, y erigieron allí el tabernáculo de reunión, después que la tierra les fue sometida. . . . Y Josué les echó suertes delante de Jehová en Silo; y allí repartió Josué la tierra a los hijos de Israel por sus porciones»* (Josué 18:1,10).

Aunque ellos habían recibido el mejor territorio de la tierra prometida, las tribus de Manasés y Efraín se quejaron diciendo que más territorio se les debían de dar a ellos por su gran número de personas y (según ellos) tenían la más prominente posición entre las tribus (17:14-18). Los de la tribu de Efraín estaban orgullosos de su historia como los descendientes de José, y que Josué, el gobernador victorioso que les había guiado a la conquista de Canaán, era también de su tribu.

Tristemente, estas dos tribus escogieron el camino más fácil del compromiso con los cananeos. Las bendiciones de Dios a veces depende en nuestra fe; *«¿Mas quieres saber, hombre vano, que la fe sin obras es muerta?»* (Santiago 2:20). Es de sabios negar ayuda a los que no quieren ayudarse a sí mismos.

Cuando tenemos nuestras prioridades bien concentradas en el Señor, no necesitamos temer la pérdida de cualquier cosa. En hecho, gozosamente nos movemos a recibir menos que otras personas, si eso nos lleva a mantener la paz entre nosotros. Los verdaderos hombres de Dios no esperan para que otras personas les sirvan o les alaben.

En sorprendente contraste a las tribus de Manasés y Efraín, Josué escogió ser el último en reclamar un territorio para sí mismo (Josué 19:49). Como capitán de todo el ejército, se esperaba que él fuese el primero en escoger lo mejor de la tierra para su familia. Al contrario, él fue el último en escoger. El territorio que Josué escogió fue un área muy pequeña en Silo, donde se había edificado el tabernáculo y donde él mejor podía adorar y servir al Señor. Fue allí, en la proximidad de la presencia del Señor, que Josué edificó su pequeña ciudad. Josué ilustra la importancia de siempre estar *« . . . fervientes en espíritu, sirviendo al Señor . . . Someteos, pues, a Dios; resistid al diablo, y huirá de vosotros. . . . Humillaos delante del Señor, y Él os exaltará»* (Romanos 12:11; Santiago 4:7,10).

**Pensamiento para hoy:** La mansedumbre no quiere decir debilidad.

## ᴥN LA LECTURA DE HOY
Seis ciudades de refugio fueron establecidas; 48 ciudades fueron dadas
a los levitas; los israelitas poseen la tierra

*D*iferente a todas las otras tribus de Israel, a la tribu de Leví no se le dio un territorio separado (Josué 14:3). *«Mas a la tribu de Leví no dio Moisés heredad; Jehová Dios de Israel es la heredad de ellos, como Él les había dicho»* (13:33). *«Pero los levitas ninguna parte tienen entre vosotros, porque el sacerdocio de Jehová es la heredad de ellos»* (18:7).

Los levitas fueron divididos en tres grupos según la descendencia de los tres hijos de Leví, Gersón, Coat, y Merari. Pero solamente esos israelitas que eran descendientes de Leví, por el linaje de Aarón el nieto de Coat, podían ser sacerdotes y servir en el tabernáculo. Sin embargo, aun algunos de estos descendientes eran descalificados físicamente de ser ministros en el altar por inhabilidades o defectos; y algunos eran descalificados espiritualmente por una o más violaciones de los mandamientos (Levítico 21:1-23). Los sacerdotes eran responsables de preservar, de copiar, de enseñar, e interpretar la Ley. Ellos también eran los oficiales civiles responsables por la administración de la Ley (Deuteronomio 17:9-12; 31:9,11,12,26). Todos los levitas, no solamente los que eran responsables de la adoración en el tabernáculo, estaban supuestos a recibir una porción por igual de los diezmos de las otras tribus. Cada tribu tenía que proveer para el bienestar físico de los sacerdotes dentro de su propio territorio. Esto fue establecido por un mandamiento de Dios, y no fue dejado en las manos de la benevolencia del pueblo.

Dios dedicó 42 de los 45 versículos en el capítulo 21 de Josué, para recalcar la obligación de los israelitas, sobre el sostenimiento de los ministros de Su Palabra. Nadie es tan pobre para estar libre de traer su diezmo, lo cual es el diez por ciento de sus ingresos, pues, es un mandato igual para todos. Cuando el pueblo de Israel era fiel en hacer esto, Dios le bendecía con grandeza. Pero cuando ellos faltaban de hacerlo, ellos sufrían.

El apóstol Pablo ilustró esto bien cuando dijo: *«Porque en la ley de Moisés está escrito: No pondrás bozal al buey que trilla. ¿Tiene Dios cuidado de los bueyes, o lo dice enteramente por nosotros? Pues por nosotros se escribió . . . Si nosotros sembramos entre vosotros lo espiritual, ¿es gran cosa si segáremos de vosotros lo material? . . . Así también ordenó el Señor a los que anuncian el evangelio, que vivan del evangelio»* (I de Corintios 9:9-11,14).

**Pensamiento para hoy:** Nada es muy duro para Dios.

---

---

Cuando Dios le dijo a Josué: *«Yo os he entregado, como la había dicho a Moisés, todo lugar que pisare la planta de vuestro pie»* (Josué 1:3), Josué no solamente «confió en el Señor» en que Él iba a forzar a los cananeos a dar sus tierras voluntariamente. En verdad, los israelitas recibieron su herencia por fe; pero ellos tuvieron que caminar en fe y pelear por cada sección de la tierra que Dios les había prometido.

Después de cerca de siete años, los israelitas, bajo el liderazgo de Josué, habían conquistado a Canaán. *«Y Jehová les dio reposo alrededor, conforme a todo lo que había jurado a sus padres; y ninguno de todos sus enemigos pudo hacerles frente, porque Jehová entregó en sus manos a todos sus enemigos»* (21:44).

El mayor peligro para los israelitas estaba aún por delante. *«Entonces Josué dijo al pueblo . . . Si dejareis a Jehová y sirviereis a dioses ajenos, Él se volverá y os hará mal, y os consumirá, después que os ha hecho bien. . . . Quitad, pues, ahora los dioses ajenos que están entre vosotros, e inclinad vuestro corazón a Jehová Dios de Israel»* (24:19-20,23).

Jesús, nuestro «Josué», nos libró del pecado por Su muerte substitucionaria en la cruz y Su triunfante resurrección física.

Nosotros también necesitamos ser recordados diariamente de *«inclinad vuestro corazón a Jehová Dios»*. Qué tragedia más grande que tantas personas creen que después que una persona acepta a Jesucristo como su Único Salvador, que tal persona ya no tiene más nada que hacer, y solamente piensan que tienen que «dejar todo en las manos de Dios». Pero la verdad es que Dios ha puesto el querer como el hacer en nuestras manos. *«Por tanto, tomad toda la armadura de Dios, para que podáis resistir en el día malo, y habiendo acabado todo, estar firmes. Estad, pues, firmes, ceñidos vuestros lomos con la verdad, y vestidos con la coraza de justicia, y calzados los pies con el apresto del evangelio de la paz. Sobre todo, tomad el escudo de la fe, con que podáis apagar todos los dardos de fuego del maligno. Y tomad el yelmo de la salvación, y la espada del Espíritu, que es la Palabra de Dios»* (Efesios 6:13-17).

**Pensamiento para hoy:** Cada día vamos a servir solamente al Señor.

# INTRODUCCIÓN AL LIBRO DE
# $\mathcal{J}$UECES

El libro de Jueces relata fragmentos de la historia de Israel desde la muerte de Josué hasta el principio del ministerio de Samuel.

La clave sobre la conquista de Canaán es clara: «*Y el pueblo había servido a Jehová todo el tiempo de Josué, y todo el tiempo de los ancianos que sobrevivieron a Josué, los cuales habían visto todas las grandes obras de Jehová, que Él había hecho por Israel*» (Jueces 2:7). Después de la muerte de Josué no había ningún líder nacional que fue señalado por Dios así que cada tribu actuaba independientemente (1:1-2:23).

Casi todas las tribus israelitas ignoraron el mandamiento del Señor de arrojar de sus territorios a todos los cananeos que se habían quedado. En su lugar, ellos se comprometieron a esclavizarlos gradualmente. Este compromiso con el tiempo les llevó a mezclarse en matrimonio con los cananeos, y por último Israel fue llevado a la adoración de sus falsos dioses.

La razón por esta falta es obvia: «*Y toda aquella generación también fue reunida a sus padres. Y se levantó después de ellos otra generación que no conocía a Jehová, ni la obra que Él había hecho por Israel. . . . Y dejaron a Jehová, y adoraron a Baal y a Astarot*» (los dioses de los cananeos) (2:10,13). Sin un gobierno central ni un líder, tiempos de decadencia espiritual y de confusión prevalecieron.

Siete grandes apostasías están registradas cuando «*. . . los hijos de Israel hicieron lo malo ante los ojos de Jehová, y sirvieron a los baales* (falsos dioses)» (2:11, 3:7,12; 4:1; 6:1; 10:6; 13:1). En cada caso, los israelitas fueron vencidos por sus enemigos, perdieron su libertad, y fueron grandemente empobrecidos; pero, cuando el pueblo oró, Dios les libró de sus opresores. Estos jueces actuaron bajo la autoridad de Dios, quien era el Rey invisible de Israel. Cuando cada juez sucesivo se sometía y exaltaba a Dios un período de paz y prosperidad venía sobre el pueblo.

Los capítulos 17 – 21, no son una continuación de la historia de Israel, pero contiene un conocimiento profundo sobre la corrupción moral y espiritual de Israel, la que prevaleció antes del tiempo cuando Samuel llegó a ser el profeta de Dios y su juez. El libro de Jueces revela que la desobediencia a la Palabra de Dios inevitablemente resulta en derrota. Pero, al contrario, la obediencia a Dios y a Su Palabra nos da la seguridad de que vamos a recibir sus bendiciones en todas las áreas de nuestras vidas.

## *E*N LA LECTURA DE HOY
La tribu de Judá es escogida para guiar en las guerras; ellos faltan en arrojar a los cananeos; la reprimenda del Ángel del Señor; la muerte de Josué

*Lo*s israelitas fueron escogidos por el Único Dios Verdadero para manifestar a Dios a las naciones paganas y glorificarle por serle obediente a Su Palabra. Los primeros versículos del libro de Jueces nos dan un sentido de gran esperanza en la total conquista de la tierra como Josué había empezado: *«Y fue Judá con su hermano Simeón, y derrotaron al cananeo que habitaba en Sefat, y la asolaron»* (Jueces 1:17). Una por una, las ciudades cananeas fueron derrotadas por los israelitas – y después las ciudades de los filisteos (ver 1:10-11,13,17,18). *«Y el pueblo había servido a Jehová todo el tiempo de Josué, y todo el tiempo de los ancianos que sobrevivieron a Josué, los cuales habían visto todas las grandes obras de Jehová, que Él había hecho por Israel»* (2:7).

Los israelitas quienes estaban vivos cuando Josué murió reconocieron que Dios era el Capitán y el Rey de ellos, y que Él les había dado la victoria sobre los cananeos. Pero una nueva era en la historia de las 12 tribus empezó muy pronto después de la muerte de Josué.

El mandamiento del Señor de conquistar por completo a Canaán no fue cumplido por el compromiso del pueblo de Israel con los habitantes paganos de la tierra. Pero para aun más disgusto, leemos que: *« . . . se levantó después de ellos otra generación que no conocía a Jehová, ni la obra que Él había hecho por Israel. Después los hijos de Israel hicieron lo malo ante los ojos de Jehová, y sirvieron a los baales. Dejaron a Jehová el Dios de sus padres . . . Y la ira de Jehová se encendió contra Israel, y dijo: Por cuanto este pueblo traspasa Mi pacto que ordené a sus padres, y no obedece a Mi voz, tampoco Yo volveré más a arrojar de delante de ellos a ninguna de las naciones que dejó Josué cuando murió; para probar con ellas a Israel, si procurarían o no seguir el camino de Jehová»* (2:10-22).

Los israelitas escogieron hacer lo que ellos pensaban que era más «humanitario», y crear una coexistencia pacífica con los enemigos de Dios. Quizás ellos razonaron: «¿Cómo puede el Dios de amor destruir un pueblo inocente?» Esto, por supuesto, es un razonamiento humano. El concepto de la «inocencia» de esos pueblos se desaparece cuando vemos la realidad del pecado y el engaño de adorar falsos dioses, lo cual le roba a Dios del amor y de la adoración que sólo le pertenece a Él. La adoración de falsos dioses sólo engaña a los pueblos para que se pierdan eternamente. *«Y el que no se halló inscrito en el libro de la vida fue lanzado al lago de fuego»* (Apocalipsis 20:12,15).

**Pensamiento para hoy:** Si consideramos nuestra culpabilidad, la misericordia de Dios es asombrosa.

## 𝓔N LA LECTURA DE HOY

Israel hace casamientos mutuos con los cananeos, adoran los falsos dioses, y son derrotados; el Señor levanta jueces para librar a Israel; Débora y Barac

𝓔l Señor había dejado algunos grupos del pueblo cananeo. «*Y fueron para probar con ellos a Israel, para saber si obedecerían a los mandamientos de Jehová, que Él había dado a sus padres . . .*» (Jueces 3:4).

El mayor paso que causó la caída de los israelitas fue que se descuidaron de «*los mandamientos de Jehová*». El próximo paso fue que ellos «*. . . habitaban entre los cananeos, heteos, amorreos, ferezeos, heveos y jebuseos*» (3:5), en vez de destruirlos. El tercer paso en su decadencia pronto siguió: «*Y tomaron de sus hijas por mujeres, y dieron sus hijas a los hijos de ellos, y sirvieron a sus dioses*» (3:6). El cuarto paso fue inevitable, pues las esposas paganas de los israelitas, que adoraban a sus ídolos, no les enseñaban a sus hijos a adorar al Único Dios Verdadero. Y entonces, finalmente: «*Hicieron, pues, los hijos de Israel lo malo ante los ojos de Jehová, y olvidaron a Jehová su Dios, y sirvieron a los baales y a las imágenes de Asera*» (3:7). El resultado fue evidente, pues el pecado no confesado separa al pecador de la mano protectora de Dios. Sin embargo: «*Entonces clamaron los hijos de Israel a Jehová; y Jehová levantó un libertador a los hijos de Israel y los libró; esto es, a Otoniel hijo de Cenaz, hermano menor de Caleb*» (3:9). Ellos encontraron una luz de esperanza cuando el Señor otra vez proveyó un libertador. Pero los israelitas desarrollaron un patrón de recurrentes apostasías. «*Después de la muerte de Aod . . . Jehová los vendió en mano de Jabín rey de Canaán . . . porque aquél tenía novecientos carros herrados, y había oprimido con crueldad a los hijos de Israel por veinte años*» (4:1-3).

De Débora podemos aprender que el éxito en cumplir la voluntad de Dios no depende de la edad o del género. Y también podemos aprender de la historia de Israel que, sin considerar lo lejos que estemos o hasta donde nos hemos deslizado del camino del Señor, nuestro misericordioso Padre en el cielo siempre oye las oraciones de aquellos que confiesan sus pecados y entregan sus vidas a Él. Sin embargo, las oportunidades y los años perdidos no se pueden revivir.

«*¿Quién es el que condenará? Cristo es el que murió; más aun, el que también resucitó, el que además está a la diestra de Dios, el que también intercede por nosotros*» (Romanos 8:34).

**Pensamiento para hoy:** Las riquezas y los placeres son lazos para engañar y desviar al creyente de cumplir con los propósitos eternos de Dios.

## ⊘N LA LECTURA DE HOY

Israel abandona a Dios; los madianitas oprimen a Israel por siete años;
Israel ora; Dios manda un profeta; Gedeón destruye el altar de Baal

*U*na vez más los israelitas fueron esclavizados, esta vez por los madianitas. *«Los hijos de Israel hicieron lo malo ante los ojos de Jehová; y Jehová los entregó en mano de Madián por siete años. . . . De este modo empobrecía Israel en gran manera . . . y los hijos de Israel clamaron a Jehová»* (Jueces 6:1,6). La respuesta a sus oraciones empezó con una reprimenda: *«Jehová envió a los hijos de Israel un varón profeta, el cual les dijo: Así ha dicho Jehová Dios de Israel: Yo os hice salir de Egipto . . . Os libré . . . de todos los que os afligieron . . . y os di su tierra; . . . pero no habéis obedecido a Mi voz»* (6:8-10). No les dio ninguna consolación, sólo una represión. El pueblo se quedó consciente de sus pecados y sin esperanza de alivio. Ellos necesitaban reconocer que su miserable sufrimiento era el resultado directo de descuidar la Palabra de Dios.

Casi parece que este profeta sin nombre había tenido solamente un converso – Gedeón. *«Y El Ángel de Jehová se le apareció, y le dijo: Jehová está contigo, varón esforzado y valiente. . . . Ve con esta tu fuerza, y salvarás a Israel de la mano de los madianitas»* (6:12,14).

Debidamente Gedeón estaba bien consciente de su pobreza e inhabilidad, y confesó: *« . . . Señor mío, ¿con qué salvaré yo a Israel?»* (6:15). A veces pensamos que las únicas personas que Dios puede usar son aquellas que tienen influencia en su comunidad. Pero, muchas veces estas personas están muy ocupadas, quieren todo a su manera, o prefieren comprometerse que perder su popularidad. Gedeón era verdaderamente un hombre sin experiencia y lleno de dudas, pero él obedeció al Señor sin poner condición y sin tenerle miedo a la oposición. Gedeón estaba listo para adorar al Dios de Israel *«Y edificó allí Gedeón altar a Jehová, y lo llamó Jehová-salom»* (Jehová es Paz) (6:24). Nosotros también tenemos que quitar los ojos de nuestras circunstancias y fijar nuestra fe en la Palabra de Dios. *«Hermanos míos amados, oíd: ¿No ha elegido Dios a los pobres de este mundo, para que sean ricos en fe y herederos del reino que ha prometido a los que le aman?»* (Santiago 2:5).

**Pensamiento para hoy:** La fe en Dios, no en nuestra sabiduría, es la que nos trae el éxito.

## ĜN LA LECTURA DE HOY

Gedeón hace un efod; la muerte de Gedeón; el hijo de Gedeón, Abimelec, mata a 70 de sus hermanos; la muerte accidental de Abimelec

ℊedeón fue llamado por Dios para liberar a los israelitas de los madianitas. Treinta y dos mil hombres respondieron al llamamiento a guerra que hizo Gedeón; pero Dios decidió usar solamente 300 hombres para derrotar a los madianitas. Todos los otros israelitas fueron mandados a casa. Fue sólo con estos 300 hombres que 135.000 madianitas fueron derrotados. *« . . . Y reposó la tierra cuarenta años en los días de Gedeón»* (Jueces 8:28). Esto ilustra un principio maravilloso. Dios no actuará sin la cooperación del hombre, y el hombre no puede vencer sin la sabiduría y el poder de Dios.

Los israelitas le rogaron a Gedeón de ser su rey. Esto fue una tentación a su orgullo. Pero Gedeón sabía bien que él no había salvado a su pueblo, pero que había sido Dios el Verdadero Rey. *«Mas Gedeón respondió: No seré señor sobre vosotros, ni mi hijo os señoreará: Jehová señoreará sobre vosotros»* (8:23). Gedeón sabía que, como juez de Israel, él necesitaría que Dios fuese el que le guiara.

Los israelitas pronto se olvidaron que Dios fue el Único que los había librado milagrosamente de los madianitas. Después de la muerte de Gedeón, con un apetito para tomar el poder, su cruel y astuto hijo, Abimelec, negoció una gran cantidad de dinero de la tesorería del templo de Baal para pagarle a unos hombres para matar a sus 70 hermanos. *« . . . (Pero) quedó Jotam el hijo menor de Jerobaal, que se escondió»* (9:5). Después de la ejecución de los que podían competir contra él *«Entonces se juntaron todos los de Siquem . . . y fueron y eligieron a Abimelec por rey»* (9:6). Sin embargo, al momento de su gran orgullo por sus logros, Jotam, el hijo de Gedeón que se había escapado, les advirtió que ellos pronto iban a descubrir que este rey, nombrado por sí mismo, iba a traerles sufrimiento y muerte a todos y a sí mismo (9:7-21). Así como Jotam había predicho, ellos pronto vieron su propia destrucción (9:22-57).

Abimelec es un ejemplo de una persona cotrolada por el engaño y por las fuerzas de la destrucción que vienen por el orgullo y la ambición. Tal persona siempre es guiada por las ganancias personales como su fin, sin considerar a quiénes dañan. Esto nos recuerda lo que Jesús les dijo a las iglesias de Éfeso y Esmirna: *«Recuerda, por tanto, de dónde has caído, y arrepiéntete, y haz las primeras obras . . . El que tiene oído, oiga lo que el Espíritu dice a las iglesias»* (Apocalipsis 2:5,11).

**Pensamiento para hoy:** El rendimiento a Dios nos asegura la victoria.

## *E*N LA LECTURA DE HOY

Los israelitas olvidan al Señor y adoran ídolos; los israelitas son oprimidos por los amonitas por 18 años; la hija de Jefté es dedicada al Señor

*D*espués de sufrir tanto por su adoración a los dioses falsos (Jueces 10:8), *«los hijos de Israel respondieron a Jehová: Hemos pecado . . . Y quitaron de entre sí los dioses ajenos, y sirvieron a Jehová»* (10:15-16). *«Y cuando los hijos de Amón hicieron guerra contra Israel, los ancianos de Galaad fueron . . . y dijeron a Jefté: Ven, y serás nuestro jefe, para que peleemos contra los hijos de Amón»* (11:5-6). Entonces Jefté oró: *«Y Jefté hizo voto a Jehová, diciendo: Si entregares a los amonitas en mis manos, cualquiera que saliere de las puertas de mi casa a recibirme, cuando regrese victorioso . . . será de Jehová»* (11:30-31). Dios preparó todo para que la hija de Jefté fuera la primera en salir a recibirle. Esto fue como si Dios le hubiese dicho: Yo te he dado todo lo que pediste; ahora Yo te pido que Me des lo mejor que tú tienes (11:30-40). Esto no quiere decir que ella iba a ser sacrificada sobre un altar. Jefté conocía bien las Escrituras, y que el sacrificio humano era condenado por Dios (Levítico 20:2-5; Deuteronomio 12:29-31; 18:10-12). ¿Cómo se puede entonces pensar que él iba a degollar a su propia hija en ofrenda de holocausto? El hacer tal cosa hubiese culpado a Dios, junto con este hombre de fe, como responsable por un homicidio vil, pues había sido *«el Espíritu de Jehová»* quien le dio a Jefté la victoria (Jueces 11:29,32).

Cómo él cumplió con este voto se hace bien claro cuando consideramos todos los datos. *« . . . (Y) ella era sola, su hija única; no tenía fuera de ella hijo ni hija»* (11:34). El Señor había declarado que el primogénito tenía que ser consagrado al Señor, y nunca sacrificado: *«Porque Mío es todo primogénito»* (Éxodo 13:2; Números 3:13). Al mismo tiempo podemos ver la respuesta de su hija al voto de Jefté, pues el resultado es bien claro. Ella pidió a su padre: *« . . . Concédeme esto: déjame por dos meses que vaya y descienda por los montes, y llore mi virginidad»* (Jueces 11:37), queriendo decir que ella lloró por razón de que nunca iba a poder casarse. *«Pasados los dos meses volvió a su padre . . . (Y) ella nunca conoció varón»* (11:39). Ella fue dedicada al Señor en castidad por el resto de su vida, así como Ana dedicó a Samuel, su primogénito, en una ofrenda espiritual al Señor. Sin duda, ella fue una de las siervas de Dios que ministraban diariamente en el tabernáculo.

Jefté llegó a ser uno de los héroes de la fe: *«¿Y qué más digo? Porque el tiempo me faltaría contando de Gedeón, de Barac, de Sansón, de Jefté . . . que por fe conquistaron reinos, hicieron justicia, alcanzaron promesas . . . »* (Hebreos 11:32-33).

**Pensamiento para hoy:** Confiar y obedecer . . . no hay ningún otro camino.

## ☞N LA LECTURA DE HOY

La victoria de Jefté sobre los de Efraín; Israel bajo el control de los filisteos; Sansón toma esposa de los hijos de los filisteos en Timnat

☞n los territorios de Dan y Efraín, los israelitas fueron oprimidos por los filisteos por 40 años. Durante este tiempo, Sansón nació. Pero Sansón no era como Jefté. Sansón tenía padres justos que deseaban instruirle en cumplir con lo que el Ángel de Jehová les había dicho. La madre de Sansón estaba profundamente preocupada conque su hijo fuese completamente dedicado al Señor (Jueces 13:3-21).

De vez en cuando, el Espíritu de Jehová venía sobre Sansón, y «. . . *comenzó a manifestarse en él*» (13:25). Consiguiente, Sansón llegó a ser juez en Israel. En la primavera de su vida, vemos que Sansón no respetó su santo llamamiento. Su primer acto de desobediencia fue por su amistad con los enemigos de Dios. Parece que Sansón era fácilmente distraído por sus propios deseos físicos y su propia satisfacción, como en Timnat, cuando se enamoró con una mujer de las hijas de los filisteos. «*Y subió y lo declaró a su padre y a su madre . . . os ruego que me la toméis por mujer. . . . (Pues) en aquel tiempo los filisteos dominaban sobre Israel*» (14:1-4).

Sansón ignoró el pacto de relación que él tenía con el Señor. La vida de Sansón es típica de la condición espiritual de Israel durante ese período de los jueces, y revela cómo es que una vida guiada por la voluntad propia siempre resulta en dolores y sufrimientos para la persona y para todos a su alrededor.

Todos nosotros somos tentados a vivir sólo para servir nuestros propios deseos. Ese sentimiento de agradarse sólo a uno mismo se manifiesta en diferentes formas: el orgullo, el celo, hurtar, negarse a dar el diezmo, los pecados sexuales, el odio, descuidar las responsabilidades, usar drogas y alcohol, y una multitud de otras cosas. Cada día que nosotros continuamos en un pecado voluntariamente, el lazo de Satanás se hace más firme, y nuestra posibilidad de ser librados de nuestros pecados se hace más difícil. Puede ser que la mayor decepción del pecado es pensar o suponer que la misericordia y la longanimidad de Dios continuará indefinidamente.

Por ser nazareo a Dios, Sansón estaba supuesto a ser un ejemplo para todos los de Israel de un fiel compromiso para con Dios. Todos nosotros somos también llamados a separarnos del mundo y desear cumplir con la voluntad del Señor. «*La noche está avanzada, y se acerca el día. Desechemos, pues, las obras de las tinieblas, y vistámonos las armas de la luz*» (Romanos 13:12).

**Pensamiento para hoy:** La conciencia de una persona puede servir como un guía seguro solamente cuando es guiada por la Palabra de Dios.

## EN LA LECTURA DE HOY

Sansón pierde a su esposa y mata a mil filisteos; Sansón y Delila; Sansón es vencido, le sacan los ojos, y muere con los filisteos; los ídolos de Micaía

*La* vida de joven de Sansón fue escrita en los capítulos 13, 14, y 15 del libro de Jueces. Entonces parece que muchos años pasaron que no fueron grabados, hasta que llegamos a la tragedia del capítulo 16.

No hay nada escrito que nos muestre que Sansón expresó algún deseo de ser usado por el Señor para liberar a los israelitas de la opresión de los filisteos. Por eso no nos asombramos de que él nunca oró para ser guiado, o por la protección del Señor. Él también escogió a los enemigos de Dios por sus amigos.

Temprano en su vida, Sansón pasó por alto el significado espiritual de su dedicación y voto de nazareo, cuando se casó con otra mujer de los hijos de los filisteos. Él se involucró profundamente en el pecado por su amistad con Dalila, una mujer de los hijos de los filisteos. Así, como siempre, son las personas que vanamente piensan o suponen que la misericordia y la longanimidad de Dios continuará indefinidamente, y así mismo Sansón se rindió a la traición de Dalila. «Y (Dalila) *le dijo: ¡Sansón, los filisteos sobre ti! Y luego que despertó él de su sueño, se dijo: Esta vez saldré como las otras y me escaparé. Pero él no sabía que Jehová ya se había apartado de él»* (Jueces 16:20).

Cuando Sansón vio a Dalila, él debería haber pensado en su consagración y su voto de nazareo y del supremo llamamiento como juez de Israel. Pero el pecado lo había cegado y no podía ver la razón por la cuál él había sido dotado con grande fuerza.

Por consiguiente, «. . . *los filisteos le echaron mano, y le sacaron los ojos, y le llevaron a Gaza; y le ataron con cadenas para que moliese en la cárcel»* (16:21). No solamente sufrió la horrible tortura de que le sacaron los ojos, pero fue forzado a tomar el lugar de un animal de carga y pasar su tiempo en una cárcel moliendo granos.

La historia de Sansón debe de mandar un fuerte mensaje a todos los creyentes que han caído en la red de la traición y la esclavitud a los pecados de los placeres personales. Sansón no es el único siervo de Dios que haya perdido su poder por las influencias mundanas y por buscar solamente la satisfacción personal. En contraste, vemos que: «*Por la fe Moisés, hecho ya grande, rehusó llamarse hijo de la hija de Faraón, escogiendo antes ser maltratado con el pueblo de Dios, que gozar de los deleites temporales del pecado»* (Hebreos 11:24-25).

**Pensamiento para hoy:** Oh, el gran costo de los deseos carnales y su traición.

---

### *E*N LA LECTURA DE HOY
Los hijos de Dan forzan a un levita, sacerdote de Micaía,
a ser su sacerdote, ellos conquistan la ciudad de Lais y la habitan;
la concubina fue hecha víctima

---

*I*srael continuó ignorando la Palabra de Dios. Por consiguiente, leemos: *«En aquellos días no había rey en Israel; cada uno hacía lo que bien le parecía»* (Jueces 17:6; ver 21:25). Esto quiere decir que cada persona hacía cualquier cosa que le daba gusto.

Para ilustrar la miserable condición moral que existía en esos días, un hombre levita, que representaba el liderazgo espiritual, y su concubina son introducidos. Para más disgusto leemos sobre la violación de la Ley por esa relación con su concubina (ver Levítico 21:7), *«Y su concubina le fue infiel, y se fue de él a casa de su padre, a Belén de Judá»* (Jueces 19:2). Pero, después de *«cuatro meses»*, el levita decidió que volviese a él, y fue a ella a la casa de su padre. *«. . . y ella le hizo entrar en la casa de su padre»* (19:2-3).

Cuando el levita decidió volver a su casa después de varios días, ya era muy tarde para completar el viaje antes de que fuera de noche y pararon en Gabaa, y un hombre ya viejo les ofreció hospitalidad en su casa, y ellos lo aceptaron. *«Pero cuando estaban gozosos, he aquí que los hombres de aquella ciudad, hombres perversos, rodearon la casa, golpeando a la puerta; y hablaron al anciano, dueño de la casa, diciendo: Saca al hombre que ha entrado en tu casa, para que lo conozcamos»* (19:22). Después de rogarles, de no hacer cosa tan infame, el anciano les ofreció a su hija virgen así como la concubina del levita a esos hombres que demandaban tal cosa. Aunque el darle a las mujeres era un hecho muy pecaminoso, la homosexualidad era en comparación un hecho mucho más perverso. Entonces el hombre viejo les dijo: *«He aquí mi hija virgen, y la concubina de él . . . y no hagáis a este hombre cosa tan infame»* (19:23-24). Lo vil de este pecado está confirmado en el Nuevo Testamento, donde leemos: *«Por esto Dios los entregó a pasiones vergonzosas; pues aun sus mujeres cambiaron el uso natural por el que es contra naturaleza, y de igual modo también los hombres, dejando el uso natural de la mujer, se encendieron en su lascivia unos con otros, cometiendo hechos vergonzosos hombres con hombres, y recibiendo en sí mismos la retribución debida a su extravío»* (Romanos 1:26-27).

**Pensamiento para hoy:** Los moralmente perversos necesitan nuestras oraciones.

## ☙N LA LECTURA DE HOY

La guerra civil entre los de Benjamín y las otras tribus; la derrota de Benjamín; las esposas que fueron dadas a los que quedaron de Benjamín

*La* tribu de Benjamín se negó a permitir que las otras tribus hiciesen justicia contra el tumulto de homosexuales que violaron a una mujer indefensa de Israel causando su muerte (Jueces 20:13). Todas las otras tribus se habían unido para ejecutar esta condena de muerte contra ellos y « . . . *vinieron a la casa de Dios; y lloraron, y se sentaron allí en presencia de Jehová, y ayunaron aquel día hasta la noche; y ofrecieron holocaustos y ofrendas de paz delante de Jehová»* (20:26). En completa humillación se consagraron al Señor.

Fue sólo después de edificar un altar y de ofrecer los sacrificios por sus necesidades que: « . . . *Jehová dijo: Subid, porque mañana Yo os los entregaré»* (20:28). La tribu de Benjamín fue casi destruida por las otras tribus y se cumplió las consecuencias de ese perverso pecado.

Hoy en día, hay una indiferencia muy grande en nuestra sociedad que sigue creciendo para con la inmoralidad, así como existía en la tribu de Benjamín. Hemos cambiado la definición del pecado. Al adulterio se le llama «tener una relación, un encuentro». A los homosexuales se les llaman «personas alegres, gays, o lesbianas», también se dice que ellos viven en «un estilo alternativo de vida». A la fornicación se le refiere como «una relación de vivir juntos». El propósito de todo esto es quitar la culpabilidad por violar la ley moral de Dios, y así hacer sentir bien al pecador, pues así lo hicieron en aquellos días cuando « . . . *cada uno hacía lo que bien le parecía»* (21:25). Sin embargo, cuando odiamos y traemos a luz el pecado, tenemos que también mostrar misericordia y bondad, y orar para poder acercarnos a los pecadores con el amor de Dios, suplicándoles que vengan a Cristo y que le permitan a Él que cambie sus vidas.

Todos los pecados son abominables a nuestro Santo Dios; sin embargo, todo pecado que se lleve al arrepentimiento y después se deseche, es expiado por medio de la sangre de Jesucristo. El apóstol Pablo les recordó a los hermanos en Corinto que algunos de ellos habían sido librados de pecados sexuales cuando escribió: *«¿No sabéis que los injustos no heredarán el reino de Dios? No erréis; ni los fornicarios, ni los idólatras, ni los adúlteros, ni los afeminados, ni los que se echan con varones . . . heredarán el reino de Dios. Y esto erais algunos; mas ya habéis sido lavados, ya habéis sido santificados, ya habéis sido justificados en el nombre del Señor Jesús, y por el Espíritu de nuestro Dios»* (I de Corintios 6:9-11).

**Pensamiento para hoy:** Nos engañamos a nosotros mismos cuando no le damos a Dios lo que sólo Él se merece.

# INTRODUCCIÓN AL LIBRO DE
# *Rut*

Los hechos en el libro de Rut ocurrieron en los días que gobernaban los jueces (Rut 1:1). *«En estos días no había rey en Israel; cada uno hacía lo que bien le parecía»* (Jueces 21:25). El libro de Rut provee un conocimiento profundo de la fidelidad de Dios, aun durante este período desordenado de los jueces. El propósito del libro es revelar cómo la misericordia y el cuidado providencial de Dios se extiende tanto a los gentiles como a los judíos.

El libro de Rut ilumina el cariñoso amor de nuestro Señor en elegir a una mujer moabita para ser incluida en Su pacto con Israel, y ser una de sólo dos mujeres en la Biblia que un libro lleva su nombre. Rut también es una de sólo cuatro mujeres (contando a la virgen María) mencionadas en la genealogía de Jesús (Mateo 1:5-6,16), demostrando el amor de Dios para toda la humanidad.

La Ley proveyó para Booz, el pariente cercano, el camino para reclamar la herencia del difunto Elimelec, casarse con Rut, y darle hijos para continuar la descendencia de Elimelec. Había un pariente sin nombre (simbólico de la Ley), más cercano que Booz, que tenía el derecho a redimir la herencia perdida de Elimelec. Pero ese pariente se negó a hacerlo, diciendo del matrimonio con Rut la moabita: *«. . . No puedo redimir para mí, no sea que dañe mi heredad»* (Rut 4:6). La Ley no permitía que los moabitas viviesen entre los israelitas: *«No entrará amonita ni moabita en la congregación de Jehová, ni hasta la décima generación de ellos»* (Deuteronomio 23:3). La Ley no puede perdonar o hacer excepción de persona, sólo puede dar luz a nuestros pecados y condenarnos. Pero Rut había abandonado sus dioses falsos al confesar su fe en el Dios de Israel.

Booz, una sombra o tipo de Jesucristo, tomó el lugar del *«pariente cercano»*, compró la propiedad y la herencia de Noemí y tomó a Rut como su esposa. Después de hacer todos los arreglos necesarios, le dijo a los ancianos y a todo el pueblo: *« . . . Vosotros sois testigos hoy, de que he adquirido de mano de Noemí todo lo que fue de Elimelec . . . Y que también tomo por mi mujer a Rut la moabita, mujer de Mahlón, para restaurar el nombre del difunto sobre su heredad, para que el nombre del muerto no se borre . . . »* (Rut 4:9-10; Levítico 25:25-34,47-48; Deuteronomio 25:5-10).

Por medio de este matrimonio entre Booz y Rut, y por tercera vez, Dios une a un judío con una mujer pagana en el linaje del rey David y de nuestro Señor Jesucristo, nuestro Mesías (Mateo 1:3-6; Lucas 3:31-32). *«Ya no hay judío ni griego; no hay esclavo ni libre; no hay varón ni mujer; porque todos vosotros sois uno en Cristo Jesús. Y si vosotros sois de Cristo, ciertamente linaje de Abraham sois, y herederos según la promesa»* (Gálatas 3:28-29).

## ☞N LA LECTURA DE HOY

Había hambre en la tierra de Israel; Elimelec y Noemí se mudan de Belén a Moab; Noemí y Rut vuelven a Belén; el matrimonio de Booz y Rut

*B*elén, en la tierra prometida, estaba experimentando un hambre muy severa. Todo Israel sabía que el Señor les había advertido: *« . . . si desdeñareis Mis decretos . . . no ejecutando todos Mis mandamientos . . . vuestra fuerza se consumirá en vano, porque vuestra tierra no dará su producto, y los árboles de la tierra no darán su fruto»* (Levítico 26:15-16,19-20).

Quizás que, Elimelec, su esposa Noemí, y sus hijos Mahlón y Quelión, se pararon en su tierra que no producía, en los montes de Judea, y miraron hacia la tierra de Moab, de la cual se decía que prosperaba, y fueron *« . . . a morar en los campos de Moab»* (Rut 1:1-2).

Sin embargo, una gran tragedia cayó sobre ellos en la tierra de los idólatras de Moab. Cuando Elimelec murió, sus dos hijos ignoraron el pacto de relación con Dios y se casaron con Rut y Orfa que eran mujeres moabitas. Después de un tiempo Mahlón y Quelión también murieron (1:3-5). Entonces las tres viudas sin hijos se encontraron solas y sin ninguna ayuda para sostenerse. *«Entonces, se levantó* (Noemí) *con sus nueras . . . y comenzaron a caminar para volverse a la tierra de Judá»* (1:6-7).

Pronto Orfa volvió a la seguridad de su familia, *« . . . a su pueblo, y a sus dioses* (paganos)*»* (1:15). Pero Rut ya no era moabita en su corazón, pues ella había desechado los dioses de Moab y había confesado su lealtad al Dios de Israel diciéndole a Noemí: *« . . . Tu pueblo será mi pueblo, y tu Dios mi Dios»* (1:16).

Rut y Noemí pronto llegaron a Belén donde Rut se casó con Booz. Rut llegó a ser la madre de Obed. *«Este es padre de Isaí, padre de David»* (4:17). El libro de Rut ilustra el cariñoso amor de nuestro Señor en escoger a una mujer moabita para llegar a ser la bisabuela del rey David. Rut es una de las tres mujeres gentiles mencionadas en la genealogía de Jesucristo (Mateo 1:3,5-6). Estos hechos históricos muestran el amor de Dios para toda la humanidad.

*«Pues no es judío el que lo es exteriormente . . . sino que es judío el que lo es en lo interior, y la circuncisión es la del corazón, en espíritu, no en letra»* (Romanos 2:28-29).

**Pensamiento para hoy:** Nos engañamos cuando no le damos a Dios lo mejor que tenemos.

# INTRODUCCIONES A LOS LIBROS DE
# I y II de *S*AMUEL

El primer libro de Samuel cubre unos 125 años, desde el nacimiento de Samuel, el último juez, hasta que terminaron los cuarenta años del reino de Saul, el primer rey. Estos libros son la continuación del libro de Jueces durante la transición de una federación muy débil de las doce tribus bajo el gobierno de los jueces hasta llegar a ser un reino unido.

Samuel creció en la casa de Elí, quien fue juez en Israel y el encargado del tabernáculo en Silo, el lugar céntrico de adoración para Israel.

*«Y todo Israel, desde Dan hasta Beerseba, conoció que Samuel era fiel profeta de Jehová»* (I de Samuel 3:20; ver Hechos 3:24). Cuando Samuel tomó el liderazgo civil y espiritual, los israelitas estaban atados a la apostasía y estaban políticamente fragmentados. Por medio de su lealtad a la Palabra de Dios, Samuel restauró la condición moral y espiritual de la nación a uno de los niveles más altos desde los días de Josué.

Samuel fundó la primera escuela de los profetas, fielmente enseñándoles la Palabra de Dios (I de Samuel 10:5; 19:20). Por la santa razón de que Samuel era un hombre de oración y de obediencia a la Palabra de Dios, él pudo unir a las tribus de Israel y hacer de ellos una nación unida (7:5-9; 8:6; 12:17,18,23; 15:11). Dios dirigió a Samuel a ungir como rey a «. . . *Saúl, joven y hermoso»* (9:2).

El libro de II de Samuel empieza con un breve reporte de los acontecimientos alrededor de la muerte de Saúl. La tribu de Judá inmediatamente ungió a David como su rey. Sin embargo, Abner, el capitán del ejército del rey Saúl, y también su primo (14:50), intervino en las otras tribus para aceptar a Is-boset, hijo de Saúl, como su rey (II de Samuel 2:8-9).

Después de siete años, Joab, el sobrino del rey David y el comandante de su ejército, mató a Abner. Después, Is-boset fue asesinado por dos de sus propios capitanes (4:5-6). *«Vinieron, pues, todos los ancianos de Israel . . . y ungieron a David por rey sobre Israel»* (5:3). *«David . . . reinó cuarenta años. En Hebrón reinó sobre Judá siete años y seis meses, y en Jerusalén reinó treinta y tres años sobre todo Israel y Judá»* (5:4-5), y edificó la nación más poderosa del mundo.

La primera conquista de David como rey del reino unido fue la fortaleza de Sion. *«Pero David tomó la fortaleza de Sion, la cual es la ciudad de David»* (5:7). El pacto del Mesías fue entonces predicho al rey David por el profeta Natán: *«. . . Y Yo (Dios) afirmaré para siempre el trono de Su reino»* (el reino de Jesucristo) (7:13). Mucho después el profeta Isaías profetizó: *«Lo dilatado de Su imperio y la paz no tendrán límite, sobre el trono de David y sobre su reino, disponiéndolo y confirmándolo en juicio y en justicia desde ahora y para siempre»* (Isaías 9:7; 11:1; Jeremías 23:5-6; Ezequiel 37:25).

## ☞N LA LECTURA DE HOY

Samuel, el último juez; su madre, su sufrimiento y su cántico; Samuel oye
la voz de Dios; todo Israel reconoce a Samuel como el profeta de Dios

*A* fines del período de los jueces, somos introducidos a Ana, una mujer
santa, quien había vivido muchos años agobiada por el dolor y la humillación
de no poder tener hijos. Pues, la cultura hebrea consideraba esto una desgracia.
*«Así hacía cada año; cuando subía a la casa de Jehová, la irritaba así (su
rival); por lo cual Ana lloraba, y no comía. . . . E hizo voto, diciendo: Jehová
de los ejércitos, si Te dignares mirar a la aflicción de Tu sierva, y Te acordares de
mí, y no Te olvidares de Tu sierva, sino dieres a Tu sierva un hijo varón, yo lo
dedicaré a Jehová todos los días de su vida»* (I de Samuel 1:7,11). Aunque Ana
oró por un hijo por muchos años, ella no se dio por vencida. *«Mientras ella
oraba largamente delante de Jehová, Elí* (el sacerdote y juez) *estaba observando
la boca de ella. Pero Ana hablaba en su corazón, y solamente se movían sus
labios, y su voz no se oía; y Elí la tuvo por ebria. Entonces le dijo Elí: ¿Hasta
cuándo estarás ebria? Digiere tu vino»* (1:12-14). Aunque Ana fue acusada
por algo que ella no había hecho, ella le contestó a Elí humildemente: *« . . .
No, señor mío; yo soy una mujer atribulada de espíritu; no he bebido vino ni
sidra, sino que he derramado mi alma delante de Jehová. No tengas a tu sierva
por una mujer impía; porque por la magnitud de mis congojas y de mi aflicción
he hablado hasta ahora»* (1:15-16).

Era la responsabilidad de Elí reprender a todos los que hacían el mal. En
este caso, Elí no juzgó apropiadamente y eso llegó a ser una prueba de la
sincera humildad de Ana. Si ella hubiese reaccionado con indignación o en ira
contra Elí por juzgar mal, ella hubiese vuelto a su casa con una actitud bien
amarga. Sin embargo, en vez de enojarse, ella le suplicó a Elí, confesándole sus
penas. *«Elí respondió y dijo: Ve en paz, y el Dios de Israel te otorgue la petición
que le has hecho»* (1:17). Y Ana volvió a su casa regocijándose.

Ana vivió muchos años antes de la experiencia del Nuevo Testamento de
ser llenos del Espíritu Santo; pero aún vemos que ella mantuvo una actitud
pura y santa. Cuando aceptamos una reprimenda en un espíritu manso, aun
cuando no la merecemos, vemos que muchas veces Dios manda la respuesta a
nuestras oraciones.

*«Vestíos, pues, como escogidos de Dios, santos y amados, de entrañable
misericordia, de benignidad, de humildad, de mansedumbre, de paciencia»*
(Colosenses 3:12).

**Pensamiento para hoy:** Los hijos muchas veces no adoran al Señor si sus
padres no están viviendo en obediencia a la voluntad de Dios.

## ᴇN LA LECTURA DE HOY

Las consecuencias del pecado; la muerte de Elí; el arca de Dios es tomada por los filisteos e Israel es derrotado; el arca de Dios es enviada a Israel

ᴌos filisteos vivían en los campos de la costa del Mediterráneo, en la frontera de los israelitas, al suroeste. Ellos eran un pueblo muy hostil quienes habían declarado la guerra al pueblo de Dios. «... *(Y) trabándose el combate, Israel fue vencido delante de los filisteos...*» (I de Samuel 4:2). En desesperación, «... *os ancianos de Israel dijeron: ¿Por qué nos ha herido hoy Jehová delante de los filisteos? Traigamos a nosotros de Silo el arca del pacto de Jehová, para que viniendo entre nosotros nos salve de la mano de nuestros enemigos*» (4:3-5).

Por razón de no tener un buen conocimiento espiritual, la esperanza de los israelitas estaba basada en el arca, y no estaba basada en Dios, quien solamente tiene el poder para salvar (Éxodo 25:10-22). Los israelitas marcharon a la batalla contra los filisteos, seguros de la victoria. Pero los dos hijos de Elí que llevaban el arca eran hombres impíos (I de Samuel 2:12).

Elí, ya un anciano estaba ciego, y se sentaba cerca del tabernáculo ansioso por saber lo que había pasado en la batalla. Cuando llegó un mensajero con el reporte, dijo: «... *Israel huyó delante de los filisteos, y también fue hecha gran mortandad en el pueblo; y también tus dos hijos, Ofni y Finees, fueron muertos, y el arca de Dios ha sido tomada. Y aconteció que cuando él hizo mención del arca de Dios, Elí cayó hacia atrás de la silla al lado de la puerta, y se desnucó y murió*» (4:17-18).

Con la muerte de Elí, Samuel llegó a estar al frente de la vida civil y espiritual de Israel. «*Habló Samuel a toda la casa de Israel, diciendo ... preparad vuestro corazón a Jehová, y sólo a Él servid, y os librará de la mano de los filisteos. ... Y Samuel dijo: Reunid a todo Israel en Mizpa, y yo oraré por vosotros a Jehová. ... (Y) dijeron allí: Contra Jehová hemos pecado. Y juzgó Samuel a los hijos de Israel en Mizpa*» (7:3,5-6). Cuando los filisteos oyeron que los israelitas estaban adorando a Dios, ellos pensaron que esa era una buena oportunidad para atacar. «*Y aconteció que mientras Samuel sacrificaba el holocausto, los filisteos llegaron para pelear con los hijos de Israel. Mas Jehová tronó aquel día con gran estruendo sobre los filisteos, y los atemorizó, y fueron vencidos delante de Israel*» (7:10-13).

La verdad que nos satisface está en saber que Dios siempre obra por medio de hombres y mujeres de fe, como Samuel, quienes muestran su confianza en Dios por medio de la obediencia a Su Palabra. «*Mantengamos firme, sin fluctuar, la profesión de nuestra esperanza, porque fiel es el que prometió*» (Hebreos 10:23).

**Pensamiento para hoy:** La parte de cada día que es de más provecho es el tiempo que pasamos en la presencia de Dios, orando y leyendo Su Palabra.

> ## EN LA LECTURA DE HOY
> Los hijos impíos de Samuel; Israel demanda un rey;
> Saúl es escogido y empieza su reino con humildad, derrota a los amonitas,
> y libera a Jabes de Galaad.

Durante la historia de los jueces, Samuel logró más como un líder espiritual que ningún otro juez. *«Aconteció que habiendo Samuel envejecido, puso a sus hijos por jueces sobre Israel. . . . Pero no anduvieron los hijos por los caminos de su padre, antes se volvieron tras la avaricia, dejándose sobornar y pervirtiendo el derecho. Entonces todos los ancianos de Israel se juntaron, y vinieron a Ramá para ver a Samuel, y le dijeron: He aquí tú has envejecido, y tus hijos no andan en tus caminos; por tanto, constitúyenos ahora un rey que nos juzgue, como tienen todas las naciones. Pero no agradó a Samuel esta palabra . . . Y dijo Jehová a Samuel: Oye la voz del pueblo en todo lo que te digan; porque no te han desechado a ti, sino a Mí Me han desechado, para que no reine sobre ellos»* (I de Samuel 8:1-6). Samuel ungió al rey Saúl en Ramá así como el Señor le había dicho. Después de un corto tiempo, *«. . . Samuel convocó al pueblo delante de Jehová en Mizpa, y dijo . . . vosotros habéis desechado hoy a vuestro Dios, que os guarda de todas vuestras aflicciones y angustias»* (10:17-19). Él entonces les presentó a Saúl. *«Y Samuel dijo a todo el pueblo: ¿Habéis visto al que ha elegido Jehová, que no hay semejante a él en todo el pueblo? Entonces el pueblo clamó con alegría, diciendo: ¡Viva el rey!»* (10:24).

La primera prueba del nuevo rey vino cuando le dijeron a Saúl que el rey Nahas (amonita) había posicionado su pueblo para atacar. Los amonitas no habían atacado a Israel desde los días de Jefté, un héroe de la fe (Hebreos 11:32), cuando les habían vencido (Deuteronomio 2:19; 23:3-4; Jueces 3:13; 10:7; 11:5). Para responder a esta amenaza, Saúl llamó para que se juntasen todos los hombres de todas las tribus para ser sus soldados.

Saúl guio a los israelitas en una victoria espectacular. Al terminar su primera batalla, él gritó: *«. . . porque hoy Jehová ha dado salvación en Israel»* (I de Samuel 11:13).

Saúl empezó bien, pero su orgullo y su propia voluntad obstinada pronto llegó a ser su estilo de vida, la cual le resultó en una sucesión de fracasos. Esto nos ilustra la tentación que muchas veces viene con el éxito, la decepción del orgullo que inevitablemente nos lleva a una vida egocéntrica (Mateo 16:24). La suposición en pensar que nosotros tenemos la habilidad para hacer decisiones sobre lo que es mejor para nuestras vidas, y no orar para que Dios nos guíe, nos recuerda que Jesús nos dijo: *«. . . porque separados de Mí nada podéis hacer»* (nada que tenga valor en la eternidad) (Juan 15:5).

**Pensamiento para hoy:** Hay muchas formas en que Dios obra en nuestras vidas, pero casi siempre es simplemente por circunstancias ordinarias.

---

### EN LA LECTURA DE HOY
El pueblo tiene su rey; otras batallas contra los filisteos;
Saúl usurpa la oficina del ministerio del sacerdocio

---

Saúl, el primer rey, era un hombre de gran habilidad, pero también tenía un defecto fatal. Tal vez tres años después de ser ungido rey, su primer gran fracaso ocurrió cuando él confió en su propio juicio y no confió en el Señor. *«Entonces los filisteos se juntaron para pelear contra Israel,* (con) *treinta mil carros, seis mil hombres de a caballo, y pueblo numeroso como la arena que está a la orilla del mar»* (I de Samuel 13:5). Los israelitas se vieron en un aprieto, su ejército era muy pequeño y, hablando humanamente, se veían derrotados.

Reconociendo el poder militar de los filisteos, la mayoría de los soldados de Saúl: *« . . . se escondieron en cuevas, en fosos, en peñascos, en rocas y en cisternas. . . . Y Saúl contó la gente que se hallaba con él, como seiscientos hombres»* (13:6,15). Saúl se dio cuenta que su única esperanza estaba en Dios. *« . . . Y él esperó siete días, conforme al plazo que Samuel había dicho; pero Samuel no venía . . . Y ofreció* (Saúl) *el holocausto. Y cuando él acababa de ofrecer el holocausto, he aquí Samuel que venía»* (13:8-10). La decisión de Saúl de asumir el ministerio del sacerdote violó la Palabra de Dios. Primeramente él empezó a dar excusas: *« . . . Y Saúl respondió: Porque vi que el pueblo se me desertaba, y que tú no venías . . . me dije: Ahora descenderán los filisteos contra mí a Gilgal, y yo no he implorado el favor de Jehová. Me esforcé, pues, y ofrecí holocausto»* (13:11-12).

El holocausto simbolizaba un rendimiento a Dios; pero, cuando Saúl asumió el lugar del sacerdote, ese sacrificio llegó a ser una abominación al Señor (15:22-23; ver Números 16:1-40; Proverbios 21:27). Lo que le parecía a Saúl tardanza en la llegada de Samuel, en realidad fue una prueba mandada por Dios para probar la obediencia de Saúl para con Dios. Samuel francamente habló, y dijo a Saúl: *«Locamente has hecho; no guardaste el mandamiento de Jehová tu Dios que Él te había ordenado»* (I de Samuel 13:13-14).

Aunque nosotros podemos considerar la desobediencia de Saúl de poca consecuencia, Dios dijo que lo que Saúl había hecho fue considerado un gran pecado. Es muy fácil engañarnos en creer que a Dios le agrada nuestros logros «que hacemos para Él» aun cuando obedecemos solamente lo que nos agrada a nosotros mismos.

A veces somos tentados a descuidarnos de lo que la Biblia nos dice que es malo, pensando que las circunstancias nos justificarán. La presuposición de Saúl muestra la importancia de siempre obedecer la Palabra de Dios. *«Porque Jehová da la sabiduría, y de Su boca viene el conocimiento y la inteligencia»* (Proverbios 2:6).

**Pensamiento para hoy:** El verdadero siervo del Señor voluntariamente sigue las instrucciones del Maestro sin excepción.

## 𝒯N LA LECTURA DE HOY

El necio juramento de Saúl; Saúl es mandado a destruir todos los amalecitas; el pecado de perdonar al enemigo; David es ungido como el próximo rey de Israel y Saúl es rechazado por Dios

𝒫ocos reyes en la historia bíblica tuvieron tantas ventajas y fueron tan benditos como Saúl. Pero él pronto se olvidó la fuente de su éxito. Él llegó a estar más preocupado con impresionar al pueblo que agradar al Señor. No pasó mucho tiempo para ver su verdadero carácter, el cuál se mostró cuando Samuel vino y le dijo: *«Así ha dicho Jehová de los ejércitos: Yo castigaré lo que hizo Amalec a Israel . . . cuando subía de Egipto. Ve, pues, y hiere a Amalec, y destruye todo lo que tiene . . . mata a hombres, mujeres, niños, y aun los de pecho, vacas, ovejas, camellos y asnos»* (I de Samuel 15:2-3).

Saúl derrotó a los amalecitas y entonces levantó un monumento para sí mismo en Carmel para conmemorar su victoria (15:12). Entonces él dio la vuelta y descendió a Gilgal. Pero Samuel lo encontró: *«Y Saúl respondió a Samuel: Antes bien he obedecido la voz de Jehová . . . he traído a Agag rey de Amalec, y he destruido a los amalecitas»* (15:20). Aunque era verdad que había tenido una gran victoria, Saúl había desobedecido a Dios en «perdonar» al rey amalecita. Él quiso poner la culpa en otro lado cuando dijo: *« . . . Mas el pueblo tomó del botín ovejas y vacas, las primicias del anatema, para ofrecer sacrificios a Jehová tu Dios en Gilgal»* (15:21). Saúl estaba ciego a su propia desobediencia. Si hubiese *«destruido todo»* entonces eso verdaderamente hubiese sido un holocausto a Dios. Pero, cuando el pueblo se quedó con lo mejor, eso era para comérselo ellos mismos en su próxima fiesta.

Saúl estaba más preocupado con su propia posición pública delante de los ancianos de Israel que su propia correcta relación con Dios. *«Y Samuel dijo: ¿Se complace Jehová tanto en los holocaustos y víctimas, como en que se obedezca a las Palabras de Jehová? Ciertamente el obedecer es mejor que los sacrificios, y el prestar atención que la grosura de los carneros. . . . Por cuanto tú desechaste la Palabra de Jehová, Él también te ha desechado para que no seas rey»* (15:22-23). Al fin de todo esto Saúl confesó su desobediencia diciendo: *« . . . Yo he pecado; pues he quebrantado el mandamiento de Jehová y tus palabras, porque temí al pueblo y consentí a la voz de ellos. . . . Yo he pecado; pero te ruego que me honres delante de los ancianos de mi pueblo y delante de Israel»* (15:24,30).

No hay nada más falso para nuestros corazones que reconocer que Cristo es nuestro Salvador y Señor, y seguir en una vida egocéntrica en el pecado.

Jesucristo nos dijo: *« . . . Si vosotros permaneciereis en Mi Palabra, seréis verdaderamente Mis discípulos»* (Juan 8:31).

**Pensamiento para hoy:** Nosotros podemos tener nuestra propia opinión sobre otras personas, pero sólo Dios conoce sus corazones.

## 𝔈N LA LECTURA DE HOY

David mata a Goliat; Saúl pone a David sobre la gente de guerra; David toma por esposa a Mical, la hija de Saúl; la lealtad entre Jonatán y David

𝔏os filisteos amenazaban continuamente al reino de Israel. *«Y hubo guerra encarnizada contra los filisteos todo el tiempo de Saúl; y a todo el que Saúl veía que era hombre esforzado y apto para combatir, lo juntaba consigo»* (I de Samuel 14:52). Durante la primera parte del reino de Saúl, vino el paladín gigante Goliat y ponía desafío delante de los israelitas para mandar un hombre a pelear con él y el que fuese vencedor ganaría la guerra. Pero aparentemente Saúl estaba poco dispuesto a aceptar el desafío.

Pero, cuando el joven David vino del campo y oyó las burlas del gigante, él aceptó el desafío de pelear. *«Entonces dijo David al filisteo: Tú vienes a mí con espada y lanza y jabalina; mas yo vengo a ti en el nombre de Jehová de los ejércitos, el Dios de los escuadrones de Israel, a quien tú has provocado. Jehová te entregará hoy en mi mano, y yo te venceré, y te cortaré la cabeza . . . y toda la tierra sabrá que hay Dios en Israel»* (17:45-46).

Siguiendo esta victoria espectacular sobre Goliat, David fue bienvenido al palacio del rey Saúl, fue llamado a estar sobre la gente de guerra, y pronto llegó a ser el yerno por el matrimonio con Mical, la hija del rey (18:27). No sabemos cuanto tiempo pasó desde que David estuvo en la corte del rey hasta que Saúl decidió matarlo. Pero, cuando Saúl oyó a las mujeres cantar alabanzas a David, que él se celó e intentó matar a David, y arrojó Saúl una lanza a David mientras que él tocaba su arpa (18:10-11).

David huyó y escapó con la ayuda de su esposa Mical, *« . . . y vino a Samuel en Ramá, y le dijo todo lo que Saúl había hecho con él»* (18:12,18). Durante un tiempo David se había gozado de la aceptación del rey, pero ahora estaba escondiéndose en cuevas. Las dificultades, la invalidez, y los sufrimientos de esta vida son permitidos por el Señor para desarrollar un carácter piadoso y capacitarnos para cumplir con Sus propósitos. Como David, somos probados para ver si nos mantenemos fieles y dignos del supremo llamamiento. Cada uno tendremos que dar cuenta del efecto que traen las pruebas, los sufrimientos, y las incapacitaciones sobre nuestras vidas. Todo puede usarse para desarrollar nuestra fe en el Señor, o podemos dejar que todo eso nos lleve a estar amargos y resentidos, y nos mueva a buscar la venganza por nuestros problemas, echándole la culpa a Dios o a otras personas. *« . . . (Exhortándoles) a que permaneciesen en la fe, y diciéndoles: Es necesario que a través de muchas tribulaciones entremos en el reino de Dios»* (Hechos 14:22).

**Pensamiento para hoy:** La fe se desarrolla mientras que confiamos en el Señor cuando nos enfrentamos a las desilusiones difíciles.

## ✐N LA LECTURA DE HOY
Saúl trata de matar a David, el pacto de Jonatán con David; David huye
y mora en Nob; David huye y mora en Gat de los filisteos

✐avid llegó a ser un héroe nacional, pero, al paso del tiempo, el rey Saúl se puso celoso de su popularidad. *«Habló Saúl a Jonatán su hijo, y a todos sus siervos, para que matasen a David; pero Jonatán hijo de Saúl amaba a David en gran manera, y dio aviso a David, diciendo: Saúl mi padre procura matarte; por tanto cuídate hasta la mañana, y estate en lugar oculto y escóndete»* (I de Samuel 19:1-2).

Antes de esto, Saúl había hecho todo lo posible para hacer caer a David en manos de los filisteos, esperando que le mataran (18:25). *«Y Jonatán habló bien de David a Saúl su padre, y le dijo: No peque el rey contra su siervo David . . . pues él tomó su vida en su mano, y mató al filisteo, y Jehová dio gran salvación a todo Israel. Tú lo viste, y te alegraste; ¿por qué, pues, pecarás contra la sangre inocente, matando a David sin causa?»* (19:4-5).

Saúl se había vuelto muy violento, con un temperamento sin control. Él consideraba cualquier oposición una traición. Jonatán mostró un gran conocimiento espiritual y valentía, cuando él confrontó a su padre el rey en defensa de David. El riesgo fue verdadero, pues en un ataque de furia, Saúl denunció a su propio hijo, y en otra ocasión aun lo trató de matar (20:33).

Jonatán podía haber evitado todos estos problemas en su vida si hubiese decidido no defender a David. Cuando se defiende a una persona inocente de las calumnias o de algún daño, cueste lo que cueste, esto es serle fiel a los principios bíblicos y hacer lo que es justo moralmente.

Nosotros también podemos encontrarnos en situaciones cuando vemos que otras personas que conocemos han sido amenazadas, acusadas, malditas, intimidadas, o abusadas por sus desventajas. Entonces tenemos que enfrentarnos a la decisión de involucrarnos o no. No podemos ser cómplices con los malvados, pues entonces no podemos callar, tenemos que actuar tal y como lo hizo Jonatán. Hay una relación directa entre lo que verdaderamente creemos y cómo actuamos. El apóstol Santiago nos ruega a todos los creyentes a ser «. . . *hacedores de la Palabra, y no tan solamente oidores, engañándoos a vosotros mismos»* (Santiago 1:22).

Jesucristo nos manda: «. . . *Amad a vuestros enemigos, bendecid a los que os maldicen, haced bien a los que os aborrecen, y orad por los que os ultrajan y os persiguen; para que seáis hijos de vuestro Padre que está en los cielos . . . »* (Mateo 5:44-45).

**Pensamiento para hoy:** La Biblia no fue meramente dada para informarnos, pero para transformarnos.

*D*espués de los numerosos intentos por Saúl para matar a David (I de Samuel 18:11,21-25; 19:1,10,11,15,20-22; 20:24-31; 23:11-15; 24:2; 26:2), *«a Nob, ciudad de los sacerdotes, hirió a filo de espada; así a hombres como a mujeres, niños hasta los de pecho, bueyes, asnos y ovejas, todo lo hirió a filo de espada»* (22:19). Nob estaba al noreste de Jerusalén, donde los utensilios sagrados se mantenían desde que Silo había sido destruida. El sacerdote Ahimelec le había dado a David comida y también le dio la espada de Goliat el filisteo. Esto llegó a los oídos de Saúl, que estaba en Gabaa, por Doeg, un siervo edomita. En otro ataque de ira, *« . . . el rey envió por el sacerdote Ahimelec hijo de Ahitob, y por toda la casa de su padre, los sacerdotes que estaban en Nob; y todos vinieron al rey»* (22:11). Entonces Saúl acusó a Ahimelec de conspiración. *«Entonces Ahimelec respondió al rey, y dijo: ¿Y quién entre todos tus siervos es tan fiel como David, yerno también del rey, que sirve a tus órdenes y es ilustre en tu casa?»* (22:14).

Ciego por su celo y odio, Saúl ordenó la muerte de todos los sacerdotes y sus familias. *«Entonces dijo el rey a la gente de su guardia que estaba alrededor de él: Volveos y matad a los sacerdotes de Jehová; porque también la mano de ellos está con David, pues sabiendo ellos que huía, no me lo descubrieron. Pero los siervos del rey no quisieron extender sus manos para matar a los sacerdotes de Jehová»* (22:17). Sin duda, *« . . . Doeg el edomita . . . mató en aquel día a ochenta y cinco varones que vestían efod de lino. Y a Nob, ciudad de los sacerdotes, hirió a filo de espada . . . Pero uno de los hijos de Ahimelec hijo de Ahitob, que se llamaba Abiatar, escapó, y huyó tras David»* (22:18-20).

Hay veces en la vida de muchos creyentes cuando todo parece desesperado, y así fue para David cuando estuvo escondido durante todos esos años. En verdad, todos experimentamos días cuando necesitamos ser animados sobre situaciones en nuestras vidas, nuestros talentos y dones, en nuestros trabajos, con nuestros hijos, y aun en nuestra relación con el Señor.

Esto fue verdadero en la vida de David, quien recibió la dirección espiritual y la consolación de Abiatar y de los profetas como Gad (22:5). Todos nosotros tenemos la mayor confianza y consolación en saber que: *«El Ángel de Jehová acampa alrededor de los que le temen, y los defiende»* (Salmo 34:7).

**Pensamiento para hoy:** El amor para con nuestros enemigos quiere decir que compartimos el amor de Dios con los que más lo necesitan.

## EN LA LECTURA DE HOY
La muerte de Samuel; la muerte de Nabal, un necio propietario;
David se casa con la viuda Abigail; Saúl sigue persiguiendo a David

Samuel fue uno de los grandes hombres espirituales en la historia de Israel y está en la lista de los héroes de la fe (Hebreos 11:32), pero solamente una oración nos relata la muerte de este gran profeta. El Dios Todo-sabio, quien controla el universo, sabía lo que mejor le convenía a Israel durante estos tiempos peligrosos en la historia de Israel. *«Murió Samuel, y se juntó todo Israel, y lo lloraron, y lo sepultaron en su casa en Ramá. Y se levantó David y se fue al desierto de Parán»* (Por la persecución de Saúl, David no pudo asistir al entierro de Samuel) (I de Samuel 25:1).

A veces pensamos que la muerte ha llegado a la persona equivocada, o ha llegado a mal tiempo, especialmente cuando los niños se ven sin una madre, o mueren jóvenes. Pero, aunque estemos bien informados sobre la muerte, el camino que Dios toma para llevarnos es un poco extraño para muchos. Pero sin duda, el Señor nunca abandona a Sus hijos. Él nos guía a mirar más allá de nuestros dolores, y nos lleva a depender mucho más en Su sabiduría y en Su tierno amor para consolar nuestros espíritus quebrantados, y Él nos asegura: *«No se turbe vuestro corazón; creéis en Dios, creed también en Mí»* (Juan 14:1).

A veces todos necesitamos ser consolados. Esto es verdad especialmente cuando experimentamos el dolor y la aflicción de la muerte de un ser querido. Todos nosotros que hemos sufrido la muerte de un ser querido sabemos lo que significa una palabra de consolación. Mientras vemos el sufrimiento de otras personas, vamos nosotros también a recordar que nuestro Padre Celestial nos pide: *«Consolaos, consolaos, pueblo Mío, dice vuestro Dios»* (Isaías 40:1).

Por último, pero no de menos importancia, la muerte de un ser querido hace que pensemos mucho más en desear el cielo para nosotros los que nos hemos quedado. *«Estimada es a los ojos de Jehová la muerte de Sus santos»* (Salmo 116:15).

La muerte para el creyente es una oferta para salir de los sufrimientos de este mundo, y una bienvenida a nuestro hogar celestial por nuestro maravilloso Señor. Muy pronto: *«Enjugará Dios toda lágrima de los ojos de ellos; y ya no habrá muerte, ni habrá más llanto, ni clamor, ni dolor; porque las primeras cosas pasaron»* (Apocalipsis 21:4).

**Pensamiento para hoy:** En este mismo momento, ore por alguien que usted conozca que parece estar desalentado.

## ☾N LA LECTURA DE HOY

David se queda en el territorio de los filisteos; Saúl está perturbado sobre el ejército de los filisteos y consulta con una mujer con espíritu de adivinación que pretende consultar con los muertos

*D*espués que Samuel llegó a ser juez, los filisteos fueron derrotados severamente por sus reuniones de oración en Mizpa, *«Así fueron sometidos los filisteos, y no volvieron más a entrar en el territorio de Israel; y la mano de Jehová estuvo contra los filisteos todos los días de Samuel»* (I de Samuel 7:13). Pero, « . . . *hubo guerra encarnizada contra los filisteos todo el tiempo de Saúl»* (14:52).

En los últimos días del reino de Saúl, *«Los filisteos juntaron todas sus fuerzas en Afec»* (29:1). Saúl fue sobrecogido de terror cuando se dio cuenta del gran poderoso ejército de los filisteos que estaban listos para atacar. ¿Podía Saúl olvidar las palabras de Samuel cuando le había dicho: « . . . *Por cuanto tú desechaste la Palabra de Jehová, Él también te ha desechado para que no seas rey»*? (15:23). Por su gran celo, Saúl también había intentado matar a David y lo había forzado a vivir en el exilio. Saúl estaba desesperado, *«Y consultó Saúl a Jehová . . . »* (28:6). Como él había asesinado los sacerdotes de Dios, ¿cómo podía él justamente esperar una respuesta? Que conmovedor es pensar en ver al rey Saúl paseándose por la noche, frenéticamente buscando consejo de la adivinadora en Endor. Él sabía bien que los adivinos, los que practican la adivinación, los hechiceros y los que consultan a los muertos, eran *«abominación para con Jehová»* (Deuteronomio 18:10-12). Pues un tiempo antes, Saúl los había arrojado de la tierra (I de Samuel 28:3). Sin embargo, la mujer adivinadora no lo pudo ayudar. Al contrario, su temor aumentó aun más después que se le apareció Samuel, quien le dijo: *«¿Y para qué me preguntas a mí, si Jehová se ha apartado de ti y es tu enemigo?»* (28:16). Al próximo día Saúl, junto con sus hijos, incluyendo a Jonatán, fue matado en la batalla. Al fin de todo Saúl segó lo que había sembrado.

El peor enemigo de Saúl fue él mismo. Él había vivido una vida para sus propios placeres. El poder, las riquezas, la popularidad, y los talentos, son muchas veces un obstáculo para la vida espiritual. Hay personas que buscan dirección de los síquicos, de adivinadores, de sortílegos, y otras personas controladas por demonios, en vez de clamar al Señor en esos tiempos de gran angustia y confiar en el Señor.

El verdadero éxito es el resultado de buscar la voluntad del Señor por medio de leer Su Palabra, mientras que al mismo tiempo oramos para que Él sea quien nos guíe. *«Porque . . . Jehová . . . No quitará el bien a los que andan en integridad»* (Salmo 84:11).

**Pensamiento para hoy:** Si ignoramos la Palabra de Dios somos llevados al engaño.

## ☙N LA LECTURA DE HOY

Saúl muere en la batalla; David lamenta la muerte de Saúl y de Jonatán; David es coronado rey de Judá; Is-boset es rey sobre Israel

*S*aúl había forzado a David a irse de su familia, de su esposa, de sus amigos, y después a un exilio lejos del palacio como un fugitivo. Un amalecita errante, quien traía en sus manos la corona del rey Saúl, pensó erróneamente que David se agradaría de que él había matado a Saúl. El amalecita no podía comprender por qué era que David no se regocijaba por la muerte de su enemigo. Pero, David y los suyos, «. . . *lloraron y lamentaron y ayunaron hasta la noche . . . porque habían caído a filo de espada. . . . ¡Ha perecido la gloria de Israel sobre tus alturas! ¡Cómo han caído los valientes! No lo anunciéis en Gat, ni deis las nuevas en las plazas de Ascalón; para que no se alegren las hijas de los filisteos*» (II de Samuel 1:12,17,19-20).

El mundo se deleita en los fracasos de los cristianos. Por seguro, ningún creyente se debe involucrar en malas conversaciones sobre los fracasos de otros cristianos. «*Si alguno se cree religioso entre vosotros, y no refrena su lengua, sino que engaña su corazón, la religión del tal es vana*» (Santiago 1:26).

Ahora que Saúl había muerto, ¿quién iba a reinar en su lugar? Israel estaba sin un rey. Hacía ya mucho tiempo que David había sido ungido por el profeta Samuel para ser el próximo rey de Israel (I de Samuel 16:13). Sin embargo, Abner, el primo de Saúl y el poderoso comandante de su ejército, estaba determinado a mantener su lugar. Él persuadió a los ancianos de Israel para poner a Is-boset, el hijo de Saúl, como rey sobre 10 tribus. David podía justificarse en enfrentar a Abner en guerra y defender su lugar como el escogido de Dios para el trono. Al contrario, «. . . *David consultó a Jehová, diciendo: ¿Subiré a alguna de las ciudades de Judá? Y Jehová le respondió: Sube. David volvió a decir: ¿A dónde subiré? Y él le dijo: A Hebrón. . . . Y vinieron los varones de Judá y ungieron allí a David por rey sobre la casa de Judá*» (II de Samuel 2:1,4).

Muchas veces nos aprovechamos de las oportunidades que vienen para avanzar personalmente en vez de buscar al Señor y Su plan para nuestras vidas. Nosotros no necesitamos batallar por nuestros derechos. David oró para que la voluntad de Dios se cumpliese a Su manera y en Su tiempo. Es una buena consolación para los creyentes saber que: «*Mucha paz tienen los que aman Tu Ley, y no hay para ellos tropiezo*» (Salmo 119:165).

**Pensamiento para hoy:** La victoria espiritual no depende de la fuerza y el razonamiento humano, pero en la sumisión al Espíritu Santo.

## ℰN LA LECTURA DE HOY

Abner abandona a Is-boset y se une a David; Joab mata a Abner; Is-boset es asesinado; David es rey de todo Israel; la ciudad (Jebus) Jerusalén es tomada

*S*iguiendo la muerte de Saúl, Abner, el poderoso comandante del ejército de Saúl, proclamó a Is-boset, el hijo de Saúl, como rey de Israel. Entonces, de esa manera, Abner pudo controlar a este títere-rey y a su reino.

Después de siete años, Abner y Is-boset tuvieron una gran disputa (II de Samuel 3:6-11). *«Entonces envió Abner mensajeros a David de su parte, diciendo: ¿De quién es la tierra? Y que le dijesen: Haz pacto conmigo, y he aquí que mi mano estará contigo para volver a ti todo Israel»* (3:12-16). Abner llamó a los ancianos de Israel y les dijo: *«Ahora, pues, hacedlo; porque Jehová ha hablado a David, diciendo: Por la mano de Mi siervo David libraré a Mi pueblo Israel de mano de los filisteos, y de mano de todos sus enemigos»* (3:18). Un corto tiempo después Abner se encuentra con el rey David, y Joab, el comandante del ejército de David, lo mata. Después de esto, Is-boset fue asesinado por dos de sus propios capitanes.

*«Vinieron, pues, todos los ancianos de Israel al rey en Hebrón . . . y ungieron a David por rey sobre Israel»* (5:3). El tiempo había llegado para que David moviera la capital de su reino de Hebrón a una localidad más céntrica donde los jebuseos tenían una fortaleza en el centro de la tierra prometida. *«Entonces marchó el rey con sus hombres a Jerusalén . . . Pero David tomó la fortaleza de Sion, la cual es la ciudad de David»* (5:6-7).

Nunca iban a poder establecer un templo para que Dios morara en el lugar que Él había escogido, hasta que los jebuseos, quienes tenían la posición central en la tierra prometida, fuesen echados de la tierra. Esta *«fortaleza de Sion»* es simbólico de la fortaleza que está muy profunda en nuestras mentes, y que nadie la puede ver, ni por nuestra conducta ni por nuestra conversación. Esto muestra los pensamientos secretos que no dejan que Cristo sea el Señor de nuestras vidas. A veces estas fortalezas secretas no están en conflicto con el tiempo, los talentos, o nuestros diezmos que le damos al Señor. La *«mente carnal»* (Colosenses 2:18), con sus impulsos físicos sutilmente demanda tener control de nuestros corazones. Mientras que leemos la Palabra de Dios diariamente, es que estaremos *« . . . llenos del conocimiento de Su voluntad en toda sabiduría e inteligencia espiritual»* (Colosenses 1:9).

**Pensamiento para hoy:** La consagración a Dios trae recompensas eternas.

*D*avid ahora era el rey del reino unido. Él decidió de honrar a Dios en traer el arca del pacto, el lugar donde Dios moraba, para Jerusalén, la cual sería la capital del reino político y religioso del reino de David. Por casi 75 años, durante casi todo el liderazgo de Samuel y los 40 años del reino de Saúl, el arca se había quedado con Abinadab en Quiriat-jearim.

*«David volvió a reunir a todos los escogidos de Israel, treinta mil. . . . (Para) hacer pasar de allí el arca de Dios* (a Jerusalén). *. . . Pusieron el arca de Dios sobre un carro nuevo»* (así como los filisteos lo habían hecho muchos años antes cuando lo habían capturado, y ellos siguieron regocijándose para Jerusalén) (II de Samuel 6:1-4). David hizo la procesión un día de fiesta nacional para impresionar sobre todo Israel la importancia de poner a Dios en el centro de su nación.

David muchas veces *«consultó a Jehová»* sobre lo que tenía que hacer (I de Samuel 23:2,4; II de Samuel 2:1; 5:11, 23), pero en este entonces no pensó que necesitaba orar para transportar el arca a Jerusalén.

Tratando de que el arca no se volcara del carro, *«. . . Uza extendió su mano al arca de Dios, y la sostuvo; porque los bueyes tropezaban. . . . (Y) lo hirió allí Dios por aquella temeridad, y cayó allí muerto junto al arca de Dios»* (6:6-7). Sin duda, David fue humillado (6:8). ¿Por qué permitió Dios que esto pasase? David se había descuidado de dos instrucciones muy importantes en la Palabra de Dios: el arca tenía que ser llevada por varas sobre los hombros de los sacerdotes, y que la penalidad por tocar el arca era la muerte (Éxodo 25:10-15; Números 3:30-31; 4:15; 7:9; I de Reyes 8:7-8).

Este incidente debe de enseñarnos que es un error muy serio pensar que por una persona ser sincera, que no importa lo que cree o lo que hace. También nos enseña la importancia de aprender bien la Palabra de Dios: *«Procura con diligencia presentarte a Dios aprobado, como obrero que no tiene de que avergonzarse, que usa bien la Palabra de verdad»* (II de Timoteo 2:15).

*«Por lo demás, hermanos, orad por nosotros, para que la Palabra del Señor corra y sea glorificada, así como lo fue entre vosotros»* (II de Tesalonicenses 3:1).

**Pensamiento para hoy:** ¿Es vuestro mayor interés que Dios sea honrado? Entonces id y decid a vuestros amigos de leer Sus instrucciones.

---

### 𝒠N LA LECTURA DE HOY

Los amonitas y los sirios son derrotados; Betsabé y David; la parábola de Natán y el arrepentimiento de David; el nacimiento de Salomón

---

𝒣asta este entonces David, el rey de Israel, nunca había perdido una batalla y se había acostumbrado a obtener lo que quería. *«Aconteció al año siguiente, en el tiempo que salen los reyes a la guerra, que David envió a Joab, y con él a sus siervos y a todo Israel . . . pero David se quedó en Jerusalén»* (II de Samuel 11:1). Satanás siempre tiene algo o alguien para atraernos cuando estamos en una posición de agradar nuestros deseos carnales. Él siempre presenta el pecado como algo atractivo y que satisface.

Para David, su derrota espiritual empezó con una mirada de deseo carnal hacia la hermosa Betsabé. David sabía que el adulterio era un pecado muy malvado contra Dios y que su penalidad era la muerte (Levítico 20:10). Pero, *« . . . envió David mensajeros, y la tomó; y vino a él, y él durmió con ella. Luego . . . (ella) se volvió a su casa»* (II de Samuel 11:4). Un pecado casi siempre nos lleva a muchas complicaciones imprevistas y muchas otras acciones malvadas.

Desde el primer momento que David deseó carnalmente a Betsabé hasta que ellos se casaron, nadie se interpuso en sus placeres. Sin embargo, un año después, Natán el profeta audazmente se enfrentó con David y le dijo: *«¿Por qué, pues, tuviste en poco la Palabra de Jehová, haciendo lo malo delante de Sus ojos?»* (12:9). Por el pecado de adulterio de David, Natán profetizó: *«Por lo cual ahora no se apartará jamás de tu casa la espada, por cuanto Me menospreciaste, y tomaste la mujer de Urías heteo para que fuese tu mujer. Así ha dicho Jehová: He aquí Yo haré levantar el mal sobre ti de tu misma casa, y tomaré tus mujeres delante de tus ojos, y las daré a tu prójimo, el cual yacerá con tus mujeres a la vista del sol»* (12:10-11). Sumamente afligido y arrepentido de corazón, David confesó: *« . . . Pequé contra Jehová. Y Natán dijo a David: También Jehová ha remitido tu pecado; no morirás»* (12:13).

Aunque David fue perdonado, durante los próximos 20 años, la segunda parte de su reino y hasta su muerte, las penas y los sufrimientos de David nunca desistieron por haberse rendido a su deseo carnal por sólo una noche.

Más que tener que darle la cara a Dios en el día del juicio, nadie puede evitar las amargas consecuencias de rendirse a la tentación del deseo carnal. Por haber encontrado un arrepentimiento sincero, como está escrito en el Salmo 51, Dios lo perdonó. Pero el perdón no aleja los resultados: *«No os engañéis; Dios no puede ser burlado: pues todo lo que el hombre sembrare, eso también segará»* (Gálatas 6:7).

**Pensamiento para hoy:** Tenemos que vivir en el mundo, pero no tenemos que vivir por medio de su nivel de vida.

*T*amar, la hermana de Absalón, era la hermosa hija del rey David por Maaca
de Gesur. Amnón, el hijo mayor de David por Ahimoam la jezreelita, tenía
unos 20 años cuando, pretendiendo estar enfermo, le pidió a su padre que
mandara a su media hermana Tamar a prepararle una comida (II de Samuel
3:2-3; I de Crónicas 3:1-2).

*«Y cuando ella se las puso delante para que comiese, asió de ella, y le dijo:
Ven, hermana mía, acuéstate conmigo. Ella entonces le respondió: No, hermano
mío, no me hagas violencia; porque no se debe hacer así en Israel. No hagas tal
vileza. . . . Mas él no quiso oír, sino que pudiendo más que ella, la forzó, y se acostó
con ella. Luego la aborreció Amnón con tan gran aborrecimiento, que el odio
con que la aborreció fue mayor que el amor con que la había amado. Y le dijo
Amnón: Levántate, y vete»* (II de Samuel 13:11-15). Después de su momentaria
gratificación del deseo carnal, él la forzó a salir de su casa y cerró la puerta
*« . . . Y se quedó Tamar desconsolada en casa de Absalón su hermano»* (13:20).

Cuando David supo de la decepción y el malvado pecado de Amnón contra
su hija, *« . . . se enojó mucho. Mas Absalón no habló con Amnón ni malo ni
bueno; aunque Absalón aborrecía a Amnón, porque había forzado a Tamar
su hermana»* (13:21-22). Amnón era el primogénito de David y heredero al
trono. Pero, David no tomó acción legal contra él, aunque la Ley de Dios
demandaba la sentencia de muerte por descubrirle la desnudez a una hermana
(Levítico 20:17).

*«Aconteció pasados dos años . . . y* (teniendo fiestas) *convidó Absalón a
todos los hijos del rey. . . . Y Absalón había dado orden a sus criados . . . (Herid)
a Amnón, entonces matadle . . . (Y) los criados de Absalón hicieron con Amnón
como Absalón les había mandado»* (II de Samuel 13:23-29). Debemos de
notar que, con la muerte de Amnón, él ya no iba a estar en frente de Absalón
para llegar a ser el próximo rey. Absalón huyó por su vida a Gesur, en Siria
(Aram), donde vivió con su abuelo por tres años (13:37-38).

Un padre no puede experimentar mayor sufrimiento que el de ver su propio
pecado repetido en las vidas de sus hijos. No podemos anular el efecto de
nuestros pecados pasados, de los fracasos, y del tiempo malgastado, pero los
creyentes están seguros que: *« . . . si alguno hubiere pecado, abogado tenemos
para con el Padre, a Jesucristo el Justo»* (I de Juan 2:1).

**Pensamiento para hoy:** *«La justicia engrandece a la nación; mas el pecado es
afrenta de las naciones»* (Proverbios 14:34).

---

### ✑N LA LECTURA DE HOY

Absalón gana el aprecio de los líderes nacionales; él guía una rebelión y
derriba a David; David huye por miedo a su hijo; Absalón entra a Jerusalén

---

𝒟espués que Absalón había pasado tres años en el exilio (II de Samuel
13:34-38), Joab, comandante y jefe del ejército de David, inició un plan bien
listo que persuadió a David en traer a Absalón otra vez a su casa.

Como dos años después de haber llegado Absalón del exilio (14:28), con
una actitud arrogante, sin vergüenza, y provocante, él exigió que Joab arreglase
una reunión para ver al rey. David pronto perdonó a Absalón, pero él empezó
un ambicioso y engañador proyecto para quitarle el trono a su padre: *«Aconteció
después de esto, que Absalón se hizo de carros y caballos, y cincuenta hombres
que corriesen delante de él. Y se levantaba Absalón de mañana, y se ponía a un
lado del camino junto a la puerta; y a cualquiera que tenía pleito y venía al rey
a juicio, Absalón le llamaba y le decía: ¿De qué ciudad eres? Y él respondía: Tu
siervo es de una de las tribus de Israel. Entonces Absalón le decía: Mira, tus
palabras son buenas y justas; mas no tienes quien te oiga de parte del rey. Y
decía Absalón: ¡Quién me pusiera por juez en la tierra, para que viniesen a mí
todos los que tienen pleito o negocio, que yo les haría justicia!»* (15:1-4).

Pronto las chocantes noticias llegaron a David que *«. . . el corazón de todo
Israel se va tras Absalón»* (15:13). Durante este tiempo, él (David) no había
tenido pensamientos de lástima por sí mismo, ni de rencor, ni de venganza.
David estaba seguro que su vida y el destino de Jerusalén estaba en el control
soberano de Dios.

Nos entristecemos cuando leemos que David, el rey anciano y quebrantado
de corazón, dejó la ciudad de Jerusalén corriendo y descalzo; bajó por los
vados del arroyo de Kidrón y subió la cuesta del monte de los Olivos, llorando
y huyendo por miedo de su querido hijo.

Después de saber que había sido traicionado por su mejor consejero, David
se encomendó a Dios y oró: *«. . . Entorpece ahora, oh Jehová, el consejo de
Ahitofel»* (15:31). Entonces, él mandó a Husai arquita, su amigo de vida,
(15:37; I de Crónicas 27:33), para ir a Jerusalén con instrucciones para llegar
a ser el consejero de Absalón, y así poder contradecir el consejo de Ahitofel
(II de Samuel 15:33-35).

A veces Dios usa aun los hombres malvados para corregir a los que Dios
ama. Mucho después, David le confesó a Dios: *«Antes que fuera yo humillado,
descarriado andaba; mas ahora guardo Tu Palabra»* (Salmo 119:67).

**Pensamiento para hoy:** Al contrario de los aceptados principios inmorales del
mundo, la Palabra de Dios revela toda la vileza del pecado.

## ᏋN LA LECTURA DE HOY

Absalón sigue el consejo de Husai; las tropas de David batallan contra Absalón y sus seguidores; Joab mata a Absalón; David se aflige amargamente

*A*hitofel, el consejero de David, no era ni la mitad de la persona que David creía que él era. A veces toma una crisis para revelar quienes son nuestros verdaderos amigos. Ahitofel había sido invitado por Absalón a unirse a su conspiración. «. . . *Y la conspiración se hizo poderosa, y aumentaba el pueblo que seguía a Absalón*» (II de Samuel 15:12). David era ya un anciano, entonces Ahitofel se fue de su lado y se unió con Absalón. Aquí él demostró su verdadero carácter con las palabras «yo haré . . . ». «*Entonces Ahitofel dijo a Absalón: Yo escogeré ahora doce mil hombres, y me levantaré y seguiré a David esta noche, y caeré sobre él . . . y mataré al rey solo. Así haré volver a ti todo el pueblo . . . (y) estará en paz*» (17:1-3). Al principio, «*(este) consejo pareció bien a Absalón y a todos los ancianos de Israel*» (17:4). Aparentemente, Absalón entonces se dio cuenta que él iba a ser secundario a Ahitofel. Dios no se había olvidado que David había orado: «*Entorpece ahora, oh Jehová, el consejo de Ahitofel*» (15:31).

David había mandado a su amigo Husai a unirse con Absalón. Sin duda, cuando llegó Husai esto llenó de orgullo a Absalón, pues ahora había ganado los dos mayores consejeros de su padre. Ahitofel se suponía que Absalón iba a aceptar su plan. Pero su plan ofendió a Absalón y también a Amasa. Esto les llevó a considerar el consejo de Husai, quien le recordó a Absalón que «. . . *todo Israel sabe que tu padre es hombre valiente, y que los que están con él son esforzados*» (17:10).

Mientras que Absalón pensaba en la posibilidad de perder su primera batalla, él percibió que esto podía producir gran pánico e iba a perder sus seguidores. Husai dijo: «*Aconsejo, pues, que todo Israel se junte a ti* (a Absalón), *desde Dan hasta Beerseba . . . y que tú en persona vayas a la batalla*» (17:8-11). Esto le pareció bien a Absalón, lo cual le dio tiempo a David y a sus hombres para prepararse para la batalla que resultó en la muerte de Absalón. La Biblia claramente nos amonesta que «. . . *antes de la caída* (está presente) *la altivez de espíritu*» (Proverbios 16:18). Sin duda, el consejo de Husai fue la respuesta a la oración de David.

Tengamos lástima del ignorante que está inconsciente de la «Invisible Presencia» de Dios. Pues es Dios quien defiende a los que confían en Él (Hebreos 4:13; Salmo 40:17).

«*Porque ni de oriente ni de occidente, ni del desierto viene el enaltecimiento. Mas Dios es el Juez; a éste humilla, y a aquél enaltece*» (Salmo 75:6-7).

**Pensamiento para hoy:** Nadie puede derrotar el propósito que Dios tiene para ti.

*A*bsalón había sido un traidor que sólo quería destruir a su padre para llegar a ser rey. La batalla terminó cuando Joab mató a Absalón.

Los soldados de David volvieron esperando una celebración; en vez oyeron que el rey estaba llorando y «. . . *clamaba en alta voz: ¡Hijo mío Absalón, Absalón, hijo mío, hijo mío!*» (II de Samuel 19:4). Agobiado por el dolor, el rey David ignoró sus fieles seguidores que lo habían defendido. La victoria de aquel día se cambió en lamentos y los soldados volvieron como «. . . *pueblo avergonzado que ha huido de la batalla*» (19:3).

David se había enfrentado a muchos dolores en su vida. Cuando el primer hijo de Betsabé se enfermó, David ayunó y oró. Entonces, cuando recibió la noticia de que el niño había muerto, David confidentemente dijo: «. . . *Yo voy a él, mas él no volverá a mí*» (12:23). David sabía que el cielo iba a ser mucho más precioso porque su hijo estaba con el Señor. Pero en este caso, David no mencionó tener alguna esperanza de ver a Absalón en el cielo.

David probablemente pensó que si Joab le hubiese dado otra oportunidad quizás él hubiese cambiado su malvado camino. Pero, si Absalón hubiese quedado vivo, él hubiese sido un competidor fuerte contra Salomón, quien iba a ser el escogido por Dios para tomar el lugar de David como rey de Israel.

Todos nosotros, a veces, somos responsables por las adversidades y las penas que experimentamos. Es también algo natural cuando nos condenamos por nuestras faltas y fracasos, o culpamos a otros por nuestras desilusiones.

Todos nosotros también pasamos por situaciones que están fuera de nuestro control. Como David, podemos estar afligidos mucho más tiempo que lo debido. Si estamos lejos de la voluntad de Dios, necesitamos arrepentirnos de nuestros pecados, pedirle a Dios que nos perdone, y ser como el apóstol Pablo, que fue guiado por el Espíritu Santo a escribir: «. . . *olvidando ciertamente lo que queda atrás, y extendiéndome a lo que está delante, prosigo a la meta, al premio del supremo llamamiento de Dios en Cristo Jesús*» (Filipenses 3:13-14).

En los momentos más oscuros, todos nosotros necesitamos amigos que nos ayuden a recordar cómo confiar en el Señor. Al mismo tiempo, nosotros necesitamos ser buenos amigos y compartir palabras de consolación a los que sufren y están abatidos. Por la gracia de Dios, vamos a animarles a participar en una iglesia local donde otros creyentes puedan ayudarles a cimentarse y a crecer en su fe y en el amor de Dios, «. . . *porque somos miembros de su cuerpo . . . mas yo digo esto respecto de Cristo y de la iglesia*» (Efesios 5:30-32).

**Pensamiento para hoy:** Jesucristo siempre sana a los corazones quebrantados quienes en Él confían.

*L*os días de la cosecha habían llegado otra vez, pero no había nada que comer, pues *«Hubo hambre en los días de David por tres años consecutivos»* (II de Samuel 21:1). Esta hambre expresaba el juicio de Dios: *«Pero acontecerá, si no oyeres la voz de Jehová tu Dios, para procurar cumplir todos Sus mandamientos . . . Y los cielos que están sobre tu cabeza serán de bronce, y la tierra que está debajo de ti, de hierro»* (Deuteronomio 28:15,23). Se supone que estos tres años acontecieron durante la primera parte del reino de David, aunque está escrito aquí después de más de 25 años. Reconociendo que el hambre era un juicio de Dios, *« . . . David consultó a Jehová, y Jehová le dijo: Es por causa de Saúl, y por aquella casa de sangre, por cuanto mató a los gabaonitas»* (II de Samuel 21:1). Saúl había violado el pacto que Israel había hecho con los gabaonitas unos 400 años antes. Este acuerdo todavía era sagrado, pues el pacto había sido un juramento en el nombre de Dios (Josué 9:3-27).

Los gabaonitas que habían sobrevivido no le pidieron a David por oro o plata para recompensarles por la muerte de sus queridos ni por la propiedad que habían perdido. (II de Samuel 21:4). De sus muchos años de relaciones con Israel, los gabaonitas conocían los mandamientos de Dios. *«Y no tomaréis precio por la vida del homicida, porque está condenado a muerte; indefectiblemente morirá»* (Números 35:31). La desobediencia a este mandamiento sería una deshonra para Israel.

Los gabaonitas pidieron permiso para ahorcar a siete hombres de la descendencia de Saúl. Consiguiente, el rey David se vio responsable delante del Señor de darles a los gabaonitas siete hombres. Una excepción se había hecho para Mefi-boset, el nieto de Saúl que tenía cinco años y que estaba lisado de ambos pies (II de Samuel 1:4; 4:4; 21:7; I de Samuel 20:14-17; 23:16-18).

Por todo el Antiguo Testamento, aprendemos el valor que Dios pone en cumplir nuestras promesas. Vamos a reconocer el peligro en descuidarnos de nuestras responsabilidades morales y espirituales. En los ojos de Dios, ni aun el rey de una nación está sobre Su Ley. *«Porque Jehová conoce el camino de los justos; mas la senda de los malos perecerá»* (Salmo 1:1-6).

**Pensamiento para hoy:** Dios espera que nosotros cumplamos con todas nuestras promesas. ¿Puede Dios confiar en que vamos a cumplir con todo lo que decimos?

## ᴇ́N LA LECTURA DE HOY

Las últimas palabras del rey David y su último pecado;
David edifica un altar; el sacrificio; los tres días de plaga

avid nunca perdió una batalla durante su reino de 40 años. Aunque él siempre había orado en sus años de conquista por la dirección del Señor, obviamente su deseo de hacer un censo de su ejército no estaba basado en la amenaza de un ataque del enemigo. Cuando nos sentimos orgullosos, Satanás está listo para sugerir malas ideas, así hizo con David. *«Pero Satanás se levantó contra Israel, e incitó a David a que hiciese censo de Israel»* (I de Crónicas 21:1). El pasaje en Crónicas nos explica un poco más de este incidente en II de Samuel. Del punto de vista de la soberanía absoluta de Dios sobre todas las cosas, incluyendo a Satanás, podemos leer: *«Volvió a encenderse la ira de Jehová contra Israel, e incitó a David contra ellos a que dijese: Ve, haz un censo de Israel y de Judá. . . . Después que David hubo censado al pueblo, le pesó en su corazón; y dijo David a Jehová: Yo he pecado gravemente por haber hecho esto; mas ahora, oh Jehová, te ruego que quites el pecado de Tu siervo, porque yo he hecho muy neciamente. . . . (Y) Jehová oyó las súplicas de la tierra, y cesó la plaga en Israel»* (II de Samuel 24:1,10,25).

Fuera inconcebible que Dios hubiese forzado a David a cometer este pecado, y entonces, antes que el censo se cumpliese, destruir por eso setenta mil hombres. (25:15; I de Crónicas 27:24). El Espíritu Santo guio los escritos de II de Samuel para dejarnos ver que todos estamos bajo la soberana voluntad de Dios, quien a veces nos permite seguir nuestros propios caminos obstinadamente, pues Él nunca viola nuestro libre albedrío.

No hay nada por escrito que nos da a saber que hacer un censo estaba prohibido. Pero la Ley sí dijo: *«Cuando tomes el número de los hijos de Israel conforme a la cuenta de ellos, cada uno dará a Jehová el rescate de su persona, cuando los cuentes, para que no haya en ellos mortandad cuando los hayas contado. Esto dará todo aquel que sea contado. . . . (La) mitad de un siclo será la ofrenda a Jehová»* (Éxodo 30:12-13).

Por razón de esta violación de la Ley, una plaga se extendió sobre la tierra de Israel. Esta gran tragedia experimentada por David es un recordatorio de lo importante que es el orar los unos por los otros para que: *« . . . el Dios de paz que resucitó de los muertos a nuestro Señor Jesucristo, el gran Pastor de las ovejas, por la sangre del pacto eterno, os haga aptos en toda obra buena para que hagáis Su voluntad, haciendo Él en vosotros lo que es agradable delante de Él por Jesucristo»* (Hebreos 13:20-21).

**Pensamiento para hoy:** Las armas de nuestra milicia son poderosas.

# INTRODUCCIONES A LOS LIBROS DE
# I y II de *R*EYES

Todos los reyes de Judá y de Israel están escritos en I y II de Reyes con la excepción de Saúl. El propósito de los libros de I y II de Reyes es de ilustrar las bendiciones que resultan de la fidelidad y la obediencia al Señor, y de su severo castigo sobre los infieles y los desobedientes. El enfoque principal de los primeros once capítulos de I de Reyes es sobre el reino de Salomón. Los capítulos 12-22 cubren el tiempo de los primeros 80-100 años después que el reino se dividió. Durante este tiempo, cinco reyes reinaron sobre el reino del sur y nueve reyes reinaron sobre el reino del norte. Las últimas palabras de David a Salomón fueron: *«Guarda los preceptos de Jehová tu Dios, andando en Sus caminos, y observando Sus estatutos y mandamientos . . . para que prosperes en todo lo que hagas y en todo aquello que emprendas»* (I de Reyes 2:3; ver Josué 1:7). Pero Salomón ignoró el consejo del rey David. Por consiguiente, su reino resultó en un reino dividido después que su hijo llegó al trono.

Los primeros diecisiete capítulos de II de Reyes se concentran en la vida de los profetas Elías y Eliseo, así como también relatan la decadencia de los reinos del norte y del sur. Diecinueve reyes reinaron sobre el reino del norte de Israel durante aproximadamente unos 210 años de la historia del reino dividido. El capítulo diecisiete termina con la conquista de Israel por Asiria y el pueblo llevado al cautiverio. Casi todos los israelitas fueron dispersos por todo el imperio de Asiria mientras que los esclavos de otras naciones fueron llevados a Samaria. Estos paganos hicieron casamientos mutuos con los pocos israelitas que habían quedado. Sus descendientes llegaron a ser conocidos como samaritanos, un grupo bien despreciado por los judíos. El pequeño reino de Judá al sur se mantuvo independiente por otros 135 años, con una existencia de 465 años en su historia. Incluyendo los 120 años del reino unido, Judá tuvo diecinueve reyes y una mujer que, sin autoridad legal, forzadamente llegó a ser la reina Atalía (II de Reyes 18-25). Los últimos ocho capítulos son dedicados al reino de Judá (reino del sur).

Al llegar al último capítulo, leemos que Jerusalén fue destruida y que el templo de Salomón fue quemado por los babilonios. Casi toda la población de Judá fue llevada al cautiverio y fue esparcida por toda Babilonia.

Los profetas Elías y Eliseo profetizaron en Israel, tanto como Amós, Oseas, y Jonás. También, durante este tiempo profetizaron en Judá los profetas: Abdías, Joel, Isaías, Miqueas, Nahum, Habacuc, Sofonías y Jeremías. Todos estos hombres de Dios le mostraron a la nación sus pecados y rogaron al pueblo que rechazasen sus ídolos y se arrepintiesen o ellos iban a experimentar la derrota y el castigo de Dios.

## ℰN LA LECTURA DE HOY

Adonías, el hijo de David, se subleva; la deserción de Joab y de Abiatar; el rey David encarga a Salomón a ser obediente a la Palabra de Dios

𝓜ientras que nos envejecemos, todos queremos ser útiles; pero los años y la falta de fuerza disminuyen nuestras opciones, así como:*«Cuando el rey David era viejo y avanzado en días»* (I de Reyes 1:1). Tal y como todos, el querido rey ya estaba debilitado. Pero su discernimiento espiritual había crecido a ser mucho más fuerte. El estar alertos a las cosas espirituales sólo se mantiene por la continua entrada de la Palabra de Dios y al mismo tiempo compartirla con otros.

Las últimas palabras de David a Salomón expresan el deseo de su corazón para su hijo: *«Yo sigo el camino de todos en la tierra; esfuérzate, y sé hombre* (párate firme contra las presiones y el compromiso). *Guarda los preceptos de Jehová tu Dios . . . »* (2:2-4). El compromiso para nosotros hoy en día puede incluir el estar involucrados en organizaciones mundanas que nos roban el tiempo que podemos invertir en metas centralizadas en Cristo en nuestra iglesia local o con otros ministerios. Estas metas pueden incluir la influencia que tenemos sobre nuestros amigos, nuestro vecindario, nuestros asociados negociantes, y otras personas, y así le damos prioridad a los valores eternos. No leemos que David le dijo a Salomón nada sobre obtener grandes riquezas o cómo engrandecer su reino. Al contrario, él puso más énfasis en la verdad, en el valor eterno de vivir en obediencia al Único y Verdadero Rey de Israel.

Probablemente, Salomón tenía unos 20 años cuando llegó a ser rey de Israel. Dios había mandado que el rey de Israel no haría *« . . . volver al pueblo a Egipto con el fin de aumentar caballos; porque Jehová os ha dicho: No volváis nunca por este camino»* (Deuteronomio 17:16). Pero, tristemente, Salomón ignoró la Palabra de Dios en sus primeros años como rey, y se ocupó en acumular 40.000 caballos para sí mismo (I de Reyes 4:26).

Dios también les había mandado a los reyes a conocer la Palabra de Dios íntimamente: *« . . . entonces escribirá para sí en un libro una copia de esta Ley, del original que está al cuidado de los sacerdotes levitas; y lo tendrá consigo, y leerá en él todos los días de su vida, para que aprenda a temer a Jehová su Dios, para guardar todas las Palabras de esta Ley y estos estatutos, para ponerlos por obra . . . »* (Deuteronomio 17:18-20). La división y la consiguiente destrucción del reino de Israel se pueden atribuir a los pecados de Salomón. Él faltó en *«guardar todas las Palabras . . . para ponerlos por obra»* (17:19). Todos tenemos que vivir *« . . . no mirando nosotros las cosas que se ven, sino las que no se ven; pues las cosas que se ven son temporales, pero las que no se ven son eternas»* (II de Corintios 4:18).

**Pensamiento para hoy:** Vosotros sois muy preciosos para el Señor.

> ## 𝕰N LA LECTURA DE HOY
> La expulsión de Abiatar del sacerdocio; la muerte de Joab y de Simei;
> el control de Salomón sobre el reino se hace seguro

𝕯espués que Salomón llegó a ser rey, leemos: «*Mas Salomón amó a Jehová, andando en los estatutos de su padre David; solamente sacrificaba y quemaba incienso en los lugares altos*» (I de Reyes 3:3). El tabernáculo y el altar del holocausto estaban todavía en Gabaón, unas 9.65 kilómetros al noroeste de Jerusalén (I de Crónicas 16:37-40; 21:29). El último mayor acontecimiento que tomó lugar en Gabaón fue el gran servicio de dedicación cuando Salomón llegó a ser rey (II de Crónicas 1:1-13; 7:8). Durante la noche de ese gran sacrificio, Salomón tuvo un sueño muy notable en el cual le pidió a Dios: «*Da, pues, a Tu siervo corazón entendido para juzgar a Tu pueblo, y para discernir entre lo bueno y lo malo*» (I de Reyes 3:9). Dios estaba tratando de llamarle la atención a Salomón por medio de un sueño, para recordarle de que él también necesitaba de meditar en las Escrituras «*. . . para discernir entre lo bueno y lo malo*» (3:9). «*Cuando Salomón despertó, vio que era* (un) *sueño*» (3:15). Pero este interesante sueño no tuvo mucho influencia en la vida de Salomón.

Salomón ignoró la Palabra de Dios sobre sus instrucciones para los reyes de Israel: «*Pero él no aumentará para sí caballos . . . (Ni) tomará para sí muchas mujeres . . . ni plata ni oro amontonará para sí en abundancia*» (Deuteronomio 17:16-17). No solamente fue a Egipto a buscar sus caballos, pero también se casó con la hija del Faraón (I de Reyes 3:1).

Salomón le ofreció a Dios enormes sacrificios, edificó el templo más famoso del mundo, y presentó la oración más larga escrita en la Biblia; pero el descuido de la Palabra de Dios, sus tantos matrimonios con mujeres paganas, y su adoración en sus lugares altos de Canaán, eran todos expresiones de su rebeldía contra Dios. Todas estas acciones finalmente le llevaron a su apostasía.

Salomón se negó a seguir el santo consejo de su padre: «*Guarda los preceptos de Jehová tu Dios, andando en Sus caminos, y observando Sus estatutos y mandamientos . . .* » (2:3). Salomón es igual a muchas personas ilustres y de muchos talentos, que por conveniencia personal cambian los principios bíblicos, pensando que si se ven con mucha fortuna y popularidad eso le agrada a Dios. Pero ese tipo de compromiso es el primer paso al pecado que tarde o temprano destruye la vida espiritual y la influencia en el nombre de Cristo.

Salomón al fin confesó: «*Miré todas las obras que se hacen debajo del sol; y he aquí, todo ello es vanidad y aflicción de espíritu*» (Eclesiastés 1:14). Y por último escribió: «*El fin de todo el discurso oído es este: Teme a Dios, y guarda Sus mandamientos; porque esto es el todo del hombre*» (Eclesiastés 12:13).

**Pensamiento para hoy:** Por seguro, la más alta sabiduría es obedecer al Señor.

**ᴇN LA LECTURA DE HOY**
Salomón edifica el templo y su propio palacio;
todos los muebles y los utensilios del templo

ᴇl templo de Salomón fue el doble del tamaño del tabernáculo, pero todavía era relativamente pequeño, sólo 90 pies de largo, 30 pies de ancho, y 45 pies de alto. El interior estaba dividido en dos cuartos. El primer cuarto se llamaba el lugar santo, y medía 60 por 30 pies; el segundo cuarto se llamaba el lugar santísimo, y medía 30 pies cuadrados.

*«En el año cuatrocientos ochenta después que los hijos de Israel salieron de Egipto, el cuarto año del principio del reino de Salomón sobre Israel, en el mes de Zif, que es el mes segundo, comenzó él a edificar la casa de Jehová»* (I de Reyes 6:1). Ningún otro edificio en el mundo se compara con el templo de Salomón. Los más costosos materiales y tesoros fueron derramados sobre él. Pero el mundo sólo podía observar la belleza exterior del templo; su verdadera gloria estaba en la Presencia de Dios, quien escogió morar dentro del lugar santísimo.

El templo fue edificado sin el sonido de los artesanos, pues las piedras fueron talladas en la cantera y hechas listas para que encajaran bien sobre el monte de Moriah (6:7). Esto nos recuerda de no confundir el ruido por el crecimiento espiritual. Nosotros somos transformados a Su gloriosa imagen, no por el ruido de los esfuerzos humanos, pero silenciosamente por el poder del Espíritu Santo, así como día tras día Dios perfecciona Su templo adentro de cada creyente (Zacarías 4:6).

Cada hijo de Dios es más precioso para nuestro Padre Celestial que el templo de Salomón. *«¿No sabéis que sois templo de Dios, y que el Espíritu de Dios mora en vosotros?* (I de Corintios 3:16-17) *«Porque somos hechura Suya* (nacidos de nuevo), *creados en Cristo Jesús para buenas obras, las cuales Dios preparó de antemano para que anduviésemos en ellas»* (Efesios 2:10).

Cada día es una seguridad sagrada que llega a tener más significado con la realidad de que el Dios del cielo vive en cada creyente. El milagro del nuevo nacimiento y la presencia del Espíritu Santo morando adentro de cada creyente es la diferencia entre el verdadero creyente y el «mundo religioso». Jesucristo dijo: *« . . . Yo soy el Camino, y la Verdad, y la Vida; nadie viene al Padre, sino por Mí»* (Juan 14:6). El apóstol Pedro afirmó: *«Y en ningún otro hay salvación; porque no hay otro nombre bajo el cielo, dado a los hombres, en que podamos ser salvos»* (Hechos 4:12).

**Pensamiento para hoy:** La belleza del creyente es la presencia de Dios que mora dentro y resplandece hacia afuera.

## ☞N LA LECTURA DE HOY

La gloria de Jehová llena el templo; el arca es traído adentro del templo;
el sermón y la oración de Salomón; la dedicación del templo

☞l día había llegado para la dedicación del glorioso templo sobre el monte de Moriah en Jerusalén. *«Entonces Salomón reunió ante sí en Jerusalén a los ancianos de Israel . . . para traer el arca del pacto de Jehová de la ciudad de David, la cual es Sion. . . . Y los sacerdotes metieron el arca del pacto de Jehová en su lugar, en el santuario de la casa, en el lugar santísimo»* (I de Reyes 8:1,6). En el arca era donde la Presencia de Dios moraba sobre el propiciatorio. *«En el arca ninguna cosa había sino las dos tablas de piedra que allí había puesto Moisés en Horeb . . . (y) los sacerdotes salieron del santuario . . . (y) no pudieron permanecer para ministrar por causa de la nube; porque la gloria de Jehová había llenado la casa de Jehová»* (8:9-11).

El pueblo se paró dentro de los atrios y adoraron al Señor durante la dedicación del templo.

Los israelitas fueron escogidos para mostrarle al mundo que hay solamente un Dios Verdadero. Salomón oró *« . . . para que todos los pueblos de la tierra conozcan Tu nombre y Te teman, como Tu pueblo Israel . . . y puesto en pie, bendijo . . . a Israel, diciendo . . . Esté con nosotros Jehová nuestro Dios (para que) . . . incline nuestro corazón hacia Él, para que andemos en todos Sus caminos, y guardemos Sus mandamientos . . . a fin de que todos los pueblos de la tierra sepan que Jehová es Dios, y que no hay otro»* (8:43,55-58,60). Buda, Alá, y todos los otros «dioses» son dioses falsos.

El Único Dios Verdadero incluye las tres personas de la Trinidad: Dios el Padre, Jesucristo quien es Dios el Hijo (ver I de Timoteo 2:5-6), y Dios el Espíritu Santo. La conversación y la conducta diaria de cada creyente debe expresar nuestro amor y lealtad al Único Dios Verdadero.

*«Y ofreció Salomón sacrificios de paz, los cuales ofreció a Jehová: veintidós mil bueyes y ciento veinte mil ovejas. Así dedicaron el rey y todos los hijos de Israel la casa de Jehová»* (I de Reyes 8:63). La palabra «sacrificio» no significa «una gran pérdida». Un sacrificio al Señor nunca debe ser una pérdida, pues debe ser un regalo de algo dedicado al Señor. Sin embargo, un sacrificio personal es una abominación si no es una expresión de nuestra verdadera devoción interna al Señor.

Salomón oró la oración más larga escrita en la Biblia y dio más importancia a la fidelidad de Dios, diciendo: *« . . . no hay Dios como Tú, ni arriba en los cielos ni abajo en la tierra, que guardas el pacto y la misericordia a Tus siervos, los que andan delante de Ti con todo su corazón»* (I de Reyes 8:22-23).

**Pensamiento para hoy:** La santidad de Dios revela la vileza del pecado.

## 𝒺N LA LECTURA DE HOY
Las advertencias a Salomón; la alianza con el Rey Hiram de Tiro;
las riquezas y la sabiduría de Salomón

𝒺l Señor le había dado a Salomón privilegios especiales por excesivo mucho más que a otros reyes. Pero las bendiciones continuas del Señor son condicionales, tal y como le dijo a Salomón: *«Y si tú anduvieres delante de Mí como anduvo David tu padre, en integridad de corazón y en equidad, haciendo todas las cosas que Yo te he mandado . . . Yo afirmaré el trono de tu reino sobre Israel para siempre»* (I de Reyes 9:4-7).

¿Pensaba Salomón que, por edificar el templo más sagrado de la historia, o por orar la oración más larga, o por ofrecer la cantidad más grande de sacrificios, Dios iba a pasar por alto sus pecados? Ignorando la Palabra de Dios, Salomón juntó miles de caballos y carros militares, y vivió en un lujo sin igual. También vemos que violó el mandamiento de Dios cuando acumuló 700 esposas y 300 concubinas (Deuteronomio 17:16-17). ¿Puede haberse engañado Salomón en pensar que, por ser el rey, él podía ignorar la Palabra de Dios en su vida personal?

Salomón no solamente escogió las hijas de reyes extranjeros como sus esposas, pero él les favorecía la adoración a sus ídolos. Esto, por supuesto, era prohibido en la Ley (18:9-12). No hay ninguna indicación que Salomón trató de animar a alguna de sus esposas a adorar al Único Dios Verdadero. Pues, claro que el llevarlas a hacer tal cosa hubiese interferido con su agenda política, porque estas esposas extranjeras eran las hijas de reyes, las cuales ayudaban a mantener la paz entre sus países. Sin embargo, su poder, su prestigio, y sus riquezas fueron finalmente su caída. Nos asombramos cuando leemos que cuando Salomón era ya viejo *« . . . siguió a Astoret, diosa de los sidonios, y a Milcom, ídolo abominable de los amonitas. . . . Y se enojó Jehová contra Salomón, por cuanto su corazón se había apartado de Jehová Dios de Israel, que se le había aparecido dos veces»* (I de Reyes 11:5-9).

Lo que le pasó a Salomón puede pasarle a cualquier persona que permita que la abundancia de las «cosas» le lleve a echar a un lado su lealtad al Señor.

Aquí tenemos una advertencia muy solemne: *«(Porque) raíz de todos los males es el amor al dinero, el cual codiciando algunos, se extraviaron de la fe, y fueron traspasados de muchos dolores»* (I de Timoteo 6:10).

**Pensamiento para hoy:** La Palabra de Dios tiene las soluciones a todos los problemas de la vida.

## ＭN LA LECTURA DE HOY

La muerte de Salomón; las 10 tribus se rebelan; la reprimenda a Roboam
por un profeta no conocido; la muerte de un profeta desobediente

Ｅl rey Salomón « . . . *fue sepultado en la ciudad de su padre David»* (I de Reyes 11:43). Su hijo Roboam heredó el poder y una tesorería llena de riquezas. Sin embargo, Salomón había dejado el reino moral y espiritualmente en bancarrota. « . . . *Vino, pues, Jeroboam, y toda la congregación de Israel, y hablaron a Roboam, diciendo: Tu padre agravó nuestro yugo, mas ahora disminuye tú algo de la dura servidumbre de tu padre . . . y te serviremos»* (12:3-4).

*«Entonces el rey Roboam pidió consejo de los ancianos que habían estado delante de Salomón su padre cuando vivía, y dijo: ¿Cómo aconsejáis vosotros que responda a este pueblo? Y ellos le hablaron diciendo: Si tú fueres hoy siervo de este pueblo y lo sirvieres, y respondiéndoles buenas palabras les hablares, ellos te servirán para siempre. Pero él dejó el consejo que los ancianos le habían dado, y pidió consejo de los jóvenes que se habían criado con él, y estaban delante de él»* (12:6-8).

Notemos que Roboam le preguntó a los ancianos sabios: « . . . *¿Cómo aconsejáis vosotros que responda a este pueblo . . . ?»* Pero, él le pidió a su nuevo gabinete de amigos jóvenes: « . . . *¿Cómo aconsejáis vosotros que respondamos a este pueblo, que me ha hablado diciendo: Disminuye algo del yugo que tu padre puso sobre nosotros?»* (12:9). Tomando los consejos de sus amigos jóvenes, Roboam neciamente cargó la nación con impuestos adicionales y aun un tratamiento más cruel. Esta gran falta causó la rebelión del pueblo nombraron a un declararon y nuevo rey: « . . . *oyendo todo Israel que Jeroboam había vuelto . . . y le hicieron rey sobre todo Israel»* (12:19-20).

Jeroboam le proveyó a su nuevo reino del norte dos lugares «más convenientes» para adorar, uno en Betel en el sur, y el otro en Dan en el norte. Esto fue una directa violación a la Palabra de Dios la cual mandaba que todos los sacrificios de adoración tenían que ser llevados a cabo en el templo en Jerusalén. *«Jehová sacudirá a Israel . . . Y Él entregará a Israel por los pecados de Jeroboam, el cual pecó, y ha hecho pecar a Israel»* ( 14:15-16).

Un similar abandono de las doctrinas fundamentales de la Palabra de Dios es predominante hoy en día. Por muy detestable que esto sea, muchas personas abandonan la lectura de la Palabra de Dios y simplemente no pueden discernir la diferencia entre la verdad de Dios y la decepción de los hombres (lo que es correcto políticamente). *«Guardaos de los falsos profetas, que vienen a vosotros con vestidos de ovejas, pero por dentro son lobos rapaces. . . . No todo el que Me dice: Señor, Señor, entrará en el reino de los cielos, sino el que hace la voluntad de Mi Padre que está en los cielos»* (Mateo 7:15,21).

**Pensamiento para hoy:** Debemos de tener piedad y compadecernos de las personas que abandonan la Palabra de Dios.

**€N LA LECTURA DE HOY**
La profecía de Ahías; el reino y la muerte de Roboam;
el reino malvado de Abiam y el reino bueno de Asa en Judá

*D*espués de la división de lo que era el reino unido de Israel, Jeroboam edificó centros de adoración en Betel en el sur y en Dan en el norte. Pero, el reino del sur en Judá llegó a tener una gran influencia para adorar al Señor porque «. . . *los levitas* (del reino del norte) *dejaban sus ejidos y sus posesiones, y venían a Judá y a Jerusalén . . . (Así) fortalecieron el reino de Judá, y confirmaron a Roboam hijo de Salomón, por tres años; porque tres años anduvieron en el camino de David . . .*» (II de Crónicas 11:14,17).

En el quinto año del reino de Roboam en Jerusalén «. . . *Roboam . . . dejó la Ley de Jehová, y todo Israel con él*» (12:1-2). Roboam había seguido las ideas de su padre Salomón de tener «ideas liberales» y de ser «tolerante» con otras religiones. Esto se podía esperar de Roboam, pues « . . . *El nombre de su madre fue Naama* (la idólatra), *amonita*» (I de Reyes 14:21).

Aunque el reino de Judá no abandonó el predicho orden de los servicios del templo, « . . . *Judá hizo lo malo ante los ojos de Jehová, y le enojaron más que todo lo que sus padres habían hecho en sus pecados que cometieron. . . . Hubo también sodomitas en la tierra, e hicieron conforme a todas las abominaciones de las naciones que Jehová había echado delante de los hijos de Israel*» (14:22-24). Dios les había declarado: «*No haya ramera de entre las hijas de Israel, ni haya sodomita de entre los hijos de Israel*» (Deuteronomio 23:17).

Por estas razones Dios quitó Sus bendiciones y Su protección de Judá. «*Al quinto año del rey Roboam subió Sisac rey de Egipto contra Jerusalén, y tomó los tesoros de la casa de Jehová, y los tesoros de la casa real, y lo saqueó todo; también se llevó todos los escudos de oro que Salomón había hecho*» (I de Reyes 14:25-26). El reino no solamente había perdido todas sus riquezas, pero ahora estaba bajo el control de Egipto.

En los últimos años de su vida, Salomón favoreció la adoración de los falsos dioses, lo cual continuó en aceptación durante el reino de su hijo Roboam. A la vez que los falsos sistemas de adoración y las falsas prácticas religiosas son aceptadas en una nación, lo que sigue es la aceptación de la homosexualidad y el lesbianismo.

*«Porque la ira de Dios se revela desde el cielo contra toda impiedad e injusticia de los hombres que detienen con injusticia la verdad»* (Romanos 1:18).

**Pensamiento para hoy:** *«Bienaventurados los de limpio corazón»* (Mateo 5:8).

## 𝓔N LA LECTURA DE HOY
Los reyes malignos de Israel; Elías predice tres años de sequía;
Elías es alimentado por los cuervos y por una mujer viuda de Sarepta;
Elías resucita al hijo de la viuda y su desafío contra los profetas de Baal

*𝓐*cab había llegado a ser el rey más malvado que reinó sobre el reino del norte. Él hizo adelantos favorables para la adoración de Baal como resultado de su matrimonio con Jezabel. Los israelitas que adoraban a Dios tenían que esconderse en cuevas por miedo de perder sus vidas. Entonces vino el profeta Elías y con denuedo le declaró a Acab: *«Vive Jehová Dios de Israel, en cuya presencia estoy, que no habrá lluvia ni rocío en estos años, sino por Mi Palabra»* (I de Reyes 17:1). La fe de Elías estaba en su Dios, quien había dicho: *«Guardaos, pues, que vuestro corazón no se infatúe, y os apartéis y sirváis a dioses ajenos, y os inclinéis a ellos; y se encienda el furor de Jehová sobre vosotros, y cierre los cielos, y no haya lluvia . . . »* (Deuteronomio 11:16-17).

Después de tres años y medio de sequía, Elías valientemente se enfrentó otra vez a Acab. Después de informarle al rey que la sequía de Israel era a causa de rechazar *«los mandamientos de Jehová»*, entonces Elías le dijo: *«Envía, pues, ahora y congrégame a todo Israel en el monte Carmelo, y los cuatrocientos cincuenta profetas de Baal, y los cuatrocientos profetas de Asera, que comen de la mesa de Jezabel»* (I de Reyes 18:18-19). Acab, desesperado por la lluvia, rápidamente actuó.

Elías puso a prueba 850 falsos profetas diciéndoles: *« . . . invocad el nombre de vuestros dioses»* (18:25), para ver si venían a recibir el sacrificio. Después de casi todo un día de ver a los profetas de Jezabel orando frenéticamente: *«Entonces dijo Elías a todo el pueblo: Acercaos a mí. . . . (Y) él arregló el altar de Jehová que estaba arruinado»* (18:30). Y después oró: *« . . . Jehová . . . sea hoy manifiesto que Tú eres Dios en Israel, y que yo soy Tu siervo, y que por mandato Tuyo he hecho todas estas cosas. . . . Entonces cayó fuego de Jehová, y consumió el holocausto, la leña, las piedras y el polvo. . . (viéndolo) todo el pueblo, se postraron y dijeron: ¡Jehová es el Dios, Jehová es el Dios!»* (18:36-39).

Elías entonces mandó que se mataran a todos los 850 falsos profetas según la Palabra de Dios: *«Cuando se levantare en medio de ti profeta . . . diciendo: Vamos en pos de dioses ajenos . . . (tal) profeta o soñador de sueños ha de ser muerto»* (Deuteronomio 13:1-5). Entonces, después de matarlos, *« . . . Elías dijo a Acab: Sube, come y bebe; porque una lluvia grande se oye»* (I de Reyes 18:41).

Elías ilustra cómo es que el poder de Dios se manifiesta cuando oramos y obedecemos la Palabra de Dios. Así, entonces, iremos *«orando en todo tiempo con toda oración y súplica en el Espíritu, y velando en ello con toda perseverancia y súplica por todos los santos»* (Efesios 6:18).

**Pensamiento para hoy:** Por medio de las dificultades, debemos de ejercitar nuestra fe en el Señor.

## ✑N LA LECTURA DE HOY

Las amenazas de Jezabel contra Elías; Elías huye; el llamamiento de Eliseo; la muerte de Acab es predicha

✐videntemente, Elías pensó que el milagroso fuego del cielo y el fin de la sequía mostraría que Baal era un dios falso, y que eso resultaría en el arrepentimiento de Acab y Jezabel para venir al Único Dios Verdadero.

Pero, Acab fue al palacio y le dijo a Jezabel lo que había pasado. Respondiendo inmediatamente, *«envió Jezabel a Elías un mensajero, diciendo: Así me hagan los dioses, y aun me añadan, si mañana a estas horas yo no he puesto tu persona como la de uno de ellos. Viendo, pues, el peligro, se levantó y se fue para salvar su vida, y vino a Beerseba, que está en Judá, y dejó allí a su criado»* (I de Reyes 19:2-3). El acto de evitar a la insensible Jezabel no fue por debilidad, sino por sabiduría. Sin embargo, sintiéndose derrotado y desanimado, Elías oró, y dijo: *«Basta ya, oh Jehová, quítame la vida, pues no soy yo mejor que mis padres»* (19:4).

No hay ninguna indicación que Elías aquí trató de suicidarse; él tenía fe en que Dios es el Creador y el Señor de la vida, y que Él es el Único que tiene el derecho para quitar la vida. Lo que él quiso decir es: Yo soy un fracaso. Yo no he cumplido mi misión, y parece que no hay esperanza para restaurar la nación a adorarte a Ti como el Único Dios Verdadero. Sin embargo, Dios amorosamente proveyó las necesidades físicas de Elías cuando le mandó un ángel para suplir su alimento después de su largo viaje (19:5-6). A veces, después de nuestras extraordinarias victorias espirituales, nos tenemos que enfrentar a la oposición y a las «pruebas en el desierto» por un tiempo.

Cuando nos paremos delante del Señor, las obras de cada persona serán juzgadas, no por lo espectacular que fueron pero por su verdadero valor eterno. Todos nosotros tenemos momentos que nos desanimamos y parece que hemos faltado. A veces nuestra estimación de lo que debemos cumplir y lo que Dios estima son bien diferentes. Dios no nos llamó a ser famosos y tener éxito, pero Él nos llamó para estar dispuestos y mantenernos fieles a Dios (I de Corintios 1:9).

Aunque Elías no lo sabía, él sí cumplió con lo que Dios quería que él hiciera. Uno de sus grandes éxitos fue en ver que los líderes del reino de Acab fueron a sus casas con una nueva convicción de que *«¡Jehová es el Dios!»* (I de Reyes 18:39). Elías les ha dado ánimo a millones de creyentes por haber dicho que: *«Cercano está Jehová a todos los que le invocan, a todos los que le invocan de veras. . . . Jehová guarda a todos los que le aman, mas destruirá a todos los impíos»* (Salmo 145:18,20).

**Pensamiento para hoy:** Dios tiene un propósito para todos los contratiempos que tenemos que enfrentar.

## ᴇN LA LECTURA DE HOY
### La codicia de Acab lleva a Jezabel a matar a Nabot; la muerte de Acab y de Jezabel es predicha

*A*cab había reinado en el reino del norte de Israel. Su capital era la ciudad de Samaria. Su vida se resume en sólo pocas palabras: «*A la verdad ninguno fue como Acab, que se vendió para hacer lo malo ante los ojos de Jehová; porque Jezabel su mujer lo incitaba. Él fue en gran manera abominable, caminando en pos de los ídolos . . .*» (I de Reyes 21:25-26).

Acab invitó a Josafat, el suegro de su hija, quien era el rey de Judá, a unirse a él en la guerra para recuperar a Ramot de Galaad, una fortaleza estratégica en la frontera con Siria. Otros cuatrocientos de los profetas asalariados unánimemente le aseguraron a los dos reyes una gran victoria. Pero el justo Josafat no estaba seguro y le preguntó a Acab: «*. . . ¿Hay aún aquí algún profeta de Jehová, por el cual consultemos?*» (22:7). Repugnantemente, Acab le contestó: «*. . . Aún hay un varón por el cual podríamos consultar a Jehová, Micaías hijo de Imla; mas yo le aborrezco, porque nunca me profetiza bien, sino solamente mal*» (22:8).

El mensajero que fue mandado a sacar a Micaías de la prisión «*. . . habló diciendo: He aquí que las palabras de los profetas a una voz anuncian al rey cosas buenas; sea ahora tu palabra conforme a la palabra de alguno de ellos, y anuncia también buen éxito. Y Micaías respondió: Vive Jehová, que lo que Jehová me hablare, eso diré*» (22:13-14). Si Micaías hubiese cooperado, sin duda hubiese recibido su libertad inmediatamente. Pero Micaías sabía que la obediencia a Dios era de mucho más importancia que su libertad, y con denuedo proclamó: «*. . . Yo vi a todo Israel esparcido por los montes, como ovejas que no tienen pastor*» (22:17).

Micaías bruscamente predijo la muerte de Acab. «*Y el rey de Israel dijo a Josafat: ¿No te lo había yo dicho? Ninguna cosa buena profetizará él acerca de mí, sino solamente el mal*» (22:18). Entonces Acab mandó que lo llevaran otra vez a la prisión. Dando a prueba que el profeta obediente estaba correcto, Acab murió al primer día de la batalla (22:34,37).

Las consecuencias trágicas de Acab y su desprecio de la Palabra de Dios debe ser una advertencia para todos los que viven cometiendo el mismo error fatal. Al contrario, un seguidor de Jesucristo puede demostrar una infinita paz que guarda su corazón y su entendimiento, y decir como el salmista: «*A Jehová he puesto siempre delante de mí; porque está a mi diestra, no seré conmovido*» (Salmo 16:8).

**Pensamiento para hoy:** Todos los que cumplen con la voluntad de Dios recibirán recompensas eternas.

## ☙N LA LECTURA DE HOY
La muerte del rey Ocozías; Elías es trasladado en un torbellino;
Eliseo purifica las aguas de Jericó; los muchachos se burlan de Eliseo

*D*iez años antes de Elías haber sido trasladado al cielo en *«un carro de fuego»*, el Señor le había dicho: *«A Jehú hijo de Nimsi ungirás por rey sobre Israel; y a Eliseo hijo de Safat de Abel-mehola, ungirás para que sea profeta en tu lugar . . . Partiendo él de allí, halló a Eliseo hijo de Safat, que araba con doce yuntas delante de sí, y él tenía la última. Y pasando Elías por delante de él, echó sobre él su manto»* (I de Reyes 19:16,19), identificando a Eliseo en su lugar. Cuando Elías lo llamó a juntarse a él, Eliseo era un próspero agricultor joven. El aceptar el llamamiento de Elías a ser su siervo significaba que Eliseo tenía que abandonar su familia, sus amigos y también su seguridad monetaria. Sus amigos probablemente pensaban que ser el siervo de un profeta sería una ocupación solitaria y despreciable. Pero, Eliseo conocía los verdaderos valores de la vida e inmediatamente convirtió su arado en leña y *« . . . se volvió, y tomó un par de bueyes y los mató, y con el arado de los bueyes coció la carne, y la dio al pueblo para que comiesen. Después se levantó y fue tras Elías, y le servía»* (19:21). Las acciones de Eliseo muestran que la clave para ser útil en el reino de Dios está en responder inmediatamente a nuestras oportunidades de servir al Señor, sin importar lo grande o lo insignificante que parezca ser la tarea.

Poco antes de Elías ser trasladado al cielo, Eliseo otra vez mostró su discernimiento espiritual y su lealtad a Dios, lo cual le hizo apto para ser el sucesor de Elías. *«Y dijo Elías a Eliseo: Quédate ahora aquí, porque Jehová me ha enviado a Betel. Y Eliseo dijo: Vive Jehová, y vive tu alma, que no te dejaré. Descendieron, pues, a Betel»* (II de Reyes 2:2). Eliseo había decidido de seguir con Elías en su viaje desde Gilgal hasta Betel, después a Jericó, y hasta cruzar el río Jordán. (2:3-8).

Como Eliseo, las circunstancias nos han puesto donde estamos hoy en día para determinar la sinceridad de nuestra dedicación al Señor. *«Así que, hermanos míos amados, estad firmes y constantes, creciendo en la obra del Señor siempre, sabiendo que vuestro trabajo en el Señor no es en vano»* (I de Corintios 15:58).

**Pensamiento para hoy:** El Señor está presente en cada circunstancia, y Su gracia es suficiente para suplir cada necesidad.

## 𝒠N LA LECTURA DE HOY

El aceite de la viuda; la mujer sunamita; los milagros de Eliseo; Eliseo alimenta a cien hombres; la curación del leproso Naamán; la lepra de Giezi

𝒟esesperado por ser sanado, Naamán se presentó delante del rey Joram en Israel con «. . . *diez talentos de plata, y seis mil piezas de oro, y diez mudas de vestidos»;* y una carta del rey Ben-adad de Siria (Aram), la cual decía así: «*Cuando lleguen a ti estas cartas, sabe por ellas que yo envío a ti mi siervo Naamán, para que lo sanes de su lepra»* (II de Reyes 5:2-6). El rey Joram no tenía fe en Dios y pensó que el rey Ben-adad estaba buscando una excusa para declararle guerra. «*Cuando Eliseo el varón de Dios oyó que el rey de Israel había rasgado sus vestidos, envió a decir al rey . . . Venga ahora a mí, y sabrá que hay profeta en Israel»* (5:8). Cuando Naamán obedició la palabra del profeta, fue sanado milagrosamente.

Eliseo rechazó la gran recompensa que Naamán le ofreció. Pero Giezi, su siervo avaro, pensó que Dios le había dado la oportunidad para hacerse rico. Él probablemente no pensó que era un gran pecado hacerse de riquezas que él no se merecía y de alguien que era profano y no lo necesitaba.

«*Y siguió Giezi a Naamán; y cuando vio Naamán que venía corriendo tras él, se bajó del carro para recibirle, y dijo: ¿Va todo bien?»* (5:21). Giezi entonces le dijo esta mentira: «*Y él dijo: Bien. Mi señor me envía a decirte: He aquí vinieron a mí en esta hora del monte de Efraín dos jóvenes de los hijos de los profetas; te ruego que les des un talento de plata, y dos vestidos nuevos»* (5:22). El proyectista pensó que él podía apurarse y llegar otra vez a casa antes de que Eliseo se diera cuenta que él no estaba. Después que Giezi llegó, Eliseo le preguntó: « . . . *¿De dónde vienes, Giezi? Y él dijo: Tu siervo no ha ido a ninguna parte. Él entonces le dijo: ¿No estaba también allí mi corazón, cuando el hombre volvió de su carro a recibirte? ¿Es tiempo de tomar plata, y de tomar vestidos, olivares, viñas, ovejas, bueyes, siervos y siervas? Por tanto, la lepra de Naamán se te pegará a ti y a tu descendencia para siempre. Y salió de delante de él leproso, blanco como la nieve»* (5:25-27).

Giezi perdió la oportunidad de honor en ser el próximo profeta de Dios. Al contrario, se convirtió en un leproso. Cuando Giezi fue probado, se descubrió su verdadero carácter de ser un hipócrita codicioso.

Preguntémonos esa misma pregunta que Eliseo le hizo a Giezi: «¿Es tiempo de tomar (hacer) plata . . . ? Queriendo decir: ¿Cuál es la meta en su vida? ¿Cómo va usted a responderle a Cristo, quien dijo: «*Mas buscad primeramente el reino de Dios y Su justicia»*? (Mateo 6:33).

**Pensamiento para hoy:** Permaneced fieles en vuestras pruebas, Dios tiene Sus propósitos.

## EN LA LECTURA DE HOY

El hierro de un hacha flota; los sirios (arameos) atacan a Israel;
el hambre en Samaria; el cumplimiento de la profecía de Eliseo

Ben-adad, el rey de Aram (Siria), no podía haber «olvidado» que, cuando los soldados arameos (sirios) trataron de capturar a Eliseo, ellos fueron cegados milagrosamente y fueron llevados por Eliseo adentro de las murallas de la capital, la ciudad de Samaria. Los soldados entonces estaban encerrados en la ciudad y a la misericordia del rey de Israel. Sin embargo, al mandato de Eliseo, el rey «... *les preparó una gran comida; y cuando habían comido y bebido, los envió, y ellos se volvieron a su señor. Y nunca más vinieron bandas armadas de Siria a la tierra de Israel*» (II de Reyes 6:23). «... *Después de esto aconteció que Ben-adad rey de Siria reunió todo su ejército, y subió y sitió a Samaria...*» (6:24-25).

Esta poderosa ciudad de Samaria, que había sido una fortaleza muy lujosa, ahora se enfrentaba a todo lo terrible de una extendida sequía. El rendirse a Aram (Siria) sería una muerte segura para el rey Joram y esclavitud para su pueblo. Pero, si se quedaban adentro de las murallas de la ciudad el pueblo terminaría en morirse de hambre y algunos aun llegarían al canibalismo. Esta espantosa condición era el resultado de la desobediencia de Israel, tal y como Dios se lo había advertido de antemano (Levítico 26:14-29).

Cuando parecía que ya no había esperanza, el Señor trajo al rey Joram cara a cara con Eliseo, quien proclamó: «*Dijo entonces Eliseo: Oíd Palabra de Jehová: Así dijo Jehová: Mañana a estas horas valdrá el seah de flor de harina un siclo, y dos seahs de cebada un siclo, a la puerta de Samaria*» (II de Reyes 7:1). Uno de los oficiales del rey se burló de él diciendo: «... *Si Jehová hiciese ahora ventanas en el cielo, ¿sería esto así? Y él* (Eliseo) *dijo: He aquí tú lo verás con tus ojos, mas no comerás de ello*» (7:2). La profecía se cumplió milagrosamente cuando Dios, en Su gran misericordia, les mandó un gran miedo a los corazones de los hombres del ejército sirio, y ellos rápidamente abandonaron su campamento dejando atrás sus alimentos, lo cual fue de gran abundancia para los israelitas. Pero el oficial del rey fue pisoteado a muerte en la carrera precipitada por los alimentos (7:17).

¡Los creyentes obedientes no necesitan temer el día de mañana! Al contrario, podemos regocijarnos en las promesas de Dios, quien «... *suplirá todo lo que (nos) falta conforme a sus riquezas en gloria en Cristo Jesús*» (Filipenses 4:19).

**Pensamiento para hoy:** Las respuestas a nuestras oraciones a veces son suspendidas porque Dios tiene un plan mejor.

## 𝒠N LA LECTURA DE HOY
Jehú es ungido rey de Israel; Jehú mata a Joram y a Ocazías; la muerte de Jezabel; la muerte de la familia de Acab; la ejecución de los adoradores de Baal

𝒟espués de la muerte de Acab, su hijo Ocazías subió al trono en Israel por dos años, y después subió otro hijo, Joram, y reinó por doce años. Estos dos reyes favorecieron la adoración a Baal, lo cual había sido iniciado por su malvada madre Jezabel. Durante este tiempo la adoración a Baal también se había hecho popular en el reino de Judá en el sur a causa de su rey, llamado también Joram. Este rey se había casado con la hija de Jezabel llamada Atalía, y su hijo, también llamado Ocazías (como su tío), fue malvado igual.

Durante este período de decadencia espiritual, el Señor estaba preparando a Jehú, el comandante militar de los ejércitos del norte, como un instrumento para traer Su juicio. Mucho antes, Dios le había revelado a Elías que Jehú sería el próximo rey de Israel (I de Reyes 19:16). A lo mejor unos 20 años habían pasado desde la profecía de Elías hasta que el Señor dirigió a Eliseo a mandar a un joven profeta a Ramot de Galaad, en el lado este del río Jordán, donde estaba Jehú con su ejército. El profeta ungió a Jehú como el rey de Israel y el ejecutor, llamado por Dios, para matar a Joram, el malvado rey de Israel y a toda la descendencia del rey Acab.

Jehú llevó todo su ejército violentamente hasta llegar a Jezreel, allí mató a Joram, rey de Israel, y también a Ocazías, rey de Judá. Entonces Jehú mandó a tirar a Jezabel por una ventana y la atropelló con sus caballos. Así se cumplió lo profetizado en I de Reyes 21:23 por Elías tisbita: «... *comerán los perros las carnes de Jezabel*» (II de Reyes 9:33-37).

Jehú, muy celoso, ejecutó a toda la familia de Acab en Samaria. Sin embargo, Atalía (I de Reyes 21:17-24), la hija de Jezabel, continuó la adoración de Baal como reina en Judá. Jehú orgullosamente le dijo a Jonadab: «... *Ven conmigo, y verás mi celo por Jehová*» (II de Reyes 10:16). Pero el celo de Jehú se convirtió en solamente cumplir con sus propios propósitos. «*Mas Jehú no cuidó de andar en la ley de Jehová Dios de Israel con todo su corazón, ni se apartó de los pecados de Jeroboam, el que había hecho pecar a Israel*» (10:31-32). Esto nos muestra que es posible que una persona sea usada por Dios y aún no llegar a someterse a Cristo como el Señor de su vida. Los hipócritas sirven al Señor para cumplir sus propios intereses. Pero debemos enseñarles «... *que cada uno de vosotros sepa tener su propia esposa* (vida) *en santidad y honor... (pues) no nos ha llamado Dios a inmundicia, sino a santificación*» (I de Tesalonicenses 4:4,7).

**Pensamiento para hoy:** Dios puede terminar la vida antes de tiempo a aquellos que son desobedientes a Él.

## ☜N LA LECTURA DE HOY

El reino de Atalía; los descendientes de David son asesinados; Joás es hecho rey y repara el templo; la adoración es restaurada; el reino malvado de Joacaz

☜uando Atalía, la hija de Acab y Jezabel, recibió el mensaje que su hijo, el rey Ocazías, había muerto, ella se apoderó del trono de Judá, y se nombró reina. Para estar segura de que nadie iba a quitarle el trono, mató despiadamente a todos sus nietos. Ella pensó también que había destruido a todos los descendientes de David (II de Reyes 11:1; II de Crónicas 22:10).

Sin embargo, Dios intervino y salvó al niño Joás, de un año de edad, la única conexión al linaje y dinastía de David y al linaje de Jesucristo (II de Reyes 11:1-3; II de Crónicas 22:11-22). *«Pero Josaba hija del rey Joram . . . lo ocultó de Atalía . . . Y estuvo con ella escondido en la casa de Jehová seis años; y Atalía fue reina sobre el país»* (II de Reyes 11:2-3).

Joás estuvo bajo el cuidado de Joiada el sumo sacerdote. Pero cuando Joás tenía como siete años de edad: *«Sacando luego Joiada al hijo del rey, le puso la corona y el testimonio, y le hicieron rey ungiéndole; y batiendo las manos dijeron: ¡Viva el rey!»* (11:12). El estruendo del pueblo llegó a los oídos de Atalía, la cual llegó corriendo al atrio del templo, y pudo oír a Joiada, el sumo sacerdote, decirle a su guardia que la ejecutaran. *«Entonces Joiada hizo pacto entre Jehová y el rey y el pueblo, que serían pueblo de Jehová; y asimismo entre el rey y el pueblo . . . »* (11:17-18).

*«Y Joás hizo lo recto ante los ojos de Jehová todo el tiempo que le dirigió el sacerdote Joiada»* (12:2; II de Crónicas 24:2). Sin embargo, *«Muerto Joiada, vinieron los príncipes de Judá y ofrecieron obediencia al rey; y el rey los oyó. Y desampararon la casa de Jehová el Dios de sus padres, y sirvieron a los símbolos de Asera y a las imágenes esculpidas. Entonces la ira de Dios vino sobre Judá y Jerusalén por este su pecado. Y les envió profetas para que los volviesen a Jehová, los cuales les amonestaron; mas ellos no los escucharon* (24:17-19). *« . . . Y se levantaron sus siervos, y conspiraron en conjuración, y mataron a Joás en la casa de Milo, cuando descendía él a Sila»* (II de Reyes 12:20). Este relato de Joás ilustra que cuando ponemos a un lado la Palabra de Dios los resultados de las miserias siempre son muchos. Los malvados siempre vienen *« . . . con todo engaño de iniquidad para los que se pierden, por cuanto no recibieron el amor de la verdad para ser salvos»* (II de Tesalonicenses 2:10).

**Pensamiento para hoy:** Gran privilegio tenemos en poder confiar en Dios para que Él nos guíe.

## 𝕰N LA LECTURA DE HOY

Los reinos de Amasías (Uzías), y de Jotam sobre Judá;
los reinos de cinco de los últimos seis reyes sobre Israel

*D*espués de la muerte de Joás, Jeroboam II reinó sobre el reino de Israel al norte en Samaria por 41 años (II de Reyes 14:16-29). Sin embargo, «... *hizo lo malo ante los ojos de Jehová, y no se apartó de todos los pecados de Jeroboam hijo de Nabat, el que hizo pecar a Israel*» (14:24). La inmoralidad y la idolatría se multiplicaban durante el reino de Jeroboam II. Finalmente, Dios mandó al profeta Amós, desde el reino de Judá en el sur, para ir a Betel y profetizar la destrucción del reino de Jeroboam (Amós 7:9). Los profetas Oseas y Amós hablaron en contra la decadencia religiosa y moral que tomó lugar durante el reino de Jeroboam (Oseas 6:4-10; 10:1-15; Amós 2:6-8; 3:13-5:27). Por cerca de 30 años la nación se había gozado de una medida de paz, prosperidad, y el prestigio político sin igualdad desde los tiempos de David y Salomón. Jeroboam «... *restauró los límites de Israel desde la entrada de Hamat hasta el mar del Arabá, conforme a la Palabra de Jehová Dios de Israel, la cual Él había hablado por Su siervo Jonás hijo de Amitai, profeta que fue de Gat-hefer*» (II de Reyes 14:25).

Tristemente, la prosperidad de Israel no motivó al pueblo a adorar al Señor. Parece que ellos le atribuyeron su prosperidad a los ídolos. De esa manera, la inmoralidad y la violencia continuó penetrando la nación (17:13-17).

Después de la muerte de Jeroboam, la anarquía predominó en Israel y el pueblo rápidamente se degeneró. Zacarías, el hijo de Jeroboam subió al trono (14:29) y reinó sobre Israel sólo seis meses (15:8). Esta fue la cuarta y la última generación de la casa de Jehú (15:12).

Unos treinta años después de la muerte de Jeroboam, las palabras del profeta se cumplieron. El reino del norte fue destruido y su pueblo fue llevado al cautiverio a Asiria (17:1-18). La prosperidad de lo material muchas veces nos engaña, así como le pasó al rey Jeroboam II. No podemos medir el carácter de los hombres por los años que han vivido, ni por la prosperidad que han alcanzado.

Ciertamente el bien de Dios nos guiará, en gratitud, para llegar a cumplir con la voluntad de Jesucristo nuestro Señor: «*El cual nos ha librado de la potestad de las tinieblas, y trasladado al reino de Su Amado Hijo*» (Colosenses 1:13).

**Pensamiento para hoy:** Perdemos lo mejor que Él nos quiere dar cuando faltamos en cumplir con Su Palabra.

---

**☜N LA LECTURA DE HOY**

El rey Acaz reina en Judá; el templo es profanado; Oseas reina en Israel;
el rey de Asiria toma a Samaria; la captividad y deportación de Israel

---

*T*emiendo al poder de Asiria que crecía, Peka, el rey de Israel, hizo alianza con Rezín, rey de Aram (Siria) (II de Reyes 15:37). Juntos, ellos trataron de forzar a Acaz, rey de Judá, a unirse a ellos. Cuando Acaz se negó, el rey de Aram (Siria) y el rey de Israel, vinieron a hacer guerra contra Jerusalén, *« . . . (ellos) subieron a Jerusalén para hacer guerra y sitiar a Acaz; mas no pudieron tomarla»* (16:5). Para desquitarse, Acaz hizo alianza con Tiglat-pileser rey de Asiria, para atacar a Siria y a Israel. Esto le costó mucho, *« . . . Y tomando Acaz la plata y el oro que se halló en la casa de Jehová, y en los tesoros de la casa real, envió al rey de Asiria un presente»* (16:8). Durante este tiempo, el rey del imperio de Asiria conquistó al pequeño reino de Aram (Siria) y mató a Rezín su rey (16:9). Tiglat-pileser también derrotó a las tribus de Rubén y Gad y la media tribu de Manasés que vivían al este del río Jordán. Entonces tomó el control de la parte norte del valle del Jordán, e hizo de Galilea y Galaad provincias de Asiria (15:29; I de Crónicas 5:23-26; ver Isaías 9:1). Todo lo que se quedó de las diez tribus de Israel al norte fue la capital de Samaria y los campos alrededor de Efraín.

El cautiverio y la dispersión del reino del norte por todo Asiria fue porque ellos *« . . . servían a los ídolos, de los cuales Jehová les había dicho: Vosotros no habéis de hacer esto. Jehová amonestó entonces a Israel y a Judá por medio de todos los profetas y de todos los videntes, diciendo: Volveos de vuestros malos caminos, y guardad Mis mandamientos y Mis ordenanzas, conforme a todas las leyes que Yo prescribí a vuestros padres, y que os he enviado por medio de Mis siervos los profetas. Mas ellos no obedecieron»* (II de Reyes 17:12-23).

Los israelitas vivían como si Dios no existiera. Tenemos que acordarnos que, quién sea o qué sea lo que está recibiendo nuestra lealtad, eso llega a ser un ídolo, sea una persona, un propósito, o una posesión.

Jesucristo nos dijo: *«Entrad por la puerta estrecha; porque ancha es la puerta, y espacioso el camino que lleva a la perdición, y muchos son los que entran por ella; porque estrecha es la puerta, y angosto el camino que lleva a la vida, y pocos son los que la hallan»* (Mateo 7:13-14).

**Pensamiento para hoy:** El acuerdo por conveniencia es una característica de la persona de doble ánimo.

## 𝒞N LA LECTURA DE HOY

El reino de Ezequías; Asiria ataca a Judá; Ezequías y la oración de Isaías;
el restablecimiento milagroso de Ezequías

«*En el tercer año de Oseas hijo de Ela, rey de Israel, comenzó a reinar Ezequías hijo de Acaz rey de Judá. Cuando comenzó a reinar era de veinticinco años, y reinó en Jerusalén veintinueve años. . . . Hizo lo recto ante los ojos de Jehová, conforme a todas las cosas que había hecho David su padre*» (II de Reyes 18:1-3). Cuando Ezequías llegó a ser rey, él no hizo las obras de su malvado padre Acaz, al contrario, él creyó a los profetas de Dios, incluyendo al menos popular, Miqueas. Ezequías no solamente se benefició del ministerio de Miqueas, pero también recibió mucho ánimo espiritual del profeta Isaías. «*Él quitó los lugares altos, y quebró las imágenes, y cortó los símbolos de Asera . . . (en) Jehová Dios de Israel puso su esperanza; ni después ni antes de él hubo otro como él entre todos los reyes de Judá. Porque siguió a Jehová, y no se apartó de él, sino que guardó los mandamientos que Jehová prescribió a Moisés*» (18:4-6).

Ezequías guio a la nación a guardar la Pascua y renovar el pacto con Jehová. «*Hubo entonces gran regocijo en Jerusalén . . .* » (II de Crónicas 30:26-27). Las reformas espirituales bajo Ezequías siguieron con una gran reorganización de la administración completa de los acontecimientos religiosos y de la vida cotidiana del reino. De Ezequías aprendemos que el pueblo es bendito, y las oraciones son contestadas, cuando la Palabra de Dios es obedecida.

La mayor oposición a las reformas bajo Isaías, Miqueas, y Ezequías no vino del mundo pagano alrededor de Judá, sino de los falsos profetas que estaban adentro de su mismo país, y también de los que adoraban a los ídolos que habían sido introducidos mucho antes por el rey Salomón.

Muchos líderes religiosos hoy en día parecen que no hacen nada para animar al pueblo a abandonar sus pecados, a vivir vidas santas, y a leer la Biblia. Pero, al contrario, ellos predican sólo lo que satisface a los deseos físicos. Otros gritan: Hay que cooperar con la mayoría, hay que participar, hay que ser tolerante, no se puede ser extremista, hay que estar en honda con los tiempos modernos, no se debe ofender a nadie, dejemos que cada uno crea lo que mejor le parece. Pero aun vemos los pocos fieles del Señor que batallan diariamente para ser « *. . . irreprensibles y sencillos, hijos de Dios sin mancha en medio de una generación maligna y perversa, en medio de la cual* (resplandecen) *como luminares en el mundo*» (Filipenses 2:15-16).

**Pensamiento para hoy:** No es suficiente estar viajando aquí en esta tierra como peregrinos, también tenemos que estar en el camino angosto que nos lleva al cielo.

## ᴇN LA LECTURA DE HOY

Los malvados reinos de Manasés y Amón; el buen reino de Josías; el libro de la
Ley es descubierto; la verdadera adoración es restaurada; la idolatría es destruida

ᴇzequías fue uno de los mejores reyes en la historia de Judá; pero su hijo
Manasés fue aun más malvado que su tatarabuelo Acaz, quien había cerrado el
templo (II de Crónicas 28:24). Manasés « . . . *hizo lo malo ante los ojos de
Jehová, según las abominaciones de las naciones . . . Porque volvió a edificar los
lugares altos . . . Y edificó altares para todo el ejército de los cielos en los dos
atrios de la casa de Jehová. Y pasó a su hijo por fuego . . . multiplicando así el
hacer lo malo ante los ojos de Jehová, para provocarlo a ira»* (II de Reyes 21:2-6).

La vida malvada de Manasés resultó en su propia derrota por el poderoso
reino de Asiria. *«(Por) lo cual Jehová trajo contra ellos los generales del ejército
del rey de los asirios, los cuales aprisionaron con grillos a Manasés, y atado con
cadenas lo llevaron a Babilonia. Mas luego que fue puesto en angustias, oró a
Jehová su Dios, humillado grandemente en la presencia del Dios de sus padres.
Y habiendo orado a Él, fue atendido; pues Dios oyó su oración y lo restauró a
Jerusalén, a su reino. Entonces reconoció Manasés que Jehová era Dios»* (II de
Crónicas 33:10-13). El Señor le permitió volver a Jerusalén y establecerse otra
vez como el rey. Esta fue una respuesta a las oraciones de Manasés por la
misericordia y el perdón, y también a las oraciones de su piadoso padre Ezequías,
el cual oró por muchos años antes de este evento. Dios perdona aun los más
viles pecadores cuando en verdad se arrepienten y oran por perdón. Al ser
restaurado como rey otra vez, Manasés inmediatamente destruyó los dioses
falsos y los altares que previamente había construido, y al mismo tiempo
reedificó los altares de Jehová y estableció otra vez la adoración al Señor.

Pero Manasés no pudo revivir esos años de su malvado reino ya perdidos,
ni aun pudo convencer a su propio hijo a rechazar sus ídolos y venir a adorar
al Señor. Esto nos muestra la irreversible ley que existe aun en la naturaleza:
*«No os engañéis; Dios no puede ser burlado: pues todo lo que el hombre sembrare,
eso también segará. Porque el que siembra para su carne, de la carne segará
corrupción; mas el que siembra para el Espíritu, del Espíritu segará vida eterna»*
(Gálatas 6:7-8). Después de la muerte de Manasés, su hijo Amón restableció
todas las perversas prácticas de la idolatría que su padre había inculcado durante
la primera parte de su reino (II de Crónicas 33:22). *«Y anduvo en todos los
caminos en que su padre anduvo, y sirvió a los ídolos a los cuales había servido
su padre, y los adoró»* (II de Reyes 21:21). *«Y Él* (Jesucristo) *es la propiciación*
(la expiación) *por nuestros pecados; y no solamente por los nuestros, sino también
por los de todo el mundo»* (I de Juan 2:2).

**Pensamiento para hoy:** La medida del rendimiento de una persona determina
su utilidad para con Dios.

## ᴱN LA LECTURA DE HOY

La Pascua es restablecida; la profecía sobre la destrucción de Jerusalén y del templo; la muerte de Josías; la caída de Jerusalén; el cautiverio de Judá

*J*osías fue el último rey piadoso antes de la destrucción de Jerusalén. *«E hizo lo recto ante los ojos de Jehová, y anduvo en todo el camino de David su padre, sin apartarse a derecha ni a izquierda»* (II de Reyes 22:2; II de Crónicas 34:2). Él destruyó todas las prácticas idólatras en Jerusalén y en Judá. *«Y subió el rey a la casa de Jehová . . . y leyó, oyéndolo ellos, todas las Palabras del libro del pacto que había sido hallado en la casa de Jehová. . . . (Hizo) pacto delante de Jehová, de que irían en pos de Jehová, y guardarían Sus mandamientos . . . Además derribó los lugares de prostitución idolátrica que estaban en la casa de Jehová»* (II de Reyes 23:2-3,7).

Josías fue a más allá de Judá, hasta Betel, en el reino del norte controlado por Asiria, donde Jeroboam había edificado uno de los becerros de oro. *«Y quebró las estatuas, y derribó las imágenes de Asera . . . envió y sacó los huesos de los sepulcros, y los quemó sobre el altar para contaminarlo, conforme a la Palabra de Jehová que había profetizado el varón de Dios»* (profetizado unos 300 años antes) (23:14-16; I de Reyes 13:1-3).

*«Entonces mandó el rey a todo el pueblo, diciendo: Haced la Pascua a Jehová vuestro Dios, conforme a lo que está escrito en el libro de este pacto. . . . Asimismo barrió Josías a los encantadores, adivinos y terafines, y todas las abominaciones que se veían en la tierra de Judá y en Jerusalén, para cumplir las palabras de la Ley que estaban escritas en el libro que el sacerdote Hilcías había hallado en la casa de Jehová . . . »* (II de Reyes 23:21,24).

Los últimos cuatro reyes que siguieron a Josías fueron todos malvados, reyes títeres, establecidos y sujetos primeramente a Egipto y después a Babilonia.

Finalmente, Nabucodonosor marchó su ejército hasta Judá y sitió a Jerusalén, y los llevó al punto de morir por hambre. Los babilonios forzaron a Sedequías a mirar cuando mataron a sus hijos. *«Degollaron a los hijos de Sedequías en presencia suya, y a Sedequías le sacaron los ojos, y atado con cadenas lo llevaron a Babilonia»* (25:7).

La destrucción del gran glorioso reino de Judá y el templo de Salomón nos recuerda que aun la más grandiosa nación sobre la tierra hoy en día, con toda su riqueza, su poder militar, y su defensa nuclear, por muy poderosa que no podrá sobrevivir – sin importar las muchas oraciones del pueblo – si continúa ignorando la Palabra de Dios (23:25-27). *«El que aparta su oído para no oír la Ley, su oración también es abominable»* (Proverbios 28:9).

**Pensamiento para hoy:** Una nación prospera cuando es fiel a Dios.

# INTRODUCCIONES A LOS LIBROS DE
# I y II de CRÓNICAS

Los libros de II de Samuel y I y II de Reyes cubren casi el mismo período en la historia como I y II de Crónicas. Los libros de Reyes enfocan ante todo la historia política de Israel y Judá, mientras que los libros de Crónicas presentan ante todo la historia religiosa de Judá, de Jerusalén, y del templo junto con su relación al pacto Davídico. Las tribus del norte son de poco significado en los libros de Crónicas.

I de Crónicas empieza con la más larga historia genealógica en la Biblia y cubre aproximadamente unos 4.000 años (capítulos 1-9). Su segundo capítulo es dedicado a los descendientes de Judá porque la promesa del Mesías iba a venir por los descendientes de esta tribu (Génesis 49:8-12). Los registros empiezan con Adán (I de Crónicas 1:1); entonces siguen con Abraham, Isaac, y Jacob; y entonces con Judá; y siguiendo por David y su descendencia por la cual vendría el Mesías. Estas familias son las conexiones esenciales en la genealogía legal de Jesucristo por medio de José, quien llegó a ser solamente Su padre legal, pero no biológicamente (Mateo 1:1-17; II de Samuel 7:12-13; Salmo 89:3-4; 132:11; Isaías 11:1; Jeremías 23:5). El Justo Heredero al trono de David es el Mesías Jesús, quien fue nacido de una virgen, tal y como lo escribió Lucas 2:7,11; 3:23-38. El linaje Mesiánico pasó de David a Natán, el hermano de Salomón (II de Samuel 5:14; I de Crónicas 3:5; 14:4; Lucas 3:31). El linaje de Salomón fue eliminado (Jeremías 22:22-30). Aunque Abraham y David están en el linaje de María y también en el de José, el real linaje Davídico de Jesús como el Mesías es trazado por el linaje de José en el libro de Mateo, y el linaje por la actual sangre humana es trazado por el linaje de María en el libro de Lucas.

La última batalla de Saúl y su muerte son mencionadas en el capítulo diez de I de Crónicas. Los capítulos 11-29 cubren los 40 años del reino de David.

II de Crónicas continúa con el reino de Salomón. Allí encontramos la división del reino, y cubre la historia de Judá hasta el exilio del pueblo a Babilonia. Los últimos versículos contienen la proclamación del rey Ciro de los persas, para subir a edificar el templo de Jehová en Jerusalén, según la profecía del profeta Jeremías (II de Crónicas 36:22-23; Jeremías 29:10-14).

Los primeros siete capítulos de II de Crónicas contienen la edificación del templo en el monte de Moriah en Jerusalén según el modelo del tabernáculo. El templo fue acabado y dedicado a Dios en el undécimo año del reino de Salomón (capítulo 5; ver I de Reyes 6:38). II de Crónicas termina con la caída de Jerusalén y la destrucción del templo de Salomón en el año 586 antes de Cristo (capítulos 10-36).

## 𝒆N LA LECTURA DE HOY
El linaje de Jesucristo por medio de Adán, Noé, Abraham,
Israel (Jacob), y Judá

𝒬os primeros nueve capítulos de I de Crónicas, con su lista de nombres, pueden que de primera vista no parezcan de mucha importancia. Pero, en esta genealogía antigua se revela el perfecto plan de Dios, y cómo Él seleccionó las personas y el pueblo que estaban capacitados para servirle, empezando con «*Adán, Set . . . Enós . . . Noé . . . Abraham . . . Isaac . . . e Israel*» (I de Crónicas 1:1,3-4,27-28,34; ver Génesis 5:1-32). Aquí se presenta a Jacob por su nombre dado por Dios « . . . *Israel*» (ver Génesis 35:9-12).

Esta genealogía era de mucha importancia después del cautiverio de los israelitas. Así, mostró cómo es que Dios continúa protegiendo a las familias en el linaje del Mesías, cual descendencia se puede trazar desde Adán y siguiendo con Abraham y con David. En Lucas 3:23-38, leemos la genealogía de « . . . *el Postrer Adán*», Jesucristo (I de Corintios 15:22,45), trazándola por todos los nombres aquí escritos en los libros de Crónicas. También de importancia fue que, si el nombre de un hombre no estaba inscrito en la genealogía de Leví, tal persona no podía ministrar en el templo.

Nuestro Señor está en estos días trayendo a Sí mismo « . . . *(una) nación santa, pueblo adquirido por Dios*» (I de Pedro 2:9), no unidos por la genealogía de sangre humana que empezó con Adán, sino que estamos unidos por el renacimiento espiritual para ser parte de la familia de Dios por la sangre de « . . . *el Postrer Adán*», Jesucristo.

Jesucristo es el Señor de nuestras vidas en todo aspecto. Podemos estar seguros que todas las cosas que les pasan a los creyentes nunca son «accidentes»; pero sí son permitidos por el Señor, el Ingeniero Mayor, para prepararnos a ser las personas que Él pueda usar para cumplir el propósito por cual Él nos creó. Mientras que leemos toda Su Palabra en oración, Él nos va revelando continuamente Su voluntad para nosotros. Aunque a veces no entendemos la razón por los muchos sufrimientos que Dios permite que lleguen al creyente, Su Palabra nos dice bien claro que Él tiene un propósito eterno por cada sufrimiento y que nuestra nueva vida en Cristo es el principio de la vida eterna.

Esta genealogía es un recordatorio de que muy pronto en el cielo se abrirán los libros finales. Jesús prometió: «*El que venciere será vestido de vestiduras blancas; y no borraré su nombre del libro de la vida, y confesaré su nombre delante de Mi Padre, y delante de Sus ángeles*» (Apocalipsis 3:5).

**Pensamiento para hoy:** No hay «accidentes» para los hijos de Dios.

---

**ᴈN LA LECTURA DE HOY**
Los descendientes de David, de Salomón, de Judá, de Simeón,
de Rubén, de Gad y de Manasés

---

*D*ios comparó la pequeña tribu de Simeón que había escogido vivir en la tierra prometida con la tribu de Rubén, una de las más grandes tribus que no se establecieron en la tierra prometida. *«Asimismo quinientos hombres de ellos, de los hijos de Simeón, fueron al monte de Seir . . . y destruyeron a los que habían quedado de Amalec, y habitaron allí hasta hoy»* (I de Crónicas 4:42-43). Qué gran contraste es este con los poderosos «. . . *hijos de Rubén primogénito de Israel . . . que se rebelaron contra el Dios de sus padres, y se prostituyeron siguiendo a los dioses de los pueblos de la tierra, a los cuales Jehová había quitado de delante de ellos; por lo cual el Dios de Israel excitó el espíritu de Pul rey de los asirios . . . el cual transportó a los rubenitas . . . y los llevó* (al exilio) *a Halah . . . hasta hoy»* (5:1,25-26).

Los hijos de Rubén escogieron vivir en los campos fértiles afuera de la tierra prometida al este del río Jordán, pero estaban lejos del tabernáculo, el cual era el único lugar que Dios había establecido para que Su pueblo le adorare (Números 32). Ellos escogieron lo que les daría buenas fortunas materiales en vez de la dirección y la protección espiritual.

La profecía de Jacob sobre Rubén se cumplió. Por la primogenitura, los descendientes del hijo primogénito deberían siempre tener la preeminencia sobre las otras tribus. Pero Jacob había profetizado: *«Rubén, tú eres mi primogénito . . . principal en poder. Impetuoso como las aguas, no serás el principal, por cuanto subiste al lecho de tu padre; entonces te envileciste, subiendo a mi estrado»* (Génesis 49:3-4). El agua es una buena ilustración, pues, naturalmente, siempre busca el punto más bajo. El agua también es inestable en que puede ser llevada por el viento y que también puede evaporizarse por medio del calor.

Los rubenitas son un buen ejemplo de algunas personas hoy en día que se involucran tanto en las cosas del mundo que no dejan ningún tiempo para servir a Dios o para leer Su Palabra. Estas personas también consideran que el plan de Dios para sus vidas es de menos importancia cuando lo comparan con el deseo de satisfacer sus ambiciones y placeres personales. No necesitamos temer el no tener suficientes talentos, o no tener fuerza suficiente, o no ser lo suficiente bueno. Todo lo que Dios quiere que seamos o hagamos Él es quien lo hace posible. *«Conozco, oh Jehová, que el hombre no es señor de su camino, ni del hombre que camina es el ordenar sus pasos»* (Jeremías 10:23).

**Pensamiento para hoy:** Todos los que entregan con confianza todas las áreas de sus vidas a Dios siempre reciben lo mejor de Él.

## EN LA LECTURA DE HOY

Los descendientes de Leví; los que estaban sobre el servicio del canto y sobre todo el ministerio del tabernáculo; los descendientes de Aarón; las ciudades de los levitas; las numerosas genealogías

Esta larga genealogía en estos capítulos, aunque parezca de poco interés, revela que Dios no mira a la humanidad como justamente una multitud de personas que se multiplican sobre la faz de la tierra. El nombre de cada sacerdote, junto con su familia y la tribu a la cual pertenecía, fue cuidadosamente registrado. En gratitud por su liderazgo espiritual, las otras tribus recibieron la responsabilidad de mantener a los levitas que vivían dentro de sus comunidades por medio de los diezmos y de las ofrendas. Aquí vemos un impresionante contraste en el carácter de los hombres mencionods en estos capítulos. Algunos estaban bien dedicados a sus responsabilidades dadas a ellos por Dios, mientras que otros despreciaban su santo y supremo llamamiento.

En la lista para primeramente considerar está el sumo sacerdote, quien tenía que ser escogido solamente de la familia de Aarón (I de Crónicas 6:3). Aarón, Eleazar e Itamar fueron bien dedicados a su llamamiento como sacerdotes, pero los dos hijos mayores de Aarón, Nadab y Abiú, fueron matados por el fuego de Dios cuando ellos ignoraron el mandamiento de Dios. Samuel fue un juez piadoso, pero: «*Los hijos de Samuel: el primogénito Vasni, y Abías*» (6:28) fueron malvados. Por muchos años, Abiatar fue un sumo sacerdote bien dedicado, pero después de un tiempo llegó a ser un traidor a David (I de Reyes 1:5-7; 2:26-27).

Cuando miramos a nuestro alrededor, vemos a algunas personas que, al principio, parece que son benditos con talentos extraordinarios como estos cinco hombres aquí mencionados; pero en verdad, cuando fueron probados, ellos perdieron sus posiciones y oportunidades espirituales.

Dios está de igual manera ocupado con cada uno de nosotros hoy en día tal y como fue con los israelitas de aquel entonces. «. . . *y a Sus ovejas llama por nombre, y las saca*» (Juan 10:3). Cada israelita que volvía del cautiverio de Babilonia fue individual y cuidadosamente registrado para asegurar su participación en la adoración en el templo (Esdras 2:2-63). Para llegar a servir al Señor en la eternidad nuestros nombres tienen que estar inscritos en el libro de la vida. «*No entrará en ella ninguna cosa inmunda, o que hace abominación y mentira, sino solamente los que están inscritos en el libro de la vida del Cordero*» (Apocalipsis 21:27).

**Pensamiento para hoy:** Su nombre es escrito en el libro de la vida cuando usted recibe a Jesucristo como su Salvador.

## ᴇN LA LECTURA DE HOY

Los descendientes de Benjamín; los sacerdotes y los levitas en Jerusalén y sus responsabilidades; la genealogía de Saúl; la trágica muerte de Saúl y sus hijos

*S*olamente una minoría pequeña quisieron dejar las comodidades del nuevo reino de Persia y volver a Jerusalén para reconstruir el templo. *«Los primeros moradores que entraron en sus posesiones en las ciudades fueron israelitas, sacerdotes, levitas y sirvientes del templo»* (I de Crónicas 9:2-3; Nehemías 11:3). El trabajo de los sirvientes del templo puede parecer un poco insignificante, pero era un trabajo muy esencial que se necesitaba hacer para el Señor. La lealtad a su Rey Celestial los hizo tener una buena voluntad para trabajar y servir donde era necesario. De los levitas: *«Algunos de éstos tenían a su cargo los utensilios para el ministerio, los cuales se metían por cuenta, y por cuenta se sacaban»* (I de Crónicas 9:28). Esta responsabilidad parece ser de poca importancia. Algunos eran mayordomos, *« . . . otros de ellos tenían el cargo de la vajilla, y de todos los utensilios del santuario, de la harina, del vino, del aceite, del incienso y de las especias . . . »* (9:29-30), los cuales quizás necesitaban más habilidades; y aun otros tenían a su cargo *« . . . las cosas que se hacían en sartén»* (9:31). Todas eran labores ordinarias y, para nosotros, puede que sea algo que no se necesitaba mencionar. Pero Dios aprecia cada responsabilidad como indispensable y digna de ser registrada. De esta forma, todas las obras colectivamente eran necesarias para cumplir el servicio al Señor en el tabernáculo.

*«Ahora bien, hay diversidad de dones, pero el Espíritu es el mismo. . . . Pero todas estas cosas las hace uno y el mismo Espíritu, repartiendo a cada uno en particular como Él quiere»* (I de Corintios 12:4,11). Sin considerar la importancia o lo insignificante de nuestras habilidades, todo lo que hacemos es un sagrado encargo del Señor. El Señor nunca espera que la persona que ha recibido un talento cumpla con las responsabilidades de la persona que ha recibido cinco talentos (Mateo 25:24-28). Pero la persona que falta en responder a estas oportunidades oirá en el día del juicio a Jesús decir: *« . . . Siervo malo y negligente, sabías que siego donde no sembré, y que recojo donde no esparcí»* (25:26).

Dios requiere que todos nosotros seamos fieles administradores de nuestras vidas y de las habilidades y oportunidades que Dios ha puesto a nuestro cargo. *«Y todo lo que hagáis, hacedlo de corazón, como para el Señor y no para los hombres»* (Colosenses 3:23).

**Pensamiento para hoy:** Nuestra fe se fortalece mientras leemos la Palabra de Dios.

> ## *E*N LA LECTURA DE HOY
> David es nombrado rey sobre Judá y es ungido rey sobre Israel;
> David reina desde Jebús (Jerusalén)

*D*avid no pensaba que era posible que él llegara a ser rey de Israel, pues Saúl, el primer ungido rey de Israel, quien tenía mucha autoridad y muchos otros recursos, había decidido matarlo. Saúl no era un hombre viejo y tenía hijos de los cuales se esperaba los herederos del trono. ¿Cómo podía David esperar que esta celosa tribu de Efraín, una de las más grandes tribus, consintiera que David, de la tribu de Judá, fuese su rey? ¿Cómo iba a ser posible que la tribu de Saúl, los benjamitas, dejase que se le quitara la monarquía? David sufrió por muchos años sobre esta circunstancia tan difícil hasta que le pareció necesario huir otra vez a la tierra de los filisteos. Pero entonces, Saúl muere una muerte muy violenta, y sucesivamente los ancianos y «. . . *todo Israel se juntó a David en Hebrón, diciendo: He aquí nosotros somos tu hueso y tu carne. . . . También Jehová tu Dios te ha dicho: Tú apacentarás a Mi pueblo Israel, y tú serás príncipe sobre Israel Mi pueblo. Y vinieron todos los ancianos de Israel al rey en Hebrón, y David hizo con ellos pacto delante de Jehová; y ungieron a David por rey sobre Israel, conforme a la Palabra de Jehová por medio de Samuel»* (I de Crónicas 11:1-3).

Con respecto a esta situación, los problemas de David son paralelos a algunas de las situaciones que nosotros tenemos que enfrentar hoy en día. Por seguro, al momento que el Señor nos llama y nos da el deseo para cumplir algo para Su honor, los obstáculos empiezan a aparecerse. Puede manifestarse en una situación financiera sin esperanza, o simplemente en un sentimiento de incapacidad en darle cara a los problemas. Para algunas personas, no se necesita mucha oposición para que se sientan dados por vencidos. Cualquiera que sea el caso, el obtener la victoria sobre estas dificultades puede parecernos una imposibilidad, tal y como le fue para David llegar a ser rey. El Señor nunca le prometió a sus seguidores que el camino iba a ser fácil. En hecho, el Señor Jesús dijo: *«Si alguno quiere venir en pos de mí, niéguese a sí mismo, tome su cruz cada día, y sígame»* (Lucas 9:23). El camino de la cruz es a veces largo y solo, y nunca es muy popular. A la vez que reconocemos y nos sometemos a la autoridad de Cristo en nuestras vidas, pacientemente le miraremos para recibir de Él la dirección y la fuerza. *«Mas el que mira atentamente en la perfecta Ley, la de la libertad, y persevera en ella, no siendo oidor olvidadizo, sino hacedor de la obra, éste será bienaventurado en lo que hace»* (Santiago 1:25).

**Pensamiento para hoy:** Nunca podemos edificarnos a nosotros mismos tratando de destruir a otras personas.

---

### EN LA LECTURA DE HOY

La bondad del rey Hiram a David; los filisteos son derrotados;
el arca se trae a Jerusalén; el salmo de acción de gracias de David

---

*M*uy pronto, después de establecer su capital en Jerusalén, David unió a toda la nación para una gloriosa celebración de alabanzas al Señor mientras traían el arca de Dios desde la casa de Obed-edom hasta Jerusalén. Para demostrar su reverencia para con Dios, y para reconocer que Dios es el Gobernador Supremo, David se humilló y dejó sus vestiduras de rey y se vistió con un efod de lino fino, la vestidura que los sacerdotes usaban cuando ministraban delante del Señor. En hacer esto, David públicamente dio a ver su sumisión a la autoridad del Rey Supremo, expresando su adoración y alabanza a su Señor como el Dios Todopoderoso y el Verdadero Rey de Israel.

En ese glorioso día, David le presentó a su coro un salmo de inspiración para cantar. Todavía hoy en día este salmo eleva nuestro espíritu cuando adoramos a nuestro maravilloso Señor. David proclamó al mundo: *«Alabad a Jehová, invocad Su nombre, dad a conocer en los pueblos Sus obras. Cantad a Él, cantadle salmos; hablad de todas Sus maravillas»* (I de Crónicas 16:8-9). *«Alégrese el corazón . . . Él hace memoria de Su pacto perpetuamente, y de la Palabra que Él mandó para mil generaciones . . . Cantad entre las gentes Su gloria . . . Y en todos los pueblos Sus maravillas . . . Porque grande es Jehová, y digno de suprema alabanza . . . Traed ofrenda, y venid delante de Él; postraos delante de Jehová en la hermosura de la santidad. . . . Jehová reina»* (16:9-31). ¿Hay alguna duda por qué es que David fue un varón conforme al corazón de Dios? (I de Samuel 13:14; Hechos 13:22). Sí, nuestro Dios reina. Él sigue siendo el Soberano Dios, y el mundo necesita oír nuestras alabanzas al Señor y nuestras pláticas de todas Sus maravillosas obras.

David también se muestra como un hombre que oraba, y por eso podemos ver muchas veces esta frase repetida: *«Entonces David consultó a Dios, diciendo . . . »* (I de Crónicas 14:10,14; ver I de Samuel 23:2,4; 30:8; II de Samuel 12:1; 5:19,23; 21:1). Como resultado de estas básicas características que honran a Dios, *« . . . la fama de David fue divulgada por todas aquellas tierras; y Jehová puso el temor de David sobre todas las naciones»* (I de Crónicas 14:17).

Cuando nosotros murmuramos, eso es una victoria para el diablo y un insulto a Dios, pues estamos demostrando nuestra falta de fe. *«Bueno es alabarte, oh Jehová, y cantar salmos a Tu nombre, oh Altísimo; anunciar por la mañana Tu misericordia, y Tu fidelidad cada noche»* (Salmo 92:1-2).

**Pensamiento para hoy:** Las personas que murmuran no pueden cantar alabanzas al Señor.

---

### ＥN LA LECTURA DE HOY
David no es permitido edificar el templo; Dios hace un pacto con David;
la oración de David; la expansión de su reino

---

*Ｌ*as oraciones y las alabanzas a Dios eran características eminentes en la vida de David. Muchas veces se registró: «*David consultó a Dios . . .*» (I de Samuel 23:2,4; 30:8; II de Samuel 2:1; 5:19,23; 21:1; I de Crónicas 14:10,14).

Las oraciones en la vida de David fueron muchas veces palabras de alabanzas. David oró: «*Jehová, no hay semejante a Ti, ni hay Dios sino Tú, según todas las cosas que hemos oído con nuestros oídos*» (17:20). Aunque casi todos estamos conscientes de la importancia de la oración, pocos hacen de ella una parte indispensable de sus vidas. Pero en verdad, la oración ha llevado a muchos creyentes a hacer decisiones correctas.

Al orar, nosotros estamos hablando con nuestro Padre Celestial, y al leer Su Palabra, Él nos habla a nosotros. A esto le llamamos «una comunicación abierta» en la familia de Dios. La oración y el conocimiento de la Palabra de Dios son conexiones indispensables para derramar el poder del Padre en responder a nuestras oraciones.

No hay ningún otro manual que sea mejor para aprender a orar o a leer la Palabra de Dios que empezar en Génesis y terminar con Apocalipsis. Es la actitud del necio orgullo decir que podemos decidir lo que no debemos de leer en Su Palabra, especialmente cuando el Señor claramente nos dice: «*Toda la Escritura es inspirada por Dios, y útil . . .*» (II de Timoteo 3:16). Si Dios nos dice que es «*Toda*» y que es «*útil*», y nosotros decidimos que no necesitamos leerla, entonces perdemos la oportunidad de recibir la mejor preparación para la oración que Dios ha dado. Cuando reconocemos la Biblia como el mejor manual de oración para nuestras vidas, entonces es que le damos el lugar de más alta prioridad sobre todas las «cosas importantes» en el horario diario.

Vamos a abrir nuestras Biblias reverentemente, diariamente, y en oración «*. . . para que el Dios de nuestro Señor Jesucristo, el Padre de gloria, os dé espíritu de sabiduría y de revelación en el conocimiento de Él, alumbrando los ojos de vuestro entendimiento, para que sepáis cuál es la esperanza a que Él os ha llamado, y cuáles las riquezas de la gloria de Su herencia en los santos, y cuál la supereminente grandeza de Su poder para con nosotros los que creemos, según la operación del poder de Su fuerza*» (Efesios 1:17-19).

Vamos a dejar que el motivo que domina nuestro deseo para leer la Palabra de Dios sea «*para que andéis como es digno del Señor, agradándole en todo, llevando fruto en toda buena obra, y creciendo en el conocimiento de Dios*» (Colosenses 1:10).

**Pensamiento para hoy:** ¿Tiene usted un problema? Ore, y confíe en Dios para el resultado.

---

### ᐷN LA LECTURA DE HOY
El pecado de David en tomar un censo de su ejército,
sus preparaciones para edificar el templo y las instrucciones a Salomón;
los deberes de los levitas

---

*S*alomón tenía unos 20 años de edad cuando él fue ungido rey. Por razón de que los jóvenes no tienen los años de experiencia que sus ancianos tienen, ellos a veces subestiman las cosas que son de mayor importancia. Consecuentemente, David no estaba satisfecho con sólo proveer los materiales que Salomón necesitaba para edificar el templo, por eso le dijo: *«Y Jehová te dé entendimiento y prudencia, para que cuando gobiernes a Israel, guardes la Ley de Jehová tu Dios. Entonces serás prosperado, si cuidares de poner por obra los estatutos y decretos que Jehová mandó a Moisés para Israel. Esfuérzate, pues, y cobra ánimo; no temas, ni desmayes. . . . Poned, pues, ahora vuestros corazones y vuestros ánimos en buscar a Jehová vuestro Dios; y levantaos, y edificad el santuario de Jehová Dios, para traer el arca del pacto de Jehová, y los utensilios consagrados a Dios, a la casa edificada al nombre de Jehová»* (I de Crónicas 22:12-13,18-19).

Toda la acumulación de materiales que David hizo estaba ahora en las manos de su hijo. Pero Salomón había ignorado el consejo espiritual que su padre David le había dicho de poner su corazón y su ánimo « . . . *en buscar a Jehová vuestro Dios»*. La construcción del templo debería de haber tomado primer lugar, pero Salomón puso sus intereses personales primero, y no llegó a empezar a edificar el templo hasta el cuarto año de su reino. Al contrario, él empezó a acumular carros militares y caballos, y muchas esposas también (II de Crónicas 1:14; 3:1-2; I de Reyes 10:26-11:4). Esto fue una violación de la ley para los reyes de Israel (Deuteronomio 17:16-18).

El llamamiento que David le hizo a Salomón es todavía una necesidad para cada creyente. La verdadera fe es demostrada por nuestro compromiso y obediencia a la Palabra de Dios, y nuestra dependencia en que Él responderá todas nuestras oraciones, mientras que hacemos todo lo posible, para que se cumpla Su voluntad. Nosotros no podemos pensar que podemos «dejárselo todo en las manos de Dios y sentarnos a esperar». El Señor espera nuestra participación en todo lo que podemos llegar a hacer. Jesucristo llama a cada creyente a « . . . *buscad primeramente el reino de Dios y Su justicia, y todas estas cosas os serán añadidas»* (Mateo 6:33). Entonces podemos considerar esto: *«¿No fue justificado por las obras Abraham nuestro padre, cuando ofreció a su hijo Isaac sobre el altar? ¿No ves que la fe actuó juntamente con sus obras, y que la fe se perfeccionó por las obras?»* (Santiago 2:21-22).

**Pensamiento para hoy:** Satanás nos tienta a pecar, pero por la gracia de Dios podemos resistirle.

## ᴇ́N LA LECTURA DE HOY

Los deberes asignados a los sacerdotes; los músicos y los cantores;
la división de los porteros; los tesoreros y otros oficiales

«*David y los jefes del ejército apartaron para el ministerio* . . .» los levitas, los sacerdotes, los cantores, los porteros, los tesoreros, y otros cargos (I de Crónicas 25:1; 9:22-29) del templo a quienes le encargaron la responsabilidad de la adoración del templo. Los porteros fueron llamados *«hombres robustos y fuertes para el servicio»* (26:8). Estos eran los coatitas y los meraritas, descendientes de Leví (Génesis 46:11). Los veinticuatro porteros cuidaban las puertas de día y de noche para no permitir que alguien sin autoridad tratase de entrar (I de Crónicas 26:17-18).

Cada posición era igual y de suma importancia para mantener la adoración del templo tal y como ordenó el Señor. Hoy en día, todo lo que se necesita hacer en la iglesia y en los ministerios dedicados a cumplir la gran comisión es también una responsabilidad sagrada de Dios.

Mucho antes, David había hecho planes para hacer a Jerusalén el centro religioso de Israel en llevar allí el arca. Después que Uza murió por tocar el arca, ella había sido llevada a la casa de Obed-edom. Cuando Obed-edom recibió el arca, él recibió mucho más que la Palabra de Dios; él recibió la misma Presencia de Dios que estaba sobre el propiciatorio (Éxodo 25:22; I de Samuel 4:4; II de Samuel 6:2). La Presencia del Señor trajo grandes bendiciones a la casa de Obed-edom. En misma forma, la Presencia del Señor bendecirá también nuestras familias y nuestras casas cuando la Palabra de Dios es preeminente en nuestras vidas.

Algunas personas ignoran el señorío del Maestro y su derecho como dueño de sus vidas y no quieren reconocer su posición como administradores del Señor en sus talentos, en su tiempo, y aun en sus diezmos al Señor. Los cuales se deben usar para Sus propósitos en vez de para nuestros placeres e intereses personales. Dios nos da cada día y nos encarga todos estos dones para llegar a ser como Jesucristo y glorificar Su nombre. Lo que Dios ha puesto en nuestro cuidado puede llegar a ser de grandes bendiciones para otros; pero, si lo usamos para propósitos egoístas, entonces puede llegar a ser una maldición.

En nuestros devocionales familiares, vamos a darle gracias a nuestro Padre Celestial por cada uno de nuestros hijos y vamos a ayudarles a que sepan que ellos son muy importantes para Dios. *«El que es fiel en lo muy poco, también en lo más es fiel . . . Pues si en las riquezas injustas no fuisteis fieles, ¿quién os confiará lo verdadero?»* (Lucas 16:10-11).

**Pensamiento para hoy:** Lo más supremo en nuestros pensamientos siempre debe ser nuestro Cristo y Su Palabra.

## ☙N LA LECTURA DE HOY

Salomón se anima a edificar el templo; las dádivas de David para el templo, su oración y acción de gracias; Salomón es hecho rey; la muerte de David

*T*odo el tiempo que David reinó «. . . *sobre Israel fue cuarenta años. Siete años reinó en Hebrón, y treinta y tres reinó en Jerusalén*» (I de Crónicas 29:27). Ahora estaba al final de su vida. En su último año de vida, David llamó a todos los capitanes militares y a los príncipes de las tribus. Él les contó cómo fue que Dios había escogido a Salomón para edificar el templo, y que su mayor interés estaba en «. . . *guardad e inquirid todos los preceptos de Jehová vuestro Dios*» (28:8). Entonces David le encargó a Salomón: «. . . *hijo mío, reconoce al Dios de tu padre, y sírvele con corazón perfecto y con ánimo voluntario; porque Jehová escudriña los corazones de todos, y entiende todo intento de los pensamientos. Si tú le buscares, lo hallarás; mas si lo dejares, Él te desechará para siempre*» (28:9).

David ofreció una de las oraciones más inspiradas en todas las Escrituras diciendo: «. . . *Bendito seas Tú, oh Jehová, Dios de Israel nuestro Padre . . . Tuya es, oh Jehová, la magnificencia y el poder, la gloria, la victoria y el honor; porque todas las cosas que están en los cielos y en la tierra son Tuyas. Tuyo, oh Jehová, es el reino, y Tú eres Excelso . . . en Tu mano está la fuerza y el poder, y en Tu mano el hacer grande y el dar poder a todos. Ahora pues, Dios nuestro, nosotros alabamos y loamos Tu glorioso nombre*» (29:10-13).

La oración del corazón sincero de David es un recordatorio para todos nosotros hoy en día de que el tiempo de orar siempre debe estar lleno de alabanzas y adoraciones mientras que exaltamos el nombre de Dios con acción de gracias por lo que Él es para nosotros y lo que nos ha dado. A la vez que reconocemos nuestra dependencia en Dios por todas las cosas, le vamos a alabar por Sus provisiones. Cuando abandonamos el tiempo diario para alabarle, nuestra adoración se cambia a ser un mero rito. Cada día, y bajo cualquier circunstancia debemos *«Dad gracias en todo . . . »* (I de Tesalonicenses 5:18). Si murmuramos sobre nuestras circunstancias, entonces estamos expresando disgusto para con Dios y dudamos de Su sabiduría y Su amor para con nosotros.

Cuando nos arrodillamos, bajamos nuestras cabezas, y extendemos nuestras manos, todas son expresiones para alabarle. El Espíritu Santo inspiró a David para poder llegar a decir: *«Alzad vuestras manos al santuario, y bendecid a Jehová»* (Salmo 134:2). *«Quiero, pues, que los hombres oren en todo lugar, levantando manos santas, sin ira ni contienda»* (I de Timoteo 2:8).

**Pensamiento para hoy:** Vamos a ofrecerle libremente alabanza a Dios «hoy mismo».

## ĔN LA LECTURA DE HOY

Los sacrificios de Salomón y sus sueños; la acumulación
de carros militares y gente de a caballo; Salomón edifica el templo

*Ĕ*l rey Salomón empezó su reino en sumisión a «*. . . Jehová su Dios*» (II de Crónicas 1:1). «*Y fue Salomón, y con él toda esta asamblea . . . allí estaba el tabernáculo de reunión de Dios, que Moisés siervo de Jehová había hecho en el desierto. . . . Subió, pues, Salomón . . . al altar de bronce que estaba en el tabernáculo de reunión, y ofreció sobre él mil holocaustos. Y aquella noche apareció Dios a Salomón y le dijo: Pídeme lo que quieras que Yo te dé*» (1:3-7). En I de Reyes tenemos un detalle más completo de este evento. «*Y se le apareció Jehová a Salomón en Gabaón una noche en sueños, y le dijo Dios: Pide lo que quieras que Yo te dé. . . . Cuando Salomón despertó, vio que era sueño . . .*» (I de Reyes 3:5,15). En este sueño, «*. . . Salomón dijo a Dios . . . Dame ahora sabiduría y ciencia, para presentarme delante de este pueblo; porque ¿quién podrá gobernar a este Tu pueblo tan grande?*» (II de Crónicas 1:8-12). Por medio de este sueño el Señor le estaba revelando a Salomón que su más grande necesidad era obedecer la Palabra de Dios.

Siguiendo los sacrificios en Gabaón, Salomón empezó a acumular gran cantidad de «*. . . carros y gente de a caballo*» (1:14; 9:25; I de Reyes 4:26). Sin embargo, Dios había dado mandato que el rey «*. . . no aumentará para sí caballos, ni hará volver al pueblo a Egipto con el fin de aumentar caballos; porque Jehová os ha dicho: No volváis nunca por este camino*» (Deuteronomio 17:16). Pero Salomón, aun así, se casó con la hija del Faraón (I de Reyes 11:1). Otra vez él profanó el nombre de Dios, quien había dicho: «*. . . Ni tomará para sí muchas mujeres, para que su corazón no se desvíe; ni plata ni oro amontonará para sí en abundancia*» (Deuteronomio 17:17). Salomón ignoró estos tres mandamientos. Pero su más seria negligencia fue su indiferencia en cumplir el cuarto mandamiento dado a los reyes de Israel: «*Y cuando se siente sobre el trono de su reino, entonces escribirá para sí en un libro una copia de esta Ley, del original que está al cuidado de los sacerdotes levitas; y lo tendrá consigo, y leerá en él todos los días de su vida, para que aprenda a temer a Jehová su Dios, para guardar todas las Palabras de esta Ley y estos estatutos, para ponerlos por obra*» (17:18-19).

En sí, no hay mucha diferencia si nos hacemos famosos o no, o poderosos, o ricos. Pero, lo más importante para cada uno de nosotros es el reconocer que Dios como nuestro Creador tiene el derecho para reclamar nuestra sabiduría y nuestra habilidad, y nuestro uso de ellas. «*Como todas las cosas que pertenecen a la vida y a la piedad nos han sido dadas por Su divino poder, mediante el conocimiento de Aquel que nos llamó por Su gloria y excelencia*» (II de Pedro 1:3).

**Pensamiento para hoy:** En Dios está la verdadera Fuente de la sabiduría.

---

### 𝒆N LA LECTURA DE HOY

Los utensilios del templo; el arca es traída al templo; la nube del Señor llena el templo; la oración de dedicación de Salomón

---

𝒬os israelitas se reunieron alrededor de Salomón mientras que «*se puso luego Salomón delante del altar de Jehová . . . y extendió sus manos. Porque Salomón había hecho un estrado de bronce (y) . . . se arrodilló delante de toda la congregación de Israel, y extendió sus manos al cielo . . .*» (II de Crónicas 6:12-13). Era muy común para el pueblo de Dios levantar las manos en oración y en alabanza (Salmo 63:3-4). Las manos levantadas hacia el cielo es una señal de sumisión de un sincero corazón y de adoración. Por seguro hubiese sido natural levantar nuestras manos y de arrodillarnos en humildad delante del Dios Viviente.

Salomón empezó su oración, diciendo: «*Jehová Dios de Israel, no hay Dios semejante a Ti en el cielo ni en la tierra, que guardas el pacto y la misericordia con Tus siervos que caminan delante de Ti de todo su corazón . . . para que todos los pueblos de la tierra conozcan Tu nombre, y Te teman así como Tu pueblo Israel, y sepan que Tu nombre es invocado sobre esta casa que yo he edificado*» (II de Crónicas 6:14,16,33). Tristemente, sus pláticas no fueron evidentes en su conducta.

Salomón también había orado: «*Si Tu pueblo Israel fuere derrotado delante del enemigo por haber prevaricado contra Ti, y se convirtiere, y confesare Tu nombre, y rogare delante de Ti en esta casa, Tú oirás desde los cielos, y perdonarás el pecado de Tu pueblo Israel . . . para que todos los pueblos de la tierra conozcan Tu nombre, y Te teman*» (6:24-25,33). Es también conmovedor saber que no hay ningún registro de que Salomón se arrepintió de sus pecados.

En algún lugar, en este mismo momento, en una cama de un hospital o en una celda de una prisión, enfrentándose a perder un trabajo o a las crueles experiencias de los problemas familiares, por todo el mundo hay personas arrepintiéndose de sus pecados, buscando en la Palabra de Dios la dirección para sus vidas, y llegando a ser fortalecidos en su fe. Es tan maravilloso conocer el gran amor que Dios tiene para con nosotros. «*(Mas) siendo juzgados, somos castigados por el Señor, para que no seamos condenados con el mundo*» (I de Corintios 11:32). Los mejores años de nuestras vidas pueden ser el resultado de algún fracaso, de alguna angustia, o de la soledad que muchas veces nos llevan a encomendar nuestras vidas al Señor. Podemos llegar a ser las personas que Dios quiere que seamos. El sufrimiento puede llegar por medio de Dios, por medio de Satanás, o por nuestras propias malas decisiones; pero Dios lo puede usar todo y así lo hará para nuestro bien si volvemos a Él en fe. «*Pues tengo por cierto que las aflicciones del tiempo presente no son comparables con la gloria venidera que en nosotros ha de manifestarse*» (Romanos 8:18).

**Pensamiento para hoy:** ¿Estamos tan ocupados esperando el halago del mundo que se nos olvida alabar a Dios?

## ☙N LA LECTURA DE HOY
Los sacrificios de Salomón; la gloria del Señor; Dios se le aparece a Salomón;
la reina de Sabá visita a Salomón; la fama, las riquezas y la muerte de Salomón

«*Cuando Salomón acabó de orar, descendió fuego de los cielos, y consumió el holocausto y las víctimas; y la gloria de Jehová llenó la casa*» (II de Crónicas 7:1).

Después de esa gran dedicación, el Señor otra vez se le apareció a Salomón de noche, y le dijo: «*Si Yo cerrare los cielos para que no haya lluvia, y si mandare a la langosta que consuma la tierra, o si enviare pestilencia a Mi pueblo; si se humillare Mi pueblo, sobre el cual Mi nombre es invocado, y oraren, y buscaren Mi rostro, y se convirtieren de sus malos caminos; entonces Yo oiré desde los cielos, y perdonaré sus pecados, y sanaré su tierra*» (7:13-14).

Consideremos cuidadosamente los requisitos establecidos por Dios para poder decir: «*. . . sanaré su tierra*». En primer lugar, Dios habla de «*. . . Mi pueblo*». Esto implica nuestra necesidad de recibir a Cristo tal y como la Palabra nos dice. Entonces, «*si se humillare . . .*» Su pueblo quiere decir, primeramente y lo más alto, confesarle que hemos despreciado Su Palabra, como si pudiéramos vivir por medio de nuestro mejor juicio sin necesitar Sus consejos. Cuando nos humillamos, esto también incluye el reconocer nuestros pecados, sentir la angustia por nuestros pecados, y un arrepentimiento genuino de nuestros pecados. Sólo Dios puede perdonar y hacer llegar ese gran perdón y la limpieza de todos los pecados cuando confesamos nuestros pecados (I de Juan 1:9).

Cuando Dios dice: «*. . . y buscaren Mi rostro*», Él quiere decir que tenemos que diariamente buscarle en Su Palabra para llegar a saber lo que significa vivir. Mientras que leemos Su Palabra, el Espíritu Santo no solamente ilumina nuestro entendimiento para conocer Su perfecta voluntad, pero Él nos da el poder para vivir por ella. Dios nos advierte: «*El que aparta su oído para no oír la Ley, su oración también es abominable*» (Proverbios 28:9).

Nosotros tenemos que considerar y preguntarnos: ¿Será para el honor de Dios lo que estoy buscando en oración, o es meramente para mi beneficio?

Nuestra gran necesidad es leer toda Su Palabra al mismo tiempo que oramos sobre ella. Jesucristo nos dijo: «*El que en Mí no permanece, será echado fuera como pámpano, y se secará; y los recogen, y los echan en el fuego, y arden. Si permanecéis en Mí, y Mis Palabras permanecen en vosotros, pedid todo lo que queréis, y os será hecho*» (Juan 15:6-7).

**Pensamiento para hoy:** «*Cercano está Jehová a todos los que le invocan, a todos los que le invocan de veras*» (Salmo 145:18).

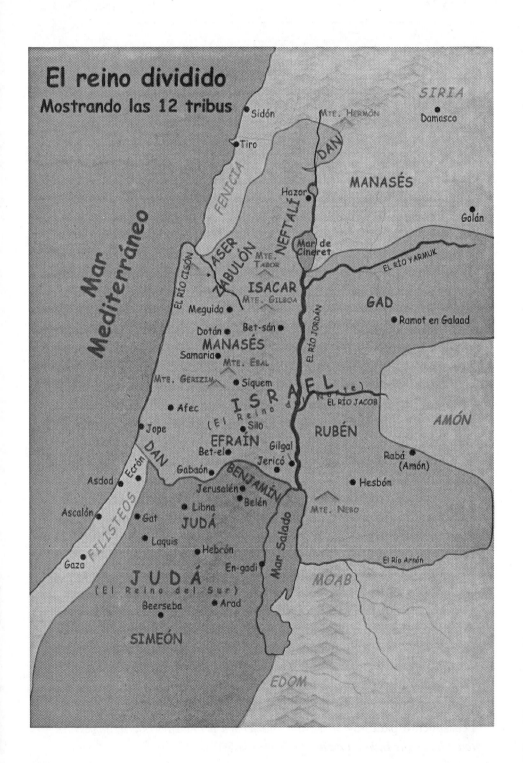

El reino dividido

Mostrando las 12 tribus

---

### 𝒠N LA LECTURA DE HOY

Roboam toma el trono de Salomón; Jeroboam subleva a las diez tribus; Roboam abandona «*la Ley de Dios*»; la invasión de Sisac contra Judá

---

𝒞uando Salomón llegó a ser rey, David le había exigido: «*Guarda los preceptos de Jehová tu Dios, andando en Sus caminos, y observando Sus estatutos y mandamientos... de la manera que está escrito en la ley de Moisés, para que prosperes en todo lo que hagas y en todo aquello que emprendas*» (I de Reyes 2:3). Tristemente, no encontramos un registro de que Salomón también le había exigido a su propio hijo, Roboam, de leer la Palabra de Dios y de mantenerse fiel al Señor.

Tampoco hay mención alguna de que Roboam empezó su reino con sacrificios sobre el altar y con oraciones al Señor como lo había hecho su padre. Lo que sí leemos es que, tres años después que Roboam tomó el trono, «*... dejó la Ley de Jehová, y todo Israel con él.... E hizo lo malo, porque no dispuso su corazón para buscar a Jehová*» (II de Crónicas 12:1-14; ver 11:17).

Los líderes de Israel se reunieron con Roboam con un pedido razonable: de disminuir los impuestos que su padre había puesto sobre ellos. Ellos también pidieron que él diera fin al trabajo forzado que había continuado desde que ellos habían empezado a edificar los primorosos palacios, los establos y las casas para los carros militares, los lujosos parques, y todas las otras estructuras espectaculares dentro del famoso reino de Salomón. Si Roboam consentía a su pedido, los líderes le darían su promesa de lealtad.

La primera decisión de Roboam como rey fue un gran error. Su intolerancia llevó a casi todas las tribus a apartarse y formar el reino del norte. Roboam sólo se quedó con una pequeña parte de la original tierra prometida. Solamente las tribus de Judá y de Benjamín se quedaron con él. ¿Cómo iba Roboam a tomar buenas decisiones? Pues «*... no dispuso su corazón para buscar a Jehová*» (12:14).

Notemos aquí que no dice: «servir al Señor». No era un mejor servicio que el Señor estaba esperando, pero sí esperaba que Roboam dispusiera «*... su corazón para buscar a Jehová*». El mismo principio espiritual se mantiene verdadero hoy en día. Aunque a veces, por ser negligentes, no lo podemos ver, si humildemente buscamos al Señor, nuestras vidas serán guiadas por Su Espíritu para llevarnos a cumplir con Su perfecta voluntad y Su propósito. «*Pero Él da mayor gracia. Por esto dice: Dios resiste a los soberbios, y da gracia a los humildes*» (Santiago 4:6).

**Pensamiento para hoy:** Sin Dios, la más astuta estrategia, dada por los mejores consejeros, de ningún valor es.

## 𝒆N LA LECTURA DE HOY

Las reformas del rey Asa y su pacto con Dios; su acuerdo con Siria (Aram); Asa es reprendido por Hanani; la muerte de Asa; Josafat asciende al trono

𝒆l rey Asa era el nieto de Roboam y el bisnieto de Salomón. Pero, en este caso, Asa rechazó sus ídolos paganos (II de Crónicas 14:1-7). Asa fue animado por «. . . *Azarías hijo de Obed*» (15:1). Cuando Azarías habló: «*Asa . . . cobró ánimo, y quitó los ídolos abominables de toda la tierra de Judá y de Benjamín, y de las ciudades que él había tomado en la parte montañosa de Efraín; y reparó el altar de Jehová que estaba delante del pórtico de Jehová. Después reunió a todo Judá y Benjamín, y con ellos los forasteros de Efraín, de Manasés y de Simeón; porque muchos de Israel se habían pasado a él, viendo que Jehová su Dios estaba con él. . . . Entonces prometieron solemnemente que buscarían a Jehová el Dios de sus padres, de todo su corazón y de toda su alma . . . Jehová les dio paz por todas partes*» (sin guerra por diez años) (15:8-9,12,15).

Asa no dejó ningún lugar para desacuerdos. «*Porque quitó del país a los sodomitas, y quitó todos los ídolos que sus padres habían hecho*» (I de Reyes 15:12). Él también quitó a su propia abuela, Maaca, y no le permitió «. . . *de ser reina madre, porque había hecho un ídolo de Asera. . . . (Y) Asa destruyó la imagen, y la desmenuzó, y la quemó junto al torrente de Cedrón*» (15:13; II de Crónicas 15:16).

Podemos estar seguros que, cuando alguien afirma los valores morales y espirituales, Satanás siempre está listo para instigar la oposición y entonces busca cómo hacer compromisos para devaluar las declaraciones positivas de fe de esa persona.

Mientras que sus riquezas y su poder se aumentaban, la dependencia en Dios que Asa tenía disminuyó. «*En aquel tiempo vino el vidente Hanani a Asa rey de Judá, y le dijo* (reprendiéndole): *Por cuanto te has apoyado en el rey de Siria* (Aram), *y no te apoyaste en Jehová tu Dios, por eso el ejército del rey de Siria ha escapado de tus manos*» (16:7).

Hanani fue echado en una prisión por su fiel testimonio. Pero sus palabras han impartido una medida de fe inconmensurable y un gran denuedo a todos nosotros que procuramos mantenernos fiel en medio de un mundo cruel: «*Porque los ojos de Jehová contemplan toda la tierra, para mostrar Su poder a favor de los que tienen corazón perfecto para con Él*» (II de Crónicas 16:9).

**Pensamiento para hoy:** Solamente las personas que no están salvas se ven sin poder para estar en contra de Satanás.

## EN LA LECTURA DE HOY

Josafat hace una alianza con Acab; la derrota de Josafat; la muerte de Acab; las reformas nacionales de Josafat; la muerte de Josafat

Josafat fue uno de los reyes más piadosos en la historia de Judá. Él nombró a los levitas por todo el país para leerle al pueblo e instruirle en la Ley de Dios. Él forzó a los seguidores de Baal y de Asera, con todos los sodomitas (homosexuales), fuera del país (I de Reyes 22:46; II de Crónicas 17:3-9).

Sin embargo, Josafat cometió un gran error cuando se asoció con Acab, el rey idólatra del reino del norte. Esa amistad los llevó al matrimonio del hijo de Josafat, Joram, con la hija de Acab, Atalía (18:1; 21:1,6). Acab entonces le preguntó a Josafat que se uniese a él para ir a una batalla contra Siria (Aram), para recuperar a una ciudad en la frontera llamada Ramot de Galaad (18:3). ¿Puede usted imaginarse el piadoso Josafat festejándose con Acab y Jezabel, la esposa idólatra de Acab que adoraba a Baal, en el palacio de Acab?

Después que Josafat pidió que buscaran el consejo de Dios, un profeta intrépido llamado Micaías le profetizó al rey con denuedo y le dijo que él no iba a volver de la guerra vivo (16:4,13,16). Descuidándose de la advertencia del profeta, Josafat se unió con Acab y casi perdió su propia vida. Cuando estaban rodeados de los sirios (arameos), Josafat « . . . *clamó, y Jehová lo ayudó, y los apartó Dios de él»* (18:31). *«Josafat rey de Judá volvió en paz a su casa en Jerusalén»* (19:1) Entonces Dios mandó al profeta Jehú para reprenderle. *«Y le salió al encuentro el vidente Jehú hijo de Hanani, y dijo al rey Josafat: ¿Al impío das ayuda, y amas a los que aborrecen a Jehová? Pues ha salido de la presencia de Jehová ira contra ti por esto»* (19:2).

El matrimonio del hijo de Josafat, Joram, con la hija de Jezabel, abrió las puertas para que la adoración de Baal se estableciera en Judá, y los llevó a la mortandad de todos los hijos y los nietos de Josafat, con la excepción de Joás, un niño de un año que fue escondido por Joiada el sumo sacerdote (22:10-22).

Ningún creyente, hombre o mujer, debe de tener relaciones de mucha amistad con una persona incrédula, ni siquiera teniendo en cuenta lo bueno que esa persona parezca, ni por muy seguro que el creyente esté de que tal relación no llegará a nada malo. *«¡Oh almas adúlteras! ¿No sabéis que la amistad del mundo es enemistad contra Dios? Cualquiera, pues, que quiera ser amigo del mundo, se constituye enemigo de Dios»* (Santiago 4:4).

**Pensamiento para hoy:** Una maravillosa transformación toma lugar cuando cualquiera – hasta el más malvado pecador – ora por misericordia.

---

### EN LA LECTURA DE HOY
Los reinos de Joram, Ocozías, y Atalía. La profecía de Elías;
Joás llega a ser rey y repara el templo; la nación se vuelve a la idolatría

---

*D*urante casi todo el reino de Josafat, él mantuvo relaciones amistosas con Acab, el rey idólatra del reino del norte. El matrimonio de su hijo con la hija de Acab resultó en una herencia de líderes malvados en Judá. La vida de Josafat debe servir como una advertencia a todos los que hoy en día dicen: «Yo sé que Dios ha dicho que no debemos de tener relaciones con las personas incrédulas, pero yo no dejo que ellas me conmuevan». Sin embargo, tal y como le pasó a Josafat, aunque no le afectó a él personalmente, él no pudo controlar la forma en que esa relación afectó a sus hijos y a sus nietos.

Después de la muerte de Josafat, su hijo Joram tomó el control del reino. Él procedió a destruir toda la influencia piadosa del reino que su padre había dejado. Él también «... *mató a espada a todos sus hermanos ... Y anduvo en el camino de los reyes de Israel, como hizo la casa de Acab; porque tenía por mujer a la hija de Acab, e hizo lo malo ante los ojos de Jehová. ... Además de esto, hizo lugares altos en los montes de Judá, e hizo que los moradores de Jerusalén fornicasen tras ellos, y a ello impelió a Judá*» (II de Crónicas 21:4,6,11).

Aunque el profeta Elías había vivido en el reino del norte, él le mandó una carta al malvado Joram, rey del reino del sur, y lo reprendió de sus maldades, diciéndole: «... *Por cuanto no has andado en los caminos de Josafat tu padre ... sino que has andado en el camino de los reyes de Israel ... he aquí Jehová herirá a tu pueblo de una gran plaga, y a tus hijos y a tus mujeres, y a todo cuanto tienes; y a ti con muchas enfermedades ... al cabo de dos años ... muriendo así de enfermedad muy penosa*» (21:12-19).

El piadoso Josafat no pudo reconocer las consecuencias trágicas que resultaron de su amistoso parentesco con Acab, y también del matrimonio de su hijo con una mujer incrédula. Los corazones de muchos padres creyentes se han engustiado por los resultados de permitir a un hijo o a una hija comprometerse con personas incrédulas. Tales personas parecen ser muy buenas en muchas otras áreas de sus vidas. Cada creyente joven, sea hombre o mujer, debe reconocer por que es que hay fuertes advertencias en contra al compromiso y al noviazgo con una persona incrédula. «*Por lo cual, salid de en medio de ellos, y apartaos, dice el Señor, Y no toquéis lo inmundo; Y Yo os recibiré*» (II de Corintios 6:17).

**Pensamiento para hoy:** El abandono de leer la Biblia ha causado a muchas personas perder su sentido de discernir la dirección espiritual.

## ᗩN LA LECTURA DE HOY

Amasías reina sobre Judá; la guerra contra los edomitas; Israel derrota a Judá; Uzías asciende al trono en Jerusalén; el castigo de la lepra sobre Uzías

*D*espués que Joás fue asesinado por sus siervos, su hijo Amasías llegó a ser rey de Judá (II de Crónicas 24:25-27; ver II de Reyes 12:21). Cuando empezó su reino: *«. . . Hizo él lo recto ante los ojos de Jehová, aunque no de perfecto corazón»* (II de Crónicas 25:2; II de Reyes 14:1-6). Los motivos confundidos en la vida de Amasías finalmente lo destruyó. En una ocasión él pagó a cien mil adoradores de ídolos del reino del norte de Israel para ayudarle a pelear contra Edom en un esfuerzo para recuperar un territorio perdido (II de Crónicas 25:6). Después de esto *«un varón de Dios»* lo reprendió por no confiar en Dios completamente, porque sólo *«. . . en Dios está el poder, o para ayudar, o para derribar»* (25:7-8). Amasías despidió al ejército de Israel y llegó a tener la victoria sobre los edomitas. Pero, en vez de alabar al Señor por la victoria, él *«. . . trajo también consigo los dioses de los hijos de Seir, y los puso ante sí por dioses, y los adoró, y les quemó incienso. Por esto se encendió la ira de Jehová contra Amasías»* (25:14-16).

*«Desde el tiempo en que Amasías se apartó de Jehová, empezaron a conspirar contra él en Jerusalén . . . y allá lo mataron»* (25:27). Uno de los reyes más prósperos en la historia de Judá fue Uzías, un hijo de Amasías que llegó al trono con dieciséis años de edad (26:1). La clave a su éxito fue sin equivocación que él *«. . . persistió en buscar a Dios en los días de Zacarías . . . su fama se extendió lejos, porque fue ayudado maravillosamente, hasta hacerse poderoso. Mas cuando ya era fuerte . . . se rebeló contra Jehová su Dios, entrando en el templo de Jehová para quemar incienso»* (26:5,15,16). Sólo los sacerdotes eran aptos para ofrecer incienso a Dios; pero Uzías se negó a parar de hacerlo aun después de haber sido reprendido por Azarías y ochenta sacerdotes de Jehová (26:17). Por consiguiente, Dios castigó a Uzías con lepra. Aunque él había sido un gran rey, Dios aún lo juzgó, pues ningún hombre puede vivir fuera de la Ley. Durante los últimos diez años de su vida, y por razón de la lepra, Uzías fue echado de su propio palacio y también del templo.

Ningún otro pecado es tan engañoso y tan destructivo como el pecado de tener una opinión demasiada alta de sí mismo. *«Digo, pues, por la gracia que me es dada, a cada cual que está entre vosotros, que no tenga más alto concepto de sí que el que debe tener, sino que piense de sí con cordura, conforme a la medida de fe que Dios repartió a cada uno»* (Romanos 12:3).

**Pensamiento para hoy:** Glorificamos a Jesús al decir: «Alabado sea el Señor».

---

**EN LA LECTURA DE HOY**

Acaz reina en Judá; Siria (Aram) e Israel derrotan a Judá; la muerte
de Acaz; el reino de Ezequías; la adoración es restaurada en el templo

---

*A*caz tuvo una buena herencia de su piadoso padre Jotam (II de Crónicas
27:6). Pero Acaz fue uno de los más malvados reyes en la historia de Judá,
«*. . . y además hizo imágenes fundidas a los baales. Quemó también incienso
en el valle de los hijos de Hinom, e hizo pasar a sus hijos por fuego, conforme a
las abominaciones de las naciones que Jehová había arrojado de la presencia de
los hijos de Israel. . . . Por lo cual Jehová su Dios lo entregó en manos del rey de
los sirios* (arameos), *los cuales lo derrotaron, y le tomaron gran número de
prisioneros que llevaron a Damasco. Fue también entregado en manos del rey
de Israel, el cual lo batió con gran mortandad*» (28:2-3,5).

Por la gran maldad del rey Acaz, el reino de Judá continuó sufriendo grandes
pérdidas de su territorio. Los edomitas pudieron ganar su independencia de
Judá en el sudeste. Los filisteos invadieron las ciudades al sudeste y las ocuparon
(28:17-18). Miles de hombres de su reino fueron llevados a otras tierras como
esclavos (28:5-17).

Con mucho dolor podemos decir que todas las derrotas de Acaz nunca le
hicieron humillarse o arrepentirse. Él rechazó furiosamente al Señor y «*ofreció
sacrificios a los dioses de Damasco*» (28:23). «*Además de eso recogió Acaz los
utensilios de la casa de Dios, y los quebró, y cerró las puertas de la casa de
Jehová, y se hizo altares en Jerusalén en todos los rincones. Hizo también lugares
altos en todas las ciudades de Judá, para quemar incienso a los dioses ajenos,
provocando así a ira a Jehová el Dios de sus padres*» (28:24-25). En este trágico
relato de Acaz, el rey de Judá, el Señor nos está advirtiendo sobre el terrible
destino de aquellos que se alejan de Él. Así mismo como Acaz trató de impedir
la adoración del Único Dios Verdadero, el mundo perdido, con todas sus
atracciones del engaño, trata de impedir nuestra lealtad y obediencia al Señor.
Para poder vencer todos estos obstáculos y permanecer fieles al Señor
necesitamos orar cada día: «*Dame entendimiento, y guardaré Tu ley, y la
cumpliré de todo corazón. Guíame por la senda de Tus mandamientos, porque
en ella tengo mi voluntad. Inclina mi corazón a Tus testimonios, y no a la
avaricia. Aparta mis ojos, que no vean la vanidad; avívame en Tu camino*»
(Salmo 119:34-37).

**Pensamiento para hoy:** En este mismo día alguien necesita oír cómo es que
nuestro Señor contesta nuestras oraciones.

> ## ✐N LA LECTURA DE HOY
> Ezequías destruye los ídolos; las primicias y el diezmo; la invasión de Asiria
> contra Judá; la muerte de Ezequías; el reino de Manasés; el reino de Amón

*D*espués de la muerte del malvado rey Acaz, su piadoso hijo Ezequías llegó a ser rey, y asumió el liderazgo de una nación donde la idolatría era muy popular y prevaleciente. Además, su padre había sometido el reino de Judá al imperio de Asiria, que estaba rápidamente llegando a ser uno de los imperios más poderosos del mundo. Con sus ejércitos que parecían ser invencibles habían tomado el control de Siria (Aram) y del reino del norte de Israel. Además de todo esto, Senaquerib, el rey de Asiria, tenía el control sobre 46 ciudades con murallas adentro del reino de Judá.

Ezequías podía haberse lamentado por este desorden que él había heredado, podía haber odiado a su padre o culpar a Dios por la malvada condición moral y política que prevalecía por toda la nación. Al contrario, «... *arregló Ezequías la distribución de los sacerdotes ... El rey contribuyó de su propia hacienda para los holocaustos ... Mandó también al pueblo que habitaba en Jerusalén, que diese la porción correspondiente a los sacerdotes* (y los levitas) ... *porque Jehová ha bendecido a Su pueblo*» (II de Crónicas 31:2-10).

Ezequías observó la Pascua (30:1-27). Él abrió otra vez el templo que su malvado padre idólatra había profanado, y restauró la adoración del Verdadero Dios.

Tal y como Ezequías, quien heredó serios problemas por las maldades de su padre, nosotros también a veces somos víctimas de los pecados de otras personas. Pero los creyentes nunca tienen que temer el futuro o las «situaciones desafortunadas» del pasado. No tenemos que involucrarnos en las equivocaciones de nuestros padres que hemos heredado, u otras situaciones fuera de nuestro control. Los consejeros cristianos de hoy en día nos dicen que no hay ningún valor en pasar el tiempo pensando en los errores del pasado, o los errores de otras personas, lo cual nunca produce soluciones que nos ayudan y pueden traer la depresión, la sospecha, y el odio para sí mismo y para otros. Nos anima saber que, cuando Ezequías e Isaías oraron sin estar manchados por los malos sentimientos, el Señor los protegió.

Junto con el apóstol Pablo podemos decir: «*Hermanos, yo mismo no pretendo haberlo ya alcanzado; pero una cosa hago: olvidando ciertamente lo que queda atrás, y extendiéndome a lo que está delante, prosigo a la meta, al premio del supremo llamamiento de Dios en Cristo Jesús*» (Filipenses 3:13-14).

**Pensamiento para hoy:** No podemos darnos por vencidos. Aun el más vil pecador puede llegar a obtener la salvación.

**ℰN LA LECTURA DE HOY**

El reino de Josías; el libro de la Ley de Dios fue encontrado; la derrota de Jerusalén; el cautiverio de Judá; el decreto de Ciro para reconstruir el templo

*U*no de los mayores honores atribuidos a un rey fue dado a Josías, quien «... *hizo lo recto ante los ojos de Jehová, y anduvo en los caminos de David su padre, sin apartarse a la derecha ni a la izquierda.* ... *(Y) leyó a oídos de ellos todas las palabras del libro del pacto que había sido hallado en la casa de Jehová»* (II de Crónicas 34:2,30).

Pero los últimos cuatro reyes de Judá – Joacaz, Joacim, Joaquín, y Sedequías – fueron todos malvados, y llevaron a la nación en un camino de descenso moral, político, y espiritual, con un final desastroso. Durante los once años de su reino (36:11), Sedequías (también llamado Matanías), el hijo más joven de Josías, *«hizo lo malo ante los ojos de Jehová su Dios»* (36:12), y se rebeló contra el dominio de Babilonia porque pensaba que tenía el apoyo de Egipto. Esta vez el Señor dejó a los israelitas en su propia ruina. Nabucodonosor no tuvo misericordia y sitió a Jerusalén «... *hasta que no hubo pan para el pueblo de la tierra»* (II de Reyes 25:3). Los horrores de este pueblo que se moría de hambre por defender a Jerusalén están registrados en el libro de Lamentaciones 2:19; 4:3-10 y Ezequiel 5:10.

Los soldados de Nabucodonosor finalmente entraron por los muros del norte de la ciudad y sin misericordia mataron de igual manera a los jóvenes como a los ancianos. Entonces «... *quemaron la casa de Dios, y rompieron el muro de Jerusalén, y consumieron a fuego todos sus palacios, y destruyeron todos sus objetos deseables»* (II de Crónicas 36:17-19; II de Reyes 25:4-11; Jeremías 52:5-23).

Casi todos los que escaparon la mortandad fueron llevados como esclavos al exilio en Babilonia (II de Crónicas 36:20-21).

Por Su gran amor para con Israel y Su pacto con Abraham, Isaac, Jacob, y David, el Señor le dio una preciosa promesa al pueblo judío que su cumplimiento se está rapidamente acercando hoy en día. Muy pronto ellos van a reconocer a Jesucristo el Nazareno como su Mesías. *«Porque no quiero, hermanos, que ignoréis este misterio ... que ha acontecido a Israel endurecimiento en parte, hasta que haya entrado la plenitud de los gentiles; y luego todo Israel será salvo, como está escrito: Vendrá de Sion el Libertador, que apartará de Jacob la impiedad. Y este será Mi pacto con ellos, cuando Yo quite sus pecados»* (Romanos 11:25-27).

**Pensamiento para hoy:** ¿Pueden otras personas confiar en lo que usted dice?

# INTRODUCCIÓN AL LIBRO DE
# ℰSDRAS

El libro de Esdras empieza con la historia de los judíos desde el tiempo que Ciro rey de Persia les dio la libertad del exilio de Babilonia, y les permitió volver a Jerusalén para edificar otra vez el templo bajo el liderazgo de Zorobabel, un heredero al trono de Judá.

Casi toda la generación de los israelitas que había sido llevada al cautiverio por Nabucodonosor ya había muerto. La mayoría de la nueva generación no deseaba volver a la tierra de sus padres, la cual ellos nunca habían visto.

Esdras registró que la primera expedición fue compuesta de 42.360 judíos y 7.337 de sus siervos (Esdras 2:64-65) guiados por Zorobabel, quien había sido establecido gobernador por el rey Ciro (5:14; Hageo 1:1,14; 2:2,21).

El templo original, edificado por Salomón, había sido destruido por el rey Nabucodonosor de Babilonia en 586 A. C. Después de llegar a Jerusalén con Zorobabel, los que habían sido exilados edificaron un altar y observaron la fiesta solemne de los tabernáculos (tiendas), la cual conmemoraba los cuarenta años de los israelitas en el desierto. Esdras registró: *«En el año segundo de su venida a la casa de Dios en Jerusalén, en el mes segundo, comenzaron Zorobabel, . . . para que activasen la obra de la casa de Jehová»* (Esdras 3:8; 5:16). Tomó dos años para completar los cimientos, y después la obra fue suspendida por causa de la oposición de sus adversarios samaritanos (capítulos 3-4).

Unos quince años después, movidos por la predicación de la Palabra de Dios por los profetas Hageo y Zacarías, los israelitas *« . . . comenzaron a reedificar la casa de Dios»* (5:2). Ellos pudieron completar la obra en cinco años a pesar de la intensa oposición de los samaritanos (capítulos 5-6). Entre los capítulos seis y siete hay un intervalo de sesenta años. Durante este tiempo Zorobabel, Hageo, y Zacarías se murieron, y los hechos en el libro de Ester probablemente se cumplieron.

Quizás 78 años después de la primera expedición bajo Zorobabel (7:1-10:44), Esdras, un descendiente de Aarón el primer sumo sacerdote, recibió una carta del rey autorizándole a llevar otra expedición a Jerusalén, *« . . . conforme a la Ley de tu Dios . . . Todo lo que es mandado por el Dios del cielo, sea hecho prontamente para la casa del Dios del cielo»* (7:11-14,23). Durante este tiempo, Esdras llevó como 5.000 personas desde la capital de Persia, en Babilonia, hasta Jerusalén (7:28-8:31). El libro de Esdras revela cómo es que Dios controla el destino de toda la humanidad para cumplir Su voluntad, y de este modo el libro de Esdras es un mensaje del pacto continuo de la gracia de Dios.

**℮N LA LECTURA DE HOY**
La proclamación de Ciro para reedificar el templo;
la lista de los judíos que volvieron del cautiverio

*U*nos 200 años antes del tiempo de Esdras, Isaías había profetizado que Babilonia iba a ser derribada por un hombre llamado Ciro. El Señor dijo sobre este rey pagano de Persia: «*. . . cumplirá todo lo que Yo quiero, al decir a Jerusalén: Serás edificada; y al templo: Serás fundado. . . . (Y) soltará Mis cautivos*» (Isaías 44:28; 45:13). Estas profecías les aseguraron a los israelitas que, después del juicio de los 70 años del cautiverio por sus pecados que había sido profetizado por Jeremías, Dios iba a restaurarles otra vez a su tierra prometida (Jeremías 25:11-12).

Para cumplir esa profecía, «*. . . despertó Jehová el espíritu de Ciro rey de Persia, el cual hizo pregonar de palabra . . . Quien haya entre vosotros de Su pueblo, sea Dios con él, y suba a Jerusalén que está en Judá, y edifique la casa a Jehová Dios de Israel* (Él es el Dios), *la cual está en Jerusalén. . . . Entonces se levantaron los jefes de las casas paternas de Judá y de Benjamín, y los sacerdotes y levitas, todos aquellos cuyo espíritu despertó Dios para subir a edificar la casa de Jehová, la cual está en Jerusalén*» (Esdras 1:1,3,5).

Durante esta jornada Dios no les dio la apariencia de fuego de noche ni la nube por el día para guiarles el camino, y no cayó el maná del cielo como lo habían experimentado sus antecesores (Números 9:15-16,22-23), pero no hay ningún registro que ellos se quejaron. Esto fue un gran contraste con las murmuraciones continuas de sus antecesores, quienes habían sido rescatados de Egipto milagrosamente (20:24; 27:14; Deuteronomio 1:26,43; 9:23).

Cuando nosotros reconocemos que nuestro Creador Soberano controla todas las cosas que afectan nuestras vidas, es que verdaderamente podemos gozarnos de la paz de Dios, sin pensar en lo que pasa, pues «*. . . sabemos que a los que aman a Dios, todas las cosas les ayudan a bien*» (Romanos 8:28). Creyendo esto quitará todo el temor, la depresión, el desánimo, tanto como la crítica, la ira, y las contiendas. Nuestro Soberano Dios está sobre todo lo que ocurre en nuestras vidas, incluyendo los sufrimientos y el dolor, y usará todo lo que pasa en nuestras vidas para nuestro mejor provecho. Por esta razón, podemos «*. . . (vivir) en paz; y el Dios de paz y de amor estará con (nosotros)*» (II de Corintios 13:11).

**Pensamiento para hoy:** «*Alegraos, justos, en Jehová, y alabad la memoria de Su santidad*» (Salmo 97:12).

---

### ℰN LA LECTURA DE HOY
La restauración del altar y de la adoración; la edificación del templo
empieza; los enemigos paran la obra; la obra es restaurada;
la carta de Tatnai a Darío

---

*D*espués de volver a Jerusalén, los judíos primeramente edificaron «... *el altar del Dios de Israel, para ofrecer sobre él holocaustos ... porque tenían miedo de los pueblos de las tierras, y ofrecieron sobre él holocaustos a Jehová, holocaustos por la mañana y por la tarde. Celebraron asimismo la fiesta solemne de los tabernáculos, como está escrito ... pero los cimientos del templo de Jehová no se habían echado todavía ... (Pusieron) a los sacerdotes ... a los levitas ... (y) cantaban, alabando y dando gracias a Jehová»* (Esdras 3:2-4,6,10,11).

Se decía que muchos de los hombres que habían visto el templo de Salomón «... *lloraban en alta voz, mientras muchos otros daban grandes gritos de alegría»* (3:12). Quizás que estaban llorando sobre lo que podía haber sido si ellos no hubiesen ignorado las advertencias de los profetas que les decían que el pecado continuo siempre resulta en destrucción. Otros se regozijaron en pensar que un día futuro el templo sería otra vez edificado y allí podrían adorar a Dios otra vez.

Es justo para nosotros lamentarnos por pecados pasados que han traído el juicio de Dios sobre nuestras vidas, tal y como lo hicieron los israelitas. Pero, podemos dar gracias a Dios que, después que hemos abandonado y confesado nuestros pecados al Señor, podemos estar seguro que «... *Él es fiel y justo para perdonar nuestros pecados...»* (I de Juan 1:9). No debemos de continuar afligiéndonos por las pérdidas del pasado, pues eso siempre obscurece las nuevas oportunidades para el presente y para el futuro. Ni tampoco debemos gloriarnos en los logros y éxitos personales del pasado. Diariamente necesitamos seguir adelante con nuestras vidas y unirnos a los que «... *(cantan), alabando y dando gracias a Jehová»* (Esdras 3:11) por Su misericordia y Su gracia. El apóstol Pablo nos recuerda diciendo: «... *olvidando ciertamente lo que queda atrás, y extendiéndome a lo que está delante, prosigo a la meta, al premio del supremo llamamiento de Dios en Cristo Jesús»* (Filipenses 3:13-14).

Una buena lección que aprendemos de estos judíos devotos es que, mientras buscamos maneras cómo servir al Señor, la oposición vendrá. Durante la restauración de los cimientos del templo «... *el pueblo de la tierra ... atemorizó para que no edificara. ... Entonces cesó la obra de la casa de Dios que estaba en Jerusalén»* (Esdras 4:4,24).

Vamos a seguir adelante confiando, no en nosotros mismos, pero en Dios, «... *y en el poder de Su fuerza»* (Efesios 6:10).

**Pensamiento para hoy:** Los ganadores nunca cesan, y los que cesan nunca ganan.

**EN LA LECTURA DE HOY**
El decreto de Darío para completar el templo;
la dedicación del templo; la Pascua es restaurada

*L*os profetas Hageo y Zacarías les recordaron a los israelitas en Jerusalén que la verdadera razón por la cual la obra del Señor no se terminaba era porque su primer interés estaba en edificar sus casas. Estos hombres ungidos por Dios con denuedo predicaron la Palabra de Dios e inspiraron al pueblo a restaurar el templo: *«Y los ancianos de los judíos edificaban y prosperaban, conforme a la profecía del profeta Hageo y de Zacarías . . . Edificaron, pues, y terminaron, por orden del Dios de Israel»* (Esdras 6:14).

No tenemos un registro sobre lo que le pasó a los júdios que estaban en Jerusalén desde ese tiempo de Hageo y Zacarías y el tiempo de la venida de Esdras desde Persia unos sesenta años después. Zorobabel, Hageo, y Zacarías habían ya muerto dejando la próxima generación sin líderes espirituales.

Esdras había nacido durante el cautiverio de Babilonia. Él era uno de los descendientes de Aarón, el primer sumo sacerdote de Israel (7:1-5; I de Crónicas 6:3-15). La clave por la cual Esdras fue tan efectivo en cumplir la voluntad de Dios es evidente: *«Porque Esdras había preparado su corazón para inquirir la Ley de Jehová y para cumplirla, y para enseñar en Israel Sus estatutos y decretos»* (Esdras 7:10). Notemos cuidadosamente las tres partes esenciales que le dieron a Esdras su gran éxito: Primeramente, Esdras *« . . . había preparado su corazón para inquirir la Ley de Jehová»*. La palabra *«preparado»* quiere decir un firme y continuo esfuerzo para conocer toda la Palabra de Dios. La segunda manifestación que las bendiciones del Señor estaban sobre su vida fue que Esdras se había entregado a sí mismo para *«cumplir»* (obedecer) la Ley de Dios. Y en tercer lugar, él se había preparado para *« . . . enseñar en Israel Sus estatutos y decretos»*.

Esdras estaba bien comprometido en buscar, hacer, y enseñar la Palabra de Dios. Esto nos debe recordar que si queremos que Dios bendiga nuestras vidas nosotros también tenemos que establecer nuestros corazones sobre todo el consejo de Dios. *«Sobre todo, tomad el escudo de la fe, con que podáis apagar todos los dardos de fuego del maligno. . . . (Y) la espada del Espíritu, que es la Palabra de Dios»* (Efesios 6:16-17).

Esdras es un ejemplo de cómo Dios usará a cualquiera que tome Su Palabra en serio y que *« . . . con diligencia . . . usa bien la Palabra de verdad»* (II de Timoteo 2:15).

**Pensamiento para hoy:** Cuando vivimos para agradar a Dios animamos a otros a ser obedientes al Él.

---

### ᴇN LA LECTURA DE HOY

La genealogía de los compañeros de Esdras; el ayuno proclamado
por Esdras; el tesoro encomendado a los sacerdotes;
la oración y la confesión de Esdras

---

*P*orque Esdras conocía bien las Escrituras él decidió ser responsable en guiar quizás a cinco mil hombres, mujeres, y niños por todo ese largo y peligroso viaje, de posiblemente más de 1287.2 kilómetros, desde Babilonia hasta Jerusalén. Además de todo esto estaba la responsabilidad del valioso tesoro de *« . . . plata, el oro y los utensilios, ofrenda que para la casa de nuestro Dios habían ofrecido el rey»* (Esdras 8:25). Esdras también sabía los peligros de los bandidos que podían venir a matar y saquear. El pueblo también tenía que enfrentarse a las fatigas físicas y emocionales.

Hubiese sido más fácil quedarse en Babilonia y solamente orar por la gente en Jerusalén. Pero Esdras decidió hacer todo lo posible para ayudar. Además, Esdras no le pidió al rey una guardia de protección militar; pero está registrado que Esdras dijo: *« . . . publiqué ayuno allí junto al río Ahava, para afligirnos delante de nuestro Dios, para solicitar de Él camino derecho para nosotros . . . Porque tuve vergüenza de pedir al rey tropa y gente de a caballo que nos defendiesen del enemigo en el camino; porque habíamos hablado al rey, diciendo: La mano de nuestro Dios es para bien sobre todos los que le buscan . . . »* (8:21-22).

Esdras y sus seguidores llegaron sanos y salvos a Jerusalén unos cuatro meses después de haber salido de Babilonia (7:8-9; 8:31). Sin embargo, Esdras estaba angustiado al oír sobre el estado moral y espiritual en Jerusalén desde que el templo se había reedificado. Los príncipes vinieron a Esdras diciéndole: *« . . . El pueblo de Israel y los sacerdotes y levitas no se han separado de los pueblos de las tierras . . . y hacen conforme a sus abominaciones»* (9:1). Otra vez, Esdras no dijo: «Ese no es mi problema, deja que otros se encarguen de eso». Al contrario, él se involucró en cómo ayudar: *«Y se me juntaron todos los que temían las Palabras del Dios de Israel . . . »* (9:4). A la hora del sacrificio de la tarde, él se postró arrodillado, y extendió sus manos al Señor, y oró diciendo: *« . . . Dios mío, confuso y avergonzado estoy para levantar, oh Dios mío, mi rostro a Ti, porque nuestras iniquidades se han multiplicado sobre nuestra cabeza . . . (Porque) nosotros hemos dejado Tus mandamientos»* (9:6,10).

Cuando abandonamos la Palabra de Dios, todos nosotros también tenemos que interesarnos tal y como Esdras lo hizo. *«¿No fue justificado por las obras Abraham nuestro padre, cuando ofreció a su hijo Isaac sobre el altar? ¿No ves que la fe actuó juntamente con sus obras, y que la fe se perfeccionó por las obras?»* (Santiago 2:21-22).

**Pensamiento para hoy:** *« . . . La fe sin obras es muerta»* (Santiago 2:20).

## EN LA LECTURA DE HOY

El juramento sobre las mujeres extranjeras que ellos habían tomado
y los hijos que ellas les habían dado a luz

Los israelitas se habían casado con mujeres cananeas. Consiguientemente, muchos estaban adorando los ídolos de ellas. La Ley de Dios les había amonestado: «*Y no emparentarás con ellas* . . . *(Porque) desviará a tu hijo de en pos de Mí, y servirán a dioses ajenos; y el furor de Jehová se encenderá sobre vosotros, y te destruirá pronto*» (Deuteronomio 7:3-4).

Mientras que los israelitas oían al sacerdote Esdras proclamar la Palabra de Dios, ellos sintieron una gran convicción por sus pecados. Entonces Secanías habló en lugar de todos los que habían ofendido al Señor, y le dijo a Esdras: «. . . *Nosotros hemos pecado contra nuestro Dios* . . . *(ahora), pues, hagamos pacto con nuestro Dios, que despediremos a todas las mujeres* . . . » (Esdras 10:2-3).

Uno por uno, cada hombre que se había casado con una mujer extranjera de los cananeos tuvo que presentarse con su mujer y sus hijos delante de la corte «. . . *y con ellos los ancianos de cada ciudad*» (10:14) para determinar si ellos se habían involucrado en la adoración de los ídolos o si eran adoradores del Verdadero Dios de Israel. Si la única consideración hubiese sido la excomunión de las mujeres extranjeras todo hubiese sido una decisión simple e inmediata. Pero, mucho más que una simple separación se tenía que considerar en sus cortes. Cada familia tenía que ser examinada para determinar si las mujeres cananeas habían abandonado sus ídolos y se habían convertido al Verdadero Dios de Israel. Si estos hombres habían guiado a sus esposas a rechazar sus ídolos y ahora adoraban al Único Dios Verdadero, entonces sus esposas ahora eran israelitas y no más serían llamadas «*mujeres extranjeras*». Este antecedente había sido establecido por Josué cuando él había protegido a Rahab, la ramera de Jericó, y la recibió como uno de ellos, pues ella había renunciado a sus ídolos y a su pecaminoso estilo de vida y había puesto su confianza en el Único Dios Verdadero de Israel.

Después de muchos años, Rut, la mujer moabita, se unió a Noemí, confesando: «*Tu pueblo será mi pueblo, y tu Dios mi Dios*» (Rut 1:16). Rut había rechazado los ídolos de su pueblo natal y llegó a ser una mujer israelita. Estas mujeres, Rut y Rahab, llegaron a ser parte de la genealogía de Jesús (Mateo 1:5,16; Lucas 3:23,32).

A veces todos nosotros nos inclinamos a subestimar los dolores y los sufrimientos que resultan al desobedecer la Palabra de Dios. ¡El precio de la vida en el pecado es mucho más grande que lo que podemos sospechar! «*Porque el que siembra para su carne, de la carne segará corrupción; mas el que siembra para el Espíritu, del Espíritu segará vida eterna*» (Gálatas 6:8).

**Pensamiento para hoy:** La abnegación de sí mismo que honra a Cristo a veces puede resultar en sufrimiento, pero las consecuencias son paz y satisfacción.

# INTRODUCCIÓN AL LIBRO DE
# $\mathcal{N}$EHEMÍAS

El libro de Nehemías es la continuación de la historia registrada en el libro de Esdras. Nehemías se había criado en Persia junto con los judíos que estaban en el exilio en Babilonia antes que Ciro les había dado la libertad. Nehemías tenía una posición de honor como el copero del rey Artajerjes, el hijo de Jerjes, conocido como el rey Asuero en el libro de Ester. El puesto de Nehemías era de gran importancia y responsabilidad (I de Reyes 10:5; II de Crónicas 9:4).

Nehemías estaba agobiado por el informe que había recibido sobre la deplorable condición espiritual y la pobreza humana que existía en Jerusalén. Al oír del dolor de Nehemías, el rey de Persia lo nombró gobernador de Judá y le dio autoridad para volver a su tierra natal y reedificar los muros (Nehemías 2:5-7; 5:14). Esto ocurrió unos cien años después que Zorobabel había llegado a Jerusalén.

Los muros habían estado en ruinas desde que Nabucodonosor había completamente destruido a Jerusalén unos 140 años antes de la historia en Nehemías (II de Reyes 25:8-11). El remanente judío no tenía ninguna protección contra las naciones a sus alrededores que podían fácilmente venir y robarle sus cosechas y sus posesiones. El primer proyecto de Nehemías fue restaurar los muros caídos que mucho antes habían protegido a Jerusalén de sus enemigos. Pero, aún, algunos de los grandes ciudadanos de Jerusalén que podían beneficiarse de esos muros no se presentaron para ayudarle (Nehemías 2:19; 3:5; 4:1-12). Aunque se tuvo que enfrentar a muchos problemas (4:12-23; 6:2-4,10-13), con oraciones continuas al Señor, con ayunos, y con fe en la Palabra de Dios, Nehemías llevó al pueblo a reedificar los muros en cincuenta y dos días (6:15).

Hubo también un gran énfasis en oír la Palabra de Dios, junto con el entendimiento y la aplicación de ella, lo cual les llevó a un gran avivamiento por todo el pueblo (8:2-3,7-8,12).

Después que los muros de Jerusalén fueron dedicados a Dios por Esdras y Nehemías (12:27-43), Nehemías continuó unos doce años como el gobernador de Jerusalén (5:14). Entonces volvió a las cortes de Persia por un tiempo indefinible. Durante el tiempo que Nehemías estaba ausente de Jerusalén, la Palabra de Dios fue otra vez ignorada y la corrupción y la inmoralidad otra vez fue aceptada (13:6). Nehemías otra vez obtuvo permiso del rey de Persia para salir y volver a Jerusalén. Con un gran celo, él cambió el estado pecaminoso de la nación, reestableció el pacto de relación con Dios, y restauró al pueblo a la verdadera adoración a Jehová (13:7-31).

---

**ᶒN LA LECTURA DE HOY**

La oración de Nehemías por Israel y su pedido para estar ausente;
Nehemías observa los muros y empieza a edificarlos

---

ᶜuando Hanani, el pariente de Nehemías, llegó a Persia de Jerusalén, él le contó a Nehemías la condición detestable que existía en Israel. Nehemías dijo: *«Cuando oí estas palabras me senté y lloré, e hice duelo por algunos días, y ayuné y oré delante del Dios de los cielos. . . . (Yo) y la casa de mi padre hemos pecado. . . . (Y) no hemos guardado los mandamientos»* (Nehemías 1:4,6,7). Durante un período de cuatro meses él continuó sus oraciones.

Cuando el rey Artajerjes le preguntó por qué estaba tan triste, Nehemías le dijo: porque *« . . . la ciudad, casa de los sepulcros de mis padres, está desierta»* (2:1-3). El rey misericordiosamente le puso como gobernador de Judá y le comisionó la reedificación de los muros de Jerusalén. El mismo rey aun proveyó parte de los materiales (2:6-8).

Tres características básicas hicieron del esfuerzo de Nehemías un éxito. Por primero, su deseo de cumplir con la voluntad de Dios (1:1,11). Esto lo llevó a dejar el lujo y la seguridad del palacio del rey en Persia y sufrir la injuria en Jerusalén para restaurar los muros de la ciudad de Dios.

En segundo lugar, Nehemías no solamente dijo: *« . . . ayuné y oré delante del Dios de los cielos»* pero también confesó: nosotros *« . . . no hemos guardado los mandamientos»* (1:4-11). Él reconoció que la obediencia a la Palabra de Dios es esencial para recibir la respuesta a nuestras oraciones.

Por tercero, él estaba determinado a persuadir a su pueblo a unirse a él en la reedificación de los muros, sin pensar en la oposición. Sanbalat y su gentío expresaron hostilidad y disgusto en extremo contra Nehemías: *« . . . hicieron escarnio de nosotros»* (2:19). Su escarnecimiento se convirtió en calumnia, diciendo: *«¿Os rebeláis contra el rey?»* (2:19). Y por más, los grandes ciudadanos de Judá *« . . . no se prestaron para ayudar a la obra de su Señor»* (3:5).

Nehemías se negó a desanimarse o abandonar su propósito. El deseo de cumplir con la voluntad de Dios depende en recordar que Él es Soberano sobre todos los acontecimientos de nuestras vidas. *«(De) manera que podemos decir confiadamente: El Señor es mi ayudador; no temeré lo que me pueda hacer el hombre»* (Hebreos 13:6).

**Pensamiento para hoy:** Mucho se puede llevar a cabo para con Dios cuando los creyentes trabajan juntos.

## ᴇN LA LECTURA DE HOY

La oposición y la injuria contra los obreros; la oración de Nehemías;
las armas para los obreros; la corrección del mal; los adversarios
y sus artimañas; los muros son reedificados

ehemías estaba resuelto a reedificar los muros alrededor de Jerusalén, aunque había una fuerte oposición de los samaritanos y aun de los líderes judíos. Él le dio armas a los obreros «. . . *con sus espadas, con sus lanzas y con sus arcos*» (Nehemías 4:13). Él también dijo: «. . . *No temáis delante de ellos; acordaos del Señor, grande y temible, y pelead por vuestros hermanos . . . (nosotros), pues, trabajábamos en la obra; y la mitad de ellos tenían lanzas desde la subida del alba hasta que salían las estrellas*» (4:14,20,21; ver Números 14:9; Éxodo 14:13-14). Trabajando unas doce horas al día no les dejó mucho tiempo para hacer algo más. La fe de los israelitas se había fortalecido por haber leído la Palabra de Dios.

Sanbalat otra vez trató de hacer cesar su obra, mandando a decir a Nehemías: «. . . *Ven y reunámonos en alguna de las aldeas en el campo de Ono . . .*» (Nehemías 6:2), unas 45.05 kilómetros al noroeste de Jerusalén. Pero Nehemías les contestó: «. . . *Yo hago una gran obra, y no puedo ir; porque cesaría la obra, dejándola yo para ir a vosotros*» (6:3).

Después que Sanbalat trató por cinco veces reunirse con Nehemías, él entonces lo acusó de rebelarse contra el rey de Persia (6:5-7). Cuando esto no trabajó, Sanbalat pagó a un falso profeta para predecir la muerte de Nehemías.

Once veces se registró que Nehemías oraba (1:4-11; 2:4; 4:4,5,9; 5:19; 6:9,14; 13:14,22,29,31). Él animó a los obreros diciéndoles: «. . . *El Dios de los cielos, Él nos prosperará . . . porque el pueblo tuvo ánimo para trabajar. . . . Fue terminado, pues, el muro, el veinticinco del mes de Elul, en cincuenta y dos días*» (2:20; 4:6; 6:15).

Una vez que reconocemos y decimos «. . . *porque de Jehová es la batalla*» (I de Samuel 17:47), y que Dios es el Único que permite la oposición, entonces es que no nos preocupamos. Al contrario, buscaremos cómo aprender lo que el Señor espera de nosotros para poder llegar a contestar nuestras oraciones. El pueblo de fe, aunque una minoría, siempre buscarán un camino para cumplir la voluntad de Dios, mientras que la mayoría siempre buscará excusas para esperar por un tiempo más oportuno.

Cuando estamos sirviendo al Señor, el mayor problema es no llegar a hacer lo mejor con lo que tenemos. «*Me es necesario hacer las obras del que Me envió, entre tanto que el día dura; la noche viene, cuando nadie puede trabajar*» (Juan 9:4).

**Pensamiento para hoy:** Un creyente que no ora debilita su eficacia.

> ## ẼN LA LECTURA DE HOY
> Nehemías pone a los líderes; la genealogía de los que
> volvieron del exilio; las Escrituras fueron leídas y explicadas;
> la fiesta solemne de los tabernáculos (tiendas) es observada

Ẽl más alto propósito de Dios para Su pueblo fue mucho más que la restauración del templo y los muros de Jerusalén. Estas estructuras hechas por los hombres no tenían el poder para proteger a los israelitas de sus enemigos, a menos que el pueblo supiese y obedeciese la Palabra de Dios. El idioma hebreo, en el cual *«el libro de la Ley»* (Nehemías 8:3) fue escrito, ya no era la lengua común del pueblo. Durante el cautiverio, ellos hablaron el arameo, porque era el idioma internacional del comercio y usado por los arameos (sirios), los persas, y los babilonios durante ese tiempo.

Después que los muros fueron terminados bajo la supervisión de Nehemías, miles de judíos se congregaban día tras día desde el salir del sol hasta el mediodía para oír a Esdras y a los levitas leer y explicar el libro de la Ley de Dios. Esto resultó en una renovación del pacto de relación de los israelitas con Dios, y la restauración de la adoración según fue escrito en la Ley de las Santas Escrituras y un gran avivamiento tomó lugar, *« . . . porque todo el pueblo lloraba oyendo las Palabras de la Ley»* (8:9).

La necesidad más presente hoy en día es que los creyentes lleguen a estar seriamente comprometidos en la lectura de toda la Palabra de Dios, porque ella es la que *« . . . discierne los pensamientos y las intenciones del corazón»* (Hebreos 4:12). Dios nos habla por medio de Su Palabra y, mientras la leemos, nuestros varios pecados de desobediencia, sean por ignorancia, omisión o comisión, son recordados en nuestras mentes. Esto nos lleva a la convicción, a la confesión, y a la limpieza (I de Juan 1:9). Entonces es que llegamos a ser *« . . . hacedores de la Palabra, y no tan solamente oidores . . . »* (Santiago 1:22).

Además, el estado de condenación que es el resultado de los pecados que hemos cometido ya no debe permanecer después que nos hemos confesado y arrepentido. No nos atrevemos a sacar otra vez nuestros pecados pasados ni los de otra persona que ya se han confesado; al contrario, debemos de regocijarnos de la misericordia, y el amor de Dios que nos da el perdón por medio de Jesucristo nuestro Salvador. En la parábola de nuestro Señor, el siervo que no perdonó fue entregado a los verdugos. *«Así también Mi Padre Celestial hará con vosotros si no perdonáis de todo corazón cada uno a su hermano sus ofensas»* (Mateo 18:35).

**Pensamiento para hoy:** Cuando obedecemos la Palabra de Dios nuestros corazones son preparados para que el Espíritu Santo pueda trabajar en y por nosotros.

> ## ☙N LA LECTURA DE HOY
> El ayuno y la confesión por los pecados; la lectura de la ley; la confesión
> de la bondad de Dios; el nuevo pacto para cumplir con la Ley

℮sdras se destaca como un hombre piadoso porque conocía bien las Escrituras. Esdras no solamente les guio en la lectura de la Ley, pero muchos de los levitas «. . . *hacían entender al pueblo la Ley . . . y ponían el sentido, de modo que entendiesen la lectura*» (Nehemías 8:7-8). El enseñar la Palabra de Dios era tan importante que se menciona siete veces en un capítulo (8:2,3,7,8,9,12,13). Esto nos hace ver lo importante que es leer toda la Biblia desde Génesis hasta Apocalipsis.

Los israelitas fueron enseñados el verdadero significado de la fiesta solemne de los Tabernáculos, también llamada la fiesta de Tiendas o Sukkoth. Durante esta fiesta de Sukkoth ellos celebraban en el otoño la (segunda) cosecha, y esto conmemoraba los 40 años que sus antecesores moraron en «*tabernáculos*» (tiendas) en el desierto (Levítico 23:42-43). En el día veinticuatro del mes de Tishri (septiembre/octubre), «. . . *se reunieron los hijos de Israel en ayuno*» (Nehemías 9:1). La fiesta de los Tabernáculos se había observado tal y como fue requerido bajo la Ley, pero el Espíritu Santo empezó a moverse entre el pueblo después de la lectura de las Escrituras, así que «. . . *estando en pie, confesaron sus pecados . . . leyeron el libro de la Ley de Jehová su Dios la cuarta parte del día, y la cuarta parte confesaron sus pecados y adoraron a Jehová su Dios*» (9:2-3). Los levitas fueron movidos en decirle al pueblo: «. . . *Levantaos, bendecid a Jehová vuestro Dios desde la eternidad hasta la eternidad; y bendígase el nombre Tuyo, glorioso y alto sobre toda bendición y alabanza*» (9:5).

Los sacerdotes revelaron cómo Dios les rescató y dijeron: «. . . *por Tus muchas misericordias . . . enviaste Tu buen Espíritu para enseñarles . . . de ninguna cosa tuvieron necesidad*» (9:19-21). Este es el mismo Espíritu Santo que guía a todos los creyentes hoy en día, tal y como Jesucristo prometió: «*Y cuando Él venga, convencerá al mundo de pecado . . . (Pero) cuando venga el Espíritu de verdad, Él os guiará a toda la verdad*» (Juan 16:8,13). El Espíritu Santo también busca cómo guiar a todos los creyentes a practicar la ocupación o la posición que Dios ha escogido para nosotros, y así servir al Señor más eficazmente y prepararnos para nuestra herencia eterna. Sólo el Espíritu Santo puede iluminar nuestras mentes, impartir la convicción por nuestros pecados, y darnos el poder para vivir una vida (santa) santificada (I de Corintios 2:16; 6:11).

El apóstol le oró a Dios: «. . . *para que os dé, conforme a las riquezas de Su gloria, el ser fortalecidos con poder en el hombre interior por Su Espíritu*» (Efesios 3:16).

**Pensamiento para hoy:** Si vivimos por fe, no necesitamos temer.

## ᴇN LA LECTURA DE HOY

Los residentes de Jerusalén; los sacerdotes y los levitas con Zorobabel; la dedicación de los muros; los oficiales del templo son restaurados

ᴇstas personas ordinarias, sin tener alguna habilidad para edificar los muros, en buena voluntad fueron a trabajar bajo el liderazgo de Nehemías, e hicieron todo lo más que pudieron para reedificar los muros alrededor de Jerusalén.

Solamente un grupo pequeño de todos los que salieron de Persia para reedificar a Jerusalén realmente se establecieron dentro de los muros de la ciudad. Muchos de los judíos vivían en los alrededores de la ciudad donde podían sembrar, tener animales de pasto, y hacer una vida más fácil. Por esta razón, no habían suficientes personas viviendo en Jerusalén para mantenerla y protegerla. «*Habitaron los jefes del pueblo en Jerusalén; mas el resto del pueblo echó suertes para traer uno de cada diez para que morase en Jerusalén, ciudad santa, y las otras nueve partes en las otras ciudades*» (Nehemías 11:1).

Los israelitas ahora podían congregarse dentro de los muros reedificados en Jerusalén y adorar sin miedo de sus enemigos. «*Para la dedicación del muro de Jerusalén, buscaron a los levitas de todos sus lugares para traerlos a Jerusalén, para hacer la dedicación y la fiesta con alabanzas y con cánticos . . . Y sacrificaron aquel día numerosas víctimas, y se regocijaron, porque Dios los había recreado con grande contentamiento . . . y el alborozo de Jerusalén fue oído desde lejos*» (12:27,43).

La adoración de los israelitas demostró un compromiso de corazón sincero al Señor en esta renovada relación con Él. Aunque todos los verdaderos creyentes aman al Señor, no todos están dispuestos a dejar atrás sus intereses personales y su seguridad financiera para hacer todo lo necesario para cumplir los propósitos del Señor.

Es igual de suma importancia que los seguidores de Cristo consideren «los muros» de sus propias vidas que necesitan ser reedificados donde los intereses mundanos han entrado y destruido su celo para con el Señor.

En nuestro caminar como creyentes, necesitamos estar en guarda contra cualquier cosa, incluyendo aun las buenas actividades que puedan desviar nuestro tiempo y nuestro dinero de ser usados para Dios y no llegar a « . . . (hacer) tesoros en el cielo . . . (Porque) donde esté vuestro tesoro, allí estará también vuestro corazón» (Mateo 6:20-21).

Todos nosotros queremos oír a nuestro Señor decirnos: «*Bien, buen siervo y fiel; sobre poco has sido fiel, sobre mucho te pondré; entra en el gozo de tu Señor*» (Mateo 25:21).

**Pensamiento para hoy:** Dios puede usar al siervo más pequeño para cumplir Sus necesidades.

## ᴇ̃N LA LECTURA DE HOY

La lectura de la Ley; el mandato de separarse de los paganos;
los diezmos; no es permitido violar el día de reposo;
el matrimonio con estranjeros es condenado

*D*urante la ausencia de Nehemías, la adoración a Dios por los israelitas y la observancia del día de reposo se había casi olvidado. El darse en casamiento con las mujeres idólatras cananeas era algo común. A cabo de un tiempo, Nehemías otra vez le pidió « . . . *permiso al rey para volver a Jerusalén»* (Nehemías 13:6-7). Él estaba muy agobiado porque el pueblo se había descuidado de la ley, y entonces tomó medidas drásticas para hacer que la nación volviese a Dios. *«Aquel día se leyó en el libro de Moisés, oyéndolo el pueblo, y fue hallado escrito en él que los amonitas y moabitas no debían entrar jamás en la congregación de Dios»* (13:1).

Los mayores pecados fueron cometidos por aquellos que estaban en posiciones más nobles como líderes espirituales. « . . . *(El) sacerdote Eliasib . . . había emparentado con Tobías. . . . Y uno de los hijos de Joiada hijo del sumo sacerdote Eliasib era yerno de Sanbalat horonita»* (13:4,28). Otros sacerdotes también se habían casado con mujeres cananeas.

Añadiéndole a estos pecados, Nehemías descubrió el mal que « . . . *Eliasib por consideración a Tobías, haciendo para él una cámara en los atrios de la casa de Dios»* (13:7). Esto no solamente era prohibido por Dios (Deuteronomio 23:3-4), pero Tobías en tiempos pasados se había opuesto a la obra de Nehemías (Nehemías 2:10,19; 4:3-8; 6:17-19). Nehemías dijo: « . . . *arrojé todos los muebles de la casa de Tobías fuera de la cámara . . . (entonces) reprendí a los oficiales, y dije: ¿Por qué está la casa de Dios abandonada?»* (13:8,9,11). La razón fue que *«los nobles de Judá»* habían transgresado la Ley casándose con mujeres paganas, y por consiguiente « . . . *(contaminaban) el sacerdocio»* (13:29).

Nehemías continuó sus reformas mientras que se tenía que enfrentar a mucha oposición. Él amonestó al pueblo sobre los matrimonios con los cananeos: *«No daréis vuestras hijas a sus hijos, y no tomaréis de sus hijas para vuestros hijos, ni para vosotros mismos. ¿No pecó por esto Salomón, rey de Israel? . . . (Aun) a él le hicieron pecar las mujeres extranjeras»* (13:25-26).

Tal y como Nehemías nosotros también podemos llegar a hacer una diferencia en nuestro mundo. Él fue usado por Dios de gran manera porque conocía bien las Escrituras y se negó a comprometerse con la maldad. *«Acercaos a Dios . . . y vosotros los de doble ánimo, purificad vuestros corazones»* (Santiago 4:8).

**Pensamiento para hoy:** Demos toda la gloria al Señor por todos Sus cumplimientos.

# INTRODUCCIÓN AL LIBRO DE
# ℰSTER

El libro de Ester se concentra alrededor de los descendientes de los israelitas que se quedaron en Persia después del cautiverio de los 70 años, y en específico sobre una joven doncella hebrea llamada Hadasa, a la cual se le dio el nombre de los persas, Ester. Los hechos en este libro probablemente ocurrieron durante el período de tiempo entre el capítulo seis y siete del libro de Esdras, unos cuarenta años después que el templo había sido reedificado (Esdras 3:10; 5:14-15), pero unos treinta años antes de que los muros fuesen reedificados (Nehemías 6:15). Es muy posible que Ester, quien llegó a ser la reina madre, fue usada por Dios para preparar el camino para su hermano israelita Nehemías quien llegó a ser el copero del rey Asuero el primero, el hijastro persa de Ester. Probablemente esta posición de gran confianza y su relación con el rey fue la razón por la cual Nehemías recibió el apoyo del rey para reedificar los muros de Jerusalén.

Asuero es el nombre hebreo y Jerjes es el nombre griego de Khshayarsha, el rey de Persia. Él «... *reinó desde la India hasta Etiopía sobre ciento veintisiete provincias*» (Ester 1:1). Se piensa que, durante el banquete que se presenta al principio del libro de Ester, él estaba planificando una batalla contra Grecia, la cual lo llevó a su derrota. Asuero reinó en Susa, que estaba situada en el Irán del presente, cerca de la frontera al este junto con Iraq. El reino de su hijo Artajerjes el primero se encuentra en Esdras 7-10 y Nehemías 1-13.

El libro de Ester, igual que los libros de Esdras y Nehemías, confirma que nuestro Creador puede cumplir Su perfecta voluntad por medio de un pequeño desamparado grupo de siervos fieles, aun cuando están bajo la autoridad de hombres malvados (Jeremías 32:27).

Te amo a Ti, mi Señor, amo Tu voluntad.
Tú, Señor, cumple Tu plan por mí,
que la gloria vuelva a Ti
por todo el tiempo y por la eternidad.

En la fuerza natural del hombre no hay honor;
Tu gracia sola tiene el poder para resistir el pecado,
y el poder de Satanás es anulado
por todos los creyentes
en quienes nuestro Cristo mora.

**EN LA LECTURA DE HOY**
La reina Vasti es quitada; Ester llega a ser reina; Mardoqueo le salva
la vida al rey; Amán trata de destruir a todos los judíos

*Ha*dasa era el nombre en hebreo de la joven huérfana quien llevaba el nombre persa de Ester (Estrella). Ella fue llevada al palacio del rey junto con otras doncellas para escoger la reina o para ser parte del harén del rey. Ester se encontró en una situación de la cual ella no tenía control. Ella, junto con su primo fiel Mardoqueo, el cual era mayor de edad y había adoptado a Ester, sólo podían confiar en Dios por Su dirección y protección. Para complicar su situación, el hombre que tenía el poder para enforzar los mandatos del rey era el hombre malvado y egoísta Amán (Ester 3:10,15; 6:6-10; 7:9). Amán era un amalecita, un descendiente de Esaú (3:1), quien odiaba a todos los judíos (Deuteronomio 25:17-19). Cuando Mardoqueo se negó a arrodillarse en «reverencia» (Ester 3:2), Amán decidió que iba a usar su autoridad para destruir a Mardoqueo y a todos los judíos en el reino. El plan de Amán se declaró ley con la aprobación del rey inadvertido, y echaron suertes (Pur) para determinar el mejor día para asesinar a todos los judíos (3:7-13). Sin embargo, Mardoqueo y Ester usaron cada medio legal para defender los intereses del pueblo de Dios, aun poniendo en peligro sus propias vidas.

Dios espera de nosotros un buen esfuerzo para resolver los problemas de la salud, del trabajo, y de las finanzas. Sin embargo, nunca debemos dudar que Dios siempre tiene el control mayor para proteger y proveer lo que nosotros no podemos. Dios nunca falta ni comete errores, y nunca pasa por alto a uno de Sus hijos. El verdadero creyente nunca se puede dar por vencido ni caer en los sentimientos de compasión de sí mismo, pero todos podemos mantenernos fieles y siempre buscar al Señor y a Su Palabra por Su dirección y Su fuerza diaria. Como Mardoqueo, no debemos arrodillarnos a los «Amanes» de este mundo quienes tratan de destruir nuestra lealtad a Cristo.

Como Ester, podemos sentirnos sin esperanza atrapados en el lugar en que estamos, anhelando el día que podamos ser libres y hacer lo que quisiésemos. Pero, por medio de la parábola de un hombre, Jesucristo también nos explicó la importancia de hacer todo lo mejor que podamos hoy en día, este hombre que « . . . *había recibido dos talentos . . . (Y) dijo: Señor, dos talentos me entregaste; aquí tienes, he ganado otros dos talentos sobre ellos. Su Señor le dijo: Bien, buen siervo y fiel; sobre poco has sido fiel, sobre mucho te pondré; entra en el gozo de tu Señor»* (Mateo 25:22-23).

**Pensamiento para hoy:** Dios sí oye y contesta nuestras oraciones.

## €N LA LECTURA DE HOY

El ayuno entre los judíos; el banquete que Ester le hizo a Amán y al rey;
Amán es forzado a darle honor a Mardoqueo; la muerte de Amán

*C*omo cinco años después que Ester llegó a ser reina, Amán fue llamado por el rey a estar « . . . *sobre todos los príncipes que estaban con él*» (Ester 2:16-17; 3:1-7). Cuando el decreto fue proclamado que todos los judíos serían destruidos, Mardoqueo le rogó a Ester « . . . *que fuese ante el rey a suplicarle y a interceder delante de él por su pueblo*» (4:8). Nadie sabía que Ester era judía porque Mardoqueo le había prohibido de revelar su nacionalidad. Ester tuvo miedo y le recordó a Mardoqueo que las leyes persas condenaban a muerte a cualquier persona que se acercara al rey sin ser invitada. Era un verdadero riesgo, pues ella no había « . . . *sido llamada para ver al rey estos treinta días*» (4:11). Ester podía haber pensado: «Si el rey ha perdido interés en mí, o si el rey se entera que yo soy judía, ¿cómo iba a ser posible influenciarle favorablemente?» Pero Ester creía que el riesgo de perder su posición prestigiosa, como lo había hecho la reina Vasti, o aun perder su vida, no era tan importante como tratar de salvar a su pueblo.

Después de ayunar por tres días, la reina Ester « . . . *entró en el patio interior de la casa del rey*» (5:1) y ella esperó a ver si iba a vivir o morir. Pero el rey la recibió y le ofreció conceder su petición: « . . . *Si place al rey, vengan hoy el rey y Amán al banquete que he preparado para el rey*» (5:4).

El rey aceptó la invitación y entonces, durante el segundo banquete, él otra vez le preguntó a Ester cual era su petición. Él se asombró cuando oyó que Ester estaba rogando por su propia vida: « . . . *Oh rey . . . séame dada mi vida por mi petición, y mi pueblo por mi demanda. Porque hemos sido vendidos, yo y mi pueblo, para ser destruidos, para ser muertos y exterminados. . . . El enemigo y adversario es este malvado Amán*» (7:3-6). Airado, el rey dijo: « . . . *Colgadlo* (a Amán) *en ella. Así colgaron a Amán en la horca que él había hecho preparar para Mardoqueo; y se apaciguó la ira del rey*» (7:9-10).

La vida de Ester nos anima a todos para usar cualquier talento, posición, éxito o riqueza que tengamos por bendición de Dios para decirle a un mundo perdido que nuestro Rey dio Su vida para salvarle de los tormentos del infierno. *«Porque todo el que quiera salvar su vida, la perderá; y todo el que pierda su vida por causa de Mí y del evangelio, la salvará»* (Marcos 8:35).

**Pensamiento para hoy:** Por las edades, Satanás ha tratado de destruir los testigos de Dios, pero el Señor guía y protege a Sus hijos.

## ℰN LA LECTURA DE HOY

Ester ruega para cambiar el decreto de Amán;
los enemigos de los judíos son destruidos; la fiesta de Purim
es instituida; Mardoqueo llega a grandes honores

*L*os «consejeros sabios» de Amán habían «echado suerte» (Pur) para determinar el tiempo más favorable para asesinar a todos los judíos. El «día de la suerte» para Amán fue el día trece del mes duodécimo (Ester 3:7-13; 9:1,24). Amán se sintió muy afortunado que la suerte había caído en el último mes del año, pues pensó que así iba a tener suficiente tiempo para planificar su malvado plan de exterminar a todos los judíos del reino.

El día puesto para la matanza, el cual llegó a llamarse Purim (suerte), llegó a convertirse en vez de un día de muerte a un día de rescate por la intervención de la providencia de Dios. Amán no sabía que el Dios de Mardoqueo es el Dios que tiene el control de todos los asuntos de este mundo. Aun cuando *«(la) suerte se echa en el regazo; mas de Jehová es la decisión de ella»* (Proverbios 16:33).

Siguiendo la muerte de Amán, el rey permitió que Mardoqueo escribiera un nuevo decreto dándole a los judíos el derecho a defenderse.

*«En el mes duodécimo, que es el mes de Adar, a los trece días del mismo mes, cuando debía ser ejecutado el mandamiento del rey y su decreto, el mismo día en que los enemigos de los judíos esperaban enseñorearse de ellos, sucedió lo contrario; porque los judíos se enseñorearon de los que los aborrecían»* (Ester 9:1). El libro de Ester muestra cómo Dios usa los siervos fieles para cambiar las situaciones de este mundo y así cumplir con Su Palabra.

En los días de paz y prosperidad, todos nos sentimos menos propensos a buscar la presencia de Dios. Pero, cuando nuestra situación parece ser crítica, buscamos Su presencia, y cuando así milagrosamente interviene, le adoramos por Su protección misericordiosa y Su provisión.

Ester es un buen testimonio al hecho que, aun en una sociedad secular y dominada por los poderes mundanos, nuestro Dios puede proteger a Su pueblo. Pero, Él espera que todos nosotros, como Ester, respondamos con valentía en fe y en contra los «Amanes» de este mundo.

La paz y satisfacción de la cual Mardoqueo y Ester tuvieron con gozo, sólo se puede experimentar por aquellos que comparten la compasión de nuestro Señor por un mundo perdido. Toda persona tiene derecho a conocer cómo ser salva. Jesucristo nos dijo: *« . . . nadie viene al Padre, sino por Mí»* (Juan 14:6).

**Pensamiento para hoy:** No hay ningún pecado que engañe más que el orgullo.

# INTRODUCCIÓN AL LIBRO DE
## JOB

El libro de Job empieza con una narración bien corta de un hombre piadoso que oraba, llamado Job, « *. . . y era aquel varón más grande que todos los orientales»* (Job 1:3). En los primeros dos capítulos, leemos sobre las acusaciones de Satanás contra Job y la prueba rigurosa que Dios le permitió que experimentara para probar su fe. Job mostró que Dios podía confiar en él para serle fiel aun durante las experiencias más dolorosas de la vida.

Dios dijo: *«Hubo en tierra de Uz un varón llamado Job»* (1:1). Uz era descendiente del tercer hijo de Noé por cual linaje el Mesías iba a venir (Génesis 10:22-23). La *«tierra de Uz»* (Job 1:1) no es mencionado en un lugar específico, pero estaba situada en el área de las tribus de los temanitas, los suhitas, y los naamatitas, así como también de los buzitas (2:11; 32:2; ver Génesis 22:20-22). También podemos ver que estaban al alcance de los ataques de los sabeos y de los caldeos (Job 1:15-17). Jeremías escribió sobre «*. . . todos los reyes de tierra de Uz, y a todos los reyes de la tierra de Filistea»* (Jeremías 25:20). Casi todos estos lugares están bien documentados en la historia. En Lamentaciones 4:21, parece que Uz estaba situada en Edom, casí abajo del mar muerto: *«Gózate y alégrate, hija de Edom, la que habitas en tierra de Uz . . . ».* Los lugares exactos no son importantes, pero el discernimiento espiritual sobre cómo debemos de entender y aceptar nuestras circunstancias y sufrimientos es de suprema importancia, máxima relevancia, y aplicable a cada época.

En el libro de Job podemos ver el razonamiento de estas cosas según la mente de Dios, de Job y su esposa, de sus tres amigos, de Eliú el buzita, y de Satanás, quien es presentado como el instigador de todos los sufrimientos. A la vez que leemos cada capítulo, debemos de distinguir cuidadosamente entre la sabiduría del piadoso Job, y las medias verdades erróneas de sus amigos que, aunque querían lo mejor para Job, estaban engañados por sus argumentos humanísticos. En verdad Dios honró a Job cuando dijo que él era un «*. . . hombre perfecto y recto»* (Job 1:1,8,22; 2:10) por haber hablado la verdad, pero dijo que sus amigos no habían hablado la verdad sobre él (42:7).

Los amigos de Job y Eliú revelaron la decepción y la falta de confianza que se halla en el razonamiento humano. Las únicas respuestas satisfactorias a nuestras propias necesidades se encuentran en la indubitable y santa Palabra de Dios. En la lectura de cada día, notemos el intenso sufrimiento de Job, pero también el desarrollo de su discernimiento espiritual. En el último capítulo, Dios otra vez quita toda duda sobre la justicia y la veracidad de Job cuando le dijo a Elifaz: «*. . . Mi ira se encendió contra ti y tus dos compañeros; porque no habéis hablado de Mí lo recto, como Mi siervo Job»* (42:7).

---

### ᴇN LA LECTURA DE HOY

Las riquezas y la piedad de Job; Satanás es permitido afligir a Job;
los consejos críticos de la esposa de Job y de sus tres amigos

---

*S*in las Santas Escrituras, nosotros nunca pudiéramos entender las razones por el sufrimiento. Job, el fiel siervo del Señor, fue despojado de su familia, sus posesiones, su reputación, y su salud. Pero su sufrimiento no fue una desgracia o mala suerte, ni aun un castigo de Dios por sus pecados como sus amigos erróneamente presumían. Nuestro Creador, quien conoce nuestros más íntimos pensamientos, declaró que Job era «. . . *hombre perfecto y recto, temeroso de Dios y apartado del mal*» (Job 1:1).

Detrás de todas las maldades del mundo está Satanás, y siempre quiere: «. . . *rodear la tierra y de andar por ella*» (1:7), en su continuo esfuerzo para destruir todo lo bueno. Pero Satanás está bajo la vigilancia constante de Dios y no puede hacer nada sin Su permiso.

Satanás presumió que, tal y como toda persona egocéntrica, Job era fiel a Dios sólo por sus recompensas. Durante su intenso sufrimiento y prueba, la esposa de Job aun le sugirió: «. . . *Maldice a Dios, y muérete*» (2:9). Ella también había sufrido las mismas pérdidas, pero claramente su mayor pérdida fue su fe en Dios. Job reconoció que él no era el dueño de todo lo que él poseía, ni aun sus hijos, pero que él era meramente el administrador de las cosas que Dios le había puesto para cuidar. De ese punto de vista, había sólo un paso más para Job aceptar que Dios, en Su sabiduría infinita, tenía el derecho de reclamar Sus posesiones a Su mejor tiempo. En vez de maldecir a Dios, Job le adoró, diciendo: «*Desnudo salí del vientre de mi madre, y desnudo volveré allá. Jehová dio, y Jehová quitó; sea el nombre de Jehová bendito*» (1:21).

Así como Satanás usó los «amigos» de Job para deprimirle y para condenarle, Satanás todavía se goza en usar nuestras familias, nuestros amigos, nuestros compañeros de trabajo, y aun nuestros compañeros en la iglesia para hacer lo mismo hoy en día. «*Sed sobrios, y velad; porque vuestro adversario el diablo, como león rugiente, anda alrededor buscando a quien devorar*» (I de Pedro 5:8). Pero Satanás no es un león; él solamente aparece como un león, y su rugir es sólo una ostentación.

Nuestro Dios, el Maestro Trazador, todavía está en control completo. «*Jesucristo es el mismo ayer, y hoy, y por los siglos*» (Hebreos 13:8).

**Pensamiento para hoy:** «*Bueno es alabarte, oh Jehová, y cantar salmos a Tu nombre, oh Altísimo*» (Salmo 92:1).

> ## EN LA LECTURA DE HOY
> La reprimenda de Elifaz continúa; la respuesta de Job; Job reprocha
> a sus amigos; la teoría de Bildad sobre las aflicciones de Job

Después de una semana entera de contemplación silenciosa sobre el sufrimiento de Job, Elifaz, su amigo más viejo, habló primero (Job 2:13). Él trató de convencer a Job que tenía que confesar su pecado secreto, diciendo: *«He aquí, bienaventurado es el hombre a quien Dios castiga; por tanto, no menosprecies la corrección del Todopoderoso (El Shaddai)»* (5:17). Elifaz entonces continuó su discurso sobre las bendiciones que Job podía esperar si sólo confesaba su pecado, y confidentemente terminó diciendo: *«He aquí lo que hemos inquirido, lo cual es así; óyelo, y conócelo tú para tu provecho»* (5:27).

Además de todo el sufrimiento físico de Job, sus pérdidas financieras, la muerte de sus hijos, y la amargura de su esposa contra Dios, sus tres amigos habían formulado conceptos erróneos sobre su integridad, y persistían en acusarle día y noche. Job sintió el aguijón amargo de la condenación de Elifaz cuando insinuó que Job era un hipócrita. Job no entendió por qué Dios no vino a su defensa. Aun peor, le parecía que él había sido echado por tierra por *«. . . las saetas del (Shaddai) Todopoderoso»* (6:4). Sin embargo, los sufrimientos de Job revelaron su discernimiento espiritual: *«¿Qué es el hombre, para que lo engrandezcas, y para que pongas sobre él Tu corazón, y lo visites todas las mañanas, y todos los momentos lo pruebes?»* (7:17-18).

Nosotros también reconocemos lo insignificante que son nuestras vidas cuando las comparamos al Eterno, Santo, y Todopoderoso Dios. Aunque Él nos creó, por nuestra naturaleza fuimos manchados por el pecado y nos merecemos el castigo eterno. Pero, por medio del milagro del nuevo nacimiento, podemos recibir el gozo de estar eternamente con nuestro amoroso Creador. Sin embargo, todos los que rechazan a Jesucristo como su Salvador personal y Señor serán *« . . . lanzados al lago de fuego. Esta es la muerte segunda»* (Apocalipsis 20:14-15).

No es la voluntad de nuestro Padre Celestial *« . . . que ninguno perezca, sino que todos procedan al arrepentimiento»* (II de Pedro 3:9). Sin embargo, Dios nos prueba – sea con aflicciones o con bendiciones. A través de todas las situaciones Dios está buscando cómo desarrollar en nuestras vidas un amor genuino y una completa dedicación a Él.

Todo lo que Dios hace y permite últimamente es para nuestro bien. *«Porque a vosotros os es concedido a causa de Cristo, no sólo que creáis en Él, sino también que padezcáis por Él»* (Filipenses 1:29).

**Pensamiento para hoy:** Cada prueba nos da la oportunidad para acercarnos a Dios y hacer de nosotros la persona que Él quiere que seamos.

## 𝒆N LA LECTURA DE HOY

Job reconoce la justicia de Dios; su vida fatigante; la acusación de Zofar; la afirmación de Job sobre la fe en la sabiduría de Dios

𝒯odos nosotros podemos beneficiarnos al oír cuidadosamente al discernimiento espiritual de Job, de quien Dios dijo: «*. . . y era este hombre perfecto y recto, temeroso de Dios y apartado del mal*» (Job 1:1).

Este hombre de discernimiento espiritual proclamó con confianza: *«¿No es acaso brega la vida del hombre sobre la tierra, y sus días como los días del jornalero? . . . Así he recibido meses de calamidad, y noches de trabajo me dieron por cuenta»* (7:1,3). Su amigo Bildad erróneamente creía que Dios proporcionaba «*noches de trabajo*» solamente a los pecadores, y su respuesta a Job fue de crítico y cínico: *«¿Hasta cuándo hablarás tales cosas . . . ? Si fueres limpio y recto, ciertamente luego se despertará* (Dios) *por ti, y hará próspera la morada de tu justicia»* (8:2,6).

Bildad terminó diciendo que los que se gozan de todas las buenas cosas de esta vida son justos y que todo sufrimiento es el resultado del pecado. Pero, en una parábola dicha por Jesucristo, el hombre rico que edificó mayores graneros para tener «mayores bendiciones» no era un hombre que agradaba a Dios (Lucas 12:18,20). En otra ocasión, Jesús reveló que un hombre no había nacido ciego por causa del pecado (Juan 9:2-3).

El sufrimiento de Job le llevó a experimentar una madurez espiritual muy profunda mientras que él reconoció a Dios como el Todo Supremo y habló con confianza sobre su propia inferioridad diciendo: *«Acuérdate que como a barro me diste forma . . . Vida y misericordia me concediste, y Tu cuidado guardó mi espíritu»* (Job 10:9,12). Sin embargo, Job sabía que él y Dios no podían encontrarse en un mismo nivel: *«Porque* (Dios) *no es hombre como yo, para que yo le responda, y vengamos juntamente a juicio. No hay entre nosotros árbitro que ponga su mano sobre nosotros dos»* (9:32-33). Job estaba expresando su desesperada necesidad de un mediador, alguien que pudiera pararse en la brecha entre el Santo Dios y el hombre pecador.

Nuestro Señor Jesucristo es el Único Mediador que puede restaurar la relación quebrantada con Dios (Romanos 5:8-10). *«Porque hay un solo Dios, y un solo mediador entre Dios y los hombres, Jesucristo hombre»* (I de Timoteo 2:5). Ahora tenemos entrada al Padre por medio de nuestro Mediador Jesucristo: *«Porque no entró Cristo en el santuario hecho de mano, figura del verdadero, sino en el cielo mismo para presentarse ahora por nosotros ante Dios»* (Hebreos 9:24).

**Pensamiento para hoy:** Amemos a todas las personas que son desagradables.

## ᴇ̃N LA LECTURA DE HOY

Job defiende su integridad; Job desea morir; la condenación de Elifaz
se intensifica; Job se queja del tratamiento de Dios para con él

*S*atanás impulsó los ataques contra Job por medio de su esposa y sus
«dedicados» amigos en un esfuerzo para comprobar su acusación que Job iba
a maldecir a Dios si sus muchas bendiciones fuesen eliminadas.

El sufrimiento de Job se intensificó con muchos días y semanas sin dormir
y en dolor con los forúnculos ulcerosos que se intensificaban y sin ningún
calmante. Aunque a veces parece que Job dudaba, él siempre terminaba sus
comentarios con una gran nota de alabanza a Dios. Job continuamente afirmó:
*«He aquí, aunque Él me matare, en Él esperaré»*. Job podía decir con suma
confianza: *«Sé que seré justificado»* (Job 13:15,18).

Aunque sabemos que Job se dio por vencido en recuperar su salud, sus
riquezas, sus hijos, o su suma posición entre el pueblo, él no llegó a ser
controlado por la amargura o el rencor contra sus acusadores o contra Dios.
Al contrario, él miró a su futuro y a estar con Dios después de su muerte,
diciendo: *«Si el hombre muriere, ¿volverá a vivir? Todos los días de mi edad
esperaré, hasta que venga mi liberación»* (14:14), lo que significa: «Después de
morir yo viviré otra vez y seré cambiado».

Qué diferente es la actitud de Job a muchas personas hoy en día que les
echan la culpa al destino, a las circunstancias, o a otros por lo malo en sus
vidas. Fácilmente llegan a estar disgustados, amargados, pesimistas, y llenos
de compasión de sí mismos. Su imagen propia depende de las reacciones de
otros. Cuando otras personas les alaban su autoestima sube; cuando son
criticados o sus planes fallan, se sienten derrotados. Job no necesitaba la alabanza
de otras personas para mantener su fe, pues él retenía su confianza en la sabiduría
y la justicia de su Creador.

Los creyentes siempre podemos dar gracias a Dios por un Perfecto y Sumo
Sacerdote, *«por lo cual (Cristo) puede también salvar perpetuamente a los que
por Él se acercan a Dios, viviendo siempre para interceder por ellos (por
nosotros)»* (Hebreos 7:25). Porque hemos creído en Jesucristo como el Salvador
y Señor de nuestras vidas, debemos de tener un deseo sincero de conocer Su
voluntad mientras que leemos toda Su Palabra.

La fe inmutable de Job en Dios fue el resultado de su obediencia a la Palabra
de Dios revelada. Él dijo: *«Del mandamiento de Sus labios nunca me separé;
guardé las Palabras de Su boca más que mi comida»* (Job 23:12).

**Pensamiento para hoy:** Los tesoros que tenemos guardados en el cielo pagan
gran interés.

Dios nos guía a ver, por medio de Job, que no tenemos una buena excusa para quejarnos sobre nuestros sufrimientos, pérdidas materiales, o por ser mal entendidos por otras personas. Job pensó que toda esperanza de recuperarse estaba perdida cuando dijo: *«Mi aliento se agota, se acortan mis días, y me está preparado el sepulcro. . . . Y mis pensamientos todos son como sombra. . . . Pasaron mis días, fueron arrancados mis pensamientos»* (Job 17:1,7,11).

Bildad interrumpió a este sufrido santo con palabras azotadoras que fueron mucho más crueles y con fuertes críticas que su primer discurso. Bildad pensó que los sufrimientos de Job mostraron que él era un hombre pecador e hipócrita que estaba condenado sin esperanza: *«Porque red será echada a sus pies . . . (de) la luz será lanzado a las tinieblas, y echado fuera del mundo»* (18:8,18). Entonces Bildad continuó diciendo: *«Ciertamente tales son las moradas del impío, y este será el lugar del que no conoció a Dios»* (18:21). Esta errónea acusación del «amigo» de Job seguramente fue un fuerte golpe para Job. No era solamente que Job estaba enfrentándose a la muerte, pero morir habiendo sido juzgado como un hipócrita, sabiendo bien en su corazón que él estaba bien con Dios, seguro le fue insoportable.

Nuestros corazones son movidos a compasión al ver que este hombre miserable y aislado estaba mirando más allá de sus sufrimientos. Pero, con un discernimiento espiritual, Job dijo: *«Yo sé que mi Redentor vive . . . »* (19:25).

Según la Ley, un redentor era el pariente más cercano que era responsable para redimir (comprar) un familiar esclavo o su herencia que había perdido (Levítico 25:25). El pariente cercano que redimía es una sombra de la venida de Jesucristo, nuestro Salvador-Redentor. Los sufrimientos continuos de Job solamente le sirvieron para poder acercarse más al Señor. Esta revelación de una nueva vida después de la muerte es una de las historias mayores del Antiguo Testamento y ha bendecido a millones de personas que han sufrido durante la historia de la humanidad.

En un contraste con Job están aquellos que tienen una perspectiva negativa que, cuando algo les va mal, piensan que nada bueno les llega a ellos y continúan poniendo el énfasis en sí mismos y en su «mala suerte».

*«Jehová redime el alma de Sus siervos, y no serán condenados cuantos en Él confían»* (Salmo 34:22).

**Pensamiento para hoy:** La persona sabia ha descubierto que nunca está sola, pero que tiene un Salvador vivo y personal que le guía.

## 𝒪N LA LECTURA DE HOY

Job declara que los hombres malvados a veces prosperan; Elifaz acusa a Job de haber pecado; el deseo de Job en defender su caso delante de Dios

𝒫ocos hombres en la historia bíblica han sido estimados por Dios tanto como Job. Dios dijo de él: «. . . ¿*No has considerado a Mi siervo Job, que no hay otro como él en la tierra, varón perfecto y recto, temeroso de Dios y apartado del mal?*» (Job 1:8). Sus amigos erróneamente pensaron que todos sus problemas eran el resultado de sus pecados en secreto. Ellos pensaban que los hombres malvados son miserables, porque Job estaba extremamente miserable, entonces él tenía que ser muy malvado.

Es sorprendente leer el error de Elifaz con sus entorpecedoras críticas, y cruel condenación de Job, cuando dijo: «*Vuelve ahora en amistad con Él, y tendrás paz; Y por ello te vendrá bien. Toma ahora la ley de Su boca, Y pon Sus Palabras en tu corazón. Si te volvieres al Omnipotente, serás edificado; Alejarás de tu tienda la aflicción*» (22:21-23). En un contraste bien fuerte, Dios le dijo a Elifaz el amigo de Job: «*no habéis hablado de Mí lo recto, como Mi siervo Job*» (42:7).

Todavía vemos a personas que se justifican a sí mismas, ultrajantes, con sus propias opiniones, como Elifaz, que están listos para pasar juicio a todos los que no creen como ellos o que están experimentando dificultades o enfermedades. Al contrario, la fe de Job era inmutable porque él podía decir sin duda: «*Mis pies han seguido Sus pisadas; guardé Su camino, y no me aparté. Del mandamiento de Sus labios nunca me separé; guardé las Palabras de Su boca más que mi comida*» (23:11-12). Job creía que, tal y como Dios es siempre fiel a Su Palabra, Dios también es fiel a Su siervo obediente.

A veces nosotros no comprendemos por qué tenemos que enfrentarnos a los contratiempos, a los sufrimientos, o a los que nos toman en sentido erróneo. Pero, podemos creer y confiar en Dios pues Él siempre le da lo mejor a cada persona que desea hacer Su voluntad.

La dedicación de Job debe ser una inspiración a todos nosotros que no estamos tan preocupados en saber «la razón» por nuestro sufrimiento, como en llegar a conocer a Dios y Su Palabra, la única verdadera fuente para guiarnos.

Le pareció a Job que él no podía encontrar a Dios. Pero, sabiendo todo esto, Job pudo decir: «*Mas Él conoce mi camino; me probará, y saldré como oro*» (23:10).

**Pensamiento para hoy:** La fuerza que recibimos de la Palabra de Dios día tras día es la que también mantiene nuestra fe en los tiempos de pruebas.

### ☞N LA LECTURA DE HOY

La respuesta de Bildad; Job corrige a Bildad; la alabanza de Job a Dios;
la veracidad de Job; la fuente de la sabiduría;
las viejas riquezas se recuerdan

☞l libro de Job es la Palabra de Dios inspirada. Job no estaba buscando por respuestas cuando dijo: *«¿dónde se hallará la sabiduría? ¿Dónde está el lugar de la inteligencia? No conoce su valor el hombre, ni se halla en la tierra de los vivientes. . . . No se dará por oro, ni su precio será a peso de plata. . . . ¿De dónde, pues, vendrá la sabiduría? ¿Y dónde está el lugar de la inteligencia? Porque encubierta está a los ojos de todo viviente»* (Job 28:12-13,15,20-21).

Dios es el Autor y el Revelador de toda sabiduría. No encontramos ningún substituto para entender Su perfecto plan para nuestras vidas que por medio de leer toda Su Palabra. Esto quiere decir que es imprescindible leer cada libro de la Biblia, desde Génesis hasta Apocalipsis, con un sincero deseo de aplicar Sus instrucciones a nuestra vidas. Podemos estar seguro que Satanás tratará de distraernos de la verdadera fuente de la sabiduría y tentarnos a que tomemos decisiones basadas en las circunstancias o en las normas contemporáneas de la sociedad.

La persona con una mente mundana culpa a Dios como defectuoso, tal y como los israelitas lo hicieron en sus jornadas por el desierto. Ellos se quejaron de sus circunstancias en vez de reconocer que Dios tiene todo bajo Su control. Nosotros también podemos tomar decisiones imprudentes cuando nos dejamos llevar por los contratiempos. Para ilustrar esto mejor, a veces pensamos en decirle a otra persona: «Tú me enojas». Pero en realidad, hemos escogido enojarnos. O podemos decir: «Estoy deprimido hoy». Sin embargo, la triste verdad es que nos negamos a ver que Dios está en todas las circunstancias que Él permite que lleguen a nuestras vidas. Podemos estar seguros que Dios está más interesado en nuestro bienestar que nostros mismos. *«De modo que los que padecen según la voluntad de Dios, encomienden sus almas al fiel Creador, y hagan el bien»* (I de Pedro 4:19). Siempre podemos escoger ir más allá del enojo y de la frustración de los contratiempos cuando le permitimos a Cristo, que mora en cada creyente, gobernar nuestras vidas. Esta sumisión a Jesucristo es la clave para experimentar *«la paz de Dios . . . »* (Filipenses 4:7). *«La exposición de Tus Palabras alumbra; hace entender a los simples»* (Salmo 119:130).

**Pensamiento para hoy:** Nuestra fe en Dios se revela en la forma que reaccionamos a nuestros pesares y sufrimientos.

## ⏴N LA LECTURA DE HOY
La proclamación de Job de su integridad;
las acusaciones de Eliú

*N*adie en la historia bíblica, a no ser Jesucristo mismo, sufrió tanta humillación pública y dolor físico y emocional como Job. Él había mantenido la posición principal administrativa de su país, pues Job dijo: «... *me sentaba entre ellos como el jefe; y moraba como rey...*» (Job 29:25). «*Porque yo libraba al pobre que clamaba, y al huérfano que carecía de ayudador. Yo era ojos al ciego, y pies al cojo. A los menesterosos era padre, y de la causa que no entendía, me informaba con diligencia*» (29:12,15,16). En el capítulo 31, Job hace una lista de doce pecados comunes que nadie podía acusarle de haber cometido. Pero, aún en su tiempo de más necesidad, nadie quiso expresarle compasión o una palabra bondadosa.

Para Job, parecía que no había un fin a la crueldad de las personas que hacían de su sufrimiento algo aun más doloroso y miserable: «... *Empujaron mis pies, y prepararon contra mí caminos de perdición.... Se han revuelto turbaciones sobre mí; combatieron como viento mi honor, y mi prosperidad pasó como nube. Y ahora mi alma está derramada en mí; días de aflicción se apoderan de mí...*» (30: 12-17). Pero aun lo más doloroso para Job fue que le parecía que a Dios no le importaba y que no estaba oyendo sus oraciones: «*Clamo a Ti, y no me oyes; me presento, y no me atiendes*» (30:20).

Durante tales tiempos nuestra fe es puesta a prueba, «*porque por fe andamos, no por vista*» (II de Corintios 5:7), y no dependemos de «las cosas que se pueden ver». Tenemos que confiar en el Señor y en las promesas de Su Palabra. La fe no tiene su origen en nosotros, pues es un regalo de Dios (Efesios 2:8).

Los tres amigos de Job juzgaron la relación de Job con Dios erróneamente, pero Job no dejó que eso llegara a destruir su fe.

Mientras que consideramos a Job, a quien Dios había declarado el hombre más recto sobre la tierra (Job 1:8), ¿debemos entonces asombrarnos cuando somos acusados erróneamente? El creyente más dedicado es a veces el que sufre la mayor indignidad y humillación, de personas que son inconsiderables, y aun de algunos que confiesan ser cristianos. «... *(Nosotros) mismos nos gloriamos de vosotros en las iglesias de Dios, por vuestra paciencia y fe en todas vuestras persecuciones y tribulaciones que soportáis. Esto es demostración del justo juicio de Dios, para que seáis tenidos por dignos del reino de Dios, por el cual asimismo padecéis*» (II de Tesalonicenses 1:4-5).

**Pensamiento para hoy:** Si alguien viene con chismes, inmediatamente cambiemos la conversación para algo notable (Filipenses 4:8).

> ## ✎N LA LECTURA DE HOY
> Eliú continúa sus acusaciones contra Job

*E*liú no habló hasta que los tres amigos de Job habían terminado sus acusaciones. Él condenó a los amigos de Job pero expresó aun más hostilidad contra Job. Cuatro veces en cinco versículos leemos variaciones de la frase: *«se encendió en ira»* Eliú (Job 32:1-5).

Este joven egoísta se refirió a sí mismo con las palabras «yo», «mi», o «me», unas 55 veces para informarle a Job que él era el único escogido para interceder de parte de Job y hablar «. . . *en lugar de Dios»* (32:6-33:33). Las acusaciones de Eliú contra el testimonio de Job son, en parte, la mitad de la verdad y falsas interpretaciones (33:8-13).

Una de las acusaciones de Eliú fue que Job se había declarado como perfecto y sin transgresión (34:6). Pero en verdad Job había reconocido su imperfección como pecado en los versículos 7:21 y 13:26. Sin embargo, el Señor había proclamado: «. . . *Mi siervo Job, que no hay otro como él en la tierra, varón perfecto y recto»* (1:8). Eliú erróneamente dijo: *«Porque* (Job) *ha dicho: De nada servirá al hombre el conformar su voluntad a Dios»* (34:9). Pero Job nunca había dicho tal cosa. Eliú continuó su ataque vicioso contra este hombre piadoso, diciendo: *«Que Job no habla con sabiduría, y que sus palabras no son con entendimiento. Deseo yo que Job sea probado ampliamente, a causa de sus respuestas semejantes a las de los hombres inicuos. Porque a su pecado añadió rebeldía . . . y contra Dios multiplica sus palabras»* (34:35-37)

Las conclusiones de Eliú estaban en directa oposición al testimonio de Dios quien dijo que Job había «. . . *hablado de Mí con rectitud»* (42:7-8).

Durante los tiempos de aflicciones personales, las penas dolorosas, la persecución, o los conflictos financieros, somos tentados a deprimirnos y aun dejar de orar. Es aquí que necesitamos que alguien amorosamente venga a consolarnos y darnos la seguridad que nuestro Señor últimamente está en control sobre cada situación que viene a nuestras vidas. A pesar de que todo parezca muy malo, Dios siempre quiere usarlo para nuestro bienestar y para Su gloria (Romanos 8:28; ver Génesis 50:20).

Debemos de tener fe en la sabiduría de Dios. *«Humillaos, pues, bajo la poderosa mano de Dios, para que Él os exalte cuando fuere tiempo; echando toda vuestra ansiedad sobre Él, porque Él tiene cuidado de vosotros»* (I de Pedro 5:7).

**Pensamiento para hoy:** El gozo del compañerismo con Dios, junto con otras cosas, depende en nuestra actidud para con otras personas.

## EN LA LECTURA DE HOY

El discurso de Eliú es interrumpido por Dios; el desafío de Dios para Job; la debilidad y la ignorancia del hombre; la humillación de Job

¿Es de alguna sorpresa que Dios interrumpe el discurso de Eliú? *«Entonces respondió Jehová a Job desde un torbellino, y dijo: ¿Quién es ése que oscurece el consejo con palabras sin sabiduría?»* (Job 38:1-2).

Por primera vez desde el principio de sus sufrimientos, Job empieza a oír palabras de consuelo en vez de condenación. El Dios de amor dijo: *«Ahora ciñe como varón tus lomos . . . »* (38:3). Dios le estaba diciendo a Job algo así: Levántate de esas cenizas; has sufrido mucho; has probado que Satanás es un mentiroso; prepárate para acercarte a Mí. Yo no estoy tan lejos de ti, como cuando dijiste: *« . . . no lo hallaré . . . y no lo percibiré . . . yo no lo veré »* (23:8-9). Dios le quería decir: Yo quiero que sepas que Yo, y Yo solo, tengo el control del inmenso universo y aún estoy involucrado grandemente en los detalles más pequeños de tu vida.

La segunda declaración de Dios a Job le trajo la misma gran consolación: *« . . . Yo te preguntaré, y tú me contestarás»* (38:3). Otra vez el Señor le quería decir a Job: Ya no más tienes que oír los insultos de estos hombres crueles, pues Yo estoy en control y Yo te mostraré la más asombrosa sabiduría sobre el universo que se ha revelado a la humanidad. Primeramente, Dios quería que Job considerara las limitaciones de su propia sabiduría cuando las comparaba a la sabiduría del Único Dios que creó el universo: *«¿Podrás tú atar los lazos de las Pléyades, o desatarás las ligaduras de Orión?»* (38:31). Dios le preguntó a Job unas 60 preguntas en esta primera parte de la conversación (38:1-40:2), y más de 80 preguntas por toda esta narración (38-41). El más sabio astrónomo no puede explicar o cambiar una estrella en el maravilloso despliegue de las Pléyades, una de las más bellas agrupaciones de estrellas.

El Dios Todopoderoso quien creó el universo también nos creó a nosotros, cuida de nosotros, pacientemente oye todas nuestras oraciones, y provee para nosotros todo lo que es mejor con nuestra destinación eterna siempre en mente. Así es que nosotros podemos ver que no estamos capacitados para cuestionar la sabiduría de Dios. Para nuestro Padre Celestial nada se queda sin ver, nadie es pasado por alto o despreciado, y nadie es dejado o echado a un lado. Él es quien imparte la fuerza espiritual y nos sostiene por medio de Su Espíritu Santo que mora en todos los creyentes. Las Palabras de Dios para el apóstol Pablo fueron escritas también para nosotros: *« . . . Bástate Mi gracia; porque Mi poder se perfecciona en la debilidad»* (II de Corintios 12:9).

**Pensamiento para hoy:** El inmenso universo revela los recursos sin límites de Dios y Su sabiduría sin igual.

*ℰ*N LA LECTURA DE HOY
El repaso del gran poder de Dios; Job se somete a Dios;
la oración de Job por sus amigos; Dios bendice a Job

*℘*or medio de una serie de cómo 80 preguntas, Dios le reveló a Job muchas de las maravillas del universo, aun algunas han sido recientemente «descubiertas» por la ciencia. Por su fe en Dios y su paciencia por el sufrimiento, Job reconoció la suprema autoridad de Dios cuando comparado con lo poco que es conocido por la humanidad. No nos sorprende leer que Job le confesó a Dios: «*Yo conozco que todo lo puedes, y que no hay pensamiento que se esconda de Ti. . . . Por tanto, yo hablaba lo que no entendía; cosas demasiado maravillosas para mí, que yo no comprendía*» (Job 42:2-3). Con estas palabras Job quiso decir: «Aunque yo no comprendía, yo nunca otra vez voy a preguntarle a Dios sobre lo que Él hace o permite que pase, pues Su amor y Su sabiduría son perfectas».

Todos necesitamos recordar que nuestro limitado conocimiento y nuestra habilidad de contender con los problemas de la vida nos debe ayudar a reconocer lo necio que somos, y también que gran pecado cometemos, cuando dudamos de la sabiduría y del amor de Dios para Sus hijos. Necesitamos confiar en el Señor, con corazones sumisos, en las circunstancias que Él trae a nuestras vidas, las cuales Él usará para cumplir Su amoroso propósito.

Durante su sufrimiento, Job experimentó revelaciones gloriosas de la incomparable grandeza de Dios y de Sus caminos. El entendimiento espiritual de Job siguió creciendo hasta que pudo decir: «*De oídas te había oído; mas ahora mis ojos Te ven. Por tanto me aborrezco, y me arrepiento en polvo y ceniza*» (42:5-6). Todos los que confían en el Señor, tal y como Job, no están buscando las respuestas a los problemas de la vida, ni siquiera están preguntándole a Dios «¿Por qué? o ¿Por qué a mí?» Todos los creyentes pueden confiar en nuestro amoroso y Todo-sabio Padre, que siempre sabe lo que necesitamos y les dará lo mejor a todos los que en Él confían.

Los amigos de Job seguro estaban consternados cuando oyeron la Voz del cielo decirle a Elifaz: «*. . . Mi ira se encendió contra ti y tus dos compañeros; porque no habéis hablado de Mí lo recto, como Mi siervo Job*» (42:7). Job podía haberse puesto bien orgulloso al ver que Dios vino a defenderle. Al contrario, él humildemente oró por el perdón de Dios sobre sus tres amigos que tan cruelmente le habían juzgado. Jesucristo también nos da el mismo ejemplo cuando Él dijo: «*bendecid a los que os maldicen, y orad por los que os calumnian*» (Lucas 6:28).

**Pensamiento para hoy:** ¿Puede el Señor decir esto de ti? – «*Bien, buen siervo y fiel . . .* » (Mateo 25:21,23).

# INTRODUCCIÓN AL LIBRO DE LOS
# $\mathscr{S}$ALMOS

El libro de los Salmos incluye cánticos de alabanza y acción de gracias. Cada uno de los últimos cinco Salmos empieza y termina con la frase «*Alabad a Jehová*», lo cual es la traducción de la palabra en hebreo «aleluya». Esta palabra es universal, pues es igual en cada idioma. Es imposible alabar al Señor y al mismo tiempo estar disgustado con nuestras circunstancias. Los Salmos nos enseñan a perdonar a otras personas, y al mismo tiempo expresar gratitud a Dios por Su perdón de nuestros tantos pecados y nuestra restauración al compañerismo con Él.

Los Salmos también incluyen oraciones buscando la misericordia y ayuda, como también expresan confianza. Prominente en el libro de los Salmos está la alta estimación que Dios mismo le da a las Escrituras. Él inspiró al rey David a escribir: «*Me postraré hacia Tu santo templo, y alabaré Tu nombre por Tu misericordia y Tu fidelidad; porque has engrandecido Tu nombre, y Tu Palabra sobre todas las cosas*» (Salmo 138:2). Por la simple razón de que Dios ha exaltado Su Palabra sobre todas las cosas, es fácil ver que las Escrituras son sumamente importante para nuestro bienestar personal. La importancia esencial de las Escrituras es traída a nuestra atención unas 170 veces en el Salmo 119.

Aunque fueron escritos unos mil años antes del nacimiento de Jesucristo, muchos Salmos hacen referencia a la venida del Mesías, Su nacimiento, Su vida, la traición, Su crucifixión, Su resurrección, y Su ascensión al cielo, al igual que Su segunda venida, aún futura, a reinar sobre esta tierra. En el Nuevo Testamento, los siguientes Salmos son aplicados a Jesucristo: 2, 8, 16, 22, 40, 41, 45, 68, 69, 72, 89, 102, 109, 110, 118, y 132. En el segundo Salmo, el Mesías es el Hijo de Dios quien debe ser adorado; el Salmo 16:10-11, proclama Su resurrección; el Salmo 22, Su sufrimiento; y el Salmo 40, Su sacrificio. En el Salmo 45:6, el Mesías es el mismo Dios; y en el Salmo 89, Él es el Único que fue prometido para cumplir el pacto de Dios con David. En el Salmo 110, Jesucristo es: «*mi Señor*» (v. 1), «*la Vara de tu poder*» (el Goberador) (v. 2), «*la Hermosura de la santidad*» (v. 3), «*Sacerdote para siempre*» (v. 4), «*quebrantará (conquistará) a los reyes*» (v. 5), «*juzgará entre las naciones*» (v. 6).

Después de Su resurrección, Jesucristo les abrió los ojos a dos de Sus discípulos sobre cómo el Antiguo Testamento, incluyendo los Salmos, es una revelación de Él: «*Y comenzando desde Moisés, y siguiendo por todos los profetas, les declaraba en todas las Escrituras lo que de Él decían. . . . Y les dijo: Estas son las palabras que os hablé, estando aún con vosotros: que era necesario que se cumpliese todo lo que está escrito de Mí en la ley de Moisés, en los profetas y en los salmos*» (Lucas 24:27,44).

**ℰN LA LECTURA DE HOY**
Los benditos y los inicuos; la confianza de David en Dios;
la oración para la protección; la misericordia, y la preservación

*La* clave para recibir una bendición de Dios empieza aquí con tres narraciones negativas. La primera es: *«Bienaventurado el varón que no anduvo en consejo de malos»* (Salmo 1:1). Los *«malos»* pueden que vivan un estilo de vida aceptable que se conforma a las básicas normas morales de la sociedad, pero viven y actúan como si el Dios Creador no existiera. Por esa razón, ellos piensan que cualquier religión, o ninguna, es igual aceptable. Al hacer esto, ellos creen que no tienen que darle cuentas a Dios y no ven ninguna necesidad de buscar un Salvador.

La segunda narración negativa es: *«Ni estuvo en camino de pecadores».* Los pecadores hablan, actúan, piensan, y viven para complacerse a sí mismos. Puede que ellos sean honestos, rectos, y generosos a los ojos de la mayoría del pueblo. Puede que ellos aun crean que existe un Dios y que vivan vidas buenas y morales. Consecuentemente, ellos están engañados y no ven la necesidad de arrepentirse de sus pecados porque no piensan que son pecadores. La vida del creyente está centrada en Dios, pero la vida del pecador está centrada en sí misma.

La tercera narración negativa es: *«Ni en silla de escarnecedores se ha sentado».* La persona escarnecedora deja saber su actitud antagonista en despreciar a Dios el Padre por ser el Creador de todas las cosas, y está en contra toda la adoración de Jesucristo como Dios el Hijo - *«nuestro gran Dios y Salvador Jesucristo»* (Tito 2:13). Los escarnecedores, casi siempre, se paran firmes y hablan abiertamente contra la Biblia, contra Jesucristo, y en contra a que Él es el único camino para ser salvos y llegar al cielo.

La persona *«bienaventurada»* tiene una actitud que *« . . . en la Ley de Jehová está su delicia, y en Su Ley medita de día y de noche»* (Salmo 1:2). Si nosotros nos deleitamos en agradar a Jesucristo, entonces vamos a *«meditar»* en Su Palabra. Mientras que meditamos con oración *«en Su Ley* (Palabra)»*, el Espíritu Santo le habla a nuestros corazones, revelando el significado de Su Palabra para nuestras vidas. Tales personas tienen ese deseo de ser guiados por *«el Espíritu de verdad»* (Juan 16:13).

Una de las bendiciones que es dada a los que meditan en la Palabra de Dios viene silenciosamente y sin poder ser observada: *«será como árbol plantado junto a corrientes de aguas, que da su fruto en su tiempo, y su hoja no cae; y todo lo que hace, prosperará»* (Salmo 1:3).

**Pensamiento para hoy:** Sólo a la medida que nosotros amamos a Dios es que llegamos a gozarnos en obedecer Su Palabra.

---

## ᴇN LA LECTURA DE HOY

El juicio sobre los inicuos; el deseo de David para ver la justicia;
todos los que morarán con Dios; la oración de protección

---

*D*avid hizo una pregunta que tiene consecuencias eternas: *«Jehová, ¿quién habitará en Tu tabernáculo? ¿Quién morará en Tu monte santo?»* (Salmo 15:1). David puso énfasis en uno de los asuntos de suma importancia para esta vida cuando preguntó: *«¿(Quién) habitará?* (y) *¿Quién morará?»* El Espíritu Santo proveyó la respuesta: *«El que anda en integridad y hace justicia, y habla verdad en su corazón»* (15:2). El *«practicar la justicia»* sólo puede ocurrir después que una persona llega a ser hijo o hija de Dios por fe en Cristo. Jesucristo le dijo a Nicodemo: *« . . . De cierto, de cierto te digo, que el que no naciere de agua y del Espíritu, no puede entrar en el reino de Dios»* (Juan 3:5). El poder *«(hablar) la verdad en su corazón»* sólo viene por conocer la Palabra de Dios.

Aunque el libro de los Salmos predice la resurrección de Jesucristo, también ofrece la seguridad que todos los que creen en Él serán levantados para compartir en Su resurrección y en la vida eterna (Salmo 16:10). *«Porque el Señor mismo con voz de mando, con voz de arcángel, y con trompeta de Dios, descenderá del cielo; y los muertos en Cristo resucitarán primero»* (I de Tesalonicenses 4:16). Qué maravilloso es poder *«morar»* en Él, y poder mirar hacia el futuro sabiendo que vamos a *«vivir»* en la presencia de nuestro Señor para siempre. Igual que David, vamos a regocijarnos: *«A Jehová he puesto siempre delante de mí; porque está a mi diestra, no seré conmovido. Se alegró por tanto mi corazón, y se gozó mi alma; mi carne también reposará confiadamente»* (Salmo 16:8-9). El Dios Todopoderoso cumplió la profecía de David: *«Porque no dejarás mi alma en el Seol, ni permitirás que Tu Santo vea corrupción»* (16:10) Después de tres días, Él resucitó físicamente, triunfante sobre la muerte. Cuarenta días después de la resurrección, Jesucristo ascendió al cielo para tomar Su lugar a la diestra del Padre tal y como fue profetizado. *«Me mostrarás la senda de la vida; en Tu presencia hay plenitud de gozo; delicias a Tu diestra para siempre»* (16:11).

En el *«día de Pentecostés»*, Pedro citó de este Salmo para asegurarles a unas tres mil personas que Jesús era el Mesías de quien el rey David había profetizado (Hechos 2:1,25-28,31).

El Cristo resucitado es las buenas nuevas del evangelio sobre quien se basa nuestra fe. *«Porque así como en Adán todos mueren, también en Cristo todos serán vivificados»* (I de Corintios 15:22).

**Pensamiento para hoy:** Cristo murió para reconciliarnos a Sí mismo.

> ## ⓔN LA LECTURA DE HOY
> La acción de gracias por el rescate; la creación y los pactos de Dios;
> una oración para el pueblo de Dios;
> el llanto de angustia y el cántico de alabanza

*L*os efectos de la Palabra de Dios son sin comparación, pues es por medio de Su Palabra que el universo fue creado y por la cual se sustenta todavía (Hebreos 1:3). «*Los cielos cuentan la gloria de Dios, y el firmamento anuncia la obra de Sus manos*» (Salmo 19:1). Pero de más interés es el poder transformador de Jesucristo, la Palabra de Dios encarnada, sobre todos los que le reciben como el Señor: «*La Ley de Jehová es perfecta, que convierte el alma; el testimonio de Jehová es fiel, que hace sabio al sencillo*» (19:7). ¡Podemos contar con esto!

Los primeros seis versículos en el Salmo 19 se refieren a las obras de Dios en este mundo, y los últimos ocho se refieren a la influencia maravillosa de Su Palabra en las vidas de todos los que le aman y le obedecen.

En este corto Salmo, seis nombres se usan para representar la Palabra de Dios:

**1.** Es «*la Ley de Jehová*» y, como tal, «*es perfecta*» (19:7). Es tan superior a las palabras de los hombres tal como los cielos son superiores a la tierra. Pues, entonces, ¿por qué tenemos que resignarnos a algo menos que poder « . . . *(recibid) con mansedumbre la Palabra implantada, la cual puede salvar vuestras almas?*» (Santiago 1:21).

**2.** Es «*el testimonio de Jehová . . . que hace sabio al sencillo*» (Salmo 19:7). El apóstol Pablo le confirmó esto a Timoteo, diciéndole: «*y que desde la niñez has sabido las Sagradas Escrituras, las cuales te pueden hacer sabio para la salvación por la fe que es en Cristo Jesús*» (II de Timoteo 3:15).

**3.** Son «*los mandamientos de Jehová*», y por eso «*son rectos*» (Salmo 19:8), porque ellos están fundados solamente en la justicia de Dios. Su Palabra revela lo que somos, e igualmente para que lleguemos a ser todo lo que Dios ha preparado para nosotros.

**4.** Es «*el precepto de Jehová* (que) *es puro, que alumbra los ojos*» (19:8). Estos no son sugerencias alternativas de una opinión popular; pero sí son la expresión misma de la santidad de Dios. Sus mandamientos y Sus preceptos proveen una nueva vida libre de la esclavitud del pecado.

**5.** Ella revela «*el temor de Jehová* (que) *es limpio*» (19:9), una admiración reverente sobre Su santidad y el temor de ofender Su majestad.

**6.** Son «*los juicios de Jehová* (que) *son verdad, todos justos*» (19:9).

El salmista muy bien expresó el sentimiento que nosotros también debemos de tener sobre las Palabras de Dios: «*Deseables son más que . . . mucho oro afinado; y dulces más que miel . . .* » (Salmo 19:10).

**Pensamiento para hoy:** ¡Demos gracias al Señor por Su Presencia en nuestras vidas hoy en día!

> ## ⨎N LA LECTURA DE HOY
> El Gran Pastor; el Rey de Gloria; la oración para recibir la dirección de Dios; el amor para con la casa de Dios; la oración para recibir la ayuda de Dios; la adoración sobre el gran poder de Dios

*D*avid, el antiguo rey-pastor que se vio a sí mismo como nada más que una ovejuela que necesitaba ser guiada, fue inspirado por el Espíritu Santo a decir: *«Jehová es mi Pastor; nada me faltará. . . . Me guiará por sendas de justicia por amor de Su nombre»* (Salmo 23:1-3). No hay ningún otro ganado que necesita ser guiado más que la oveja. Dejadas solas, las ovejas fácilmente se separan del rebaño y se extravían del camino. De todos los animales domesticados, las ovejas son las más indefensas y desamparadas.

Por nuestra naturaleza, todos somos como las ovejas. Puede que ciegamente sigamos el mismo camino que ha arruinado las vidas de muchas otras personas. También, a veces nos involucramos tanto en nuestros propios asuntos que perdemos de vista al *«Buen Pastor»*, y nos encontramos separados de Él (Juan 10:11,14).

El problema que casi todos experimentamos es que muchas veces tratamos de ser nuestro propio pastor. Hay algo que es casi terrible sobre las consecuencias de la destructiva actitud de las personas que por voluntad propia se aferran a rechazar ser guiados por *«el camino recto»*. Tales personas están determinadas a seguir su propio camino, aunque el camino que ellos han escogido tomar inevitablemente les llevará a muchos problemas. En efecto, sin *«el Buen Pastor»* todos nos encontramos como ovejas sin ayuda y sin defensa. Cuando reconocemos esto, llegaremos a confiar por completo en *«el Buen Pastor»*. Todos somos consolados y animados al saber que *«Aunque ande en valle de sombra de muerte, no temeré mal alguno, porque Tú estarás conmigo»* (Salmo 23:4).

Aun *«Tu vara y Tu cayado me infundirán aliento»* (23:4). También sabemos esto: *«Porque el Señor al que ama, disciplina . . . »* (Hebreos 12:6).

El mayor deseo de cada ovejuela de Dios debe siempre ser de vivir cada día *«derribando argumentos y toda altivez que se levanta contra el conocimiento de Dios, y llevando cautivo todo pensamiento a la obediencia a Cristo»* (II de Corintios 10:5). Dios guiará y proveerá por las necesidades diarias de cada creyente que dice: *«Tú (Dios) guardarás en completa paz a aquel cuyo pensamiento en Ti persevera; porque en Ti ha confiado»* (Isaías 26:3).

Debemos de orar cada día sabiendo que el Señor: *«Confortará mi alma; me guiará por sendas de justicia por amor de Su nombre»* (Salmo 23:3).

**Pensamiento para hoy:** ¡A veces los caminos de Dios son diferentes a nuestras expectaciones!

---

### ℰN LA LECTURA DE HOY
El rey David confía en Dios; la bendición del perdón;
el Señor oye a los justos; la oración de David por el resguardo

---

*Q*ué gran privilegio tenemos al unirnos con el rey David y las multitudes desde su tiempo hasta hoy y poder decir: *«Bendeciré a Jehová en todo tiempo; Su alabanza estará de continuo en mi boca. . . . Engrandeced a Jehová conmigo, y exaltemos a una Su nombre. . . . Este pobre clamó, y le oyó Jehová, y lo libró de todas sus angustias. el Ángel de Jehová acampa alrededor de los que le temen, y los defiende»* (Salmo 34:1,3,6,7). La alabanza en nuestros cultos, a la hora de la cena, y durante los devocionales diarios es algo bueno y justo, y es algo que llena nuestros corazones de gozo. Pero, el salmista nos lleva más allá de lo que se puede esperar durante un tiempo de la adoración y de la alabanza, pues él continuamente expresó su amor y su devoción al Señor. Por eso pudo escribir: *«Y mi lengua hablará de Tu justicia y de Tu alabanza todo el día»* (35:28).

Dios espera que todos nosotros le alabemos aun cuando todas las cosas parecen que van de mal en peor, especialmente cuando sabemos esto: *«Muchas son las aflicciones del justo, pero de todas ellas le librará Jehová»* (34:19). *«Y sabemos que a los que aman a Dios, todas las cosas les ayudan a bien, esto es, a los que conforme a Su propósito son llamados»* (Romanos 8:28). El rey David sufrió numerosas injusticias a causa de los enemigos de Dios. Él se refirió a sí mismo *«. . . como un vaso quebrado. . . . Mientras consultan juntos contra mí . . . (para) quitarme la vida»* (Salmo 31:12-13). David podía haber llegado al punto de enojarse o culpar a otras personas por las injusticias en su vida. Al contrario, él declaró: *«Mas yo en Ti confío»*, y con confianza pudo decir: *«. . . Tú eres mi Dios. En Tu mano están mis tiempos»* (31:14-15). Solamente cuando rendimos nuestras vidas a Dios es que encontramos la confianza, la paz, y la seguridad que deseamos. Esto no viene por «darle la mano» a Dios, pero sí viene por permanecer en Él – confiados que Dios es el que nos está dando la mano, pues Él así lo ha prometido, pues nosotros estamos en las manos de nuestro Padre Celestial (Juan 10:28-29).

Aunque, a veces, nosotros no tenemos el deseo de alabar a Dios por razón de algún problema que nos está preocupando, siempre tenemos que recordar que Dios todavía está sentado en el trono. Junto con David podemos decir: *«Alegraos en Jehová y gozaos, justos; y cantad con júbilo todos vosotros los rectos de corazón»* (Salmo 32:11). Sí, sin duda, y sin ninguna preocupación de las circunstancias, David dijo: *«Bendeciré a Jehová en todo tiempo; Su alabanza estará de continuo en mi boca»* (Salmo 34:1).

**Pensamiento para hoy:** Una confianza en Dios que no vacila siempre nos lleva a tener un espíritu espontáneo de gratitud y de alabanza.

## ᴇN LA LECTURA DE HOY
La confianza de David en Dios; la destrucción de los malvados;
la oración de un corazón arrepentido; la brevedad de esta vida

ientras que David se sentaba a ver la leña quemándose en el fuego, y al ver sus llamas brillantes lentamente convertirse en ceniza, así él se recordó que cada vida, aunque en un tiempo estuvo brillando, muy pronto se desvanece y termina en la muerte. El Espíritu Santo le movió a escribir: «*Se enardeció mi corazón dentro de mí; en mi meditación se encendió fuego . . .*» (Salmo 39:3). Esto nos hace ver que no importa la inspiración y las promesas que una vida tenga, pronto terminará. David entonces oró: «*Hazme saber, Jehová, mi fin, y cuánta sea la medida de mis días; sepa yo cuán frágil soy. He aquí, diste a mis días término corto, y mi edad es como nada delante de Ti; ciertamente es completamente vanidad todo hombre que vive. Selah*» (39:4-5). La oración de David nos lleva a ver que la brevedad de esta vida es un asunto que toda persona tiene que considerar, no es algo solamente para los ancianos. Sin embargo, nuestra cultura trata de distraernos para no reconocer que esta vida es muy corta, y así perdemos las oportunidades de cumplir con la voluntad de Dios.

Comparada con la eternidad, la vida en esta tierra es «*corta*» – muy breve. Aún, más extraño, es ver lo fácil que perdemos el tiempo en las actividades diarias y nos olvidamos que nuestra vida sólo está a un suspiro de este lado de la muerte.

En esta breve jornada aquí en la tierra, puede que pensemos en el pasado y tengamos que revivir algunas experiencias o repetir algún trabajo; pero, en este viaje por la vida el tiempo perdido no se puede recuperar. Esto nos hace considerar seriamente lo que Dios quiere que hagamos hoy en día y así llegar a usar cada oportunidad que el Señor nos da para servirle. En Su Palabra podemos aprender lo que Dios espera de nosotros.

La muerte pronto nos separará eternamente de todas las cosas materiales que poseemos. Para la mayoría de nosotros, la muerte vendrá inesperadamente, y más pronto de lo que pensamos. Debemos de considerar todas las metas temporales que nos roban el tiempo y las oportunidades para ayudar a llevar a un mundo perdido las buenas nuevas de la vida eterna.

Casi todo nuestro tiempo y energía es dedicada a las preparaciones para obtener nuestras propias seguridades y placeres. Muchos cometen el error fatal de esperar mucho por «un tiempo más conveniente» para servir al Señor. Jesús sabía lo que era importante al decir: «*Me es necesario hacer las obras del que Me envió, entre tanto que el día dura; la noche viene, cuando nadie puede trabajar*» (Juan 9:4).

Otro salmista nos enseñó a orar: «*Enséñanos de tal modo a contar nuestros días, que traigamos al corazón sabiduría*» (Salmo 90:12).

**Pensamiento para hoy:** Al lado de cada privilegio especial están las tentaciones que vienen a probar nuestra voluntad de sacrificar para obtener lo mejor de Dios.

**𝒞N LA LECTURA DE HOY**
La alabanza por la respuesta a la oración;
los enemigos de David y su deseo de estar en la presencia de Dios;
la oración para ser librado de sus problemas

𝒻ue predicho por el salmista que Jesucristo, nuestro admirable Señor de señores y Rey de reyes: «*Cabalga* (reina victorioso) *sobre Palabra de verdad, de humildad y de justicia, y Tu diestra Te enseñará cosas terribles. . . . Tu trono, oh Dios, es eterno y para siempre; cetro de justicia es el cetro de Tu reino. Has amado la justicia y aborrecido la maldad; por tanto, Te ungió Dios, el Dios Tuyo, con óleo de alegría más que a Tus compañeros*» (Salmo 45:4,6-7). Por la mayor parte, los reyes son conocidos por su tiranía; pero el eterno Rey de reyes tiene los rasgos perfectos del carácter de la verdad, de la imparcialidad, de la humildad, y de la justicia. Aquí encontramos un recordatorio de las Palabras de Jesucristo dirigidas a Sus discípulos después de la resurrección: «*Estas son las Palabras que os hablé, estando aún con vosotros: que era necesario que se cumpliese todo lo que está escrito de Mí en la ley de Moisés, en los profetas y en los salmos*» (Lucas 24:44).

El apóstol Pablo citó el Salmo 45 escribiendo de Jesucristo: «*Mas del Hijo dice: Tu trono, oh Dios, por el siglo del siglo; cetro de equidad es el cetro de Tu reino. Has amado la justicia, y aborrecido la maldad, por lo cual Te ungió Dios, el Dios Tuyo, con óleo de alegría más que a Tus compañeros*» (Hebreos 1:8-9; ver Salmo 45:6-7). El amor por la justicia y el aborrecimiento del desorden y de la desobediencia son atributos de Cristo. Cada persona que ha aceptado a Jesucristo como su Señor y su Salvador ha llegado a ser parte de la novia de Cristo, el Rey de reyes. «*Y deseará el Rey tu hermosura; E inclínate a Él* (en reverencia), *porque Él es tu Señor*» (45:11). A Él le tenemos que dar nuestra alianza indivisa. Por eso el Señor nos ha asegurado Su amoroso cuidado sobre nuestras vidas.

En el medio de las pruebas y las circunstancias indecisas, ningún creyente necesita temer los resultados de ellas. El reino del Señor es «*cetro de equidad*» (y de rectitud); por eso no hay nada que debemos de temer. Pues nuestro Padre nos ha enseñado a orar: «*Padre nuestro . . .* (la relación más cercana entre la familia). *El pan nuestro de cada día, dánoslo hoy*» (todo lo que necesitamos) (Mateo 6:9,11). «*Así que, no os afanéis por el día de mañana, porque el día de mañana traerá su afán. Basta a cada día su propio mal*» (Mateo 6:34).

**Pensamiento para hoy:** ¿Por qué preocuparnos? Dios sabe lo que es mejor para nosotros.

## ᴇN LA LECTURA DE HOY
La confianza y la alabanza del salmista a Dios; el engaño de
las riquezas del mundo; una oración pidiendo misericordia y perdón

*P*or inspiración de Dios, el rey David escribió: *«Bienaventurado el varón que no anduvo en consejo de malos, ni estuvo en camino de pecadores . . . sino que en la Ley de Jehová está su delicia, y en su Ley medita de día y de noche»* (Salmo 1:1-2). Años después, en una ocasión, *«su delicia»* no estaba en «las instrucciones del Señor», pero en la belleza de la esposa de su vecino, Urías heteo, uno de sus soldados más fieles. Mientras que Urías estaba en la batalla, David cometió adulterio con su esposa. Por medio de una estrategia militar por maniobras de David, Urías murió, permitiéndole a David casarse legalmente con Betsabé.

Parecía que todo había tenido un buen final para David y Betsabé hasta que Natán, el audaz profeta de Dios, se le apareció y denunció el malvado y egoísta pecado del rey, diciendo: *«¿Por qué, pues, tuviste en poco la Palabra de Jehová, haciendo lo malo delante de Sus ojos? A Urías heteo heriste a espada, y tomaste por mujer a su mujer . . . »* (II de Samuel 12:9). Bajo la Ley, David debería morir y él lo sabía bien (Levítico 20:10). Pero David se postró delante de la misericordia de Dios como un pecador quebrantado y oró *«Ten piedad de mí, oh Dios, conforme a Tu misericordia; conforme a la multitud de Tus piedades borra mis rebeliones. . . . Porque yo reconozco mis rebeliones, y mi pecado está siempre delante de mí. . . . Crea en mí, oh Dios, un corazón limpio, y renueva un espíritu recto dentro de mí»* (Salmo 51:1,3,10). Por esta oración sincera de David, rogando por misericordia, Dios lo perdonó. Pero el resultado de su pecado fue una deshonra y un sufrimiento personal por el resto de su vida, así como muchas tragedias personales y consecuencias nacionales.

En verdad, no hubiésemos querido que esto hubiese pasado en la vida de David. Pero, aquí fue registrado para mostrar la decepción y la destrucción del deseo carnal que nunca termina. El Espíritu Santo inspiró a David a registrar su propio llanto de dolor y arrepentimiento. Esto le da esperanza a cada pecador que verdaderamente se arrepiente y así poder experimentar la misericordia y el perdón del amor de Dios, mientras que al mismo tiempo nos enseña a todos las consecuencias inescapables del pecado.

*«Yo* (Dios) *reprendo y castigo a todos los que amo; sé, pues, celoso, y arrepiéntete»* (Apocalipsis 3:19).

**Pensamiento para hoy:** Dios no pasa por alto los pecados de nadie.

## ☙N LA LECTURA DE HOY
La tendencia de una lengua corrupta; la necedad del ateísmo;
una oración para la protección; el llanto contra los falsos amigos;
la confianza del salmista en Dios

*D*ios tiene que juzgar todo pecado no confesado. Así fue bien adecuado que David, varón conforme al corazón de Dios (I de Samuel 13:14), expresó el gran aborrecimiento que Dios tiene contra el pecado. En el Salmo 59 están incluidos los castigos que Dios juzgará contra todos los malhechores en el día del juicio final. El salmista dijo: «*. . . No tengas misericordia de todos los que se rebelan con iniquidad. . . . Acábalos con furor, acábalos, para que no sean*» (Salmo 59:5,13). David escribió: «*Sean raídos del libro de los vivientes, y no sean escritos entre los justos*» (69:28).

Asaf dijo en su cántico: «*. . . los que Te aborrecen alzan cabeza. Contra Tu pueblo han consultado astuta y secretamente . . . (Han) dicho: Venid, y destruyámoslos para que no sean nación, y no haya más memoria del nombre de Israel. . . . Sean deshonrados, y perezcan*» (83:2-4,17).

El salmista presenta el pecado como rebelión contra Dios. David se identificó con Dios, quien aborrece el pecado: «*Los aborrezco por completo; los tengo por enemigos*» (139:22). El decir «*los aborrezco por completo*» no nos habla del celo, del rencor, de la envidia, o de la ambición personal. Al contrario, es la misma expresión del rey que reconoció que él era el ungido representante de Dios sobre la tierra, y que él era responsable de administrar la justicia por parte de Dios.

Toda la humanidad ha heredado la naturaleza pecaminosa por medio de Adán. Por consiguiente, «*Engañoso es el corazón más que todas las cosas, y perverso . . .*» (Jeremías 17:9). «*. . . No hay justo, ni aun uno . . . por cuanto todos pecaron . . .*» (Romanos 3:10,23), y están espiritualmente «*. . . muertos en* (sus) *delitos y pecados*» (Efesios 2:1). Porque Jesucristo es el eterno Hijo de Dios, nacido por medio de una virgen, la naturaleza pecaminosa que ha pasado desde Adán a todos los hombres no existió en Él, y así Jesús nació sin pecado (II de Corintios 5:21). Él también vivió «*sin pecado*» (Hebreos 4:15). Por tener una naturaleza impecable, Jesucristo fue el único apto para morir en nuestro lugar por nuestros pecados para que nosotros pudiéramos recibir vida eterna (I de Juan 5:11). El arrepentimiento verdadero prepara nuestro corazón para recibir a Cristo como nuestro Salvador y permite que Él llegue a ser el Señor de nuestras vidas mientras que vivimos en obediencia a Su Palabra (Hechos 2:38; 4:12).

Nuestro amoroso Salvador pronto volverá como Rey de reyes. «*. . . (Y) con justicia juzga y pelea. . . . De Su boca sale una espada aguda, para herir con ella a las naciones*» (Apocalipsis 19:11,15).

**Pensamiento para hoy:** Cuando agradamos a Jesús recibimos la seguridad de ese lugar donde vamos a pasar la eternidad.

---

## ☙N LA LECTURA DE HOY

La oración de David para ser librado de sus enemigos;
su confianza en las promesas de Dios;
la exhortación de David para alabar a Dios por Su bondad

---

*P*or causa del esfuerzo despiadado de Saúl para buscar y matar a David, él fue forzado a huir a un área desolada afuera de la tierra prometida, exilado de su hogar, de sus queridos, y de las comodidades físicas del palacio.

David estaba oprimido por su pesar, tal y como nosotros también lo hubiésemos estado, cuando oró: «*Oye, oh Dios, mi clamor; a mi oración atiende. Desde el cabo de la tierra clamaré a Ti, cuando mi corazón desmayare. Llévame a la roca que es más alta que yo, porque Tú has sido mi refugio, y torre fuerte delante del enemigo*» (Salmo 61:1-3). Aunque el lugar desolado donde él estaba le parecía «*el cabo de la tierra*», David sabía que su verdadera fuente de seguridad «*delante del enemigo*» era el mismo Dios Viviente.

Al poner a Dios como nuestra «*torre fuerte*» reconocemos que estamos bajo la protección y el cuidado del Dios Invencible. La depresión y la frustración no necesitan existir en la vida de la persona que cree que Dios es su «*torre fuerte delante del enemigo*». Dios nos ha dado la seguridad: «*. . . gracia y gloria dará Jehová. No quitará el bien a los que andan en integridad*» (84:11). Tal como el rey David, nosotros también podemos depender del Señor para recibir Su protección y Su provisión, sin pensar en lo débil que nos sentimos a veces sobre nuestras circunstancias, pues nada es difícil para el Señor (Jeremías 32:27). Jesús confirmó esto, diciendo: «*. . . porque todas las cosas son posibles para Dios*» (Marcos 10:27).

Aunque las circunstancias difíciles de David se quedaron iguales por muchos años, él continuó expresando su confianza en el Señor, diciendo: «*Él solamente es mi roca y mi salvación; es mi refugio . . . (en) Dios está mi roca fuerte, y mi refugio*». David entonces puso sus pensamientos en los sufrimientos y en las pruebas de otras personas, y dijo: «*. . . Esperad en Él en todo tiempo, oh pueblos; derramad delante de Él vuestro corazón; Dios es nuestro refugio. Selah*» (Salmo 62:2,6-8). Es una buena consolación saber que todo lo que tenemos que enfrentar en esta vida nos está preparando aun mejor para la eternidad.

«*¿Quién nos separará del amor de Cristo? ¿Tribulación, o angustia, o persecución, o hambre, o desnudez, o peligro, o espada? . . . Antes, en todas estas cosas somos más que vencedores por medio de Aquel que nos amó*» (Romanos 8:35,37).

**Pensamiento para hoy:** Nuestra confianza en el poder y la protección del Señor aumentará mientras que diariamente leemos Su Palabra.

---

### ᴇN LA LECTURA DE HOY

Las bendiciones de Dios sobre Su pueblo y Su juicio sobre los enemigos;
la oración de David en tiempos malos;
la oración de alabanza y acción de gracias

---

ᴄuatro veces en este corto salmo leemos: «*Te alaben los pueblos, oh Dios*» (Salmo 67:3,5). Esto es un buen recordatorio para alabar a nuestro maravilloso Señor, quien ha prometido Sus bendiciones sobre toda alabanza genuina e inspirada por el Espíritu Santo: «*Te alaben los pueblos, oh Dios; todos los pueblos te alaben*» (67:5). Mientras que esperamos por Su venida del cielo, «. . . *los justos se alegrarán; se gozarán delante de Dios, y saltarán de alegría. Cantad a Dios, cantad salmos a Su nombre*» (68:3-4).

El salmista entonces predijo la resurrección de Jesucristo, diciendo: «. . . *Había grande multitud de las que llevaban buenas nuevas. . . . Subiste a lo alto, cautivaste la cautividad . . . Dios, nuestro Dios ha de salvarnos . . . (reinos) de la tierra, cantad a Dios, cantad al Señor; Selah*» (68:11,18,20,32). El apóstol Pablo citó este Salmo, pero en esta forma: «*Por lo cual dice: Subiendo a lo alto, llevó cautiva la cautividad, (Y) dio dones a los hombres*». Entonces el apóstol Pablo añadió: «*Y Él mismo constituyó a unos, apóstoles; a otros, profetas; a otros, evangelistas; a otros, pastores y maestros, a fin de perfeccionar a los santos para la obra del ministerio, para la edificación del cuerpo de Cristo*» (Efesios 4:8,11-12).

Vamos a unirnos al salmista en una proclamación de alabanza y adoración al Señor: «*Bendito el Señor; cada día nos colma de beneficios el Dios de nuestra salvación. Selah. . . . Mi boca publicará Tu justicia y Tus hechos de salvación todo el día, aunque no sé su número*» (Salmos 68:19; 71:15).

Durante el triunfante reino de Jesucristo, todos los «*Reinos de la tierra, (cantarán) a Dios, (cantarán) al Señor; Selah*» (Salmo 68:32). Nosotros también necesitamos repetir las palabras de David, y decir: «*Gócense y alégrense en Ti todos los que Te buscan, y digan siempre los que aman Tu salvación: Engrandecido sea Dios*» (70:4). Aun Su nombre proclama Su salvación que da vida – «Yeshua» literalmente significa «Jehová es salvación».

El apóstol Pablo también fue inspirado a escribir: «*Toda la Escritura es inspirada por Dios* (el Antiguo y el Nuevo Testamento), *y útil para enseñar, para redargüir, para corregir, para instruir en justicia, a fin de que el hombre de Dios sea perfecto, enteramente preparado para toda buena obra*» (II de Timoteo 3:15-17).

**Pensamiento para hoy:** La vida es como el mar incontrolable hasta que venimos al Señor quien nos imparte Su perfecta paz.

## ❧N LA LECTURA DE HOY

La oración de David para Salomón; el misterio de la prosperidad
del malvado; el inicuo y el orgulloso son reprendidos;
la majestad de Dios es alabada

«*Gracias te damos, oh Dios, gracias te damos, pues cercano está Tu nombre; los hombres cuentan Tus maravillas*» (Salmo 75:1). El salmista alabó al Señor por tener la seguridad de que ningún esfuerzo contra los fieles de Dios, ni por muy poderoso que sea, puede poner tropiezo a la habilidad de Dios para protegerles y bendecirles. La alabanza y la acción de gracias siempre nos lleva a la seguridad que Dios tiene todo el control del presente y del futuro de su pueblo.

Cuando tenemos que enfrentarnos a los problemas de la vida, somos enseñados a orar en fe que nuestro Dios Todopoderoso nos protegerá, nos guiará, y nos fortalecerá. Sin embargo, nuestro salmista fue guiado a prever que algunos de los santos más piadosos y preciosos al Señor sufrirían violencia por su fe, y así fue guiado a escribir: «*De engaño y de violencia redimirá sus almas, y la sangre de ellos será preciosa ante Sus ojos*» (72:14).

Aquí se le refiere a Dios como «*(el) Dios de Jacob*» (75:9); por lo tanto, nos beneficiaremos mucho al estudiar la razón por qué Dios bendijo y protegió a Jacob. Esaú había amenazado matar a su hermano Jacob sobre la primogenitura que Dios había predicho que legítimamente le pertenecía a Jacob. Dios sabía de antemano que Esaú iba a despreciar la primogenitura y que Jacob la iba a apreciar tanto que arriesgaría aun su vida para obtener la bendición final de Isaac, confirmando que Dios había escogido a Jacob para que llegase a ser el heredero del Pacto con Abraham.

Veinte años después, cuando Esaú recibió la noticia que Jacob estaba en camino a casa, Esaú fue a encontrarse con él con 400 de sus siervos (Génesis 32:6). Esto parecía como si Esaú iba a cumplir con su promesa de matar a Jacob. Esta amenaza fue la que llevó a Jacob a orar toda una noche. «*Así se quedó Jacob solo; y luchó con él un varón hasta que rayaba el alba. Y cuando el varón vio que no podía con él, tocó en el sitio del encaje de su muslo, y se descoyuntó el muslo de Jacob mientras con él luchaba. Y dijo: Déjame, porque raya el alba. Y Jacob le respondió: No te dejaré, si no me bendices. Y el varón le dijo: ¿Cuál es tu nombre? Y él respondió: Jacob. Y el varón le dijo: No se dirá más tu nombre Jacob, sino Israel; porque has luchado con Dios y con los hombres, y has vencido. Entonces . . . lo bendijo allí*». (32:24-29). «*. . . Poned la mira en las cosas de arriba, no en las de la tierra*». (Colosenses 3:1-2).

**Pensamiento para hoy:** Vamos a escoger poner nuestros corazones en la «*. . . estrecha . . . puerta . . . que lleva a la vida,* (porque) *pocos son los que la hallan*» Mateo (7:14).

### EN LA LECTURA DE HOY
El juicio del Señor contra la desobediencia; la oración contra los enemigos;
la oración para recibir la misericordia y la restauración

Esto nos recuerda del horrible pesar que sintieron los israelitas después de la destrucción del templo y de su nación. El pueblo de Efraín (Israel) *«... no guardaron el pacto de Dios, ni quisieron andar en Su Ley»* (Salmo 78:10; Amós 2:4). El salmista otra vez nos recuerda de los inevitables resultados del pecado: *«Oh Dios, vinieron las naciones a Tu heredad; han profanado Tu santo templo; redujeron a Jerusalén a escombros... »* (Salmo 79:1-4).

Dios había escogido a Israel para dar testimonio al mundo de Su gracia, mostrando cómo Él bendeciría a todos los que le honraran a Él y a Su Palabra; pero como nación Israel falló miserablemente. El fiel remanente clamó: *«No recuerdes contra nosotros las iniquidades de nuestros antepasados; vengan pronto Tus misericordias a encontrarnos, porque estamos muy abatidos. Ayúdanos, oh Dios de nuestra salvación, por la gloria de Tu nombre; y líbranos, y perdona nuestros pecados por amor de Tu nombre»* (79:8-9).

La sangre de animales sólo podía expiar (cubrir) temporariamente por los pecados hasta que Jesús, el perfecto Cordero de Dios, sacrificara la propia sangre de Su vida por los pecados del mundo. Cuando Juan el Bautista vio *«... a Jesús que venía a él... dijo: He aquí el Cordero de Dios, que quita el pecado del mundo»* (Juan 1:29). Con la muerte de Jesús, todos los sacrificios por los pecados del Antiguo Testamento, los cuales anteriormente eran sólo para cubrir, ahora son substituidos por Su sangre impecable. Por esa razón: *«Si confesamos nuestros pecados, Él es fiel y justo para perdonar nuestros pecados, y limpiarnos de toda maldad»* (I de Juan 1:9). El sacrificio de Cristo en la cruz hizo posible que tantos los judíos como los gentiles, quienes se arrepienten y aceptan a Jesús como su Salvador, son perdonados de sus pecados (Gálatas 3:27-28). Los sacrificios y las fiestas de Israel eran símbolos y sombras de todo lo que iba a ser cumplido por Jesús el Mesías. Él fue el Único que cumplió perfectamente su significado profético.

De este modo, Dios destruyó para siempre el viejo sistema de sacrificios por los pecados que estaba bajo la Ley y ahora proclama: *«Así que, por eso (Jesucristo) es Mediador de un nuevo pacto, para que interviniendo muerte para la remisión de las transgresiones que había bajo el primer pacto, los llamados reciban la promesa de la herencia eterna»* (Hebreos 9:15).

**Pensamiento para hoy:** El verdadero éxito en la vida está en vivir en conformidad a la Palabra de Dios – y nunca porque nuestros planes están bien acomodados.

## ᴇN LA LECTURA DE HOY

La bondad de Dios y la perversidad de Israel; la felicidad de vivir
en la presencia de Dios; el deseo de David para caminar en la verdad

ᴇl Espíritu Santo guio a David a unir las dos armas de nuestra milicia – la oración y la inspirada Palabra de Dios – en el Salmo 86, mostrando el poder que tenemos cuando las dos llegan a ser parte de nuestra manera de vivir.

Cuando David ofreció su oración: *«Inclina, oh Jehová, Tu oído, y escúchame, porque estoy afligido y menesteroso»* (Salmo 86:1), y así él estaba reconociendo su dependencia en Dios. David se vio a sí mismo como *«afligido y menesteroso»*, pero él también expresó: *«Guarda mi alma, porque soy piadoso; salva Tú, oh Dios mío, a Tu siervo que en Ti confía»* (86:2). Él le oraba al Señor diariamente, no sólo en los tiempos de crisis (86:3). Aunque David era el rey de Israel y nunca había perdido una batalla, al referirse a sí mismo como *«Tu siervo»*, él estaba reconociendo el señorío de Dios sobre su vida (86:4).

David oró: *«Porque Tú, Señor, eres bueno y perdonador, y grande en misericordia para con todos los que Te invocan»* (86:5). Esto nos hace recordar de que cuando tenemos que enfrentarnos a situaciones que no están bajo nuestro control, nosotros también debemos de decir tal y como David dijo: *«En el día de mi angustia Te llamaré, porque Tú me respondes. . . . Porque Tú eres grande, y hacedor de maravillas; Sólo Tú eres Dios»* (86:7,10).

El deseo supremo de cada creyente debe ser el mismo que expresó el Rey David en esta oración: *«Enséñame, oh Jehová, Tu camino; caminaré yo en Tu verdad»* (86:11). Esta es la oración que todos debemos ofrecer diariamente. Cuando David oró: *« . . . afirma mi corazón para que tema Tu Nombre»* (86:11), él estaba declarando la única meta de su vida.

Un corazón afirmado en Dios es indispensable. Por esta razón podemos decir: *«vosotros también, poniendo toda diligencia por esto mismo, añadid a vuestra fe virtud; a la virtud, conocimiento; al conocimiento, dominio propio; al dominio propio, paciencia; a la paciencia, piedad; a la piedad, afecto fraternal; y al afecto fraternal, amor. Porque si estas cosas están en vosotros, y abundan, no os dejarán estar ociosos ni sin fruto en cuanto al conocimiento de nuestro Señor Jesucristo. Pero el que no tiene estas cosas tiene la vista muy corta; es ciego, habiendo olvidado la purificación de sus antiguos pecados. Por lo cual, hermanos, tanto más procurad hacer firme vuestra vocación y elección; porque haciendo estas cosas, no caeréis jamás»* (II de Pedro 1:5-10).

**Pensamiento para hoy:** La gracia de Dios es suficiente para cada persona.

## ☙N LA LECTURA DE HOY

Clamando a Dios por el rescate de la muerte; alabanzas a Dios por Su pacto y por Sus promesas; la vida es frágil y breve; los piadosos son protegidos

*«El que habita al abrigo del Altísimo»* es la persona que tiene un corazón afirmado en obedecer al Señor (Salmo 91:1). Y el que *«(morará) bajo la sombra del Omnipotente»* necesita *«(acercarse) a Dios»* (91:1; Santiago 4:8). El poder *«(acercarse) a Dios»* requiere *«(limpiarse) las manos»* (de actividades cuestionables); *«... (y purificar) vuestros corazones»* (de todos los pensamientos, actitudes, o motivos pecaminosos). Por seguro que Dios será nuestro *«escudo y adarga...»* (Salmo 91:4) y así nos dará la seguridad de Su protección.

El salmista expresó su mayor confianza en el amoroso cuidado de Dios cuando dijo: *«No temerás el terror nocturno, ni saeta que vuele de día»* (que significa numerosos ataques satánicos) (91:5-8). Entonces él les asegura esto a los piadosos al decir: *«Porque has puesto a Jehová, que es mi esperanza, al Altísimo por tu habitación* (tu estilo de vida diario), *no te sobrevendrá mal ... (pues) a Sus ángeles mandará acerca de ti, que te guarden en todos tus caminos. En las manos te llevarán, para que tu pie no tropiece en piedra»* (91:9-12).

Satanás, un ángel caído, le citó estos versículos a Jesús después de Sus 40 días de ayuno en un atentado a persuadir a Jesús a tirarse del pináculo del templo, diciendo: *«... Si eres Hijo de Dios, échate abajo; porque escrito está: A Sus ángeles mandará acerca de Ti, y, en Sus manos Te sostendrán, para que no tropieces con Tu pie en piedra»* (Mateo 4:6; Lucas 4:9-11; ver también Salmo 91:11-12). En tratar de tentar al Señor, Satanás es como algunos hoy en día que aman las promesas de Dios, pero faltan al considerar las condiciones de las promesas. Nuestro Señor estableció el ejemplo cuando respondió a las tentaciones de Satanás: *«... Escrito está también: No tentarás al Señor tu Dios»* (Mateo 4:7; ver también Deuteronomio 6:16). No tenemos ninguna seguridad que los ángeles de Dios nos van a cuidar en «caminos» que ignoramos Su Palabra.

Satanás ha engañado a muchos por decir: «Tu situación es una excepción,» o «Solamente una vez más», o «Ten una mente más abierta, todo el mundo lo está haciendo». Él también usa ejemplos de hipócritas para engañar a algunos mostrándoles que «hay personas religiosas que hacen eso, porque no haces tú también». Siempre debemos de recordar: *«Absteneos de toda especie de mal»* (I de Tesalonicenses 5:22).

**Pensamiento para hoy:** *«Por tanto, no seáis insensatos, sino entendidos de cuál sea la voluntad del Señor»* (Efesios 5:17).

## ᏋN LA LECTURA DE HOY
Alabanzas por la amorosa bondad del Señor; clamando a Dios
por Su justicia; un llamamiento a cantar; una alabanza al Señor

*L*a adoración no es un «tiempo» reservado para recibir satisfacción personal
o para gozarnos de un «buen sermón». La adoración debe ser una expresión
del corazón que es activa, que viene de adentro de nuestro ser, y que se muestra
por medio de la oración, de la alabanza, y de la adoración, demostrando nuestra
estimación de nuestro Padre Celestial y de nuestro Salvador Jesucristo.
Siguiendo esto, todo lo otro, incluyendo el sermón, llega a tener más significado.
Por inspiración del Espíritu Santo, el salmista invita a los fieles: *«Venid,
aclamemos alegremente a Jehová; cantemos con júbilo a la Roca de nuestra
salvación. . . . Venid, adoremos y postrémonos; arrodillémonos delante de Jehová
nuestro Hacedor. Porque Él es nuestro Dios; nosotros el pueblo de Su prado, y
ovejas de Su mano»* (Salmo 95:1,6-7). Una parte esencial de la adoración es
cuando cantamos de corazón con una actitud de gratitud y con *«acción de
gracias»*. La palabra *«aclamar»* lleva consigo el sentido de expresar gran gozo y
devoción a nuestro Señor.

La alabanza al Señor lleva la adoración a un nivel más allá de nuestras
necesidades personales a la mayor altura de amor y de adoración que glorifica
al Padre Celestial, a nuestro Salvador Jesucristo, y al Espíritu Santo que mora
en nosotros. Una persona «concentrada en sí misma» piensa que un servicio
de «adoración» es un tiempo de satisfacción personal. Por consecuencia, a
veces oímos a tal persona decir: «no me llenó en nada el servicio». La razón es
bien clara – tal persona no puso mucho de su parte. Otras personas pierden la
llenura espiritual porque deciden reflejar la actitud y los caprichos de los
incrédulos cuando son confrontados con circunstancias adversas, como perder
un trabajo, la muerte de un ser querido, un divorcio, la acción traicionera de
un amigo, o cualquier otra experiencia dolorosa. Cuando decidimos ser infelices
y vivimos disgustados, nos privamos del gozo de una vida abundante y llena
de paz.

Vamos a pensar en todo lo que nuestro Señor ha hecho por nosotros, en
nosotros, y con nosotros, y en todo lo que Él ha prometido para toda la
eternidad, y entonces no podremos dejar de adorarle y alabarle. *«Servid a
Jehová con alegría; (y) venid ante Su presencia con regocijo»* (Salmo 100:2).

Nuestra *«alegría»* estará a la proporción directa de nuestra fe en Dios, en Su
presencia, y en Sus promesas que nunca faltan. *«Porque Jehová es bueno;
para siempre es Su misericordia, y Su verdad por todas las generaciones»*
(Salmo 100:5).

**Pensamiento para hoy:** ¿Cuánto de Cristo verán otras personas en ti hoy
en día?

## EN LA LECTURA DE HOY

Un compromiso personal a seguir los caminos del Señor;
clamando al Señor en las aflicciones; gratitud a Dios por Su misericordia;
Su poderosa capacidad; la providencia de Dios sobre Israel

David fue inspirado por el Espíritu Santo a profetizar más allá de la vida, la muerte, la resurrección, y la ascensión de Jesucristo, y dar a ver Su segunda venida en Su reino cuando administrará igual justicia por todo el mundo. Por esta razón, David declaró: «. . . *En la integridad de mi corazón andaré en medio de mi casa. No pondré delante de mis ojos cosa injusta. Aborrezco la obra de los que se desvían . . .* » (Salmo 101:2-3). David estaba testificando que todos sus placeres personales, como también todas sus transacciones de negocios, tenían que agradar a Dios. Para mantener esta actitud, David tuvo que escoger sus amigos cuidadosa y sabiamente, y dijo: *«Corazón perverso* (mentiroso) *se apartará de mí; no conoceré al malvado»* (101:4), que significa: yo no tendré ninguna relación con alguien que esté en la maldad.

Algunas de las muchas razones para alabar al Señor son dadas en el Salmo 103, pero es nuestro amoroso Señor mismo quien es la mayor razón de nuestra alabanza. Primeramente, Le alabamos por quien Él es, el Todopoderoso, el Todo-sabio, y el Justo Creador. Con acción de gracias Le alabamos porque: *«No ha hecho con nosotros conforme a nuestras iniquidades, ni nos ha pagado conforme a nuestros pecados. Porque como la altura de los cielos sobre la tierra, engrandeció Su misericordia sobre los que Le temen»* (103:10-11). Nosotros nunca debemos de parar de alabarle por Su gran misericordia y por Su gran amor que nos perdona y nos limpia de todos nuestros pecados. Es un hecho de incredulez de nuestra parte, una gran decepción de Satanás, y contrario a la naturaleza divina de nuestro amoroso Señor, traer otra vez al caso los pecados pasados – ni los nuestros, ni los de otras personas debemos de traerse a dar cuenta. El perdón significa – que ellos no serán más recordados, ni por Dios, ni por nosotros mismos (I de Juan 1:9; II de Pedro 1:9). Dios nos ha dado la seguridad que: *«Cuanto está lejos el oriente del occidente,* (así) *hizo alejar de nosotros nuestras rebeliones»* (Salmo 103:12).

Esto nos recuerda que un perdón sin límites debe de ser la característica de cada creyente y verdadero discípulo de Jesucristo, pues Él nos dijo: «. . . *cuando estéis orando, perdonad, si tenéis algo contra alguno, para que también vuestro Padre que está en los cielos os perdone a vosotros vuestras ofensas. Porque si vosotros no perdonáis, tampoco vuestro Padre que está en los cielos os perdonará vuestras ofensas»* (Marcos 11:25-26).

**Pensamiento para hoy:** Dios a veces anula nuestros deseos y nuestros planes para cumplir Su mayor propósito en nuestras vidas.

**℮N LA LECTURA DE HOY**
Las rebeldías de Israel en el desierto; las misericordias de Dios sobre Israel;
la exhortación para alabar a Dios por Su bondad

*A*unque Dios había fielmente bendecido a Israel, lo había rescatado milagrosamente de la esclavitud de Egipto, le proveyó la tierra prometida, le dio victoria sobre los cananeos y gran prosperidad. *«Bien pronto* (los israelitas) *olvidaron Sus obras* (de Dios); *no esperaron Su consejo. Se entregaron a un deseo desordenado en el desierto; y tentaron a Dios en la soledad»* (Salmo 106:13-14). La infidelidad de Israel y sus pecados pasados se traen a nuestra atención. Aquí vemos que algunos: *«Hicieron becerro en Horeb, se postraron ante una imagen de fundición»* (v. 19); *«Olvidaron al Dios de su salvación»* (v. 21); *«Pero aborrecieron la tierra deseable* (Canaán); *no creyeron a Su Palabra»* (v. 24); *«Antes murmuraron en sus tiendas»* (v. 25); *«No destruyeron a los pueblos que Jehová les dijo»* (v. 34); *«Antes se mezclaron con las naciones, y aprendieron sus obras, y sirvieron a sus ídolos»* (vs. 35-36).

El salmista entonces señaló las consecuencias inevitables: *«Se encendió, por tanto, el furor de Jehová sobre Su pueblo, y abominó Su heredad; los entregó en poder de las naciones* (paganas), *y se enseñorearon de ellos los que les aborrecían . . .»* (vs. 40-42). Pero, el juicio de Dios sobre los israelitas fue mezclado con Su misericordia: *«Entonces clamaron a Jehová en su angustia, y los libró de sus aflicciones. . . . Alaben la misericordia de Jehová . . .* (envió Dios) *Su Palabra, y los sanó . . .»* (107:6-9,20).

Notemos cuidadosamente que el método número uno que Israel usó para el rescate sigue siendo el mismo para todas las personas hoy en día: *«Envió* (Dios) *Su Palabra, y los sanó».* El salmista podía haber dicho simplemente: «el Señor los rescató». Pero al contrario, el escogió decir: *«Envió* (Dios) *Su Palabra, y los sanó».* Su Palabra es Jesucristo, pues: *«En el principio era el Verbo, y el Verbo era con Dios, y el Verbo era Dios»* (Juan 1:1). Su Palabra, la Palabra de Dios escrita, cuando la creemos y la hacemos, es el método por el cual Dios ha escogido suplir y satisfacer cada necesidad de cada persona.

*«Alaben la misericordia de Jehová, y Sus maravillas para con los hijos de los hombres. . . . Véanlo los rectos, y alégrense . . . ¿Quién es sabio y guardará estas cosas, y entenderá las misericordias de Jehová?»* (Salmo 107:8,15,21,31,42-43).

**Pensamiento para hoy:** ¿Cuánto de la Palabra de Dios ponemos en nuestras vidas para que Dios la pueda usar para enseñarnos y guiarnos?

> ## 𝒢N LA LECTURA DE HOY
> La alabanza de David a Dios por Su soberanía sobre las naciones;
> la oración por el juicio sobre los inicuos;
> la exhortación para confiar en Dios y no en los ídolos

𝒞uando Jesucristo ascendió al cielo, Él cumplió las profecías que el Espíritu Santo había anteriormente inspirado a David a escribir: *«Jehová* (Dios el Padre) *dijo a Mi Señor* (Dios el Hijo): *Siéntate a Mi diestra, hasta que ponga a Tus enemigos por estrado de Tus pies»* (Salmo 110:1). Jesucristo citó este Salmo refiriéndose a Sí mismo en Marcos 12:36.

Israel, como nación, rechazó su Rey Mesías. Pero, *«(la) piedra que desecharon los edificadores ha venido a ser cabeza del ángulo. . . . (Y) es cosa maravillosa a nuestros ojos. ...Bendito el que viene en el Nombre de Jehová . . . Jehová es Dios, y nos ha dado luz; atad víctimas con cuerdas a los cuernos del altar. Mi Dios eres Tú, y Te alabaré; Dios mío, Te exaltaré. Alabad a Jehová, porque Él es bueno; porque para siempre es Su misericordia»* (Salmo 118:22-23,26-29).

Jesús citó este Salmo, diciendo: *« . . . ¿Qué, pues, es lo que está escrito: La piedra que desecharon los edificadores ha venido a ser cabeza del ángulo? Todo el que cayere sobre aquella piedra, será quebrantado; mas sobre quien ella cayere, le desmenuzará»* (Lucas 20:17-18; Marcos 12:10-11).

El apóstol Pablo citó este Salmo cuando les escribió a los hermanos que estaban en Éfeso: *«Así que ya no sois extranjeros ni advenedizos, sino conciudadanos de los santos, y miembros de la familia de Dios, edificados sobre el fundamento de los apóstoles y profetas, siendo la principal Piedra del ángulo Jesucristo mismo, en quien todo el edificio, bien coordinado, va creciendo para ser un templo santo en el Señor»* (Efesios 2:19-21).

Después del milagro de sanar al hombre cojo afuera del templo, hablándole al pueblo de Israel: *« . . . Pedro, lleno del Espíritu Santo, les dijo: Gobernantes del pueblo, y ancianos . . . sea notorio a todos vosotros, y a todo el pueblo de Israel, que en el nombre de Jesucristo de Nazaret, a quien vosotros crucificasteis y a quien Dios resucitó de los muertos, por Él este hombre está en vuestra presencia sano. Este Jesús es la Piedra reprobada por vosotros los edificadores, la cual ha venido a ser Cabeza del ángulo. Y en ningún otro hay salvación; porque no hay otro nombre bajo el cielo, dado a los hombres, en que podamos ser salvos»* (Hechos 4:8,10-12).

**Pensamiento para hoy:** El temor se desvanece mientras que confiamos en el Señor cada día.

## ℰN LA LECTURA DE HOY
### La grandeza, el poder, y la perfección
### de la Palabra de Dios

ℰl propósito del capítulo más largo de la Biblia es para fijar nuestra atención en la única Guía Infalible para esta vida dada por nuestro Creador. En ella, Dios ha provisto todas las cosas que necesitamos para ser las personas que Él preparó de antemano para que seamos y llegar a cumplir el propósito para el cual Él nos creó. De igual manera e indispensable es conocer a nuestro Creador, el Salvador, y Rey Mesías que pronto vendrá otra vez. Este Salmo empieza con: *«Bienaventurados los perfectos de camino, los que andan en la Ley de Jehová. . . . Y con todo el corazón le buscan»* (Salmo 119:1-2). Esto quiere decir mucho más que esquivar el pecado o vivir una vida buena. Nuestras bendiciones vienen cuando diligentemente buscamos al Dios mismo.

Como David, todos los que buscan a Dios orarán: *«Con todo mi corazón Te he buscado; no me dejes desviarme de Tus mandamientos. En mi corazón he guardado Tus dichos, para no pecar contra Ti»* (119:10-11). Es mientras que nos gozamos en la Palabra de Dios *« . . . más que de toda riqueza»* (119:14) que nuestro compañerismo con el Señor es una seguridad. El salmista continuó diciendo: *«No me olvidaré de Tus Palabras»* (119:16). Esta manera de olvidarse es mucho más que un lapso momentáneo de nuestra memoria. Esto nos habla de la tendencia a olvidarnos del Señor por el resultado de estar muy involucrados en otros intereses de la vida día tras día y así nos descuidamos de Su Palabra.

Cada día necesitamos orar: *«Abre mis ojos, y miraré las maravillas de Tu Ley. . . . Hazme entender el camino de Tus mandamientos, para que medite en Tus maravillas»* (119:18,27,35-36). Al hacer esto, tenemos mucho por qué cantar sin mirar a las circunstancias de la vida (119:54). El hijo o la hija de Dios también puede decir junto con el salmista: *«Antes que fuera yo humillado, descarriado andaba; mas ahora guardo Tu Palabra. . . . Bueno me es haber sido humillado, para que aprenda Tus estatutos»* (119:67,71).

Aunque él había sido afligido, el salmista no acusó a Dios de falta alguna, ni aun dudó de la sabiduría y la justicia de Dios. Para muchos de nosotros, es en tiempos difíciles que con mucho dolor reconocemos que hemos tomado decisiones erróneas, las cuales nos han llevado a consecuencias dañosas. Aquí es cuando reconocemos que la Biblia es inapreciable, pues ella sola revela los verdaderos valores de la vida y nos prepara para la eternidad. *«Me regocijo en Tu Palabra como el que halla muchos despojos»* (Salmo 119:162).

**Pensamiento para hoy:** El crecimiento espiritual depende del tiempo que pasamos dejando que el Señor nos hable por medio de Su Palabra.

*T*odos los varones judíos que estaban físicamente listos y limpios según las ceremonias requeridas bajo la Ley de Dios tenían que ir a Jerusalén tres veces cada año (Éxodo 23:14-17; Deuteronomio 16:16).

Con confianza en la protección del Señor en sus jornadas, el adorador israelita podía cantar: «*Mi socorro viene de Jehová . . . Jehová guardará tu salida y tu entrada desde ahora y para siempre*» (Salmo 121:2,8).

Los Salmos eran cantados mientras ellos viajaban hacia Jerusalén para participar en las fiestas, los sacrificios, y la adoración. Aunque algunos tenían que viajar de una a tres semanas para llegar a Jerusalén, estas jornadas eran un gran gozo para ellos. Todos cantaban con seguridad que el Señor iba a proteger sus hogares y sus posesiones durante su ausencia. «*He aquí, no se adormecerá ni dormirá el que guarda a Israel*» (121:4). El salmista dijo: «*Esperé yo a Jehová, esperó mi alma; en Su Palabra he esperado. . . . Porque en Jehová hay misericordia, y abundante redención con Él*» (130:5-7). Los israelitas eran enseñados a confiar en el Señor por Su provisión y Su protección, como también por el perdón de sus pecados.

Estamos acercándonos rápidamente al final de nuestras oportunidades para edificar el reino de Dios. El rey David, por medio de la inspiración del Espíritu Santo, pudo prever ese glorioso tiempo cuando el Mesías reinará en Jerusalén: «*Pedid por la paz de Jerusalén . . . (por) amor a la casa de Jehová nuestro Dios buscaré tu bien*» (122:6-9).

Esta profecía predice el perfecto reino del Príncipe de Paz: «*Y vendrán muchos pueblos, y dirán: Venid, y subamos . . . a la casa del Dios de Jacob; y nos enseñará Sus caminos, y caminaremos por Sus sendas. Porque de Sion saldrá la Ley, y de Jerusalén la Palabra de Jehová*» (Isaías 2:3).

Siglos habían pasado, pero el día pronto iba a llegar cuando el trono de Israel iba a ser ocupado por un descendiente de David – el Mesías (Salvador) prometido, el Hijo de Dios nacido de una virgen, Jesucristo.

«*Bendito sea el Dios y Padre de nuestro Señor Jesucristo, que nos bendijo con toda bendición espiritual en los lugares celestiales en Cristo . . . para que fuésemos santos y sin mancha delante de Él . . .* (en Jesucristo, el Amado) *en quien tenemos redención por Su sangre, el perdón de pecados*» (Efesios 1:3,4,7).

**Pensamiento para hoy:** Estar satisfechos es la clave para alabar al Señor.

---

### ⊘N LA LECTURA DE HOY

Una oración por la bendición de Dios; el gozo de la unidad; la exhortación
para alabar a Dios; la duradera misericordia de Dios;
la Palabra de Dios es ampliada

---

Él salmista nos recuerda: *«¡Mirad cuán bueno y cuán delicioso es habitar los hermanos juntos en armonía! Es como el buen óleo sobre la cabeza, el cual desciende sobre la barba... y baja hasta el borde de sus vestiduras»* (consagrando todo el cuerpo) (Salmo 133:1-2; Éxodo 30:25,30; Levítico 8:12). El santo aceite de la unción, el buen óleo sobre la cabeza de Aarón, el primer sumo sacerdote, es una prefiguración de la unción, la morada, y el derramamiento del Espíritu Santo sobre los creyentes hoy en día. El aceite que fue derramado simboliza el Espíritu Santo quien, en amor, cubre y penetra las vidas de todos los que se someten a Él.

Todos los creyentes tienen el mismo Espíritu Santo morando en ellos (I de Juan 2:27). De consiguiente, debemos expresar la unidad de los creyentes en un espíritu de amor, sin parcialidad, sin pensar en que raza, que nacionalidad, que nivel de educación o de riquezas.

La clave para la unidad verdadera es esto: *«Nada hagáis por contienda o por vanagloria; antes bien con humildad, estimando cada uno a los demás como superiores a él mismo»* (Filipenses 2:3). Nuestra naturaleza pecaminosa (caída) siempre está lista para distorsionar los encuentros desagradables con otros, y nuestras emociones pueden crear una crisis de los incidentes insignificantes. A todo esto le añadimos, que muchas veces todos nosotros, por ser egoístas, demandamos nuestro derecho y le echamos la culpa a otros por nuestras frustraciones. El orgullo, la obstinación, y un espíritu independiente son todos los enemigos de una vida llena del Espíritu de Dios. La persona que refleja a Cristo acepta una ofensa personal con paciencia en vez de reaccionar a la dureza de otras personas. Necesitamos reconocer que una persona con una mala actitud a veces está reaccionando momentariamente a las frustraciones causadas por conflictos previos, pesares, sufrimientos, o malas noticias. Dios permite que personas con dificultades se acerquen a nuestras vidas para darnos una oportunidad para expresar el amor y la paciencia de Dios para ellos, tal y como nuestro Señor nos ha dado a conocer Su amor y Su misericordia a nosotros los creyentes.

La unidad de los creyentes puede ser comparada a una gran orquesta con muchos instrumentos creando bellas armonías. Para mantener esa armonía, tenemos que mantenernos entonados con el Maestro Conductor. *«(Porque) todos los que habéis sido bautizados en Cristo, de Cristo estáis revestidos. Ya no hay judío ni griego; no hay esclavo ni libre; no hay varón ni mujer; porque todos vosotros sois uno en Cristo Jesús»* (Gálatas 3:27-28).

**Pensamiento para hoy:** Todos los creyentes son miembros del Cuerpo de Cristo.

> ## ᴇN LA LECTURA DE HOY
> La providencia de Dios que lo ve todo; la oración de David para ser
> rescatado de la ira de Saúl; la consolación de la oración;
> la oración para obtener la misericordia en el día de juicio

*N*uestro Creador inspiró al rey David a escribir: *«Oh Jehová . . . todos mis caminos Te son conocidos* (desde el día que fui concebido hasta hoy mismo) *. . . (Tal) conocimiento es demasiado maravilloso para mí* (más allá de mi entendimiento). *. . . Porque Tú formaste mis entrañas* (formaste mi espíritu y mi corazón dentro de mí); *Tú me hiciste en el vientre de mi madre. . . . Y entretejido en lo más profundo de la tierra. Mi embrión vieron Tus ojos . . . »* (Salmo 139:1-16). Dios revela que fue durante la concepción que David vino a ser una persona, un alma viviente. Aunque, como una criatura que no había nacido, nadie lo podía ver, y era como si estuviera enterrado en la tierra. Pero su cuerpo no era un misterio para su Creador, quien con mucha habilidad lo estaba preparando para poder cumplir con su destino, ordenado por Dios, aquí en la tierra.

Dios también guio al profeta Isaías a profetizar sobre Jesucristo: *« . . . Jehová Me llamó desde el vientre, desde las entrañas de Mi madre tuvo Mi nombre en memoria. . . . Me cubrió con la sombra de Su mano . . . (ahora) pues, dice Jehová, el que Me formó desde el vientre para ser Su siervo . . . también Te di por Luz de las naciones . . . »* (Isaías 49:1-6).

Dios también le reveló a Jeremías: *«Antes que te formase en el vientre te conocí, y antes que nacieses te santifiqué, te di por profeta a las naciones»* (Jeremías 1:5).

Si las madres de David, Isaías, o Jeremías les hubiesen abortado, ellas llevarían la condena de haber asesinado a grandes hombres de Dios. Los registros de hoy sólo mostrarían tres fetos más sin nombres.

El Espíritu Santo inspiró a nuestro amado médico Lucas a escribir lo que el ángel Gabriel le anunció a la virgen María: *«Y ahora, concebirás en tu vientre, y darás a luz un hijo, y llamarás Su nombre JESÚS»* (Lucas 1:31). Notemos que nuestro Señor Jesucristo fue anunciado como Persona en la concepción. *«Pero Jesús dijo: Dejad a los niños venir a Mí, y no se lo impidáis; porque de los tales es el reino de los cielos»* (Mateo 19:14).

**Pensamiento para hoy:** *« . . . el que Me halle, hallará la vida»* (Proverbios 8:35).

> ### ᴇN LA LECTURA DE HOY
> La alabanza de David por la misericordia y la bondad de Dios;
> los beneficios de confiar en Dios; toda la creación alaba al Señor;
> el triunfo en el Dios de Israel

El salmista empezó y terminó cada uno de los últimos cinco Salmos diciendo: «*¡Alabad!*» y «*¡Aleluya!*» (que quiere decir alabado sea el Señor) – literalmente – una frase expresando la grandeza de nuestro Dios. «. . . *Alabaré a Jehová en* (toda) *mi vida; cantaré salmos a mi Dios mientras viva. . . . Bienaventurado aquel cuyo ayudador es el Dios de Jacob, cuya esperanza está en Jehová su Dios, el cual hizo los cielos y la tierra, el mar, y todo lo que en ellos hay; que guarda verdad para siempre. . . . Reinará Jehová para siempre . . . Aleluya*» (Salmo 146:1-2,5-6,10) (Alabamos al Señor porque podemos buscarle en todas nuestras necesidades).

El salmista continuó diciendo: «*Alabad a* (Jehová) . . . *Él sana a los quebrantados de corazón, y venda sus heridas. . . . Él envía Su Palabra a la tierra; velozmente corre Su Palabra*» (147:1,3,15). «*Alaben el Nombre de Jehová, porque sólo Su Nombre es enaltecido. Su gloria es sobre tierra y cielos*» (148:13).

La verdad es esta: al paso que nos determinamos conformarnos más y más a Cristo y darle el primer lugar en nuestras vidas, veremos más interrupciones, las cuales van a querer tomar más tiempo y atención. Cuando esto pasa, somos tentados a buscar lo que es mejor para «nuestro propio reino» en vez de buscar primeramente «*el reino de Dios y Su justicia*» (Mateo 6:33). Muchas veces, aun a lo que llamamos «buenas cosas» nos quitan el tiempo para buscar «las mejores cosas» que Dios nos quiere dar. Sin embargo, también puede que las cosas buenas lleven a prueba nuestra fe, para ver si, como Job, nosotros también podemos decir: «*Mas Él conoce mi camino; me probará, y saldré como oro*» (Job 23:10).

Por todo el libro de los Salmos, podemos reconocer que nada llega a nuestras vidas por accidente. En Su sabiduría y en Su amor, todo lo que Dios permite o causa es con el propósito de desarrollar todo lo mejor y lo bueno que Él tiene para nosotros y en nosotros.

Estos últimos Salmos nos dan la seguridad que tenemos un Amoroso Padre Celestial, que quiere lo mejor para Sus hijos. Para hacer esto posible, Él nos ha provisto Su Palabra como un verdadero guía que revela cómo debemos de vivir para agradar a Dios. Dios también ha provisto Su iglesia, donde podemos cantarle alabanzas, compartir nuestros testimonios con otros creyentes que aman al Señor, y recibir instrucciones e inspiración de nuestros líderes espirituales. Dios nunca quiere que vivamos en nuestra propia suficiencia, independientes y solos (Efesios 4:16). El libro de los Salmos termina proclamando: «*Todo lo que respira alabe a JAH* (Jehová). *Aleluya*» (Salmo 150:6).

**Pensamiento para hoy:** El confiar en los caminos incomprensibles del Señor es mejor que esperar en los caminos comunes y erróneos de los hombres.

# INTRODUCCIÓN AL LIBRO DE
# 𝒫ROVERBIOS

Salomón escribió y «... *compuso tres mil proverbios, y sus cantares fueron mil cinco*» (I de Reyes 4:32), pero la sabiduría revelada a él y por medio de él fue inspirada por Dios. Salomón también hizo una colección de proverbios escritos por otras personas (Proverbios 30:1; 31:1).

El libro de Proverbios empieza afirmando un propósito: «*Para entender sabiduría y doctrina, para conocer razones prudentes*» (1:2), y entonces nos dice claramente: «*El principio de la sabiduría es el temor de Jehová; los insensatos desprecian la sabiduría y la enseñanza*» (1:7). La sabiduría de los piadosos es un atributo de nuestro Creador, y todos nosotros necesitamos Su sabiduría para realizar el gozo y el propósito de esta vida.

Nuestro Señor citó frecuentemente de los Proverbios. Muchas veces nuestro Señor dijo lo positivo de lo que los proverbios habían dicho negativamente. Podemos comparar Proverbios 4:19 con Juan 12:35; Proverbios 5:23 con Juan 8:24; Proverbios 8:35 con Juan 6:47; Proverbios 14:31 con Mateo 25:31-46; Proverbios 18:21 con Mateo 12:37; y Proverbios 23:7 con Mateo 12:34.

El libro de Proverbios enfoca primariamente en la conducta diaria del «*sabio*». Los logros de este mundo son vanidades sin valor cuando las comparamos a los valores eternos que se ganan cuando cumplimos los mandamientos de Dios (Proverbios 2:1-6). Dios le da a Su pueblo la sabiduría para dirigirle diariamente. La sabiduría es más que el conocimiento; es la representación inconfundible y la aplicación de Cristo en todas las áreas de nuestras vidas (ver 8:12-36).

«*Toda Palabra de Dios es limpia; Él es escudo a los que en Él esperan*» (30:5), y «*(el) que aparta su oído para no oír la Ley, su oración también es abominable*» (28:9).

---

Yo pensaba que conocía mi Biblia,
leyéndola a pedacitos, como el tiro al blanco,
un poco de Juan ahora y después a Mateo,
ahora una vistada a Génesis, algunos capítulos
de Isaías también; definitivamente unos Salmos
(el Salmo 23); o el capítulo 12 de Romanos,
y el primero de Proverbios.
Sí, yo pensaba que conocía mi Biblia,
pero aprendí que una lectura cuidadosa fue
muy diferente al hacer, y el camino me fue
desconocido cuando leí mi Biblia en total
desde el principio hasta el final.

– M.E.H.

## ℰN LA LECTURA DE HOY

El temor de Jehová es el principio de la sabiduría; la necesidad de
buscar la sabiduría; la importancia de confiar en el Señor

«*Hijo mío, si recibieres Mis Palabras, y Mis mandamientos guardares dentro
de ti (llevarlos en el corazón), haciendo estar atento tu oído a la sabiduría; si
inclinares tu corazón a la prudencia, si clamares a la inteligencia . . . (si) como
a la plata la buscares, y la escudriñares como a tesoros, entonces entenderás el
temor de Jehová, y hallarás el conocimiento de Dios*» (Proverbios 2:1-5). «*(Si)
recibieres . . . haciendo estar atento . . . si inclinares tu corazón . . . si clamares
. . . la buscares, y la escudriñares* (la sabiduría) *como a tesoros*», esto nos habla
de una dedicación seria, progresiva y diaria para alcanzar un alto nivel espiritual.

Hablando por medio de Salomón, Dios nos está diciendo: «Toma Mi
Palabra seriamente», porque ella es la única que puede proveerte con la verdadera
sabiduría espiritual que te guiará y entonces «*entenderás justicia, juicio y
equidad, y todo buen camino. Cuando la sabiduría entrare en tu corazón, y la
ciencia fuere grata a tu alma, la discreción te guardará; te preservará la
inteligencia*» (2:9-11).

En contraste, muchas personas hoy en día, no le dan tiempo a la lectura de
la Biblia, aunque el apóstol Pablo nos rogó: «*Procura con diligencia presentarte
a Dios aprobado, como obrero que no tiene de qué avergonzarse, que usa bien
la Palabra de verdad*» (II de Timoteo 2:15). Sólo pocas personas oran por los
logros espirituales para poder cumplir con el propósito para el cual Dios las
creó. Creyentes que saben discernir ponen sus metas en línea con los propósitos
de Dios y «*. . . (buscan) primeramente el reino de Dios y Su justicia*» (Mateo
6:33), pues todas las otras metas para esta vida son secundarias. «*Mas nuestra
ciudadanía está en los cielos, de donde también esperamos al Salvador, al Señor
Jesucristo*» (Filipenses 3:20).

La decisión de a quién vamos a servir es de suma importancia, pues afectará
todas las áreas de nuestras vidas. Esa energía tan intensa que a veces se aplica
para conseguir el éxito en esta vida, también se debe aplicar a las ganas del
creyente en cumplir con los valores eternos para el bienestar de otras personas
y para la gloria de Dios.

Uno de los pensamientos más serios de esta vida es: «*Porque el Hijo del
Hombre vendrá en la gloria de Su Padre con Sus ángeles, y entonces pagará a
cada uno conforme a sus obras*» (Mateo 16:27).

**Pensamiento para hoy:** Debemos de leer la Palabra de Dios con un deseo
intenso de aceptar Su sabiduría y Su corrección para madurar espiritualmente.

## ℰN LA LECTURA DE HOY
El poder de la sabiduría para protegernos del mal; los siete pecados más
odiados por Dios; la necesidad de cumplir con los mandamientos de Dios

*M*ientras que los creyentes del Antiguo Testamento se reconocen como
la esposa de Jehová y los del Nuevo Testamento se reconocen como la novia de
Cristo, pues, así resulta que el placer sexual con cualquier otra persona fuera
del matrimonio de un hombre con una mujer, el cual ha sido ordenado por
Dios, es adulterio espiritual contra Dios. Los pecados sexuales son tan
engañadores y destructivos que se habla mucho más sobre las advertencias de
su perversidad en este libro de Proverbios que ningún otro pecado. Los pecados
sexuales contaminan nuestro cuerpo, el cual es el templo del Espíritu Santo
(I de Corintios 6:19). Las advertencias en el libro de Proverbios se encuentran
en los capítulos 5; 6:23-35; todo el capítulo 7; 9:13-18; y 22:14. Dios nos
revela que la única manera de estar seguros se encuentra cuando «*la sabiduría
. . . fuere grata a tu alma . . . te guardará; te preservará la inteligencia . . .
(serás) librado de la mujer extraña, de la ajena que halaga con sus palabras*»
(Proverbios 2:10,19). El abandono a las relaciones pecaminosas pueden proveer
gozos físicos momentáneos; pero «*. . . el que comete adulterio es falto de
entendimiento; corrompe su alma el que tal hace*» (6:32).

Dios nos advierte sobre los resultados desastrosos del adulterio los cuales
son inevitables: «*Al punto se marchó tras ella, como va el buey al degolladero,
y como el necio a las prisiones para ser castigado*» (7:22). Algunos piensan que
el adulterio o la fornicación es aceptable cuando ocurre entre adultos que así
lo consienten; pero Dios dice: «*. . . No erréis; ni los fornicarios, ni los idólatras,
ni los adúlteros, ni los afeminados, ni los que se echan con varones, ni los
ladrones, ni los avaros, ni los borrachos, ni los maldicientes, ni los estafadores,
heredarán el reino de Dios*» (I de Corintios 6:9-10).

Satanás solamente nos puede tentar. El pecado empieza cuando empezamos
a contemplar la tentación. Por esa razón, tenemos que «*(llevar) cautivo todo
pensamiento a la obediencia a Cristo*» (II de Corintios 10:5).

Cualquier persona que ha sido arrastrada por un pecado sexual debe de
orar y pedirle a Dios que le perdone, pues: «*El que encubre sus pecados no
prosperará; mas el que los confiesa y se aparta alcanzará misericordia*»
(Proverbios 28:13). «*(Pero) Cristo, habiendo ofrecido una vez para siempre
un solo sacrificio por los pecados, se ha sentado a la diestra de Dios. . . .
(Porque) con una sola ofrenda* (Jesucristo) *hizo perfectos para siempre a
los santificados . . .* (Dios) *añade: Y nunca más Me acordaré de sus pecados
y transgresiones. Pues donde hay remisión de éstos, no hay más ofrenda por
el pecado*» (Hebreos 10:12,14,17-18).

**Pensamiento para hoy:** La Palabra de Dios nos amonesta sobre el hombre:
«*Porque cual es su pensamiento en su corazón, tal es él*» (Proverbios 23:7).

*N*ada en esta vida puede ser más atesorado, y sin precio, que conocer la Palabra de Dios. Tal y como Salomón le habló estas palabras a su «hijo», Dios nos está hablando a nosotros como a «hijos». *«Justas son todas las razones de Mi boca; no hay en ellas cosa perversa ni torcida. Todas ellas son rectas al que entiende, y razonables a los que han hallado sabiduría. Recibid Mi enseñanza, y no plata; y ciencia antes que el oro escogido. Porque mejor es la sabiduría que las piedras preciosas; y todo cuanto se puede desear, no es de compararse con ella»* (Proverbios 8:8-11).

¿Es alguna sorpresa que Satanás busca sobre todas las cosas evitar que el creyente lea la Palabra que Dios ha escrito, la cual nos guía a conocer y a poder discernir el bien del mal? Cuando lo primero que consideramos es el amor, la lealtad, y nuestro servicio al Señor, somos guiados a la obediencia de Su Palabra.

*«El temor de Jehová* (un profundo e impresionante respeto) *es el principio de la sabiduría, y el conocimiento del Santísimo es la inteligencia»* (9:10). Esta sabiduría y entendimiento cubre cada aspecto de nuestra vida e incluye: la vida física, la vida espiritual, la vida financiera, y el buen estado de la vida social. *«El temor de Jehová es aborrecer el mal; la soberbia y la arrogancia, el mal camino, y la boca perversa, aborrezco. Conmigo está el consejo y el buen juicio; Yo soy la inteligencia; Mío es el poder . . . Yo amo a los que Me aman (la sabiduría), y Me hallan los que temprano* (sinceramente) *Me buscan. . . . Ahora, pues, hijos, oídme, y bienaventurados los que guardan Mis caminos. . . . Porque el que Me halle, hallará la vida, y alcanzará el favor de Jehová. Mas el que peca contra Mí, defrauda su alma; todos los que Me aborrecen aman la muerte»* (8:13-14,17,32,35-36).

La diferencia básica entre la persona sabia y la necia está en el uso que cada una le da al tiempo, a sus talentos, y a las posesiones materiales. Cuando nosotros confiamos en Dios y en Su Palabra, eso resultará en una preciosa obediencia a Él y a lo que Dios quiere que hagamos con nuestro tiempo, nuestros talentos y nuestras posesiones (3:5-6).

Siempre estamos en uno de dos caminos en nuestra jornada por la vida. El camino que los sabios siguen es estrecho y mucho más difícil, pero trae satisfacción, paz, y vida eterna. Sin embargo, el camino ancho de los necios inevitablemente les guía a la vanidad y últimamente al lago de fuego eterno. *«Y la muerte y el Hades fueron lanzados al lago de fuego. Esta es la muerte segunda. Y el que no se halló inscrito en el libro de la vida fue lanzado al lago de fuego»* (Apocalipsis 20:14-15).

**Pensamiento para hoy:** El descuidarse de ayudar a otros es motivado por el egoísmo.

## ☙N LA LECTURA DE HOY
### Las virtudes morales; las trampas de la maldad

*D*ios, en Su infinita sabiduría, nos ha declarado: «*El que detiene el castigo* (el que no disciplina), *a su hijo aborrece; mas el que lo ama, desde temprano lo corrige* (le da disciplina pronto)» (Proverbios 13:24).

La mayor contribución que podemos hacerle al futuro de nuestros hijos es enseñarles la obediencia y el respeto – primeramente a Cristo como su Salvador personal y Señor de sus vidas, y entonces a sus padres y a todos los que están en autoridad, incluyendo a los maestros en la escuela y a todos los oficiales que ejecutan la ley. Esta obediencia debe también extenderse a las leyes del gobierno bajo las cuales vivimos. Como un requisito para enseñar a los niños la sumisión a la autoridad, es vital que los padres consistentemente muestren la sumisión a la justa autoridad por sus propios ejemplos.

La vara es un símbolo de la autoridad que Dios le ha encomendado a los padres para enseñar a sus hijos. Al aplicar la vara estamos ejercitando esa autoridad. La vara de la corrección debe ser administrada firmemente pero aún con amor. El aplicar la vara de la autoridad no quiere decir que los padres pueden derramar sobre sus hijos las frustraciones que se han acumulado, como en gritarles demandas y dándoles bofetadas o golpeándoles. Estos son ejemplos del abuso físico y mental. No debemos esperar que nuestros hijos se comporten como adultos. Ellos necesitan la misma amorosa bondad y paciencia de nosotros que también nosotros deseamos de nuestro Padre Celestial. Aun a veces los creyentes, espiritualmente maduros, nos olvidamos de cuántas veces el Señor, en Su paciencia y amor, nos ha perdonado nuestros pecados y fracasos por tantos años.

La disciplina bíblica sigue el mismo ejemplo de nuestro Amoroso Padre en el cielo, quien corrige y disciplina a todos los que Él ama (Hebreos 12:6). El salmista lo expresó así: «*Antes que fuera yo humillado* (sufrido), *descarriado andaba; mas ahora guardo* (obedezco) *Tu Palabra*» (Salmo 119:67).

Nosotros sí podemos desarrollar en nuestros hijos ese respeto ordenado por Dios para las autoridades, y al mismo tiempo proveerles la seguridad de nuestro amor y el amor de Dios para con ellos. Es muy importante tener un buen tiempo con nuestros hijos, especialmente leyendo la Biblia y orando con ellos para desarrollar un interés y un sentimiento para las cosas de Dios (Deuteronomio 6:2-9; Proverbios 22:6).

«*Hijos, obedeced en el Señor a vuestros padres, porque esto es justo. Honra a tu padre y a tu madre, que es el primer mandamiento con promesa*» (Efesios 6:1-2; ver Éxodo 20:12).

**Pensamiento para hoy:** En oración pensamos antes de actuar y hablar.

## ☙N LA LECTURA DE HOY
Los valores de poder agradar al Señor y poder escoger la sabiduría

*N*adie es humilde naturalmente. El corazón humano ha sido traspasado por el orgullo desde la caída de Adán; sólo Cristo, quien mora en el creyente, puede desarrollar la verdadera humildad en nuestras vidas. Esta humildad se manifiesta cuando mostramos bondad para los que no son bondadosos, paciencia para los que nos molestan, y amor para los que son desagradables. Somos inconsistentes al pensar que «humildemente nos hemos entregado a Jesucristo» y al mismo tiempo actuamos ásperamente contra otros.

El Señor siempre nos guía a ver el resultado del orgullo y la falsa humildad: «*Antes del quebrantamiento es la soberbia* (el orgullo), *y antes de la caída la altivez de espíritu. Mejor es humillar el espíritu con los humildes que repartir despojos con los soberbios*» (Proverbios 16:18-19).

Es natural pensar que somos humilde, especialmente cuando estamos solos en oración delante de Dios. Pero la humildad, o la falta de ella, es bien evidente por medio de nuestra actitud cuando estamos con alguien que nos irrita. Si nuestras respuestas son expresadas de cualquier manera sin bondad, o por la forma exterior de nuestras palabras o nuestras acciones o por la forma interior de nuestros pensamientos, entonces nuestra «humildad» no es real, es meramente una máscara (pretendiendo ser piadosos) para nuestro orgullo. Por conocer el destructivo poder del orgullo, vamos a mirar a las personas que son difíciles de amar como personas que son mandadas por Dios para darnos una oportunidad para limpiarnos de nuestra santurronería personal (o falsa humildad) y expresar la verdadera humildad de Cristo y el amor de Dios.

Los creyentes que son verdaderamente humildes no sienten celo ni envidia cuando ellos son ignorados mientras que otras personas son alabadas. Dios siempre nos recuerda: «*Nada hagáis por contienda o por vanagloria; antes bien con humildad, estimando cada uno a los demás como superiores a* (sí) *mismos*» (Filipenses 2:3).

La humildad nos permite expresar la misma naturaleza de Cristo en nuestras vidas cuando existen diferentes opiniones. La Palabra de Dios también nos amonesta: «*Unánimes entre vosotros; no altivos, sino asociándoos con los humildes. No seáis sabios en vuestra propia opinión*» (pensando que somos mejores que otras personas) (Romanos 12:16). Cuando llevamos la naturaleza de Jesucristo en nuestras vidas vemos a otras personas tal y como Jesús los ve, y les damos la misma consideración, sin considerar su raza, su posición, sus habilidades, sus riquezas, pues « . . . *Dios no hace acepción de personas*» (Hechos 10:34).

**Pensamiento para hoy:** Evita la asociación con las personas de mentes mundanas.

## ☙N LA LECTURA DE HOY

El engaño del vino; la soberanía de Dios sobre los reyes de esta tierra; las virtudes morales son recompensadas

**E**l alcohol es asombrosamente engañoso. El insidioso trago «de vez en cuando», aun en moderación, parace que no hace daño. Da la apariencia de que hace de la vida más gozosa. Pero muchas personas que beben «socialmente» tarde o temprano descubren que han cambiado el deseo de cumplir con un propósito en sus vidas por la mera despreciable existencia. Muchas personas ilustres que en otros tiempos habían tenido gran éxito e influencia han sido reducidos a la inutilidad por el alcohol. Pero, aunque parezca extraño, ellos piensan y están convencidos que ellos tienen el poder de parar de beber cuando ellos quieran. Por eso Dios nos amonesta: «*El vino es escarnecedor, la sidra alborotadora, y cualquiera que por ellos yerra no es sabio*» (Proverbios 20:1).

Es digna de lástima la persona que trata de escapar las adversidades de esta vida y relajarse con «un pequeño trago». No hay palabras que puedan expresar los resultados tan tristes de las personas que continuamente usan el alcohol. La amonestación de Dios es clara sobre el efecto venenoso del alcohol: «*Mas al fin como serpiente morderá, y como áspid dará dolor*» (23:32).

El uso del alcohol toma el control de nuestras vidas químicamente (lo físico) y emocionalmente (lo mental), y se manifiesta por los efectos y acciones físicas y sicológicas. Una vez que la persona está «atrapada», su dependencia en el alcohol le roba del buen juicio, y gradualmente puede destruirle su vida y las vidas de otros seres queridos. El uso del alcohol también puede producir muchas heridas físicas y emocionales sin fin, que son inevitables e irreversibles.

Mientras que una persona sigue entregando su vida al alcohol y embriagándose, tal persona llega a ser más y más insensible a las consecuencias de sus acciones. Gradualmente, millones de personas han permitido que sus vidas estén en directa violación a la Palabra de Dios. La única libertad de estas trágicas consecuencias es la misericordia y el amor de Dios. Cuando una persona llega a un arrepentimiento verdadero y viene a Cristo, permitiéndole ser Salvador y Señor de su vida, es entonces que el Espíritu Santo llega a ser su fuerza para vencer el pecado: «*No os embriaguéis con vino, en lo cual hay disolución; antes bien sed llenos del Espíritu*» (Efesios 5:18).

«*Andemos como de día, honestamente; no en glotonerías y borracheras, no en lujurias y lascivias . . . sino vestíos del Señor Jesucristo, y no proveáis para los deseos de la carne*» (Romanos 13:13-14).

**Pensamiento para hoy:** «*Absteneos de toda especie de mal*» (I de Tesalonicenses 5:22).

---

### ⎇N LA LECTURA DE HOY
Las enseñanzas morales, espirituales, y la ética;
la excelencia de la sabiduría; la comparación, los avisos,
y las instrucciones sobre las personas malvadas

---

*P*arece normal demandar nuestros derechos – de batallar contra los que nos maltratan y aun infligir sufrimientos sobre aquellos que nos han ofendido. Pero, es un serio pecado deleitarse cuando un enemigo sufre y parece que está recibiendo el juicio que nosotros pensamos que ellos se merecen. Es aun más serio cuando hospedamos un odio escondido en nuestros corazones contra otras personas y deseamos su caída. *«Cuando cayere tu enemigo, no te regocijes, y cuando tropezare, no se alegre tu corazón; no sea que Jehová lo mire, y le desagrade, y aparte de sobre él Su enojo»* (Proverbios 24:17-18).

Las actitudes de amargura, de venganza, de odio, o de malos sentimientos contra otras personas son reacciones destructivas, y son indicaciones de que no estamos viviendo tan cerca a Cristo como creemos que estamos viviendo y como debemos de vivir: *« . . . no amemos de palabra ni de lengua* (meramente), *sino de hecho y en verdad»* (I de Juan 3:18). Nunca debemos de considerar a otra persona como enemigo, pues todos somos creados a la imagen de Dios y Jesucristo murió para salvarnos a todos sin acepción de personas. Vamos a orar para que aquellos que nosotros consideramos «enemigos» lleguen a ser discípulos de Jesucristo y nuestros hermanos y hermanas en el Señor.

Nadie es justificado por vengarse por sí mismo; no tenemos las cualidades para ser el juez, el jurado, ni el executor del juicio. No nos atrevemos a tomar el lugar de Dios, quien nos dijo: *«No os venguéis vosotros mismos, amados míos, sino dejad lugar a la ira de Dios; porque escrito está: Mía es la venganza, Yo pagaré, dice el Señor»* (Romanos 12:19; Deuteronomio 32:35; Hebreos 10:30). Si alguien nos trata injustamente, pues debemos de orar por ellos y por los que nos ofenden. Todos los pensamientos de odio y venganza son sugerencias de Satanás; pero el Espíritu Santo que mora en cada creyente nos da el poder para rechazar esas sugerencias y ofrecer misericordia y perdón en vez del odio contra los malhechores.

Nuestras reacciones al comportamiento impiadoso de los que nos ofenden revela si estamos siendo controlados por el Espíritu Santo o por nuestra vieja naturaleza pecaminosa (Romanos 8:1-9). *«Bienaventurados los mansos, porque ellos recibirán la tierra por heredad. . . . Bienaventurados los que padecen persecución por causa de la justicia, porque de ellos es el reino de los cielos»* (Mateo 5:5,10).

**Pensamiento para hoy:** Poder amar a los que no son bondadosos es una expresión del amor de Cristo.

---

### 𝒯N LA LECTURA DE HOY
El consejo al sabio; la confesión de fe de Agur;
las palabras del rey Lemuel; la alabanza a una buena esposa

---

𝒮i amamos a alguien, queremos estar con tal persona y saber lo que le agrada y así podemos desarrollar una relación que dure un largo tiempo. También queremos saber lo que le disgusta y así evitar las acciones que le son desagradables. Por seguro, esto también es una consideración muy importante en nuestra relación con nuestro Señor.

Dios nos dice: *«El que guarda la ley es hijo prudente . . . El que aparta su oído para no oír la Ley, su oración también es abominable»* (Dios no la acepta) (Proverbios 28:7,9). ¿Por qué se interesará Dios de lo que nosotros queremos decirle cuando nosotros no estamos interesados en leer Su Palabra que nos guía a vivir afortunadamente? Si queremos que Dios nos oiga cuando oramos, entonces es muy importante leer todos los requisitos por los cuáles Dios acepta nuestras oraciones.

El apóstol Juan les recuerda a los creyentes: *« . . . confianza tenemos en Dios; y cualquiera cosa que pidiéremos la recibiremos de Él, porque guardamos Sus mandamientos, y hacemos las cosas que son agradables delante de Él»* (I de Juan 3:21-22). Pero no podemos cumplir con todos Sus mandamientos si no leemos toda Su Palabra para saber cuales son ellos.

Nos parece también extraño cuando algunas personas hablan de «los principios bíblicos», pero tales pesonas no ven la necesidad de leer toda la Biblia para conocer «los principios bíblicos». Ellos oran por las soluciones a los problemas de la vida, pero faltan al no ir al único lugar donde Dios provee las respuestas a ellos.

¿Por qué es que hay tan gran descuido entre los cristianos en leer toda la Palabra de Dios? ¿Puede ser porque muchos piensan que su «buen juicio» puede tomar el lugar de la sabiduría de nuestro propio Creador?

Jeremías expuso a los predicadores populares en sus días, diciendo: *« . . . He aquí que sus oídos son incircuncisos, y no pueden escuchar; he aquí que la Palabra de Jehová les es cosa vergonzosa, no la aman»* (Jeremías 6:10). Nuestro Señor aun declara por medio de Su profeta: *« . . . porque no escucharon Mis Palabras, y aborrecieron Mi Ley»* (6:19). Por toda la historia, Dios ha rechazado a Su pueblo cuando ellos se han negado a aceptar Su liderazgo. Sin duda, el corazón de Dios fue quebrantado cuando le dijo a Oseas: *«Mi pueblo fue destruido, porque le faltó conocimiento»* (Oseas 4:6).

Jesucristo le dio aun más énfasis a la obediencia a Su Palabra, diciendo: *«Si guardareis Mis mandamientos, permaneceréis en Mi amor; así como Yo he guardado los mandamientos de Mi Padre, y permanezco en Su amor»* (Juan 15:10).

**Pensamiento para hoy:** Jesucristo no es solamente el Salvador del mundo para la dulce eternidad, pero también para la vida pecaminosa de cada día.

# INTRODUCCIÓN AL LIBRO DE
# ℰCLESIASTÉS

Salomón enumeró 27 logros de su vida diciendo: «*No negué a mis ojos ninguna cosa que desearan, ni aparté mi corazón de placer alguno*» (los placeres físicos) (Eclesiastés 2:10). Durante ese tiempo, él completamente ignoró la Palabra de Dios al acumular caballos, riquezas, y esposas (Deuteronomio 17:16-17).

Salomón una y otra vez usó la expresión: «*Vanidad de vanidades, dijo el Predicador; vanidad de vanidades, todo es vanidad*» (fútil) (Eclesiastés 1:2). La palabra «vanidad (futilidad)» se refiere a todo lo que no tiene un valor eterno. Al final de los 40 años de su reino, el pueblo había sido oprimido con impuestos excesivos por razón de sus grandes proyectos de edificación, y el pueblo estaba a punto de una gran rebelión.

Después de haber vivido su vida en vanidad, Salomón admitió que el hombre es bien necio cuando piensa que puede obtener una gran medida de cumplimiento en su vida por meramente acumular posesiones materiales, pues ese deseo nunca se puede satisfacer (5:10-20; 6:1-9). Salomón se describe a sí mismo cuando escribió: «*Mejor es el muchacho pobre y sabio, que el rey viejo y necio que no admite consejos*» (4:13).

Eclesiastés es una confesión sobre la vileza de todas las riquezas mundanas y la imposibilidad de encontrar satisfacción sin Dios. Todo en verdad es vanidad si Jesucristo no está en el trono de nuestros corazones.

Después de toda una vida buscando la satisfacción por medio de las riquezas, las mujeres, y las posesiones, Salomón finalmente reconoció que el verdadero contentamiento del hombre se encuentra solamente en la completa obediencia a Dios. Salomón concluyó este libro diciendo: «*Acuérdate de tu Creador* (que perteneces a Él) *en los días de tu juventud, antes que vengan los días malos, y lleguen los años de los cuales digas: No tengo en ellos contentamiento*» (12:1).

---

Vive tu vida, oh Cristo, cada día
en este pobre cuerpo hecho de barro.
Revela otra vez, por medio de mí, querido Señor,
el gran poder de Tu propia Palabra.

– M.E.H.

## EN LA LECTURA DE HOY

La vanidad (el vacío) de vivir por los placeres y obtener sólo lo material;
una razón para cada cosa; varios proverbios sobre la sabiduría

Sería bien fácil de llegar a ser conmovidos sobre todos los logros de Salomón. Él mismo escribió: *«Engrandecí mis obras, edifiqué para mí casas, planté para mí viñas; me hice huertos y jardines, y planté en ellos árboles de todo fruto. Me hice estanques de aguas, para regar de ellos el bosque donde crecían los árboles. Compré siervos y siervas, y tuve siervos nacidos en casa; también tuve posesión grande de vacas y de ovejas, más que todos los que fueron antes de mí en Jerusalén. Me amontoné también plata y oro, y tesoros preciados... Y fui engrandecido y aumentado más que todos los que fueron antes de mí en Jerusalén... (no) negué a mis ojos ninguna cosa que desearan»* (Eclesiastés 2:4-10).

Salomón consiguientemente concluyó: *«Miré yo luego todas las obras que habían hecho mis manos, y el trabajo que tomé para hacerlas; y he aquí, todo era vanidad y aflicción de espíritu, y sin provecho debajo del sol»* (2:11). Salomón estuvo correctamente preocupado al decir: *«Aborrecí, por tanto, la vida, porque la obra que se hace debajo del sol me era fastidiosa; por cuanto todo es vanidad y aflicción de espíritu»* (2:17). Tristemente algunas personas hoy en día todavía están tratando de encontrar un cumplimiento en sus vidas persiguiendo los placeres terrenales mientras que viven ignorando la voluntad de Dios.

Cuando Salomón empezó su reinado, se nos dice: *«Mas Salomón amó a Jehová, andando en los estatutos de su padre David»* (I de Reyes 3:3). Pero, al fijar su vista más y más en sus proyectos materiales, sus riquezas, y sus mujeres, sus prioridades fueron torcidas y gradualmente empujó a Dios lejos de su vida. La vida de Salomón nos recuerda de muchos a quienes Dios ha probado con éxito sobre las cosas materiales, pero tales riquezas no enriquecieron el reino de Dios, pues podían haber sido usadas para dejarles saber a otras personas del mundo que Dios les ama.

La vida es muy corta y nadie puede revivir ni aun un minuto. Cada persona debe de preguntarse: *«¿Cuál es el propósito para mi breve vida?»*

Todos nosotros queremos oír a Jesús decir: *«Bien, buen siervo y fiel; sobre poco has sido fiel, sobre mucho te pondré; entra en el gozo de tu Señor»* (Eclesiastés 8:5).

**Pensamiento para hoy:** Las posesiones y los placeres no se pueden sustituir por la «Persona» a quien le debemos nuestra suprema devoción – el Señor Jesús.

## EN LA LECTURA DE HOY
La advertencia contra los votos apresurados;
el sentimiento vacío de las riquezas; la sabiduría y la bondad
son apoyadas; el respeto a los gobernadores

Cuando Salomón empezó su reinado, él «. . . *amó a Jehová, andando en los estatutos de su padre David; solamente sacrificaba y quemaba incienso en los lugares altos*» (I de Reyes 3:3). Pero, mientras que los años pasaron, él buscó la satisfacción de la vida por todos los lugares menos en el Señor y en Su Palabra (Salmo 119:97-98). Después de años de un estilo de vida extravagante, Salomón observó que tanto los ricos como los pobres estaban igualmente llenos de obsesiones con las mismas vanidades.

Los pensamientos de Salomón entonces cambiaron de lo mundano a la vida religiosa, y al mismo tiempo notó que muchas personas asistían a la Casa de Dios con indiscreción e hipocresía, ofreciendo oraciones insinceras y haciendo votos que nunca llegaban a cumplir. El Espíritu Santo, hablando por medio de Salomón, advirtió: «*Cuando fueres a la Casa de Dios, guarda tu pie* (tu propio propósito por venir); *y acércate más para oír* (y obedecer) *que para ofrecer el sacrificio de los necios; porque no saben que hacen mal*» (Eclesiastés 5:1). Tal estilo de vida es un insulto delante de Dios, como también destructivo para sí mismo, pues Dios no pasa por alto las acciones de los necios. «*No te des prisa con tu boca*» (5:2).

En cualquier culto de adoración, puede haber personas que saben expresar las palabras correctas para la alabanza y la oración, y aun dar generosas ofrendas, pero han venido con otros motivos que el de adorar al Señor.

La verdadera adoración requiere la inspiración de obedecer la Palabra de Dios de corazón: «*acércate más para oír*» (y obedecer) (5:1). Las Escrituras también nos revelan esto en estas palabras: «*¿No sabéis que sois templo de Dios, y que el Espíritu de Dios mora en vosotros?*» (I de Corintios 3:16). Cuando nos reunimos en la Casa de Dios, abrimos nuestros corazones para adorar, para alabar, y para exaltar al Señor. Jesucristo reconoció la adoración de esta forma: «*Dios es Espíritu; y los que le adoran, en espíritu y en verdad es necesario que adoren*» (Juan 4:24).

El lugar donde adoramos al Señor puede ser una catedral admirable, una cabaña, la casa de un discípulo, al lado de un monte, o una cueva. No hay ningún lugar donde Dios no esté con sus hijos (14:16; Hebreos 13:5). Porque Su presencia está siempre presente, debemos de alabarle aun si estamos en una prisión. «*Pero a medianoche, orando Pablo y Silas, cantaban himnos a Dios; y los presos los oían*» (Hechos 16:25).

**Pensamiento para hoy:** Nosotros no envidiamos las riquezas de los malhechores – ellas son solamente temporáneas.

## ℰN LA LECTURA DE HOY

Los conflictos de los justos y de los injustos; la sabiduría es mejor
que la fuerza; el sabio contra el necio; el Creador debe ser recordado

𝒮alomón fue muy famoso por su sabiduría, pero podía haber sido mal
entendido cuando dijo: «*Alégrate, joven, en tu juventud, y tome placer tu
corazón en los días de tu adolescencia; y anda en los caminos de tu corazón y en
la vista de tus ojos . . . »* (Eclesiastés 11:9). Si no continuamos con su mensaje
en este versículo nos sugiriera que él estaba animando a los jóvenes a seguir
con las pasiones y los placeres de la vida sin cuidado alguno. Pero Salomón
continuó diciendo: «*pero sabe, que sobre todas estas cosas te juzgará Dios*».

Salomón gastó toda su vida buscando por los placeres en todas las fuentes
de la vida, pero usó la palabra «*vanidad*» (futilidad) más de treinta veces en
este libro de Eclesiastés, y concluyó diciendo que el ignorar la Palabra de Dios
es la «*vanidad de vanidades*» (12:8). Otra vez antes de terminar su mensaje,
Salomón afirmó la base por la sabiduría verdadera: «*Acuérdate de tu Creador*
(que perteneces a Él) *en los días de tu juventud, antes que vengan los días
malos, y lleguen los años de los cuales digas: No tengo en ellos contentamiento
. . . (el) fin de todo el discurso oído es este: Teme a Dios, y guarda Sus
mandamientos* (la verdadera guía para la vida); *porque esto es el todo del hombre*»
(12:1,13). Sabiendo que todos nosotros somos parte de los propósitos de Dios,
todas las cosas de esta vida entonces se deben de ver como oportunidades para
avanzar el reino de Dios.

La satisfacción espiritual resulta cuando damos de nuestro tiempo, talentos,
y recursos para cumplir la voluntad de Dios. Esta es la única fuente verdadera
de la felicidad, de la paz mental, y de los verdaderos placeres de esta vida.

Por consiguiente, es absurdo buscar las riquezas, la seguridad, el poder, el
ser popular, o las metas transitorias de esta vida meramente para la satisfacción
personal. Es también vanidad rendirse a «*los deseos de la carne*» (desear la
satisfacción sensual), «*los deseos de los ojos*» (codiciar para obtener más), «*y la
vanagloria de la vida*» (nuestras propias metas y la acumulación de las
posesiones materiales) (I de Juan 2:16).

«*Nadie se engañe a sí mismo; si alguno entre vosotros se cree sabio en este
siglo* (lo que el mundo estima ser sabiduría), *hágase ignorante* (reconociendo
que sólo tenemos una sabiduría mundana), *para que llegue a ser sabio* (viniendo
a la verdadera fuente de la sabiduría). *Porque la sabiduría de este mundo es
insensatez para con Dios . . . »* (I de Corintios 3:18-19).

**Pensamiento para hoy:** Los verdaderos placeres de la vida están en ser
como Jesús.

# INTRODUCCIÓN AL LIBRO DE
# CANTAR DE LOS CANTARES

Los rabinos judíos consideran este libro como una ilustración de la relación matrimonial entre Dios e Israel como su novia (ver Isaías 54:4; Jeremías 2:2; Ezequiel 16:8-14; Oseas 2:16-20). Muchos líderes cristianos creen que este libro expresa el amor que existe entre Cristo y Su iglesia. También expresa el anhelo de los creyentes por la presencia del Novio Celestial y la unión preciosa de la novia (la iglesia) con el Novio (Jesucristo), nuestro Rey de reyes (Apocalipsis 19:7-9,16; 21:9). Esta bella historia de amor también expresa la relación de amor en la unión matrimonial tal y como previsto por el Creador.

Hay muchas dificultades en la interpretación espiritual de algunos de estos pasajes, tal y como hay algunas dificultades en la interpretación de la iglesia como la novia de Cristo y de Él como nuestro Novio.

La importancia de este «Cantar de los Cantares» se reconoce en dos maneras. Primeramente, el Creador, quien controla el corazón del rey, condujo a los compiladores de las Escrituras a incluir la más bella canción de Salomón (Cantar de los Cantares 1:1). En segundo lugar, el Señor mismo dijo a través del apóstol Pablo: *«Toda la Escritura es inspirada por Dios, y útil para enseñar, para redargüir, para corregir, para instruir en justicia»* (II de Timoteo 3:16). Porque Dios inspiró que este libro fuera escrito, nosotros debemos de buscar cómo conocer a Dios mejor por medio de este libro.

«Cantar de los Cantares» está escrito sobre el amor de un rey por su novia y el deseo que ella tenía para que todos admiraren a su novio. Este libro ilustra la relación entre Jesucristo y todos los que no están satisfechos con cualquier otro amor y sólo quieren el amor de Él.

---

Echa tu pan sobre las aguas
con una constante y sublime fe,
todo lo que en Su nombre sembramos
a su tiempo volverá a Él.

Aunque algunos no lo acepten
la verdad de Dios no es negada,
pero, en vez de ser rechazada,
Dios es verdaderamente glorificado.

Nada se pierde en el servicio
que rendimos a nuestro afable Señor,
aunque parezca gozoso o doloroso
todos tendremos una completa recompensa.

- M.E.H.

---

### 𝒞N LA LECTURA DE HOY
Las virtudes del amor matrimonial – lo cual es simbólico
del amor de Jesucristo por Su iglesia

---

𝒞ste poema describe el gozo saludable del amor matrimonial entre un hombre y una mujer. El poema expresa las delicias que el novio encuentra en su novia y la novia en su novio. La novia describe las maravillosas memorias que ella tiene de su novio mientras que él tarda su llegada. El narrativo por completo se presenta como cualidades de un sueño. Las circunstancias son indeterminadas y no como las que ocurren en la vida ordinaria. El deseo, el extravío, y la búsqueda representan las imágenes de los sueños. La novia se encuentra dormida en su cama, pero sus pensamientos eran continuamente sobre su novio que estaba ausente. *«Por las noches busqué en mi lecho al que ama mi alma; lo busqué, y no lo hallé»* (Cantar de los Cantares 3:1).

Se le asegura a cada creyente que: *«Mi Amado es mío, y yo suya»* (2:16). Porque Jesucristo ha entrado en nuestras vidas, nuestra relación de amor continúa creciendo y profundizándose al escucharle cuando Él nos habla al leer Su Palabra. Llegamos a ser personas diferentes por las virtudes de nuestra relación con el Novio que ha de venir. Él es mi vida: *« . . . y ya no vivo yo, mas vive Cristo en mí . . . »* (Gálatas 2:20).

A veces podemos gozarnos de un sentir de la presencia del Señor que está muy cerca. Pero también, muchas veces, Su presencia parece estar muy lejos. Mas aún, nuestro amor para con Él continúa creciendo mientras que esperamos con firme esperanza la primera señal de Él en Su segunda venida. Esto acontecerá cuando terminen nuestras vidas y Él nos dé las bienvenidas en la gloria, o cuando Él vuelva con todo Su esplendor como el Rey. *«Ahora vemos por espejo, oscuramente* (entendiendo solamente un poco sobre Dios y la eternidad); *mas entonces veremos cara a cara* (cuando veamos a Jesús lo entenderemos todo). *Ahora conozco en parte* (imperfectamente); *pero entonces conoceré* (entenderé) *como fui conocido* (entendido por Dios)» (I de Corintios 13:12).

Como la novia, todos nosotros esperamos con una gran anticipación la segunda venida de nuestro Novio cuando nosotros también diremos: *«Me llevó a la casa del banquete, y Su bandera sobre mí fue amor»* (Cantar de los Cantares 2:4).

*«No se turbe vuestro corazón; creéis en Dios, creed también en Mí. En la casa de Mi Padre muchas moradas hay; si así no fuera, Yo os lo hubiera dicho; voy, pues, a preparar lugar para vosotros. Y si Me fuere y os preparare lugar, vendré otra vez, y os tomaré a Mí mismo, para que donde Yo estoy, vosotros también estéis»* (Juan 14:1-3).

**Pensamiento para hoy:** Debemos de estar preparados para la venida del Señor.

# INTRODUCCIÓN AL LIBRO DE
# $\mathscr{J}$SAÍAS

El ministerio de Isaías se extiende por 60 años durante el reino de los reyes Uzías (Azarías), Jotam, Acaz, y Ezequías de Judá (II de Reyes 14:21; Isaías 1:1; II de Crónicas 26:22; 32:20-23). Esto era durante el mismo período de tiempo que Miqueas también profetizó en Judá, mientras que Jonás, Amós, y Oseas eran profetas en Israel. Las diez tribus del reino del norte habían existido por unos 200 años antes de ser derrotados y su pueblo llevado al cautiverio por Senaquerib, el despiadado monarca de Asiria.

El libro de Isaías está escrito para todo el mundo: *«Oíd, cielos, y escucha tú, tierra; porque habla Jehová»* (Isaías 1:2). También vemos cómo es que Dios usa las naciones del mundo como Sus instrumentos para desarrollar Su perfecta voluntad en la historia. El mensaje por todo el libro es: *« . . . Oíd la Palabra de Jehová»* (1:10). El Señor implora, por medio de Isaías, a todos los pecadores: *«Venid luego, dice Jehová, y estemos a cuenta: si vuestros pecados fueren como la grana, como la nieve serán emblanquecidos; si fueren rojos como el carmesí, vendrán a ser como blanca lana»* (1:18). El libro es una súplica: *«Venid, oh casa de Jacob, y caminaremos a la luz de Jehová»* (2:5), y una advertencia del juicio sobre todos los que rechazan Su Palabra (2:6-3:26). Una advertencia severa de seis aflicciones es pronunciada sobre los infieles (2:12; 5:8,11,18,20-22). Una nueva visión del glorioso Rey se describe: *«En el año que murió el rey Uzías vi yo al Señor sentado sobre un trono alto y sublime, y Sus faldas llenaban el templo. . . . (Han) visto mis ojos al Rey, Jehová de los ejércitos»* (6:1,5). El libro de Isaías termina con las promesas de Dios de consolación y paz para sus hijos, y también con una advertencia del castigo eterno que está preparado para los que rechazan al Señor (66:24).

Jesucristo es el tema supremo de este libro. Isaías profetizó el nacimiento de Cristo y Su deidad (7:14; 9:6-7), Su ministerio (42:1-7; 61:1-2), Sus sufrimientos y Su muerte (52:1-3; 53:5-12), Su reino que vendrá después de la gran Tribulación, y Su triunfo sobre el Anticristo (2:11; 9:7; 25:1-27:13; 42:4-7; 49:5-6; 52:13; 63:1-6). Isaías frecuentemente se refiere a Dios como *«el Santo de Israel»* (1:4; 5:19,24; 10:20; 12:6; 17:7; 29:19,23; 30:11-12,15; 31:1; 37:23; 40:25; 41:14,16,20; 43:3,14-15; 45:11; 47:4; 48:17; 49:7; 54:5; 55:5; 60:9,14).

Las visiones del *«día de Jehová»* son prominentes (2:11-12,17,20; 3:7,18; 4:1-2; 5:30; 28:5; 29:18; 30:23; 31:7) con una atención especial ofrecida en los siguientes versículos: (10:20; 11:10-11; 12:1,4; 13:6,9,13; 14:3; 17:4,7,9; 19:16,18-19,21,23-24; 22:5,12,20,25; 23:15).

## ᐸN LA LECTURA DE HOY
El pecado de la nación; la exhortación de Isaías para el arrepentimiento;
el reino venidero de Cristo; el futuro glorioso de Jerusalén

Ꮆl Señor había escogido a los israelitas para llevar Su Palabra escrita a todas las naciones del mundo. Debe haber sido con un profundo dolor que Dios dirigió a Isaías a escribir: *«Oíd, cielos, y escucha tú, tierra; porque habla Jehová: Crié hijos, y los engrandecí, y ellos se rebelaron contra Mí. El buey conoce a su dueño, y el asno el pesebre de su señor; Israel no entiende . . . (dejaron) a Jehová, provocaron a ira al Santo de Israel, se volvieron atrás»* (Isaías 1:2-4). *«(Si) no quisiereis y fuereis rebeldes* (continuamente), *seréis consumidos a espada; porque la boca de Jehová lo ha dicho»* (1:20).

Al igual que nuestro Padre Celestial, seguramente que fue una gran pena en el corazón del rey David, del gran profeta Samuel, y del piadoso rey Oseas de Judá, pues todos ellos tuvieron hijos que fueron rebeldes y no obedecieron la Palabra de Dios. El Señor nos ha provisto Su Palabra escrita, la cual, por medio de la dirección del Espíritu Santo que mora en nosotros los creyentes, nos enseñará cómo experimentar el gozo del perdón y el rescate de la culpa y la condenación del pecado.

Muchos padres piadosos llevan una pena muy grande en sus corazones al ver sus hijos irse lejos del Señor. Ellos también sienten el dolor tal y como nuestro Padre Celestial se siente sobre los hijos que no están consagrados a Él, pues ni quieren leer la Biblia o adorarle con frecuencia en una iglesia local. Si nuestros hijos tienen éxito o si faltan en llegar a sus propias metas terrenales, cuando lo comparamos, eso trae pocas consecuencias eternas, pues solamente sus logros espirituales traen el verdadero éxito y las recompensas eternas.

Dios en Su gracia nos dice: *«Venid luego, dice Jehová, y estemos a cuenta: si vuestros pecados fueren como la grana, como la nieve serán emblanquecidos; si fueren rojos como el carmesí, vendrán a ser como blanca lana»* (1:18). Isaías fue llamado para consolar a todos los que eran fieles al Único Santo (1:9). Él profetizó sobre la venida del Rey que iba a reinar en justicia y en paz. Cuando el Mesías venga, *«vendrán muchos pueblos, y dirán: Venid, y subamos al monte de Jehová, a la casa del Dios de Jacob; y nos enseñará Sus caminos, y caminaremos por Sus sendas. Porque de Sion saldrá la Ley, y de Jerusalén la Palabra de Jehová»* (Isaías 2:3).

**Pensamiento para hoy:** La continua desobediencia ciega nuestros ojos y endurece nuestros corazones para no cumplir la voluntad de Dios.

> ## ᎬN LA LECTURA DE HOY
> El juicio de Dios sobre los pecadores; la visión de Isaías de la santidad de Dios; su mensaje para el rey Acaz; el nacimiento y el reino de Cristo es predicho

Ꭼl profeta Isaías predijo el jucio de Dios contra Judá por cinco específicos pecados. El primero, el egoísmo y la avaricia: *«¡Ay de los que juntan casa a casa, y añaden heredad a heredad hasta ocuparlo todo! ¿Habitaréis vosotros solos en medio de la tierra?»* (Isaías 5:8). El segundo, las borracheras: *«¡Ay de los que se levantan de mañana para seguir la embriaguez; que se están hasta la noche, hasta que el vino los enciende!»* (5:11). El tercero, el negarse a reconocer que eran pecadores y desfilar con sus pecados delante de Dios: *«¡Ay de los que traen la iniquidad con cuerdas de vanidad, y el pecado como con coyundas de carreta . . . !»* (5:18-19). El cuarto, la falta de sinceridad, la decepción personal, y la hipocresía: *«¡Ay de los que a lo malo dicen bueno, y a lo bueno malo; que hacen de la luz tinieblas, y de las tinieblas luz; que ponen lo amargo por dulce, y lo dulce por amargo!»* (5:20). El quinto, el orgullo, la base de todos los otros pecados: *«¡Ay de los sabios en sus propios ojos, y de los que son prudentes delante de sí mismos!»* (5:21).

Acaz, el rey de Judá, esperaba enfrentarse a guerra. El profeta le hizo una súplica, diciendo: *«Pide para ti señal de Jehová tu Dios . . . »* (7:11). Aunque Acaz lo rechazó, Isaías predijo una de las más gloriosas profecías acerca del verdadero Rey de reyes quien estaba por venir: *«Por tanto, el Señor mismo os dará señal: He aquí que la virgen concebirá, y dará a luz un Hijo, y llamará Su nombre Emanuel»* (7:14). Setecientos años después, el ángel Gabriel lo confirmó a la virgen María, diciéndole: *« . . . El Espíritu Santo vendrá sobre ti, y el poder del Altísimo te cubrirá con Su sombra; por lo cual también el Santo Ser que nacerá, será llamado Hijo de Dios»* (Lucas 1:35). Si negamos el nacimiento de Jesucristo por una virgen y tenemos dudas de la deidad o la humanidad de Jesús de Nazaret entonces perdemos todo el significado de que Jesucristo es al mismo tiempo el Santo Dios como el Hombre sin pecado.

El profeta Isaías recibió otra gloriosa revelación del eterno Rey de reyes cuando profetizó, diciendo: *«Porque un Niño nos es nacido, Hijo nos es dado, y el principado sobre Su hombro; y se llamará Su nombre Admirable, Consejero, Dios Fuerte, Padre Eterno, Príncipe de Paz»* (Isaías 9:6). Jesucristo fue el Admirable Consejero en Su vida aquí en la tierra, Admirable Consejero en proveer la vida eterna para todos los creyentes por Su muerte en la cruz por nuestros pecados, y Admirable Consejero en llegar a triunfar sobre la muerte. Sólo Él es el Admirable Consejero, el Revelador de toda Verdad: *«Este era en el principio con Dios. Todas las cosas por Él fueron hechas, y sin Él nada de lo que ha sido hecho, fue hecho»* (Juan 1:2-3).

**Pensamiento para hoy:** Para su propia pérdida, la persona que se justifica a sí misma piensa que es «lo suficiente buena» y que no tiene necesidad del Salvador.

## 𝓔N LA LECTURA DE HOY
Asiria sería quebrantada; la promesa de la restauración de Israel;
Cristo, el Vástago; la acción de gracias por las misericordias de Dios;
la ruina de Babilonia es predicha; Israel será preservado

𝓗ablando sobre la venida de Jesucristo a la tierra y Su glorioso reino milenario, Isaías profetizó así: «*Y reposará sobre Él el Espíritu de Jehová; Espíritu de sabiduría y de inteligencia, Espíritu de consejo y de poder, Espíritu de conocimiento y de temor de Jehová. . . . No harán mal ni dañarán en todo Mi santo monte; porque la tierra será llena del conocimiento de Jehová, como las aguas cubren el mar. Acontecerá en aquel tiempo que la raíz de Isaí, la cual estará puesta por pendón a los pueblos, será buscada por las gentes; y Su habitación será gloriosa*» (Isaías 11:2, 9-10). La promesa, hecha por Isaías, del Gobernador que vendría del linaje de Isaí, abarca mucho y habla con anticipación de un cielo nuevo y una tierra nueva que han de venir. «*Y diréis en aquel día: Cantad a Jehová, aclamad Su Nombre, haced célebres en los pueblos Sus obras, recordad que Su Nombre es engrandecido. Cantad salmos a Jehová, porque ha hecho cosas magníficas; sea sabido esto por toda la tierra. Regocíjate y canta, oh moradora de Sion; porque grande es en medio de ti el Santo de Israel*» (12:4-6).

Isaías, el profeta, también miró más allá de la derrota de Asiria al futuro cuando Babilonia llevaría al pueblo de Judá al cautiverio. Y de un modo admirable, unos 180 años antes que pasara, también predijo la derrota y la destrucción de Babilonia. Isaías profetizó: «*. . . Babilonia, hermosura de reinos y ornamento de la grandeza de los caldeos, será como Sodoma y Gomorra, a las que trastornó Dios*» (13:19-20). En sorprendente contraste, Isaías profetizó la restauración futura de Israel: «*Porque Jehová tendrá piedad de Jacob, y todavía escogerá a Israel, y lo hará reposar en su tierra; y a ellos se unirán extranjeros, y se juntarán a la familia de Jacob. Y los tomarán los pueblos, y los traerán a su lugar . . .*» (14:1-2).

Hasta ese día, vamos a decir junto con Isaías: «*He aquí Dios es salvación mía; me aseguraré y no temeré; porque mi fortaleza y mi canción es JAH Jehová. . . . Sacaréis con gozo aguas de las fuentes de la salvación. Y diréis en aquel día: Cantad a Jehová, aclamad Su nombre, haced célebres en los pueblos Sus obras, recordad que Su nombre es engrandecido. Cantad salmos a Jehová, porque ha hecho cosas magníficas; sea sabido esto por toda la tierra . . .*» (Isaías 12:2-6).

**Pensamiento para hoy:** El amor de nuestro Señor es inagotable.

---

### 𝓔N LA LECTURA DE HOY

La ruina de Moab es predicha; Siria (Aram) e Israel son amenazados;
los juicios de Dios; Egipto vendrá a adorar al Señor;
el cautiverio de Egipto predicho

---

𝓔l profeta Isaías fue guiado a poner a un lado sus pensamientos del glorioso reino futuro del Rey de Paz y empezar a proclamar el juicio de Dios sobre los incrédulos. Primeramente, el juicio fue proclamado sobre el reino idólatra del norte, diciendo: «*Y cesará el socorro de Efraín . . .* ». Entonces él incluyó también a Judá, y dijo: «*En aquel tiempo la gloria de Jacob se atenuará . . . y habrá desolación. Porque te olvidaste del Dios de tu salvación*» (Isaías 17:3-4,9-10).

«*(El) socorro de Efraín*» (su ayuda o fortaleza) se refiere al reino de las diez tribus del norte, un símbolo de riqueza, poder, y gloria personal, lo cual sería destruido cruelmente por Asiria. Quizás fue muy extraño que él profetizó que Judá, «*la gloria de Jacob*», se iba a desaparecer, un recordatorio de que el reino de Judá y la santa ciudad de Dios iba a ser finalmente destruida porque ellos también se habían involucrado en buscar las cosas del mundo y gradualmente habían olvidado la Palabra de Dios. Enfocamos nuestra atención en la futilidad de depender en las posesiones de este mundo para obtener seguridad, pues el rey David nos amonesta: « *. . . Si se aumentan las riquezas, no pongáis el corazón en ellas*» (Salmo 62:10).

Nada esconde la voluntad de Dios de la vista del hombre con tanto engaño como el éxito y el orgullo que anima a la autosuficiencia. Quizás fue por esa razón que nuestro Salvador dijo: «*No os hagáis tesoros en la tierra, donde la polilla y el orín corrompen, y donde ladrones minan y hurtan . . .* » (Mateo 6:19). Las riquezas pueden debilitar la fe, tal y como Santiago nos indica, diciendo: «*Hermanos míos amados, oíd: ¿No ha elegido Dios a los pobres de este mundo, para que sean ricos en fe y herederos del reino que ha prometido a los que le aman?*» (Santiago 2:5). Las riquezas también nos llevan a perseguir sin fin más y más «cosas». Esto, a la vez, muchas veces termina en la avaricia, que es también idolatría (Colosenses 3:5).

Nuestro Señor Jesús nos advierte: «*Mirad, y guardaos de toda avaricia; porque la vida del hombre no consiste en la abundancia de los bienes que posee*» (Lucas 12:15). El Señor mismo tiene el poder para hablarnos a cada uno personalmente y decirnos cómo es que Él quiere que pasemos el tiempo transformando las vidas de otras personas y cómo cumplir con Su gran comisión. El apóstol Pablo le escribió a Timoteo: «*A los ricos de este siglo manda que no sean altivos, ni pongan la esperanza en las riquezas, las cuales son inciertas, sino en el Dios Vivo, que nos da todas las cosas en abundancia para que las disfrutemos*» (I de Timoteo 6:17; Deuteronomio 8:18).

**Pensamiento para hoy:** Sed sobrios y estad siempre preparados para la venida de Jesús.

**ℰN LA LECTURA DE HOY**
La profecía sobre Jerusalén; Babilonia y Tiro serán destruidos;
Isaías glorifica a Dios; el dominio de Dios sobre Judá

«*He aquí el día de Jehová viene, terrible, y de indignación y ardor de ira, para convertir la tierra en soledad, y raer de ella a sus pecadores*» (Isaías 13:9). Esta profecía fue primeramente dirigida a Judá, entonces a Israel, después a las naciones a sus alrededores, y finalmente al mundo entero: «*Destruirá a la muerte para siempre; y enjugará Jehová el Señor toda lágrima de todos los rostros; y quitará la afrenta de Su pueblo de toda la tierra; porque Jehová lo ha dicho. Y se dirá en aquel día: He aquí, éste es nuestro Dios, le hemos esperado, y nos salvará; éste es Jehová a quien hemos esperado, nos gozaremos y nos alegraremos en Su salvación. . . . Tú guardarás en completa paz a aquel cuyo pensamiento en Ti persevera; porque en Ti ha confiado. Confiad en Jehová perpetuamente, porque en Jehová el Señor está la fortaleza de los siglos*» (25:8-9; 26:3-4).

Tal y como por seguro muchas de estas profecías fueron cumplidas en la historia antigua, ésta sobre el Mesías también por completo llegará a cumplirse gloriosamente. Muy pronto el Señor Jesús volverá como Cristo el Rey: «*Porque un Niño nos es nacido, Hijo nos es dado, y el principado sobre Su hombro; y se llamará Su nombre Admirable, Consejero, Dios Fuerte, Padre Eterno, Príncipe de Paz*» (9:6). También le dará la libertad eterna a todos los judíos y a todos los gentiles que les han recibido como el Señor de sus vidas. Pero hasta ese día Él no nos ha dejado solos. Jesucristo ha impartido Su Espíritu Santo que mora en nosotros y le ha asegurado a cada creyente: «*Hijitos, vosotros sois de Dios, y los habéis vencido; porque mayor es el que está en vosotros, que el que está en el mundo*» (I de Juan 4:4). Ya no es una obligación vivir bajo la esclavitud de Satanás y bajo las pasiones de nuestra carne, pues entonces: «*. . . fortaleceos en el Señor, y en el poder de Su fuerza. Vestíos de toda la armadura de Dios, para que podáis estar firmes contra las asechanzas del diablo*» (Efesios 6:10-11).

La Palabra de Dios provee una prueba reveladora y bien simple: «*¿No sabéis que . . . sois esclavos de aquel a quien obedecéis, sea del pecado para muerte, o sea de la obediencia para justicia? Pero gracias a Dios, que aunque erais esclavos del pecado, habéis obedecido de corazón a aquella forma de doctrina a la cual fuisteis entregados; y libertados del pecado, vinisteis a ser siervos de la justicia*» (Romanos 6:16-18).

**Pensamiento para hoy:** Los sufrimientos, las desgracias, y las desventajas han ayudado a muchos creyentes llegar a conocer la voluntad de Dios para sus vidas.

## ℰN LA LECTURA DE HOY
El juicio de Efraín; el aviso a Jerusalén; Israel es reprendido
por su alianza con Egipto; el destino futuro es asegurado

ℰl magnífico y bello reino del norte de Israel estaba gozándose de una gran prosperidad cuando el Señor guio a Isaías a profetizar su cautiverio por Asiria, él proclamó: «*¡Ay de la corona de soberbia de los ebrios de Efraín, y de la flor caduca de la hermosura de su gloria, que está sobre la cabeza del valle fértil de los aturdidos del vino! He aquí, Jehová tiene uno que es fuerte y poderoso; como turbión de granizo y como torbellino trastornador, como ímpetu de recias aguas que inundan, con fuerza derriba a tierra. Con los pies será pisoteada la corona de soberbia de los ebrios de Efraín*» (Isaías 28:1-3).

El pueblo de Samaria, la capital del reino mayor y más fuerte del norte, estaban gozándose del lujo de tener casas de verano y de invierno, palacios de marfil, y muchos jardines grandiosos. Ellos estaban contentos en su abundancia y se negaban a oír el profeta del Señor. Con un corazón doloroso, Isaías les avisó que todo eso sería pronto destruido porque ellos habían rechazado la Palabra de Dios y se habían vuelto a los ídolos.

La «*hermosura*» de Samaria se compara a una «*flor caduca*» (poco durable); pero aun más horrible fue lo que el profeta predijo: «*Con los pies será pisoteada la corona de soberbia de los ebrios de Efraín*» – sin ningún poder para sobrellevar la ferocidad y la crueldad del ejército de Asiria. Tal y como casi toda la gente mundana de hoy en día, ellos no pensaban que el juicio de Dios iba a venir sobre ellos.

Isaías clamó al pueblo para venir a arrepentirse de sus pecados, a volver al Señor, y a ser obedientes a Su Palabra.

Los tiempos y las circunstancias han cambiado hoy en día; pero la verdad sigue igual - todos los que no han recibido a Jesucristo como su Único Salvador por seguro e inconsciente o conscientemente han hecho «*pacto con la muerte*» (28:15,18).

Gracias a Dios que todavía hay esperanza hoy en día, pues: «*El Señor no retarda Su promesa, según algunos la tienen por tardanza, sino que es paciente para con nosotros, no queriendo que ninguno perezca, sino que todos procedan al arrepentimiento*» (II de Pedro 3:9). «*Pero el fundamento de Dios está firme, teniendo este sello: Conoce el Señor a los que son suyos; y: Apártese de iniquidad todo aquel que invoca el nombre de Cristo*» (II de Timoteo 2:19).

**Pensamiento para hoy:** Cuando parece que no hay esperanza, es porque estamos confiando en la fuerza humana en vez de en las promesas de la fuerza de Dios.

> ## ℰN LA LECTURA DE HOY
> El Rey Justo es predicho; el juicio sobre las naciones; Jerusalén es
> amenazada; la oración de Ezequías; la destrucción de los asirios

*U*nos veinte años habían pasado desde que el rey Salmanasar de Asiria y su hijo Sargón habían invadido y destruido el reino del norte de Israel. Esto terminó más de doscientos años durante los cuales los israelitas habían rechazado la Palabra de Dios. *«Aconteció en el año catorce del rey Ezequías, que Senaquerib rey de Asiria subió contra todas las ciudades fortificadas de Judá, y las tomó»* (Isaías 36:1). Asiria derrotó a 46 de las ciudades y aldeas del pequeño reino del sur de Israel en sólo una campaña militar. También se llevó cautivos cerca de doscientos mil de los habitantes, pero no pudo conquistar a Jerusalén. Durante ese tiempo, todo el oeste de Asia estaba bajo el control de Asiria, incluyendo a Babilonia, Media, Armenia (Ararat), Siria (Aram), Fenicia, Filistea, Edom, y casi toda la tierra prometida.

Por consiguiente, el rey de Asiria demandó que se rindiesen sin condición alguna. *«El rey dijo así: No os engañe Ezequías, porque no os podrá librar. Ni os haga Ezequías confiar en Jehová, diciendo: Ciertamente Jehová nos librará . . . (no) escuchéis a Ezequías . . . »* (36:14-16).

Al oír esta demanda Ezequías inmediatamente hizo lo que todos debemos hacer cuando recibimos malas noticias: *«tomó Ezequías las cartas de mano de los embajadores, y las leyó; y subió a la casa de Jehová, y las extendió delante de Jehová. Entonces Ezequías oró a Jehová, diciendo: Jehová de los ejércitos, Dios de Israel, que moras entre los querubines, sólo Tú eres Dios de todos los reinos de la tierra; Tú hiciste los cielos y la tierra. Inclina, oh Jehová . . . y oye todas las palabras de Senaquerib, que ha enviado a blasfemar al Dios Viviente. . . . Ahora pues, Jehová Dios nuestro, líbranos de su mano, para que todos los reinos de la tierra conozcan que sólo Tú eres Jehová»* (37:14-17,20).

El profeta Isaías le mandó noticias a Ezequías, diciendo: «. . . *Así ha dicho Jehová Dios de Israel: Acerca de lo que me rogaste sobre Senaquerib rey de Asiria. . . . Porque yo ampararé a esta ciudad para salvarla»* (37:21,35). Esa misma noche «. . . *salió el Ángel de Jehová y mató a ciento ochenta y cinco mil en el campamento de los asirios . . . »* (37:36).

Es muy importante para todos nosotros honrar al Señor en nuestras oraciones tal y como lo hizo Ezequías. El Señor todavía dice: *«Clama a Mí, y Yo te responderé, y te enseñaré cosas grandes y ocultas que tú no conoces»* (Jeremías 33:3).

**Pensamiento para hoy:** Podemos confiar en todas las promesas de Dios; ellas no pueden fallar.

## ☜N LA LECTURA DE HOY
La vida de Ezequías es alargada; el cautiverio en Babilonia es predicho;
el consuelo del pueblo de Dios; la canción de la alabanza al Señor

*U*nos trece años habían pasado desde que Isaías le había traído a Ezequías, el rey de Judá, las buenas nuevas que la pequeña nación de Judá iba a ser salvada milagrosamente de los «invencibles» ejércitos del imperio de Asiria.

Con un lamento intenso: «. . . *volvió Ezequías su rostro a la pared, e hizo oración a Jehová, y dijo: Oh Jehová, te ruego que Te acuerdes ahora que he andado delante de Ti en verdad y con íntegro corazón, y que he hecho lo que ha sido agradable delante de Tus ojos. Y lloró Ezequías con gran lloro*» (Isaías 38:2-3). Cuando Ezequías dijo que él había vivido delante del Señor «*en verdad y con íntegro corazón*» (ver 38:17), quiso decir que él había servido al Señor fielmente y no se había desviado de los mandamientos del Señor.

Isaías oyó la voz de Dios decir: «*Ve y di a Ezequías: Jehová Dios de David tu padre dice así: He oído tu oración, y visto tus lágrimas; he aquí que Yo añado a tus días quince años*» (38:5). Las lágrimas y las oraciones de Ezequías reflejan más de 40 años de su vida en fidelidad al Señor.

Nunca debemos de dejar de orar, ni aun cuando nuestras circunstancias parezcan desesperadas. Sin embargo, esto no quiere decir que Dios siempre contesta cada oración en la manera que queremos o según nuestro propio horario.

Por razón de que a veces no llegamos a cumplir con nuestro deseo de ser como Jesús, muchas personas ven que es más fácil aceptar la condenación de Satanás que trata de hacernos pensar en que no somos dignos de que Dios conteste nuestras oraciones. Aunque es correcto evaluar nuestras faltas y confesar nuestros pecados, cuando reconocemos lo bueno en nuestras vidas, tal y como Ezequías lo hizo, esto también engrandece la gloria de Dios. Nosotros también podemos recordarle al Señor sobre nuestros esfuerzos sinceros para vivir una vida que honra a Dios, la cual se produce solo por medio de la obra del Espíritu Santo en nuestras vidas.

Dios, nuestro Salvador, «. . . *nos salvó, no por obras de justicia que nosotros hubiéramos hecho, sino por Su misericordia, por el lavamiento de la regeneración y por la renovación en el Espíritu Santo*» (Tito 3:5).

**Pensamiento para hoy:** Si confiamos en algo o en alguien que no sea el Señor para la salvación eterna nos engañamos y esto resultará en la muerte eterna.

---

### EN LA LECTURA DE HOY

El cuidado de Dios sobre Israel; el error de la idolatría;
Jerusalén y el templo serían reconstruidos; el propósito de Dios
sobre Ciro; el poder de Dios y la debilidad de los ídolos

---

Cuando Isaías era profeta el pueblo en Jerusalén se sentía seguro, pues Jerusalén era la ciudad de Dios donde estaba Su templo. Por esa razón, la profecía de Isaías sobre las *«ruinas»* de Jerusalén fue muy espantoso. Pero él también les dio esperanza, diciendo: *«Así dice Jehová, tu Redentor . . . que dice a Jerusalén: Serás habitada; y a las ciudades de Judá: Reconstruidas serán, y sus ruinas reedificaré»* (Isaías 44:26). Isaías profetizó sobre la destrucción y la restauración del templo mientras que todavía estaba allí, las paredes de la ciudad estaban en perfecta condición, y la nación se gozaba de su libertad, su prosperidad, y su seguridad.

Durante este tiempo, Babilonia, la capital de la dinastía de los caldeos, estaba rodeada por enormes paredes de 300 pies de altura y lo suficiente ancho para que los carros de guerra se pasearan de dos en dos. Los babilonios estaban también seguros que nadie podía invadir su gran ciudad. Sin embargo, Isaías correctamente predijo que un hombre llamado Ciro iba a conquistar a Babilonia. Esta profecía fue revelada 150 años antes que pasara. Dios *«que dice de Ciro: Es Mi pastor, y cumplirá todo lo que Yo quiero, al decir a Jerusalén: Serás edificada; y al templo: Serás fundado. Así dice Jehová a Su ungido, a Ciro, al cual tomé Yo por su mano derecha, para sujetar naciones delante de él . . . y las puertas no se cerrarán . . . »* (44:27-28; 45:1-3).

Sólo Dios podía haberle dado a Isaías esos notables detalles sobre la derrota de Babilonia: *«Y Babilonia . . . será como Sodoma y Gomorra»* (13:19). Al final de los 70 años del cautiverio de Judá, esta profecía se cumplió tal como el profeta lo predijo. Aun cuando los hombres piensen que ellos están en control de este mundo, Dios está obrando Su supremo plan para las épocas. Esta verdad debe de eliminar cualquier pregunta sobre el amoroso interés de Dios y Su amoroso cuidado sobre Sus seguidores. Dios tiene un perfecto plan para nuestras vidas, y es de mayor importancia que leamos Su Palabra cada día para poder cumplir Su voluntad. Solamente entonces es que podemos llegar a ser las personas que Dios quiere que seamos para cumplir el propósito por el cual Él nos creó.

Es un hecho verdadero que hasta: *«Como los repartimientos de las aguas, así está el corazón del rey en la mano de Jehová; a todo lo que quiere lo inclina»* (Proverbios 21:1).

**Pensamiento para hoy:** Dios no es limitado; Él cumplirá Su Palabra.

## ᴇN LA LECTURA DE HOY

El juicio sobre Babilonia; Israel es reprendido; Jesucristo, la Luz
de los gentiles; la restauración de Israel; el sufrimiento del Siervo de Dios

*N*osotros esperamos el juicio de Dios sobre los impíos, o sobre los necios, pero muchos no pueden ver la razón por la cual los cristianos sinceros tienen que pasar por tiempos muy difíciles también.

El profeta Isaías nos recuerda que tenemos que mantener nuestra fe sin pensar en las circunstancias, diciéndonos: *«¿Quién hay entre vosotros que teme a Jehová . . . ? El que anda en tinieblas y carece de luz, confíe en el nombre de Jehová, y apóyese en su Dios»* (Isaías 50:10). Dios puede darnos bendiciones en medio del quebrantamiento, y darnos la victoria en medio de las tragedias, tal y como lo hizo con Job. Estas experiencias son pruebas de nuestra fe, por las cuales podemos desarrollar una fe mayor. Dos veces Dios dijo que Job había sido el hombre más perfecto sobre la tierra, pero vemos que él aún sufrió mucho. Sin embargo, la fe de Job se mantuvo firme porque él sabía que Dios estaba en control de su vida. Confiadamente él testificó durante su más intenso sufrimiento, y dijo: *«Mas Él conoce mi camino; me probará, y saldré como oro»* (Job 23:10). Cada uno de nosotros nos enfrentaremos a las pruebas del Señor como también a las pruebas que vienen de los poderes de las tinieblas; pues sabiendo estas cosas no nos desmayamos si vemos que algún día todo nuestro mundo personal se hace pedazos y parece que el Señor nos ha abandonado. En un mensaje a Su pueblo que estaba oprimido y sufriendo como esclavos en Babilonia, Dios le dijo: *«Yo, Yo soy vuestro Consolador. ¿Quién eres tú para que tengas temor del hombre, que es mortal . . . ?»* (Isaías 51:12-13).

La seguridad que el Señor les da a los que sufren es también para nosotros: *«Hermanos míos, tomad como ejemplo de aflicción y de paciencia a los profetas que hablaron en nombre del Señor»* (Santiago 5:10). Cuando dudamos del cuidado amoroso y la sabiduría de Dios para poder cuidar a Sus hijos, entonces estamos asumiendo que Él no puede cumplir Su Palabra. Además, tal actitud querrá también decir que Satanás tiene más poder para derrotarnos que Dios tiene para defendernos. Cuando una prueba tras otra nos confrontan, entonces debemos de recordar que el Dios Soberano está obrando Su perfecto plan en nuestras vidas: *« . . . gozaos por cuanto sois participantes de los padecimientos de Cristo, para que también en la revelación de Su gloria os gocéis con gran alegría»* (I de Pedro 4:13). *«Si sufrimos, también reinaremos con Él . . . »* (II de Timoteo 2:12).

**Pensamiento para hoy:** A pesar de las circunstancias, sabemos que Dios está en control.

## EN LA LECTURA DE HOY

Jesucristo llevará nuestro dolor; nuestro sufrimiento, y nuestro pecado;
el amor del Señor para Israel; todos somos pecadores;
un llamamiento a la fe y al arrepentimiento

*D*ios le reveló a Isaías que el Mesías, el Rey de reyes, vendría primeramente como: «*. . . Mi Siervo (que) será prosperado*», (y entonces) «*será engrandecido y exaltado, y será puesto muy en alto*» (Isaías 52:13). Jesucristo nuestro Señor, en humildad y en mansedumbre, no reclamó ni hizo valer Sus derechos, ni tampoco quiso establecer a la fuerza Su legítimo reino cuando vino la primera vez.

Jesucristo, primeramente vino al mundo como «*el Siervo (de Dios)*» como el Siervo Sufrido, pero Él pronto vendrá como el Rey de reyes «*engrandecido y exaltado*». Los judíos estaban buscando un rey-guerrero, como David, quien les diera la libertad de la opresión romana. Isaías bien predijo: «*Subirá cual renuevo delante de Él, y como raíz de tierra seca; no hay parecer en Él, ni hermosura; le veremos, mas sin atractivo para que Le deseemos*» (53:2). La «*tierra seca*» ilustra la condición espiritual del mundo religioso sin Jesucristo. Solo Él provee la vida eterna a todos los que confiesen su culpabilidad, se arrepientan de sus pecados, y traten de obedecer la Palabra de Dios. Por esta razón es muy importante leerla. Por consiguiente, todos nosotros, de tiempo en tiempo, no llegamos a cumplir con todo lo que Dios quiere que seamos. Pero Jesucristo sigue intercediendo por nosotros delante del Padre. «*Si confesamos nuestros pecados, Él es fiel y justo para perdonar nuestros pecados, y limpiarnos de toda maldad*» (I de Juan 1:9).

«*Mas Él herido fue por nuestras rebeliones, molido por nuestros pecados; el castigo de nuestra paz fue sobre Él, y por Su llaga fuimos nosotros curados*» (Isaías 53:5). Su muerte en la cruz provee el camino para terminar la enemistad entre el hombre pecador y el Justo Dios Creador. Esto quiere decir que todos los creyentes arrepentidos, judíos y gentiles de igual forma, reciben la vida eterna, por medio de la muerte del Impecable Hijo de Dios, cuando ellos reciben a Jesucristo como su Salvador y Señor.

Diariamente, nosotros debemos de alabar a Jesús por quien Él es en verdad – el Gran Dios de la creación y el Salvador que pronto vendrá a gobernar este mundo. «*Y en Su vestidura y en Su muslo tiene escrito este nombre: REY DE REYES Y SEÑOR DE SEÑORES*» (Apocalipsis 19:16).

**Pensamiento para hoy:** Vamos a alabar al Señor hoy en día por Su sublime gracia que es asombrosa.

---

**EN LA LECTURA DE HOY**

El verdadero ayuno; el pecado, la confesión, y la redención;
la gloria futura de Jerusalén; el día de venganza de Jehová;
el amor bondadoso de Dios para Israel

---

*D*urante la vida de Isaías, los líderes israelitas se quejaron a Dios: *«¿Por qué, dicen, ayunamos, y no hiciste caso; humillamos nuestras almas, y no Te diste por entendido?»* El Señor entonces les contestó: *«He aquí que en el día de vuestro ayuno buscáis vuestro propio gusto, y oprimís (usáis) a todos vuestros trabajadores. He aquí que para contiendas y debates ayunáis y para herir (en los conflictos personales) con el puño inicuamente . . . »* (Isaías 58:3-4).

Aun más serio era su hipocresía, ayunando sólo para ser visto por otras personas, pues Dios les pregunta: *«¿Es tal el ayuno que Yo escogí, que de día aflija el hombre su alma, que incline su cabeza como junco, y haga cama de cilicio y de ceniza?»* (El ayuno de ellos era para impresionar a otras personas pretendiendo ser humildes.) (58:5). Por medio del profeta Isaías, Dios les recordó a los israelitas que el ayuno aceptable tenía que incluir la compasión por los que están sufriendo: *«¿No es más bien el ayuno que Yo escogí, desatar las ligaduras de impiedad, soltar las cargas de opresión, y dejar ir libres a los quebrantados, y que rompáis todo yugo? ¿No es que partas tu pan con el hambriento, y a los pobres errantes albergues en casa; que cuando veas al desnudo, lo cubras, y no te escondas de tu hermano?»* (Nunca negando nuestra responsabilidad para nuestra propia familia) (58:6-7).

Isaías continuó, diciéndoles: *«Entonces invocarás, y te oirá Jehová; clamarás, y dirá Él: Heme aquí. Si quitares de en medio de ti el yugo, el dedo amenazador, y el hablar vanidad»* (58:9). Si lo que hacemos para otras personas (o para el Señor) está supuesto a imponer (o sugerir) un *«yugo»* de esclavitud sobre ellos (esperando que nos devuelvan los favores especiales), entonces nuestras oraciones y nuestros ayunos no serán aceptados por Dios. Nuestra oración es más eficaz cuando nuestra actitud y nuestra relación con otras personas están en armonía con la voluntad de Dios.

A veces encontramos personas que piensan que la vida del creyente se compone en total de las cosas que no hacemos. Pero la vida del creyente es primero y principalmente esto: *«Así alumbre vuestra luz delante de los hombres, para que vean vuestras buenas obras, y glorifiquen a vuestro Padre que está en los cielos»* (Mateo 5:16).

El Espíritu Santo que mora en cada creyente siempre nos guía a tener compasión con otras personas y poder ayudarles en sus necesidades reales: *«Y respondiendo el Rey, les dirá: De cierto os digo que en cuanto lo hicisteis a uno de estos Mis hermanos más pequeños, a Mí lo hicisteis»* (Mateo 25:40).

**Pensamiento para hoy:** Con agrado sométase a los arreglos de Dios en su vida, y bajo ninguna circunstancia *« . . . contristéis al Espíritu Santo de Dios»* (Efesios 4:30).

## ꞓN LA LECTURA DE HOY
Nuestras justicias son como trapo de inmundicia;
la oración por la presencia de Dios; las rebeliones son castigadas

*C*asi todo el reino del norte de Israel había sido derrotado y casi todos llevados cautivos por los asirios durante el reino del malvado rey Peka (Isaías 7:1; II de Reyes 15:27-29). Antes de llegar al trono y habiendo sido testigo de esa destrucción del reino del norte, el piadoso rey Ezequías sin duda fue grandemente animado por el profeta Isaías.

Tristemente, después de la muerte de Ezequías, su hijo Manasés llegó a ser uno de los más malvados reyes en la historia de Judá. Durante ese tiempo la fe de Isaías se mantuvo inmovible.

El apóstol Pablo citó del libro de Isaías (64:4), para animar a la iglesia de los corintios: «*Antes bien, como está escrito: Cosas que ojo no vio, ni oído oyó, ni han subido en corazón de hombre, son las que Dios ha preparado para los que le aman*» (I de Corintios 2:9). Pero los israelitas no amaban al Señor. Isaías con mucho dolor confesó: «*Nadie hay que invoque Tu nombre, que se despierte para apoyarse en Ti; por lo cual escondiste de nosotros Tu rostro, y nos dejaste marchitar en poder de nuestras maldades*» (Isaías 64:7). La Palabra de Dios, tal y como la proclamó Isaías, había sido ignorada y ahora Dios les había hablado estas tristes Palabras por medio de Isaías: «*Extendí Mis manos todo el día a pueblo rebelde, el cual anda por camino no bueno, en pos de sus pensamientos*» (65:2). El Señor continúa, diciendo: «*también Yo escogeré para ellos escarnios, y traeré sobre ellos lo que temieron; porque llamé, y nadie respondió; hablé, y no oyeron, sino que hicieron lo malo delante de Mis ojos, y escogieron lo que Me desagrada*» (66:4). A cualquier tiempo, y en cualquier lugar, todos podemos clamar a nuestro amoroso Dios. Mientras que tenemos el tiempo aquí en la tierra para invocar Su nombre, todos nosotros debemos de consagrarnos para hacer de Su voluntad la mayor prioridad de nuestras vidas.

A la pequeña minoría que se mantuvo fiel, y a todos nosotros hoy en día, Isaías dijo: «*Oíd Palabra de Jehová, vosotros los que tembláis a Su Palabra: Vuestros hermanos que os aborrecen, y os echan fuera por causa de Mi nombre . . . ellos serán confundidos. . . . Porque así dice Jehová: He aquí que Yo extiendo sobre ella paz como un río . . .* » (Isaías 66:5,12).

**Pensamiento para hoy:** El pecado rompe nuestro compañerismo con el Señor y no nos deja recibir Su verdadera paz y sabiduría.

# INTRODUCCIÓN AL LIBRO DE
# *J*EREMÍAS

Jeremías profetizó durante los últimos cuarenta años del pequeño reino del sur de Israel. Esto fue unos cien años después que los asirios habían destruido el reino del norte de Israel.

Su ministerio público empezó en el año decimotercero del reino del piadoso Josías (Jeremías 1:2), quien gobernó por treinta y un años (II de Crónicas 34:1).

Jeremías continuó su ministerio durante el reino de los últimos cuatro reyes de Judá, quienes todos fueron malvados: Joacaz (Salum), Joacim (Eliaquim), Joaquín (Conías, Jeconías), Matanías (Sedequías), y también con los exilados en Egipto. Jeremías no fue muy popular durante esos tiempos difíciles porque fielmente declaraba la Palabra de Dios a un pueblo que no se arrepentía.

Al paso de los años, el imperio de los asirios se debilitó y finalmente fue derrotado por los babilonios.

Después que Nabucodonosor derrotó a Egipto en la batalla de Carquemis, la ciudad principal al norte de Siria (Aram), el reino de Judá llegó a estar bajo su control. Después de siete años, en el undécimo año del reino de Sedequías, Jerusalén y el templo fueron destruidos por Nabucodonosor y sus ejércitos babilonios quien entonces tuvo el control de todo el Cercano Oriente (II de Reyes 25:2-21).

Los acontecimientos en este libro no están en un orden cronológico pero en orden según los temas similares para darnos a ver bien claro los resultados trágicos del pecado.

Durante este tiempo fue que Dios declaró: *«Porque desde el más chico de ellos hasta el más grande, cada uno sigue la avaricia; y desde el profeta hasta el sacerdote, todos son engañadores»* (Jeremías 6:13). *«(Los) profetas profetizaron mentira, y los sacerdotes dirigían por manos de ellos; y Mi pueblo así lo quiso»* (5:31). Esto les llevó a su derrota pero también les llevó a recibir esta profecía, la cual tenía el propósito de animar a los cautivos: *« . . . Cuando en Babilonia se cumplan los setenta años, Yo os visitaré . . . haré volver a los cautivos de Mi pueblo Israel y Judá, ha dicho Jehová, y los traeré a la tierra que di a sus padres, y la disfrutarán»* (29:10; 30:3).

El Dios de misericordia también prometió: *«Aún te edificaré, y serás edificada. . . . Pero este es el pacto que haré con la casa de Israel después de aquellos días, dice Jehová: Daré Mi Ley en su mente, y la escribiré en su corazón»* (31:4,33).

El libro de Jeremías termina con una profecía contra las naciones gentiles (paganas) y la inevitable caída de la ciudad de Jerusalén (46:1-52:34).

---

## 𝒞N LA LECTURA DE HOY

El llamamiento de Jeremías; su mensaje a los pecadores de Judá; la presente apostasía que resultó en idolatría; la súplica para el arrepentimiento de Judá

---

𝒟ios le reveló a Jeremías que Él tenía un plan y un propósito para cada uno de nosotros aun antes de nuestro nacimiento: «*Vino, pues, Palabra de Jehová a mí, diciendo: Antes que te formase en el vientre te conocí, y antes que nacieses te santifiqué, te di por profeta a las naciones*» (Jeremías 1:4-5).

¡Piense en esto! Dios «le conocía» y tenía un plan para su vida aun antes de ese día cuando usted nació. Por medio de esta revelación que Dios le dio a Jeremías sobre el origen de la vida humana, Dios reveló que nuestro nacimiento no es nuestro verdadero principio aquí en la tierra y que la muerte no es nuestro verdadero final. Tal y como Jeremías, necesitamos mirar a lo que es correcto hacer. ¡Dios es el Dador de la vida! Como creyentes vamos a darle gran honor a la santidad de la vida humana, pues cada persona tiene un propósito divino.

El Espíritu Santo guio al rey David a escribir: «*Te alabaré; porque formidables, maravillosas son Tus obras; estoy maravillado, y mi alma lo sabe muy bien. No fue encubierto de Ti mi cuerpo, bien que en oculto fui formado, y entretejido en lo más profundo de la tierra*» (Salmo 139:14-15). Tanto el padre como la madre tienen la responsabilidad bíblica de reconocer que cada niño, desde el día que es concebido, pertenece a su Dios el Creador. Los dos padres tienen la responsabilidad de ser administradores de Dios y enseñarles a sus hijos cómo conocer, cómo amar, y cómo ser obedientes a Dios.

Al apóstol Pablo, Dios le reveló esto: «. . . (Dios) *nos escogió en Él* (en Cristo) *antes de la fundación del mundo, para que fuésemos santos y sin mancha delante de Él. . . . En Él asimismo tuvimos herencia . . . alumbrando los ojos de vuestro entendimiento, para que sepáis cuál es la esperanza a que Él os ha llamado, y cuáles las riquezas de la gloria de Su herencia en los santos*» (Efesios 1:4,11,18). Usted es muy especial. Dios ha tenido un plan maravilloso para usted desde antes de su nacimiento. Dios nos ha escogido a cada uno de nosotros para Su sagrado propósito, pero Él nos ha dado la libertad (el libre albedrío) para escoger a quien vamos a servir. Jesucristo nos declaró una verdad que a veces pasamos por alto al decir: «*Ninguno puede servir a dos señores; porque o aborrecerá al uno y amará al otro, o estimará al uno y menospreciará al otro. No podéis servir a Dios y a las riquezas*» (Mateo 6:24). Vamos a elegir ser como Josué y declarar: «. . . *pero yo y mi casa serviremos a Jehová*» (Josué 24:15).

**Pensamiento para hoy:** La Palabra de Dios nos revela la diferencia entre la verdad y el error; pero si no la leemos, no hay otro modo de saber los verdaderos hechos.

**E**l profeta Jeremías empieza su ministerio público cerca del año decimotercero del reino del rey Josías de Judá (Jeremías 1:2). Jeremías desenmascaró el estilo de vida de los israelitas, comprometidos a una vida mundana, cuando les llamó «. . . *pueblo necio y sin corazón, que tiene ojos y no ve, que tiene oídos y no oye . . . No obstante, este pueblo tiene corazón falso y rebelde; se apartaron y se fueron. . . . ¿A quién hablaré y amonestaré, para que oigan? He aquí que sus oídos son incircuncisos, y no pueden escuchar; he aquí que la Palabra de Jehová les es cosa vergonzosa, no la aman»* (5:21,23; 6:10; ver Lucas 8:10). Manasés, el abuelo de Josías y Amón su padre habían sido reyes malvados quienes habían guiado al pueblo a abandonar a Dios y le animaron a alabar a los dioses falsos.

Sin embargo, Josías el hijo de Amón, «. . . *hizo lo recto ante los ojos de Jehová, y anduvo en todo el camino de David su padre, sin apartarse a derecha ni a izquierda»* (II de Reyes 22:2). Sin duda, Jeremías llegó a ser una buena influencia y aliento para Josías. En el año decimoctavo de su reino, Josías empezó a reparar el templo y a restaurar la adoración al Único Dios Verdadero (II de Crónicas 34:8). Entonces él inició otra vez la Pascua a Jehová y se celebró como nunca en la historia de Israel (II de Reyes 23:22).

Después de la muerte de Josías (23:28-32), la nación de Israel volvió a los caminos malvados de Manasés y Amón. Con una inquietud muy profunda, vemos un paralelo entre los falsos dioses, la inmoralidad, y los pecados que llevaron a Judá a la destrucción y el crecimiento de las falsas religiones, la decadencia moral, y la desviación sexual en Los Estados Unidos hoy en día.

El verdadero creyente siempre desea adorar al Señor junto con otros creyentes en un lugar donde se lea y se estudie la Palabra de Dios. El apóstol Pablo fue guiado por el Espíritu Santo a amonestarnos, diciendo: «*Porque vendrá tiempo cuando no sufrirán la sana doctrina, sino que teniendo comezón de oír, se amontonarán maestros conforme a sus propias concupiscencias, y apartarán de la verdad el oído y se volverán a las fábulas. Pero tú sé sobrio en todo, soporta las aflicciones, haz obra de evangelista, cumple tu ministerio»* (II de Timoteo 4:3-5).

**Pensamiento para hoy:** Mientras que pasamos más tiempo leyendo la Biblia, más veremos que los caminos de Dios llegan a ser nuestros caminos y los pensamientos de Dios llegan a ser nuestros pensamientos.

> ## ᴇ̃N LA LECTURA DE HOY
> La súplica por el arrepentimiento; el castigo por la rebelión de Judá;
> el dolor sobre los pecados del pueblo; y en verdad los ídolos perecerán

Todos los varones adultos que estaban aptos físicamente eran requeridos por la Ley de asistir las tres principales fiestas solemnes en Jerusalén. Estas ocasiones eran días de gozo y celebración de alabanza a Dios por Su provisión y protección. Pero, durante este día de celebración Jeremías no le dio al pueblo las bienvenidas; al contrario, le propuso una condenación bien severa: « . . . *Oíd Palabra de Jehová, todo Judá, los que entráis por estas puertas para adorar a Jehová*». Ellos querían seguir «. . . *Hurtando, matando, adulterando, jurando en falso* . . . (Dios les dice) *¿vendréis y os pondréis delante de Mí en esta casa sobre la cual es invocado Mi nombre, y diréis: Librados somos; para seguir haciendo todas estas abominaciones?*» (Jeremías 7:1-2, 9-10).

Ellos seguían con su indiferencia al mandamiento que Dios les había dado sobre los habitantes paganos que estaban en Canaán cuando ellos primeramente entraron a la tierra: «*No harás alianza con ellos, ni con sus dioses*» (Éxodo 23:31-32).

El pueblo consideraba la predicación de Jeremías con estrecho de miras y no quería tolerar a este profeta de Dios. Ellos respondieron: « . . . *Nosotros somos sabios, y la Ley de Jehová está con nosotros*» (Jeremías 8:8). La presencia física de las Santas Escrituras y el templo de Dios les dio una falsa seguridad. Entonces el profeta les recordó: «*Los sabios se avergonzaron . . . (ellos) aborrecieron la Palabra de Jehová; ¿y qué sabiduría tienen? Por tanto, daré a otros sus mujeres, y sus campos a quienes los conquisten; porque desde el más pequeño hasta el más grande cada uno sigue la avaricia; desde el profeta hasta el sacerdote todos hacen engaño*» (8:9-11). Ellos estaban confiados que Dios nunca iba a permitir que ellos fuesen destruidos, pues Dios había hecho un pacto con ellos y les había llamado Su pueblo escogido. Pero, en realidad, los pactos de Dios tienen condiciones para vivir y no les da al pueblo una licencia para seguir pecando e ignorar la Palabra de Dios.

Tal y como entonces, hoy en día hay personas que neciamente piensan que cada persona debe tener la libertad de adorar a cualquier cosa o persona que quiera adorar según su propia consciencia e ignorar al mismo tiempo los derechos de nuestro Creador. Pero Cristo nos dijo: « . . . *Yo soy el Camino, y la Verdad, y la Vida; nadie viene al Padre, sino por Mí*» (Juan 14:6). Jesús también les recuerda a todos los que dicen ser cristianos y siguen viviendo vidas pecaminosas: «*¿Por qué Me llamáis, Señor, Señor, y no hacéis lo que Yo digo?*» (Lucas 6:46).

**Pensamiento para hoy:** Los mejores cumplimientos religiosos nunca pueden sustituir una vida que se vive piadosamente.

## 𝒞N LA LECTURA DE HOY

Jeremías proclama el pacto de Dios; la conspiración contra Jeremías;
la queja de Jeremías; el cinto de lino podrido; las tinajas llenas y la sequía

𝒯odos los israelitas eran llamados a ser santos y a servir al Señor y, en cambio, Dios les iba a proveer todas sus necesidades. Pero muchas personas del pueblo de Dios habían dejado al Señor para adorar a los ídolos y seguir la vida pecaminosa. Para ilustrar su fracaso, el Señor dirigió a Jeremías a decir: *«Así me dijo Jehová: Ve y cómprate un cinto de lino, y cíñelo sobre tus lomos, y no lo metas en agua»* (para lavarlo) (Jeremías 13:1). Los hombres hebreos usaban una túnica, larga, no apretada, como un vestido. Para juntar la túnica bien apretada a su cuerpo mientras que trabajaban o caminaban, ellos usaban un cinto, como una faja alrededor de su cintura llamada «banda, cinto, o faja». El cinto de lino blanco usado por los sacerdotes representaba la relación bien unida entre los israelitas y Jehová.

Jeremías escribió y finalmente dijo: *«Vino a mí segunda vez Palabra de Jehová, diciendo: Toma el cinto que compraste, que está sobre tus lomos, y levántate y vete al Éufrates, y escóndelo allá en la hendidura de una peña. Fui, pues, y lo escondí junto al Éufrates, como Jehová me mandó. Y sucedió que después de muchos días me dijo Jehová: Levántate y vete al Éufrates, y toma de allí el cinto que te mandé esconder allá. Entonces fui al Éufrates, y cavé, y tomé el cinto del lugar donde lo había escondido; y he aquí que el cinto se había podrido; para ninguna cosa era bueno»* (13:3-7). Que *«se había podrido»* significa que el cinto ya no servía y no era apropiado para ser usado por un sacerdote. Consecuentemente: *«Así ha dicho Jehová . . . Este pueblo malo, que no quiere oír Mis Palabras, que anda en las imaginaciones de su corazón . . . vendrá a ser como este cinto, que para ninguna cosa es bueno»* (13:9-10).

Como los israelitas, algunas personas hoy en día están interesadas en nada más que satisfacer sus propios intereses sin deseo alguno de servir u obedecer al Señor. Lamentablemente, muchas personas descubrirán un poco muy tarde que ellos han perdido las oportunidades dadas por Dios para verdaderamente gozarse de la vida con la seguridad de la vida eterna.

*«Porque como el cinto se junta a los lomos del hombre, así hice juntar a Mí toda la casa de Israel y toda la casa de Judá, dice Jehová, para que Me fuesen por pueblo y por fama, por alabanza y por honra; pero no escucharon»* (Jeremías 13:11).

**Pensamiento para hoy:** Cuando vivimos para el Señor de todo corazón, Dios nos provee la seguridad de que *« . . . todas las cosas (nos) ayudan a bien»* (Romanos 8:28).

## ᎬN LA LECTURA DE HOY
Oración de Jeremías; las señales del cautiverio de Judá;
las regulaciones del día de reposo; la lección del alfarero;
el absoluto poder de Dios sobre las naciones

«*¡Sea así, oh Jehová, si no te he rogado por su bien, si no he suplicado ante Ti en favor del enemigo en tiempo de aflicción y en época de angustia!*» (Jeremías 15:11). Pero, cuando los israelitas rechazaron a Dios y a Su Palabra como su estilo de vida, ellos perdieron el privilegio de tener Su protección y sufrieron pérdidas espirituales y físicas que fueron irreparables.

Dios mandó a Jeremías a la casa del alfarero para entender el problema de los israelitas y sus consecuencias futuras.

Dios le dijo a Jeremías: «*Levántate y vete a casa del alfarero, y allí te haré oír Mis Palabras. Y descendí a casa del alfarero, y he aquí que él trabajaba sobre la rueda. Y la vasija de barro que él hacía se echó a perder en su mano; y volvió y la hizo otra vasija, según le pareció mejor hacerla*» (18:2-4). Entonces el Señor le dijo: «*¿No podré Yo hacer de vosotros como este alfarero, oh casa de Israel?. . . He aquí que como el barro en la mano del alfarero, así sois vosotros en Mi mano. . . . Pero si esos pueblos se convirtieren de su maldad contra la cual hablé, Yo Me arrepentiré del mal que había pensado hacerles. . . . Pero si hiciere lo malo delante de Mis ojos, no oyendo Mi voz, Me arrepentiré del bien que había determinado hacerle*» (18:6,8,10).

Cuando «*la vasija*» (Su pueblo escogido) «*se echó a perder en Su mano*», (en mano del Buen Alfarero) fue el mismo barro que se endureció de sí mismo y no la obra del Alfarero lo que dejó «*la vasija*» sin valor. Israel había rechazado la voluntad de Dios y se había «*echado a perder*» (endurecido) por el pecado. Por consiguiente, «*la vasija*», Israel, fue quebrantado por Babilonia, el instrumento que Dios usó, y fueron llevados al cautiverio. Después de 70 años del cautiverio (25:11), Dios hizo «*del barro*» «*otra vasija*» para ilustrar la presencia de los pocos judíos que habían vuelto a Jerusalén para reedificar el templo y establecer la adoración a Dios.

Todos nosotros somos como «*vasos de barro*» terrenales, pero Dios tiene un plan especial para todos nosotros para llegar a ser vasijas que Él pueda usar, aunque a veces nos vemos también echados a perder por el pecado. Cuando nos rendimos al Maestro y Alfarero de nuestras vidas, con manos amorosas Dios viene a nuestras vidas y las hace «*otra vasija*», preparada para contener y expresar la presencia de Cristo mismo. «*De modo que si alguno está en Cristo, nueva criatura es; las cosas viejas pasaron; he aquí todas son hechas nuevas*» (II de Corintios 5:17).

**Pensamiento para hoy:** Es para la gloria de Dios que fuimos creados.

---

## ✎N LA LECTURA DE HOY
Jeremías es encarcelado; Pasur lo azota; el dolor de Jeremías;
la destrucción de Jerusalén es predicha; el camino de la vida o de la muerte

---

*D*urante los últimos días del reino de Judá, Jeremías, con gran denuedo, se enfrentó al sacerdote que presidía como príncipe del pueblo y le dijo: «*Porque así ha dicho Jehová: He aquí, haré que seas un terror a ti mismo y a todos los que bien te quieren, y caerán por la espada de sus enemigos, y tus ojos lo verán; y a todo Judá entregaré en manos del rey de Babilonia . . . y tú, Pasur, y todos los moradores de tu casa iréis cautivos; entrarás en Babilonia, y allí morirás . . .* » (Jeremías 20:4,6). Jeremías fielmente profetizó el mensaje de Dios, quien había dicho: «*Y a causa de toda su maldad, proferiré Mis juicios contra los que Me dejaron, e incensaron a dioses extraños, y la obra de sus manos adoraron*» (1:16).

Pronto el pueblo de Judá supo de la derrota de Asiria y después la de Egipto. Con la victoria de Nabucodonosor en la batalla de Carquemis, Babilonia llegó a ser el nuevo poder que dominó al mundo. Esto llegó a confirmar lo que Isaías había predicho casi 100 años antes (Isaías 39:6-7).

Aun después de estar bien informados de los resultados de rechazar la Palabra de Dios, los líderes religiosos no sólo no quisieron arrepentirse, pero empezaron una campaña para desacreditar a Jeremías delante del rey y delante de toda la nación. Jeremías se vio solo en la prisión, y por un momento pasajero se vio desanimado y dijo: «. . . *No me acordaré más de Él, ni hablaré más en Su nombre; no obstante, había en mi corazón como un fuego ardiente metido en mis huesos; traté de sufrirlo, y no pude*» (Jeremías 20:9).

Jeremías probablemente pensó que él había fracasado en comunicarle al pueblo de Dios la importancia de obedecer la Palabra de Dios. Casi todos los líderes espirituales han pasado por tiempos cuando se han sentido que ellos también habían fracasado en cumplir las responsabilidades que Dios les ha dado. Pero, aquí vemos que mucho más de lo que Jeremías esperaba ha pasado, pues este libro ha sido una inspiración a millones de creyentes por todo el mundo.

Ninguna persona que haya dedicado su vida a la enseñanza de la Palabra de Dios y haya vivido según Sus enseñanzas es un fracaso en los ojos del Señor. Jesucristo nos prometió: «*De cierto, de cierto os digo: El que oye Mi Palabra, y cree al que Me envió, tiene vida eterna; y no vendrá a condenación, mas ha pasado de muerte a vida*» (Juan 5:24).

**Pensamiento para hoy:** Vamos a orar tal y como Jesús oró: «. . . *Padre, si quieres, pasa de Mí esta copa; pero no se haga Mi voluntad, sino la Tuya*» (Lucas 22:42).

## EN LA LECTURA DE HOY

La restauración futura; el reino de Jesucristo es prometido;
los profetas mentirosos; los higos buenos y los higos malos;
el juicio de Babilonia es predicho

*S*olamente faltaban unos meses para la destrucción del reino de Judá por los babilonios. Ahora era ya muy tarde para orar por la salvación y evitar la destrucción de Jerusalén o del templo. A Sedequías, el último rey, le sacarían los ojos y sería llevado a Babilonia en cadenas (II de Reyes 25:7). Todas estas profecías son recordatorios horribles de que el pecado y el sufrimiento son inseparables, y de que el juicio de Dios es inevitable cuando la Palabra de Dios es olvidada.

El mensaje de Jeremías ahora cambia del juicio venidero a palabras de consuelo. Para ilustrar esto, el Señor le muestra: *«Una cesta (que) tenía higos muy buenos, como brevas; y la otra cesta tenía higos muy malos, que de malos no se podían comer»* (Jeremías 24:2). *«Así ha dicho Jehová Dios de Israel: Como a estos higos buenos, así miraré a los transportados de Judá, a los cuales eché de este lugar a la tierra de los caldeos, para bien. Porque pondré Mis ojos sobre ellos para bien, y los volveré a esta tierra . . . »* (24:5-6). Habían tres cosechas de higos – en junio, en agosto, y en noviembre. Las primicias de los higos, en junio, eran consideradas una gran delicadeza (Isaías 28:4; Oseas 9:10; Miqueas 7:1). Por esta razón el Señor en Su amor estaba mandando a los escogidos *«higos buenos»* al cautiverio para corregirlos *« . . . para* (su propio) *bien»*.

Aun mientras que los ejércitos babilonios estaban sitiando la ciudad de Jerusalén, Jeremías les aseguró a todos los que eran fieles a la Palabra de Dios: *«He aquí que vienen días, dice Jehová, en que levantaré a David Renuevo justo, y reinará como Rey, el cual será dichoso, y hará juicio y justicia en la tierra. . . . En aquellos días Judá será salvo, y Jerusalén habitará segura, y se le llamará: Jehová, Justicia nuestra»* (Jeremías 23:5-6; 33:16).

Por medio de nuestro nacimiento natural vemos que: *«Como está escrito: No hay justo, ni aun uno . . . por cuanto todos pecaron, y están destituidos de la gloria de Dios»* (Romanos 3:10 y 23). Cuando recibimos a Jesucristo como nuestro Salvador, Él llega a ser *«Jehová, Justicia nuestra»*. El Espíritu Santo guio al apóstol Pablo a escribir esto: *«Al que no conoció pecado, por nosotros lo hizo pecado, para que nosotros fuésemos hechos justicia de Dios en Él»* (II de Corintios 5:21).

**Pensamiento para hoy:** Vamos a vivir tal y como la justicia de Dios nos ha puesto en Cristo Jesús.

## EN LA LECTURA DE HOY
Jeremías es arrestado; el sometimiento de Judá bajo
Nabucodonosor es predicho; la profecía falsa de Hananías y su muerte

*D*urante la primera parte del reino de Sedequías, Dios mandó a que Jeremías hiciese un yugo y se lo pusiera sobre su propio cuello, lo cual simbolizaba el cautiverio venidero del reino de Judá. Jehová dijo: «*Y ahora Yo he puesto todas estas tierras en mano de Nabucodonosor rey de Babilonia, Mi siervo, y aun las bestias del campo le he dado para que le sirvan*» (Jeremías 27:6).

Jeremías proclamó que Dios había puesto a Nabucodonosor como el gobernador sobre estas naciones a causa de sus pecados (27:2-11; ver Daniel 2:37-38). «*Entonces hablaron los sacerdotes y los profetas a los príncipes y a todo el pueblo, diciendo: En pena de muerte ha incurrido este hombre; porque profetizó contra esta ciudad, como vosotros habéis oído con vuestros oídos*» (Jeremías 26:11).

Cuando los israelitas fueron derrotados por Nabucodonosor y dispersos por toda la tierra, fue entonces que empezó «*los tiempos de los gentiles*» (Lucas 21:24). Nosotros estamos viviendo muy cerca de esa última generación cuando «*los tiempos de los gentiles se cumplan*». Dios, en Su poder soberano, ha causado que los judíos vuelvan a Jerusalén, y otra vez lleguen a ser una nación, antes de la segunda venida de Jesucristo, el Rey-Mesías. Todos debemos de prepararnos para ese día.

Vamos a fiel y diligentemente decirles a otras personas cómo es que ellos también pueden estar preparados para la venida del Señor. La omisión de hacer esto resultará en la condenación eterna para todos los que no reciban a Jesucristo como su Salvador.

Vemos que Jeremías hubiera preferido morir antes de callar y no hablar sobre la necesidad de oír la Palabra de Dios.

Es este mismo Espíritu de Dios que llevó al apóstol Pablo a poder decir: «*. . . Porque yo estoy dispuesto no sólo a ser atado, mas aun a morir en Jerusalén por el nombre del Señor Jesús*» (Hechos 21:13). Y es este mismo Espíritu de sacrificio personal que guía a los creyentes hoy en día a que voluntariamente puedan rechazar los intereses personales que interfieren con el deseo de hacer como de decir todo lo que saben que deben proclamar.

«*Porque el siervo del Señor no debe ser contencioso, sino amable para con todos, . . . que con mansedumbre corrija a los que se oponen, por si quizá Dios les conceda que se arrepientan para conocer la verdad*» (II de Timoteo 2:24-25).

**Pensamiento para hoy:** Hablemos con valentía para el Señor; pues tendrá gran influencia en otras personas.

## ☙N LA LECTURA DE·HOY
La carta a los cautivos en Babilonia; el rescate de los judíos es predicho; la completa restauración de todas las cosas es predicha

*L*os profetas de Dios les advirtieron a los israelitas que ellos iban a ser dispersos por todo el mundo por su adoración a los ídolos y por olvidar la Palabra de Dios; pero el Señor les dijo: «*Porque Yo estoy contigo para salvarte . . . y destruiré a todas las naciones entre las cuales te esparcí; pero a ti no te destruiré, sino que te castigaré con justicia; de ninguna manera te dejaré sin castigo*» (Jeremías 30:11).

La destrucción de los poderosos reinos de Asiria y de Babilonia así se cumplió. Estos dos poderosos imperios mundiales fueron destruidos tal y como el Señor lo predijo por medio del profeta Jeremías. Jeremías también profetizó la destrucción de Jerusalén y sobre el cautiverio del pequeño reino de Judá. «*Así ha dicho Jehová: He aquí Yo hago volver los cautivos de las tiendas de Jacob, y de sus tiendas tendré misericordia, y la ciudad será edificada sobre su colina, y el templo será asentado según su forma*» (30:18). El Señor también le reveló a Jeremías que, en un tiempo aún futuro, habría un nuevo pacto: «*Pero este es el pacto que haré con la casa de Israel después de aquellos días, dice Jehová: Daré Mi ley en su mente, y la escribiré en su corazón*» (31:33).

Durante el cautiverio en Babilonia, por medio de Su profeta Jeremías, el Señor le enseño a Su pueblo a: «*. . . procurad la paz de la ciudad a la cual os hice transportar, y rogad por ella a Jehová; porque en su paz tendréis vosotros paz*» (29:7).

Esto quiere decir que ellos tenían que orar y ser una bendición a sus opresores, y por eso, al mismo tiempo, los israelitas serían benditos. Esto nos hace recordar de los resultados destructivos que traen el odio, el rencor, o el buscar la venganza, cuando nos maltratan o al enfrentarnos a la oposición.

Digna de lástima es la persona que aunque esté físicamente libre vive insatisfecha por sus circunstancias, y siempre esté esperando por un día mejor cuando podrá encontrar el gozo en su vida. Puede ser que esté esperando hasta tener un mejor trabajo o una casa mejor, o puede estar esperando por un buen retiro. Pero, en verdad, tal persona siempre está buscando cómo librarse de su presente situación. Aun un ejemplo más serio es cuando tal persona ha sido ofendida y ha dejado de asistir a la iglesia. Muchas veces tal persona está encerrada en algún resentimiento o amargura, y ha hecho para sí misma una prisión de su propia miserable actitud.

En vez de lamentarnos de nuestras propias situaciones, Jesús nos dice: «*Bienaventurados sois cuando por Mi causa os vituperen y os persigan . . . gozaos y alegraos, porque vuestro galardón es grande en los cielos*» (Mateo 5:11-12).

**Pensamiento para hoy:** Cada lector de la Biblia será bien recompensado.

## 𝒠N LA LECTURA DE HOY
Jeremías en la prisión, después va y compra la heredad en Anatot;
el regreso a Jerusalén es prometido;
Cristo, el Renuevo de justicia es prometido

𝒥eremías profetizó que los hechos impiadosos de los israelitas resultarían en la destrucción de su nación por el imperio de Babilonia. *«Entonces el ejército del rey de Babilonia tenía sitiada a Jerusalén, y el profeta Jeremías estaba preso en el patio de la cárcel que estaba en la casa del rey de Judá»* (Jeremías 32:2). Aún, bajo tales circunstancias tan adversas, cuando la destrucción de la nación era ya inminente, el Señor le dijo a Jeremías: *«. . . Cómprate la heredad por dinero, y pon testigos; aunque la ciudad sea entregada en manos de los caldeos . . .»* (32:25). Sin duda Jeremías fue y pagó por la heredad, tomó la carta, la hizo certificar, y entonces dio la carta de venta a Baruc delante de muchos testigos (32:9-12).

Para las personas que habían oído los avisos repetidos de Jeremías sobre la destrucción y el cautiverio que se acercaba esta transacción (compra) pudiese haber sido inconsistente. Pero, Jeremías también había proclamado que el pueblo de Dios sería restaurado a su tierra, y esta compra de la heredad dio evidencia de su fe en que el Dios Soberano estaba en control del destino de Israel.

Aunque Jeremías no podía ver cómo Dios iba a cumplir esta profecía, su fe estaba firme en la Palabra de Dios que nunca se equivoca, y que también nos dice: *«He aquí que Yo soy Jehová . . . ¿habrá algo que sea difícil para Mí?»* (32:27).

Dios le dio a Jeremías una nueva seguridad sobre el futuro de Israel al decir: *«He aquí que Yo los reuniré de todas las tierras a las cuales los eché con Mi furor, y con Mi enojo e indignación grande; y los haré volver a este lugar, y los haré habitar seguramente»* (32:37). Que maravilloso es saber que, en medio de las más difíciles circunstancias, todos nosotros podemos descansar seguros en que Dios es misericordioso y que protegerá y proveerá todas las necesidades de Sus siervos fieles. La invitación del Señor sigue siendo esta: *«Clama a Mí, y Yo te responderé, y te enseñaré cosas grandes y ocultas que tú no conoces»* (33:3).

Nuestra fe en la Palabra de Dios se puede medir por medio de la influencia que le permitimos que ella tenga sobre nuestra conducta. Debemos de siempre preguntarnos: ¿Puede mi fe afectar mi conducta cada día por lo que la Biblia me está enseñando, o es mi fe solamente una religión de ritos y tradiciones? *«Porque como el cuerpo sin espíritu está muerto, así también la fe sin obras está muerta»* (Santiago 2:26).

**Pensamiento para hoy:** Lo que permitimos que ocupe nuestros pensamientos es una revelación de a qué o a quién estamos adorando en lugar de Dios.

## ℰN LA LECTURA DE HOY

Jeremías amonesta a Sedequías; la obediencia de los recabitas;
el rollo es leído por Jehudí y destruido por el rey Joacim

𝒞uatro años después de la conquista de Judá por los egipcios y haber nombrado a Joacim rey, Nabucodonosor derrotó a los egipcios, invadió a Jerusalén, y nombró a Joacim como su rey-siervo. Pero Joacim fue un gobernador malvado y no fue como su piadoso padre Josías.

*«En el año tercero del reinado de Joacim rey de Judá, vino Nabucodonosor rey de Babilonia a Jerusalén, y la sitió. Y el Señor entregó en sus manos a Joacim rey de Judá . . .»* (Daniel 1:1-2) (Joacim se quedó como un rey-títere). Nabucodonosor dijo al *« . . . jefe de sus eunucos, que trajese de los hijos de Israel, del linaje real de los príncipes. . . . Entre éstos estaban Daniel, Ananías, Misael y Azarías, de los hijos de Judá»* (1:3,6).

Durante ese tiempo, Jeremías le dio instrucciones a su secretario Baruc de registrar el juicio de Dios, diciéndole: *«Toma un rollo de libro, y escribe en él todas las palabras que te he hablado contra Israel y contra Judá, y contra todas las naciones . . .»* (Jeremías 36:2).

*«Después mandó Jeremías a Baruc, diciendo . . . Entra tú, pues, y lee de este rollo que escribiste de mi boca, las Palabras de Jehová a los oídos del pueblo, en la casa de Jehová, el día del ayuno; y las leerás también a oídos de todos los de Judá que vienen de sus ciudades. Quizá llegue la oración de ellos a la presencia de Jehová, y se vuelva cada uno de su mal camino; porque grande es el furor y la ira que ha expresado Jehová contra este pueblo»* (36:5-7). Los príncipes (líderes) del pueblo estaban aterrorizados por las palabras del profeta, e inmediatamente le informaron esto al rey. *«Y envió el rey a Jehudí a que tomase el rollo . . . y leyó en él Jehudí a oídos del rey, y a oídos de todos los príncipes que junto al rey estaban»* (36:21).

*«Cuando Jehudí había leído tres o cuatro planas,* (se lo quitó y) *lo rasgó el rey con un cortaplumas de escriba, y lo echó en el fuego que había en el brasero, hasta que todo el rollo se consumió sobre el fuego . . .»* (36:23). Pero eso fue todo lo que pudo hacer. Pues aun siendo el rey, él no tenía el poder para destruir la verdad que el rollo contenía.

Tal y como Joacim, algunos hoy en día cierran su verdadero destino al negarse a leer las verdades de la Biblia, las cuales Dios considera necesarias para guiarles a encontrar y cumplir con la voluntad de Dios. La historia registra muchas veces que las Biblias han sido quemadas; pero nos preguntamos: ¿Cuál es la diferencia entre quemar la Biblia y no leerla? *«De cierto os digo* (todo pasará) *. . . pero Mis Palabras no pasarán»* (Mateo 24:34-35).

**Pensamiento para hoy:** Todos los que buscan el consejo del Señor por medio de Su Palabra nunca serán engañados.

## 𝒞N LA LECTURA DE HOY

Jeremías es encarcelado en un calabozo; su consejo es rechazado;
la destrucción de Jerusalén; Jeremías es libertado;
el plan de Ismael para asesinar a Gedalías

𝒟urante el undécimo año del reino malvado de Sedequías, los ejércitos de Nabucodonosor sitiaron la ciudad de Jerusalén y Sedequías frenéticamente le dijo a Jeremías: *«Consulta ahora acerca de nosotros a Jehová, porque Nabucodonosor rey de Babilonia hace guerra contra nosotros»* (Jeremías 21:2). Pero la respuesta del Señor fue firme: *«Porque Mi rostro he puesto contra esta ciudad para mal, y no para bien, dice Jehová; en mano del rey de Babilonia será entregada, y la quemará a fuego»* (21:10). Sedequías entonces, «. . . *no obedeció él ni sus siervos ni el pueblo de la tierra a las Palabras de Jehová, las cuales dijo por el profeta Jeremías»* (37:2).

Pensando que Egipto iba a proteger su reino, Sedequías mandó a sus oficiales a Egipto para hacer una alianza con ellos. También le pareció bien mostrarle «buena voluntad» al profeta; pues entonces, «. . . *envió el rey Sedequías a Jucal. . . y al sacerdote Sofonías. . . para que dijesen al profeta Jeremías: Ruega ahora por nosotros a Jehová nuestro Dios»* (37:3). En vez de orar por ellos, Jeremías les respondió: *«Así ha dicho Jehová: No os engañéis a vosotros mismos . . . el ejército de los caldeos que pelean contra vosotros. . . pondrán esta ciudad a fuego»* (37:9-10).

Cuando el ejército de los caldeos se retiró de Jerusalén, los israelitas creían que su alianza con Egipto había sido un éxito sin las oraciones del profeta. Pero aún Sedequías había estado inquieto. Entonces, secretamente, sacó a Jeremías de la prisión, «. . . *y le preguntó el rey secretamente en su casa, y dijo: ¿Hay Palabra de Jehová? Y Jeremías dijo: Hay. Y dijo más: En mano del rey de Babilonia serás entregado»* (37:17).

La ciudad de Jerusalén se mantuvo fortalecida por casi un año y medio. Durante este tiempo el pueblo sufrió el horror de mucha hambre y enfermedades. Cuando Sedequías finalmente trató de escaparse de la ciudad de noche, él fue arrestado cerca de Jericó, donde Josué victoriosamente había empezado la conquista de la tierra prometida (39:5).

Algunas personas son como Sedequías, que le permiten a sus amigos o a su propia voluntad que influencien sus decisiones, en vez de confiar en el Señor. Este rey ciego y encarcelado (39:7) es un ejemplo de las consecuencias que vienen sobre las personas que se niegan a buscar del Señor el perdón por sus pecados. El apóstol Pablo escribió: *«en los cuales el dios de este siglo* (Satanás) *cegó el entendimiento de los incrédulos . . . »* (II de Corintios 4:4).

**Pensamiento para hoy:** Todas las personas que rechazan al Señor y a Su Palabra están ciegamente caminando hacia su propia destrucción.

## ᴇN LA LECTURA DE HOY
Gedalías es asesinado; Jeremías es llevado a Egipto;
la desolación de Judá por su idolatría

*D*ios usó a Nabucodonosor para castigar a Su pueblo rebelde y cumplir Su profecía sobre la destrucción de Jerusalén. El pueblo oyó que « . . . *el rey de Babilonia había puesto a Gedalías hijo de Ahicam para gobernar la tierra, y que le había encomendado los hombres y las mujeres y los niños, y los pobres de la tierra que no fueron transportados a Babilonia»* (Jeremías 40:7).

Gedalías estableció su gobierno en Mizpa, unas 8.05 kilómetros al noroeste de las ruinas de Jerusalén. Gedalías entonces hizo un banquete en honor de Ismael en Mizpa. Ismael era un líder de un partido nacional que estaba en contra de los babilonios. Durante este banquete Ismael y sus diez compañeros asesinaron a Gedalías (II de Reyes 25:25; Jeremías 40:7-41:18). Los israelitas que estaban en ese lugar parece que estaban esperando que Nabucodonosor se vengara otra vez. Entonces, ellos se escaparon a Egipto y aun forzaron a Jeremías a ir con ellos.

En Egipto Jeremías vio a los israelitas seguir en su decadencia y en sus pecados mientras que adoraban a Astoret diosa de los sidonios. *«Entonces . . . todo el pueblo que habitaba en tierra de Egipto, en Patros, respondieron a Jeremías, diciendo: La Palabra que nos has hablado en nombre de Jehová, no la oiremos de ti; sino que ciertamente pondremos por obra toda palabra que ha salido de nuestra boca, para ofrecer incienso a la reina del cielo, derramándole libaciones, como hemos hecho nosotros y nuestros padres, nuestros reyes y nuestros príncipes, en las ciudades de Judá y en las plazas de Jerusalén, y tuvimos abundancia de pan, y estuvimos alegres, y no vimos mal alguno. Mas desde que dejamos de ofrecer incienso a la reina del cielo y de derramarle libaciones, nos falta todo, y a espada y de hambre somos consumidos»* (44:15-19).

Algunos dirán que el piadoso profeta Jeremías, por seguro, se merecía haber sido tratado mejor que eso por su lealtad al Señor. Pero, aunque desanimado por la incredulez de su pueblo, Jeremías no tenía nada que temer, pues él sabía bien que su vida estaba en las manos de su Dios. Jeremías no se comprometió con ellos, pero se mantuvo fiel a Dios, sin tener cuidado de las consecuencias. Por seguro, todos nosotros también podemos decir junto con el apóstol Pablo, siervo de Dios: *«Y ciertamente, aun estimo todas las cosas como pérdida por la excelencia del conocimiento de Cristo Jesús, mi Señor, por amor del cual lo he perdido todo, y lo tengo por basura, para ganar a Cristo»* (Filipenses 3:8).

**Pensamiento para hoy:** Iluminemos el camino de alguien con la Luz de Dios cada día.

---

## EN LA LECTURA DE HOY
### El mensaje de Jeremías para Baruc;
### el juicio contra Egipto, contra Filistea, y contra Moab

---

Entre todas las profecías de Jeremías, el Señor decidió incluir un mensaje personal sólo para un hombre, a Baruc, el asistente descontento de Jeremías. *«Así ha dicho Jehová Dios de Israel a ti, oh Baruc: Tú dijiste: ¡Ay de mí ahora! porque ha añadido Jehová tristeza a mi dolor; fatigado estoy de gemir, y no he hallado descanso»* (Jeremías 45:2-3). Puede ser que Baruc esperaba que su servicio como un escriba le iba a ayudar a cumplir con sus ambiciones personales, ser bien reconocido, u otras metas egoístas.

El abuelo de Baruc, Maasías, había sido el gobernador de Jerusalén durante el reino de Josías (32:12; II de Crónicas 34:8). ¿Pensaba Baruc en secreto que él tenía una «gran lista de cualidades» para ser no más que un escriba para un profeta no muy popular?

En vez de recibir alguna recompensa, o aun algunas palabras de compasión, Baruc recibió una fuerte reprimenda del Señor: *«¿Y tú buscas para ti grandezas? No las busques . . . »* (Jeremías 45:5).

Baruc no expresó ningún dolor sobre la futura destrucción de Jerusalén y del templo de Dios, y sobre la triste esclavitud del pueblo, tal y como lo profetizó Jeremías. Al contrario, él solamente expresó pena por no poder cumplir con sus metas personales.

Aunque Baruc estaba registrando la Palabra de Dios que fue hablada por Jeremías, él no tenía un sentido espiritual ni el discernimiento de Jeremías, quien deseaba que el pueblo se arrepintiese de sus pecados y evitara su destrucción. Baruc tenía un gran privilegio como colaborador en el ministerio de Jeremías.

Nuestro tiempo y nuestros talentos son tesoros preciosos que el Señor ha depositado en nuestras vidas para cumplir Su voluntad en nosotros y por medio de nosotros. La verdadera satisfacción viene cuando reconocemos que Dios ha arreglado las circunstancias que vienen a nuestras vidas.

La actitud de Baruc es típica de las personas que están descontentas y frustradas por sus circunstancias o sus posiciones de poca o de menos importancia de las que ellos piensan que se merecen, o aun otras tantas personas que viven frustradas con sus cónyuges. Tales personas faltan en reconocer que *« . . . gran ganancia es la piedad acompañada de contentamiento»* (I de Timoteo 6:6).

**Pensamiento para hoy:** *«Mirad las aves del cielo, que no siembran, ni siegan, ni recogen en graneros; y vuestro Padre celestial las alimenta . . . »* (Mateo 6:26).

---

### ℰN LA LECTURA DE HOY

Los juicios contra los pueblos de Amón, Edom, Damasco, Cedar, Hazor, Elam, y Babilonia son predichos; la redención de Israel es prometida

---

*J*eremías profetizó que los amonitas, los descendientes de Lot que durante su historia habían sido hostiles a los israelitas, iban a ser destruidos (II de Crónicas 20:1-3; II de Reyes 24:1-2; Jeremías 27:3-6). La tierra de los hijos de Amón *«. . . será convertida en montón de ruinas, y sus ciudades serán puestas a fuego»* (49:2). El Señor entonces vuelve a hablar de Moab, que también eran descendientes de Lot, diciendo: *«He aquí Yo traigo sobre ti espanto, dice el Señor, Jehová de los ejércitos, de todos tus alrededores; y seréis lanzados cada uno derecho hacia adelante, y no habrá quien recoja a los fugitivos»* (49:5).

Después, nuestra atención se vuelve a Edom, una nación que descendía de Esaú, el hermano gemelo de Jacob. Edom siempre había sido un enemigo celoso de los descendientes de Jacob que se había unido a Nabucodonosor para saquear la ciudad de Jerusalén, y ellos aun extendieron su territorio hasta el sur de Judá, habitando un área que llegó a ser llamada Idumea. Por sus acciones contra Israel, el destino de Edom fue correctamente predicho por el profeta. Así ha dicho Jehová: *«Mas Yo desnudaré a Esaú . . . y no podrá esconderse . . . y dejará de ser»* (49:10-12).

Finalmente, el juicio sobre Babilonia fue presentado, un imperio mundial que parecía ser invencible. Pero Jeremías dijo: *«Palabra que habló Jehová contra Babilonia, contra la tierra de los caldeos. . . . Porque subió contra ella una nación del norte, la cual pondrá su tierra en asolamiento . . . »* (50:1-3).

Después de las profecías de destrucción, Jeremías profetizó la salida de Israel del cautiverio. Aquí notamos que al final de los días los israelitas demostrarán un arrepentimiento genuino y aceptarán a su Mesías, Jesús: *«En aquellos días y en aquel tiempo, dice Jehová, vendrán los hijos de Israel . . . diciendo: Venid, y juntémonos a Jehová con pacto eterno que jamás se ponga en olvido»* (50:4-5).

Sabemos que las potestades de las tinieblas tratan de desanimarnos en un esfuerzo para destruir nuestra fe en Dios. Pero tenemos que poner los ojos en el Rey que muy pronto vendrá otra vez. Nunca hay una razón válida para permitir que las presiones y los problemas de esta vida nos lleven a la depresión. Cuándo Satanás trata de bombardearnos con tristeza, entonces vamos a clamar en voz alta junto con el salmista, el rey David: *«Porque mejor es Tu misericordia* (Tu amor) *que la vida; mis labios Te alabarán»* (Salmo 63:3).

Dios no es glorificado por nuestros temores, ni por nuestras dudas, ni por nuestras frustraciones. *«Dad gracias en todo, porque esta es la voluntad de Dios para con vosotros en Cristo Jesús»* (I de Tesalonicenses 5:18).

**Pensamiento para hoy:** Dios siempre oye las oraciones de un pecador arrepentido.

## ᴇN LA LECTURA DE HOY
El juicio de Babilonia; la caída de Jerusalén; el cautiverio de Judá

ᴇl imperio espectacular de los caldeos sobrepasó todo lo que el mundo de aquel entonces sabía. Babilonia, su capital, parecía invencible con paredes de 300 pies de altura y lo suficiente anchas para poder correr dos carros juntos. El imperio babilónico tenía un gobierno absoluto sobre todas las naciones cuando Jeremías declaró: «*En un momento cayó Babilonia . . . ha venido tu fin . . . sino que para siempre ha de ser asolado*» (Jeremías 51:8,13,37,60-62).

Como predicho por el profeta, la capital de Babilonia: «*En un momento cayó*». Esto pasó la noche que el rey « . . . *Belsasar hizo un gran banquete . . . (y) aparecieron los dedos de una mano de hombre, que escribía . . . (en) la pared del palacio real*» (Daniel 5:1,5-9).

Ciro, el rey del imperio de los persas que conquistó a Babilonia impulsó a los judíos a volver a Jerusalén y reedificar el templo. Pero casi toda la generación de los ancianos que habían sido llevados cautivos a Babilonia ya se había muerto. La nueva generación estaba prosperando bajo el gobierno de Persia y, por consiguiente, no quería irse.

La desgana de la mayoría de los judíos de dejar el lujo de Babilonia y cambiarlo por la pobreza y la privación que iban a experimentar al volver a Jerusalén tiene un paralelo hoy en día. Esta historia describe exactamente a algunas personas que aman los placeres de este mundo en vez de responder al llamamiento de Jesucristo, quien nos dice: « . . . *Si alguno quiere venir en pos de Mí, niéguese a sí mismo, y tome su cruz, y sígame*» (Mateo 16:24).

Los que «serán seguidores» pueden considerar a Mateo, quien tenía una posición prestigiosa y de influencia en el gobierno. Pero Mateo sabía que habían otras cosas más importantes en esta vida que el vivir para satisfacer los deseos personales y egoístas, e inmediatamente decidió de negarse a sí mismo y ser un buen seguidor de Jesús. ¿Es posible «negarse a sí mismo, y tomar nuestra cruz», y al mismo tiempo dedicar nuestro tiempo, nuestro dinero, y nuestros talentos a los placeres personales durante el día de reposo? Por eso, Jesucristo nunca dijo: «*Por favor*», ni aun trató de convencer a nadie para que se «*negase a sí mismo, y tomara su cruz y le siguiera*» (16:24). De veras, nos engañamos cuando le damos al Señor una pequeña porción de lo mejor que tenemos.

Los verdaderos seguidores de Cristo mantienen sus ojos en el Rey que está por venir. Jesús urgió: «*Por tanto os digo: No os afanéis por vuestra vida. . . . Mas buscad primeramente el reino de Dios y Su justicia, y todas estas cosas os serán añadidas*» (Vamos a buscarlo interior, exterior, moral, y espiritualmente) (Mateo 6:25,33).

**Pensamiento para hoy:** Vivimos en este mundo, pero no vivimos por sus normas.

# INTRODUCCIÓN AL LIBRO DE
# 𝓛AMENTACIONES

El libro de Lamentaciones es una expresión de gran dolor sobre los pecados del pueblo que finalmente resultaron en la destrucción del templo de Dios y del reino de Judá. Jeremías sabía bien las consecuencias inevitables de la desobediencia. *«Pecado cometió Jerusalén, por lo cual ella ha sido removida. . . . Cumplió Jehová Su enojo, derramó el ardor de Su ira. . . . Es por causa de los pecados de sus profetas, y las maldades de sus sacerdotes . . . »* (Lamentaciones 1:8; 4:11-13).

Jerusalén era el único lugar sobre la faz de la tierra donde los sacrificios aceptables se podían traer a Dios. Este hecho le dio al pueblo un sentido falso de seguridad, pues Jerusalén era *«la ciudad del gran Rey»* (Salmo 48:2). Pero, el ignorar la Palabra de Dios resultó en el pecado, y el pueblo de Jerusalén estuvo sujeto a los horrores de la privación, las enfermedades, los sufrimientos, el hambre, y finalmente la destrucción de su templo sagrado (Lamentaciones 2:19-22; 4:8-10).

---

No lo que yo hago, mi Señor, ni lo que yo digo,
pero lo que soy, mi Señor, importa hoy.
Ocupados con nada llenamos los años,
apurados, preocupados, amontonando lágrimas.

¿Porqué no aprendo, mi Señor,
que el poder está dentro de mí?
¿Porqué no puedo ver, mi Señor,
la pérdida que trae mi pecado?
Si yo pudiera estar, mi Señor, creciendo en mi alma,
viendo cada día, mi Señor, claramente la meta.

Si yo pudiera vivir, mi Señor, discerniendo Tu faz,
aun más fuerte mantenido por Tu gracia.
¡Pues toma y conforma, mi Señor, este corazón mío,
hasta que sea, mi Señor, tal y como el Tuyo!

– M.E.H.

## ᐱN LA LECTURA DE HOY
### La lamentación de Jeremías sobre la destrucción de Jerusalén

*L*a santa ciudad de Jerusalén: «*se ha vuelto como viuda, la señora de provincias ha sido hecha tributaria. Amargamente llora en la noche, y sus lágrimas están en sus mejillas. No tiene quien la consuele de todos sus amantes; todos sus amigos le faltaron, se le volvieron enemigos. Judá ha ido en cautiverio a causa de la aflicción y de la dura servidumbre*» (Lamentaciones 1:1-3). Jeremías nos dice por qué es que Jerusalén fue reducido a tal destrucción deplorable: «. . . *Porque Jehová la afligió por la multitud de sus rebeliones; sus hijos fueron en cautividad delante del enemigo*» (1:5).

Judá había sido destruida y muchos se habían muerto de hambre. Ahora sus pocos habitantes que quedaban estaban siendo llevados por sus enemigos a otras tierras extranjeras. Todo lo que había sido tan precioso estaba ahora amontonado tristemente en ruinas.

Para ilustrar la miserable situación de los israelitas en sus sufrimientos y dolores, el profeta Jeremías compara las riquezas, la seguridad, y el orgullo de la ciudad de Jerusalén con una viuda que ha perdido a su esposo. El amoroso Señor había sido el Proveedor generoso y el Protector poderoso de Israel, pero ahora el pueblo había rechazado al Señor. Como una viuda, Jerusalén estaba ahora sola, llorando de noche, sin nadie que la consolare: «*Pecado cometió Jerusalén, por lo cual ella ha sido removida; todos los que la honraban la han menospreciado*» (1:8). Las casas fueron quemadas y el palacio derribado; pero aun mucho más trágico, el glorioso templo de Dios había sido destruido. Se les había olvidado que el pacto de Dios con Israel requería su propia obediencia voluntaria a la Palabra de Dios.

La única otra nación que ha sido fundada sobre Dios y Su Palabra es Los Estados Unidos de América. Es reconocida por todo el mundo como una nación cristiana, aun su moneda le dice al mundo: «En Dios confiamos». Pero, Dios no puede ignorar los pecados de ninguna persona ni aun los de una nación.

La negligencia espiritual finalmente nos lleva a la pérdida de la libertad. Es un hecho que el pecado nos engaña y ciega nuestros ojos a la realidad. En el pecado aun los enemigos a veces se ven como amigos, pero pronto muestran su verdadera naturaleza la cual destruye nuestra verdadera felicidad.

«*Dijo entonces Jesús a los judíos que habían creído en Él: Si vosotros permaneciereis en Mi Palabra, seréis verdaderamente Mis discípulos; y conoceréis la verdad, y la verdad os hará libres*» (Juan 8:31-32).

**Pensamiento para hoy:** «*Diré yo a Jehová: Esperanza mía, y castillo mío; mi Dios, en quien confiaré*» (Salmo 91:2).

## ✎N LA LECTURA DE HOY
### La misericordia de Dios; el castigo de Sion;
### los fieles se afligen sobre su desastre y confiesan sus pecados

*E*l profeta Jeremías fue uno de los grandes profetas en la historia bíblica, y pocos han sufrido tanta humillación pública, hostilidad, siendo rechazado como Jeremías. Por más de 40 años, él les advirtió a los israelitas de creer en Moisés y seguir la Ley de Dios o sufrir el juicio de Dios. Finalmente ellos se tuvieron que enfrentar a la destrucción inevitable de su glorioso templo y de Jerusalén, la ciudad de Dios.

Dios no permite el sufrimiento sólo por la causa del castigo. Dios siempre tiene dos propósitos: primeramente, como un juicio sobre el pecado, pero en segundo lugar, permitir a los que han ofendido a Dios la oportunidad de arrepentirse y comprometer sus vidas a Dios. Verdaderamente podemos alabar a Dios porque Él nos perdona todos nuestros pecados (I de Juan 1:9). El profeta Jeremías nos da esa seguridad de Dios: «*Antes si aflige, también se compadece según la multitud de Sus misericordias*» (Lamentaciones 3:32).

Por medio de la destrucción del templo vino la comprensión de la fatalidad del pecado y las consecuencias de la indiferencia sobre la Palabra de Dios. A eso le tenemos que añadir que ellos asumían que la promesa del pacto de Dios continuaría aun cuando la responsabilidad del pacto para con el pueblo era ignorada. Por esta razón el profeta suplicaba: «*Escudriñemos nuestros caminos, y busquemos, y volvámonos a Jehová*» (3:40). Jeremías le pidió al pueblo de venir delante de Dios confesando los pecados de la nación, en arrepentimiento y en obediencia a la Palabra de Dios.

Ese reino de Judá que había sido tan poderoso fue sometido a toda forma de humillación. Su pueblo tuvo que mendigar por el pan de los extranjeros, tuvo que pagar por el agua, y sin esperanza tuvo que contenerse al ver que sus hijos fueron llevados como esclavos y forzados al duro trabajo mandatorio, y aun sabiendo que los soldados paganos: «*Violaron a las mujeres en Sion, a las vírgenes en las ciudades de Judá*» (5:11). Aun podemos sentir el corazón quebrantado y el llanto del profeta al expresar su dolor: «*Cayó la corona de nuestra cabeza; ¡Ay ahora de nosotros! porque pecamos*» (5:16).

Los justos siempre sufren en medio de una nación malvada; pero, para los creyentes, el sufrimiento debe de abrir nuestros ojos a los verdaderos valores de esta vida. «*Y aquéllos* (nuestros padres terrenales), *ciertamente por pocos días nos disciplinaban como a ellos les parecía, pero Éste* (nuestro Padre Celestial) *para lo que nos es provechoso, para que participemos de Su santidad*» (Hebreos 12:9-10).

**Pensamiento para hoy:** La Palabra de Dios imparte la visión a los verdaderos valores.

# INTRODUCCIÓN AL LIBRO DE
# $\mathcal{E}$ZEQUIEL

Ezequiel vivió en Jerusalén durante el período de la gran reformación que vino después del descubrimiento de la Ley de Dios en el templo. Esto ocurrió durante el reino del rey Josías, el último rey piadoso de Judá (II de Reyes 22:8-20; 23:1-29). Después de la muerte del rey Josías, el pueblo escogió como su rey a su cuarto hijo, Joacaz, a quien también le llamaban Salum (23:30-34; I de Crónicas 3:15; Jeremías 22:10-12). Tres meses después, el Faraón Necao lo llevó en cadenas a Egipto, y puso al segundo hijo de Josías, Eliaquim, como rey de Judá (II de Reyes 23:31-34; II de Crónicas 36:1-4). El Faraón le cambió el nombre de Eliaquim a Joacim (II de Reyes 23:34-36). El rey Joacim estuvo sujeto al Faraón Necao por unos cuatro años (Jeremías 46:2), hasta que Nabucodonosor derrotó a los egipcios.

Después de haber derrotado a Egipto, Nabucodonosor entró a Jerusalén ese mismo año, despojó la capital y el templo de sus tesoros y casi todas las vasijas de oro, y se llevó a muchos de los jóvenes del linaje real de Judá como cautivos a Babilonia. Entre estos estaban Daniel y sus tres amigos (Daniel 1:1-3,6; Ezequiel 33:21).

Nabucodonosor dejó a Joacim como un rey-títere sin poder. Después siguió su hijo de 18 años de edad, Joaquín (también conocido como Jeconías y Conías). Este siguió la misma malvada política de su padre (II de Reyes 24:8-9). Después de sólo tres meses, Joaquín también fue llevado cautivo a Babilonia, junto con Ezequiel y diez mil hombres valientes del gobierno y artesanos: *«no quedó nadie, excepto los pobres del pueblo de la tierra»* (24:8-16).

Nabucodonosor entonces nombró a Matanías, quien era el tercer hijo de Josías, como gobernador de Judá, al cual le cambió el nombre a Sedequías (24:17; I de Crónicas 3:15). Unos diez años después, Sedequías también se rebeló contra Nabucodonosor, el cual otra vez atacó a Jerusalén, derribó sus paredes y al mismo tiempo destruyó el templo que Salomón había edificado (II de Reyes 24:18-25:21; II de Crónicas 36:11-21).

El cautiverio de Ezequiel empezó unos ocho años después que Daniel había sido llevado a Babilonia. Ezequiel fue llevado a Tel-abib, junto al río Quebar, un canal para el riego que llevaba el agua del río Éufrates por un semicírculo bien largo por todo el campo y volvía a unirse al río Éufrates.

Ezequiel profetizó por 22 años (Ezequiel 1:2; 29:17). El pensamiento clave en este libro es el corazón de nuestro Creador que dijo: «... *y sabrán que Yo soy Jehová su Dios»* (28:26; 39:22; 39:28).

## EN LA LECTURA DE HOY
La visión de Ezequiel sobre el control de Dios sobre los asuntos
mundiales; el llamamiento de Ezequiel;
las advertencias sobre el juicio venidero

Como cautivo de Nabucodonosor y viviendo lejos de la tierra prometida, Ezequiel no podía ofrecer sacrificios a Dios según su ley. Pero, le dio gran gozo a Ezequiel cuando *«vino Palabra de Jehová al sacerdote Ezequiel . . . (y) vino allí sobre él la mano de Jehová»* (Ezequiel 1:3).

En la primera visión de Ezequiel «*. . . venía del norte un viento tempestuoso, y una gran nube, con un fuego envolvente, y alrededor de él un resplandor, y en medio del fuego algo que parecía como bronce refulgente, y en medio de ella la figura de cuatro seres vivientes. Y esta era su apariencia: había en ellos semejanza de hombre»* (1:4-5). Los querubines (seres vivientes angélicos) estaban cumpliendo la perfecta voluntad de Dios.

Cada uno de los cuatro querubines tenían alas y manos y cuatro diferentes caras. Estos seres celestiales representan a Cristo, tal y como es presentado en los cuatro evangelios. La cara de león representaba el gobernador en el reino de los animales, y simboliza la real y suprema majestad de Jesucristo el Rey, tal y como lo presenta el evangelio según Mateo. La cara de buey representaba el animal domesticado más valioso, y simboliza la fuerza y el servicio paciente de Jesucristo, el Siervo de Dios, tal y como lo presenta el evangelio según Marcos. La cara de hombre representaba la humanidad de Cristo, y simboliza el Hombre perfecto, completamente humano, y aun completamente divino, tal y como lo presenta el evangelio según Lucas. La cara de águila representaba la admirable habilidad superior de poder subir a los cielos velozmente sobre todos los enemigos de la tierra, y simboliza la Deidad de Jesucristo, tal y como lo presenta el evangelio según Juan. La rapidez del águila también representa a Jesucristo por su habilidad que rápidamente protege, provee, o juzga. Desde que los querubines podían mirar simultáneamente en todas las direcciones, ellos estaban bien preparados para obedecer al instante la voluntad de Dios en cualquier dirección de vuelo con rapidez.

Los querubines se paraban al lado de las ruedas en medio de ruedas (1:16) donde una rueda giraba hacia el norte-sur y la otra hacia el este-oeste, y así no era necesario girar las ruedas en ninguna dirección. Y los querubines *«No se volvían cuando andaban, sino que cada uno caminaba derecho hacia adelante»* (1:9,12,17).

El Señor siempre está preparado para proteger y dirigir las vidas de Su pueblo. No sólo los rescató de Babilonia y de la adoración a los ídolos, pero también les proveyó con Su Palabra como la acción de guiar para el oportuno socorro. *«Porque el Hijo del Hombre vino a buscar y a salvar lo que se había perdido»* (Lucas 19:10).

**Pensamiento para hoy:** A pesar de nuestras circunstancias difíciles, vamos a confiar en el Señor para que todas las cosas nos ayuden a bien.

## ℰN LA LECTURA DE HOY
El hambre, las enfermedades, la espada; el remanente será perdonado; la visión de la gloria de Dios; la visión de la mortandad en Jerusalén

*C*atorce años después de la conquista inicial de Nabucodonosor sobre el reino de Judá, la vida en Jerusalén parecía haber vuelto a estar normal. Por consiguiente, el pueblo no quiso creer a Ezequiel, quien estaba en Babilonia, cuando él profetizó con respecto a Jerusalén: *«Vuestros altares serán asolados, y . . . serán desiertas las ciudades»* (Ezequiel 6:4-6). Aun los israelitas que estaban cautivos en Babilonia estaban seguros que Dios iba a proteger a Jerusalén y al único templo sobre la tierra donde la presencia de Dios moraba.

Pero Ezequiel continuó advirtiendo: *« . . . y al que esté en la ciudad lo consumirá el hambre y la pestilencia»* (7:15). ¡Qué profecía tan horrible!

Catorce meses después de su visión (1:1-2), Ezequiel informó: *« . . . el Espíritu me alzó . . . y me llevó en visiones de Dios a Jerusalén»* (8:1-5).

El profeta entonces vio en su visión: *«las grandes abominaciones que la casa de Israel (hacía) . . . malvadas abominaciones . . . mujeres que estaban allí sentadas endechando a Tamuz* (la diosa babilónica de la fertilidad), *(y) . . . como veinticinco varones, sus espaldas vueltas al templo de Jehová . . . y adoraban al sol, postrándose hacia el oriente»*. Como resultado de su desobediencia a la Palabra de Dios, los israelitas habían *« . . . llenado de maldad la tierra»* (8:6,9-14,16-17).

El pueblo no quería creer su segunda visión que mostró la razón por el horrible juicio que venía sobre Judá y sobre Jerusalén. Tal y como Ezequiel había profetizado: *« . . . ni su plata ni su oro podrá librarlos en el día del furor de Jehová»* (7:19). Lo mismo se puede aplicar hoy en día a nuestra generación con su exagerado énfasis sobre el materialismo, el éxito, y su denegación a leer la Palabra de Dios.

Las riquezas nunca fueron dadas por Dios con el propósito de acumularlas por egoísmo o desparramarlas sobre nosotros mismos. Dios les confía a las personas las riquezas *« . . . para hacer que abunde en vosotros toda gracia, a fin de que, teniendo siempre en todas las cosas todo lo suficiente, abundéis para toda buena obra»* (II de Corintios 9:8). La actitud del corazón es lo más importante, pues los ricos y aun los pobres desean siempre tener más posesiones.

El Espíritu Santo nos advierte: *«Porque los que quieren enriquecerse caen en tentación y lazo, y en muchas codicias necias y dañosas, que hunden a los hombres en destrucción y perdición»* (I de Timoteo 6:9).

**Pensamiento para hoy:** *«Pero gran ganancia es la piedad acompañada de contentamiento»* (I de Timoteo 6:6).

## ᴇN LA LECTURA DE HOY

La gloria del Señor se aleja del templo; el juicio contra
los líderes mentirosos; la promesa de la restauración y
la renovación de Israel;el cautiverio se acerca

*La* visión de Ezequiel reveló siete hombres enviados por Dios: uno a librar la minoría de los fieles y los otros seis a matar la mayoría de los idólatras. *«Y entre ellos había un varón vestido de lino»* que le ponía una señal en la frente a todos los que se habían mantenido fieles al Señor (Ezequiel 9:2-7). *«Entonces la gloria de Jehová se elevó de encima del umbral de la casa, y se puso sobre los querubines. Y alzando los querubines sus alas, se levantaron . . . y se pararon a la entrada de la puerta oriental de la casa de Jehová»* (10:18-19).

Ezequiel observó a los líderes de Jerusalén que, al parecer, estaban bendecidos y llamados para mantenerse a cargo de un pueblo favorecido, mientras que a otros se los habían llevado cautivos. Pero, en realidad, muchos de los cautivos despojados en Babilonia pronto supieron, por medio del sufrimiento, que tenían que arrepentirse de sus idolatrías paganas y confiar en el Señor Dios de Israel. Dios prometió un gran futuro para todos los que volvieron a Él. Mientras que Ezequiel se preparaba para salir del templo, él vio la presencia del Señor, la cual había estado sobre el propiciatorio del arca del testimonio en el lugar santísimo, que se alejaba lentamente del lugar donde Dios por tanto tiempo había escogido morar.

*«Y la gloria de Jehová se elevó de en medio de la ciudad»* (11:23), y con repugnancia se alejó de la *« . . . ciudad que Jehová eligió de todas las tribus de Israel, para poner allí Su nombre»* (I de Reyes 14:21). Parece que los israelitas estaban tan ocupados en sus infieles actividades religiosas que ni se dieron cuenta que ya Jehová se había apartado de ellos.

El Señor otra vez le dio a Ezequiel una profecía que sobrepasaba bien al futuro: *« . . . un espíritu nuevo pondré dentro de ellos; y quitaré el corazón de piedra de en medio de su carne . . . para que anden en Mis ordenanzas, y guarden Mis decretos y los cumplan, y Me sean por pueblo, y Yo sea a ellos por Dios»* (Ezequiel 11:19-20; ver 36:26-27). El apóstol Pablo escribió: *«un cuerpo, y un Espíritu, como fuisteis también llamados en una misma esperanza de vuestra vocación; un Señor, una fe, un bautismo, un Dios y Padre de todos, el cual es sobre todos, y por todos, y en todos. . . . Y Él mismo* (Jesucristo) *constituyó a unos, apóstoles; a otros, profetas; a otros, evangelistas; a otros, pastores y maestros, a fin de perfeccionar a los santos para la obra del ministerio, para la edificación del cuerpo de Cristo»* (Efesios 4:4-6, 11-12).

**Pensamiento para hoy:** La verdadera satisfacción y propósito en esta vida se encuentran solamente en Jesucristo – nunca en las cosas materiales.

---

### ᴇN LA LECTURA DE HOY

El juicio proferido sobre los ancianos de Israel y sobre Jerusalén; la parábola de la vid; las promesas de las bendiciones futuras por medio del nuevo pacto

---

*L*os israelitas estaban viviendo bajo el control de Nabucodonosor, quien se había llevado a miles de ellos cautivos. Otra vez vinieron a consultar con Ezequiel «. . . *algunos de los ancianos de Israel*» (Ezequiel 14:1), pretendiendo querer saber la voluntad de Dios. Pero el Señor le reveló a Ezequiel la hipocresía de ellos, diciendo: «. . . *estos hombres han puesto sus ídolos en su corazón. . . . Así dice Jehová el Señor: Convertíos, y volveos de vuestros ídolos, y apartad vuestro rostro de todas vuestras abominaciones. . . . (Y) Me sean por pueblo, y Yo les sea por Dios, dice Jehová el Señor*» (14:3,6,11).

Aunque los israelitas seguían ofreciendo regularmente sacrificios a Dios, ellos también con hipocresía adoraban a los ídolos populares de otras naciones. Por consiguiente, los israelitas se encontraron bajo el control de una nación pagana. Para ilustrar su primer propósito como el pueblo de Dios, el Señor le presentó esta pregunta a Ezequiel: «. . . *¿qué es la madera de la vid más que cualquier otra madera?*» (la vid fue usada por Dios muchas veces para ilustrar a Su pueblo) . . . «*¿Tomarán de ella madera para hacer alguna obra? . . . He aquí, es puesta en el fuego para ser consumida*» (15:2-4; Génesis 49:22; Deuteronomio 32:32; Salmo 80:8-11; Isaías 5:1-7; Jeremías 2:21; Oseas 10:1). Cada israelita sabía bien que la vid tenía valor sólo por su fruto y no servía para hacer algo útil o de valor duradero.

Ezequiel habló de la vid representando a Israel, elegido por Dios para dejarle saber al mundo que había solamente un Dios Verdadero, quien bendice a todos los que le honran por guardar (cumplir) con Su Palabra. Pero la vid había dejado de producir el fruto; por consiguiente, la única alternativa era desarraigar la vid y ponerla «. . . *en el fuego para ser consumida . . . ¿servirá para obra alguna? . . . Y pondré Mi rostro contra ellos; aunque del fuego se escaparon, fuego los consumirá; y sabréis que Yo soy Jehová*» (Ezequiel 15:4,7).

El juicio justo de Dios sobre los que estaban en Jerusalén tenía que ser consistente con sus grandes privilegios que ellos habían abandonado voluntariamente. Esta verdad sigue siendo igual hoy en día. «*Porque sabéis esto, que ningún fornicario, o inmundo, o avaro, que es idólatra, tiene herencia en el reino de Cristo y de Dios. Nadie os engañe con palabras vanas, porque por estas cosas viene la ira de Dios sobre los hijos de desobediencia*» (Efesios 5:5-6).

**Pensamiento para hoy:** Vamos a considerar nuestras prioridades hoy en día: ¿Estamos enredados en las cosas de este mundo o consagrados a servir al Señor?

## EN LA LECTURA DE HOY
La parábola de las dos águilas; el juicio por la mala conducta;
las bendiciones por la buena conducta; el dolor por los líderes de Israel

Dios le dio a Ezequiel una parábola: «... *Una gran águila* (Nabucodonosor), *de grandes alas y de largos miembros, llena de plumas de diversos colores, vino al Líbano*» (simbólico de Jerusalén, pues muchas de sus casas fueron hechas de cedros del Líbano), «*y tomó el cogollo* (el rey) *del cedro* (el pueblo). *Arrancó el principal de sus renuevos y lo llevó a tierra de mercaderes...*» (Ezequiel 17:1-4).

Esta parábola ilustra la gran extensión del dominio de Nabucodonosor. Las plumas del águila representan el gran número de naciones que fueron conquistadas. La expresión «*y tomó el cogollo*» representa que el rey de Judá fue quitado (17:12). «*Arrancó el principal de sus renuevos*», esto simboliza a Joaquín, el rey joven de Judá, que también el rey Nabucodonosor «*lo llevó a tierra de mercaderes*» (a Babilonia). Finalmente, había «... *una vid de mucho ramaje, de poca altura*» (Sedequías), «*y sus ramas miraban al águila...*» (Nabucodonosor) (17:6).

«*Había también otra gran águila*» (el rey de Egipto), «... *y he aquí que esta vid juntó cerca de ella sus raíces...*» (Sedequías) (17:7). «... *Así ha dicho Jehová el Señor: ¿Será prosperada? ¿No arrancará* (Nabucodonosor) *sus raíces?*» (al reino de Judá) (17:9). El propósito de esta profecía tan importante fue para avisarle a Sedequías de que él no debía de traicionar su promesa de sumisión a Nabucodonosor haciendo una alianza con Egipto. «*Cuando a Dios haces promesa, no tardes en cumplirla; porque Él no se complace en los insensatos. Cumple lo que prometes.... No dejes que tu boca te haga pecar...*» (Eclesiastés 5:4-6).

Sin embargo, en el noveno año de su reino, el rey Sedequías hizo un pacto militar con Egipto. Como consecuencia de esto, Nabucodonosor sitió la ciudad de Jerusalén y el pueblo sufrió muchos meses de hambre y enfermedades antes que por fin la ciudad y el templo fueron completamente destruidos.

La invasión de Nabucodonosor sobre Judá podía haber sido prevenida si Sedequías hubiese cumplido con honestidad su promesa. Nosotros también estamos obligados a cumplir las promesas que hacemos en el nombre de Dios, aun cuando se las prometemos a los incrédulos (Josué 9:19-20; II de Samuel 21:1-3; Salmo 15:4). Siempre hay consecuencias cuando no cumplimos con lo que hemos prometido, sea una promesa matrimonial o algún asunto de negocios. «*Cuando alguno hiciere voto a Jehová... hará conforme a todo lo que salió de su boca*» (Números 30:2).

**Pensamiento para hoy:** Todos los que aman al Señor guardan Sus mandamientos.

---

### ⚜️ EN LA LECTURA DE HOY

Dios se niega a ser consultado por los ancianos; la historia del rebelde Israel;
su derrota por Babilonia y su dispersión entre las naciones paganas

---

El rey y los líderes religiosos de Judá habían expresado un gran odio que seguía creciendo contra el profeta Jeremías por sus mensajes de juicio contra ellos. Las revelaciones y las visiones que Dios le dio a Ezequiel, cuando estaba viviendo en Babilonia, también fueron ignoradas. Siempre llega el tiempo cuando Dios tiene que dicir: *«Entonces me llamarán, y no responderé»* (Proverbios 1:28). Ahora ya era muy tarde para orar para ser librados de la destrucción que venía sobre Jerusalén. Sin embargo, Ezequiel registró esto: *« . . . vinieron algunos de los ancianos de Israel a consultar a Jehová, y se sentaron delante de mí»* (Ezequiel 20:1).

Entonces Dios le dio a Ezequiel este siguiente mensaje para los ancianos de Israel: *«¿A consultarme venís vosotros? Vivo Yo, que no os responderé, dice Jehová el Señor. . . . El día que escogí a Israel. . . . Mas ellos se rebelaron contra Mí . . . porque desecharon Mis decretos . . . porque tras sus ídolos iba su corazón»* (20:3,5,8,16). Después de esto, Ezequiel recibió un mensaje horrible del Señor para Israel: *« . . . Así ha dicho Jehová: He aquí que Yo estoy contra ti, y sacaré Mi espada de su vaina . . . para entregarla en mano del matador»* (Nabucodonosor) (21:3,11).

La profecía de Ezequiel acerca de una espada bien afilada reveló la inminente ruina de Jerusalén que Nabucodonosor vendría a cumplir. Sin duda, Nabucodonosor se felicitó a sí mismo por el espléndido triunfo sobre Judá cuando, en verdad, él solamente estaba sirviendo al Rey de reyes, y sin saberlo fue usado para cumplir el juicio de Dios sobre Su pueblo rebelde. *«La suerte se echa en el regazo; mas de Jehová es la decisión de ella»* (Proverbios 16:33).

El rey Sedequías, *«impío príncipe de Israel»* (Ezequiel 21:25), y el pueblo pronto serían secuestrados. Jerusalén y el templo serían destruidos para cumplir la profecía de Ezequiel: *« . . . a ruina lo reduciré, y esto no será más, hasta que venga Aquel cuyo es el derecho, y Yo (Dios) se lo entregaré»* (21:27).

No ha habido otro rey ungido por Dios para sentarse sobre el trono de David por los últimos 2.500 años. Durante la vida de Jesucristo sobre la tierra, un edomita llamado Herodes fue nombrado por Roma como meramente un rey-títere para gobernar sobre los judíos de Judea. Israel continuará existiendo sin un rey hasta la segunda venida de Jesucristo como el *« . . . Rey de reyes, y Señor de señores»* (I de Timoteo 6:15).

**Pensamiento para hoy:** Dios siempre está lleno de compasión para todos los que oyen Su Palabra, se arrepienten, y vienen a Él «hoy» – puede que mañana sea muy tarde.

---

### ℰN LA LECTURA DE HOY
Los pecados de Israel son enumerados; las abominaciones
de las dos hermanas; la parábola de la olla hirviendo;
la muerte de la esposa de Ezequiel

---

ℰn el mismo día que Dios le reveló a Ezequiel que su preciosa esposa, *«el deleite de tus ojos»*, se iba a morir, entonces Dios le dijo: «. . . *no endeches, ni llores, ni corran tus lágrimas»* (Ezequiel 24:16). Dios le dijo a Ezequiel que después de la muerte de su esposa, él tenía que mantenerse sin expresar todas las señales comunes de lamentarse por los muertos. Esto no quería decir que él no podía sentir la muerte de su esposa. Pero el dolor personal de su corazón tenía que ser mucho mayor sobre la muerte de la nación de Dios y la destrucción de Su templo, lo cual tomó lugar el mismo día que se murió la esposa de Ezequiel. *«Por lo que así ha dicho Jehová el Señor: Yo haré subir contra ellas tropas»* (el ejército de Nabucodonosor), «. . . *matarán a sus hijos y a sus hijas . . . y pagaréis los pecados de nuestra idolatría»* (23:46-49).

La noticia de la reacción tan espantosa de Ezequiel sobre la muerte de su esposa seguro que rápidamente se divulgó, pues el pueblo le preguntó: «. . . *¿No nos enseñarás qué significan para nosotros estas cosas que haces?»* (24:19). Entonces vino de Ezequiel esta respuesta trágica: «. . . *Así ha dicho Jehová el Señor: He aquí Yo profano* (destruyo) *Mi santuario, la gloria de vuestro poderío . . . y vuestros hijos y vuestras hijas que dejasteis* (en Jerusalén) *caerán a espada».* (Cuando llegue la noticia de la destrucción del templo), «. . . *entonces sabréis* (estaréis convencidos) *que Yo soy Jehová el Señor»* (pues Dios sigue confirmando Su Palabra) (24:21-24).

Finalmente, un mensajero que se había escapado de la desolación de Jerusalén llegó a Babilonia para dar el reporte de la destrucción de la ciudad (33:21). Tal y como los había prevenido Jeremías en Jerusalén y Ezequiel en Babilonia, la aceptación de los dioses falsos por los israelitas y la indiferencia para con la Palabra de Dios les trajo la destrucción de Jerusalén y la muerte de sus propios hijos e hijas. A veces vemos las personas de mente mundana sentir la pérdida de sus posesiones materiales, y a la vez muestran poco interés sobre el bienestar eterno de sus hijos. Jesucristo mismo nos dijo de no estar afanados sobre las cosas de este mundo, ni aun de nuestras propias necesidades diarias: *«Vosotros, pues, no os preocupéis por lo que habéis de comer, ni por lo que habéis de beber, ni estéis en ansiosa inquietud. Porque todas estas cosas buscan las gentes del mundo; pero vuestro Padre sabe que tenéis necesidad de estas cosas. Mas buscad el reino de Dios, y todas estas cosas os serán añadidas»* (Lucas 12:29-31).

**Pensamiento para hoy:** Vamos a permitirle a Cristo ser el Verdadero Señor de nuestras vidas.

## EN LA LECTURA DE HOY

Las naciones gentiles son juzgadas; el juicio sobre el rey de Tiro
y el destino de Satanás quien lo inspiró; la reunión futura de Israel

*T*iro era una de las ciudades más enriquecidas del mundo. Sus riquezas no fueron obtenidas por sus guerras, como fueron las de Babilonia, pero por medio de su comercio. Su flotilla (armada) de barcos fue la más grande entre todas las naciones. Ezequiel profetizó: «. . . *vino a mí Palabra de Jehová, diciendo . . . He aquí Yo estoy contra ti, oh Tiro*» (la reina orgullosa del mar) (Ezequiel 26:1,3). Dios le predijo que Tiro iba a ser completamente destruida, no sólo por su idolatría inmoral, pero también por sus celos contra la ciudad elegida de Dios. Tiro se regocijó sobre la caída de Jerusalén porque así ya no más existiría su mayor competidor, y dijo: «*Ea, bien; quebrantada está la que era puerta de las naciones . . . yo seré llena,* (prosperada) *y ella* (Jerusalén) *desierta*» (26:2).

La profecía de Ezequiel con sus detalles sobre la destrucción de Tiro nos deja sin dudas que solamente Dios, quien gobierna sobre cada detalle de los asuntos de esta tierra, puede decir: «*Y demolerán los muros de Tiro, y derribarán sus torres; y barreré de ella hasta su polvo, y la dejaré como una peña lisa. Tendedero de redes será en medio del mar* (su isla capital), *porque Yo he hablado, dice Jehová el Señor . . . y nunca más serás edificada*» (26:4-5,14).

Nabucodonosor sitió a Tiro por trece años y completamente destruyó la tierra de la principal ciudad. Durante ese largo tiempo, la administración de la ciudad y todas sus riquezas fueron llevadas a una isla cerca de su costa. Más de dos siglos pasaron hasta que Alejandro Magno sitió a Tiro, la cual era solamente una ciudad sobre una isla cerca de 0.8 kilómetros de la costa. Sabiendo que Alejandro no tenía una flotilla, sus hombres usaron las piedras de la antigua ciudad para edificar un puente que llegara hasta la isla y poder destruirla tal y como fue profetizado: «*y nunca más serás hallada*» (26:20-21). El pueblo de Tiro más nunca llegó a ser un poder mundial.

Tiro debe ser un ejemplo a las personas que se regocijan cuando su competición cae en bancarrota, o para el «creyente» que tiene resentimiento contra el éxito de sus «competidores» en la iglesia o en los negocios: «*Y manifiestas son las obras* (prácticas) *de la carne, que son: adulterio, fornicación, inmundicia, lascivia, idolatría, hechicerías, enemistades, pleitos, celos, iras, contiendas, disensiones, herejías, envidias, homicidios, borracheras, orgías, y cosas semejantes a estas; acerca de las cuales os amonesto, como ya os lo he dicho antes, que los que practican tales cosas no heredarán el reino de Dios*» (Gálatas 5:19-21).

**Pensamiento para hoy:** En medio de las tentaciones, vamos a determinar en nuestros corazones que nos vamos a mantener fieles a Dios.

## 𝓔N LA LECTURA DE HOY

La derrota de Egipto por Babilonia es predicha; la caída de Asiria – el aviso para Egipto; la lamentación (gran dolor) sobre la caída de Egipto

*𝓛*a profecía sobre Egipto vino a Ezequiel como un año después que Jerusalén había empezado a ser sitiada. Él predijo el fin de los faraones como gobernadores, y el fin de Egipto como una gran nación, Dios le dijo: *«Hijo de hombre, pon tu rostro contra Faraón rey de Egipto, y profetiza contra él y contra todo Egipto. . . . (Por) cuanto fueron báculo de caña a la casa de Israel. . . . He aquí que Yo traigo contra ti espada, y cortaré de ti hombres y bestias. Y la tierra de Egipto será asolada y desierta . . . por cuarenta años»* (Ezequiel 29:2-11).

Egipto ya no sería una nación poderosa en el mundo. Pero no iba a ser destruida completamente, como lo sería Babilonia. Ezequiel también predijo: *«Porque así ha dicho Jehová el Señor: Al fin de cuarenta años recogeré a Egipto . . . y volveré a traer los cautivos de Egipto . . . y allí serán un reino despreciable. En comparación con los otros reinos será humilde; nunca más se alzará sobre las naciones; porque Yo los disminuiré, para que no vuelvan a tener dominio sobre las naciones»* (29:13-15). Por los siglos Egipto se ha quedado como una nación pobre. Se ha mantenido como un testimonio de la autoridad suprema de Dios.

Durante el tiempo del Éxodo, las diez plagas forzaron a los egipcios a reconocer que sus propios dioses no tenían poder alguno contra el Único Dios Verdadero. Esto debería haber llevado a Egipto, y particularmente a Israel, a rechazar a sus ídolos y venir a adorar el Único Dios Verdadero de la creación.

El juicio de Dios sobre Israel, Judá, Tiro, Sidón, Egipto, y muchas otras naciones del mundo ha sido con el propósito de que reconozcan esto: *«y sabrán que Yo soy Jehová»* (29:9). Esta frase se menciona 66 veces en este libro solo, con el propósito de mostrar la exactitud absoluta y la importancia de la Palabra de Dios y Su soberanía sobre Su creación.

El tiempo futuro de redención y de restauración fue también predicho: *«En aquel tiempo haré retoñar el poder* (el cuerno) *de la casa de Israel»* (29:21; Salmo 92:10). El cuerno es un símbolo de poder y fuerza (I de Samuel 2:10). Tal y como fue profetizado, el pueblo de Dios, judíos y gentiles, tienen un destino futuro de gloria junto con Jesús de Nazaret como su Mesías – Rey de reyes.

*«(Para) que en el nombre de Jesús se doble toda rodilla de los que están en los cielos, y en la tierra, y debajo de la tierra; y toda lengua confiese que Jesucristo es el Señor, para gloria de Dios Padre»* (Filipenses 2:10-11).

**Pensamiento para hoy:** El orgullo le roba al Señor de Su gloria, pero el Señor dota Su gloria al humilde.

### ☙N LA LECTURA DE HOY

La destrucción y la restauración de Jerusalén es predicha;
la justicia de Dios en sus decisiones; la reprimenda
sobre los falsos pastores; la destrucción de Edom

*E*zequiel fue llamado por Dios *«atalaya* (profeta) *a la casa de Israel»* (y Dios le dijo), *«y oirás la Palabra de Mi boca, y los amonestarás de Mi parte»* (Ezequiel 33:7). Los israelitas que fueron dejados en Jerusalén, y también los cautivos en Babilonia, ignoraron los avisos de Ezequiel que Dios los iba a destruir si ellos seguían negándose a venir al arrepentimiento de sus caminos pecaminosos.

*«Aconteció en el año duodécimo de nuestro cautiverio* (en Babilonia) *. . . que vino a mí un fugitivo de Jerusalén, diciendo: La ciudad ha sido conquistada»* (33:21).

La mayoría de los judíos en Babilonia se quejaron de la muerte horrible que sus familiares sufrieron en Jerusalén y por la destrucción de su patria, pues todo esto era inconsistente con las promesas de Dios para protejerlos, y dijeron: *«No es recto el camino del Señor . . . »* (33:17). Pero el Señor les respondió: *«Cuando el justo se apartare de su justicia, e hiciere iniquidad, morirá por ello. Y cuando el impío se apartare de su impiedad, e hiciere según el derecho y la justicia, vivirá por ello»* (33:18-19).

Como predicho por Ezequiel, el juicio inevitable se había cumplido. Entonces el Señor le dijo a Ezequiel que les dijera: *« . . . a vuestros ídolos alzaréis vuestros ojos . . . hicisteis abominación . . . (y) sabrán que Yo soy Jehová, cuando convierta la tierra en soledad y desierto, por todas las abominaciones que han hecho»* (33:25-29). Todo esto fue realizado tal y como fue profetizado por Ezequiel el día que su esposa murió (24:18,25,26).

El mensaje de Ezequiel proclamó que el vivir en la santidad era la responsabilidad de los israelitas en su pacto de relación con Dios. Este pacto fue rechazado por los que se negaban a alejarse de sus pecados. Igualmente, hoy en día, el deseo de vivir vidas santas no es muy popular con la mayoría de la gente. Dios juzgará a todos los que aman al mundo – *«los deseos de la carne»* (la gratificación física), *«los deseos de los ojos»* (la codicia), *«y la vanagloria de la vida»* (las metas mundanas que tienen prioridades en nuestras vidas) (I de Juan 2:15-17). Tal y como los israelitas, muchas personas quieren vivir solamente en el amor de Dios mientras que al mismo tiempo ignoran Su mandamiento de ser justos. *« . . . (Así) como para iniquidad presentasteis vuestros miembros para servir a la inmundicia y a la iniquidad, así ahora para santificación presentad vuestros miembros para servir a la justicia* (santidad, pureza). *. . . . Porque el fin de ellas* (todo lo vergonzoso) *es muerte»* (Romanos 6:19,21).

**Pensamiento para hoy:** Una conducta pecaminosa nunca puede darnos una satisfacción duradera.

---

### EN LA LECTURA DE HOY
El valle de los huesos secos; la profecía
contra Gog; y la visión de un Israel restaurado

---

Después que Nabucodonosor destruyó a Jerusalén en el año 586 A.C., casi todos los israelitas que se quedaron atrás fueron dispersos a lo largo de Babilonia entre los exilados de muchas otras naciones paganas. Desde que su ciudad y su templo fueron destruidos, toda esperanza de restaurar su nación fue abandonada.

Fue durante este tiempo de desesperación nacional que Ezequiel recibió una nueva visión y dijo: «*La mano de Jehová vino sobre mí, y me llevó en el Espíritu de Jehová, y me puso en medio de un valle que estaba lleno de huesos*» (Ezequiel 37:1). Los huesos estaban secos y emblanquecidos, habiendo estado allí ya por mucho tiempo. «*Y me dijo: Hijo de hombre, ¿vivirán estos huesos? Y dije: Señor Jehová, Tú lo sabes. Me dijo entonces: Profetiza sobre estos huesos, y diles: Huesos secos, oíd Palabra de Jehová. Así ha dicho Jehová el Señor a estos huesos: He aquí, Yo hago entrar espíritu en vosotros, y viviréis*» (37:3-5).

Como nación, Israel estaba literal y espiritualmente muerta y sin esperanza de ser restaurada. Sin embargo, así como los huesos secos, no estaba enterrada. Ezequiel entonces continúa profetizando: «*. . . y hubo un ruido mientras yo profetizaba, y he aquí un temblor; y los huesos se juntaron cada hueso con su hueso*» (37:7). Ezequiel proclamó la Palabra de Dios, «*. . . y entró espíritu en ellos, y vivieron, y estuvieron sobre sus pies; un ejército grande en extremo*» (37:10). Aunque los israelitas estaban diciendo: «*. . . Nuestros huesos se secaron, y pereció nuestra esperanza, y somos del todo destruidos*» (de la tierra prometida) (37:11), este ejército fue lo que predijo la restauración futura de Israel.

Ezequiel fue entonces mandado a proclamar las buenas nuevas: «*Y sabréis que Yo soy Jehová . . . (y) pondré Mi Espíritu en vosotros, y viviréis, y os haré reposar sobre vuestra tierra . . .*» (37:13-14). Después de más de 2.500 años, hoy en día los israelitas existen otra vez como una nación dentro de la tierra prometida y muy pronto Dios cumplirá Su promesa a David. El Mesías Rey de Israel, Cristo Jesús, gobernará el mundo desde Jerusalén (Isaías 2:1-4).

Los huesos secos también describen nuestra naturaleza humana y pecaminosa cuando vivimos sin el poder transformador del Espíritu Santo. La vida eterna es posible cuando confesamos y nos arrepentimos de nuestros pecados y le permitimos a Jesucristo ser el Señor de nuestras vidas. «*Porque por gracia sois salvos por medio de la fe; y esto no de vosotros, pues es don de Dios; no por obras, para que nadie se gloríe*» (Efesios 2:8-9).

**Pensamiento para hoy:** ¡Jesucristo viene pronto! ¿Está usted listo?

## EN LA LECTURA DE HOY
### La visión del templo futuro

*U*nos años después de la visión de los huesos secos Ezequiel recibió otra visión: «*En el año veinticinco de nuestro cautiverio . . . a los catorce años después que la ciudad fue conquistada, en aquel mismo día vino sobre mí la mano de Jehová, y me llevó allá. En visiones de Dios me llevó a la tierra de Israel, y me puso sobre un monte muy alto . . .*» (Ezequiel 40:1-2). Esta nueva visión fue bien lejos hacia el futuro donde Ezequiel contempló un templo glorioso, aun más magnífico que el templo construido por Salomón.

Las medidas del templo y la gran cantidad de detalles sobre el edificio y su raro diseño arquitectural fueron aquí registrados; pero Dios no le dio las instrucciones a Ezequiel sobre quién lo iba a construir o cuándo sería construido. En un contraste bastante sorprendente, Dios sí le dio a Moisés instrucciones con detalles para construir el tabernáculo y aun los nombres de los artesanos quienes lo iban a construir en el desierto (Éxodo 29:9; 31:1-11). David también le dio instrucciones con detalles a Salomón sobre el templo.

Ningunas instrucciones fueron dadas a Zorobabel, en los mensajes de los profetas Hageo, Zacarías, Esdras, Nehemías, ni a ningún otro escritor inspirado, ni a nadie desde ese tiempo hasta hoy en día, para construir este templo espectacular.

Casi dos mil años han pasado, desde el año 70 D.C. cuando los romanos destruyeron el templo de Herodes, sin que se hayan recobrado el altar de bronce, el lavacro de bronce, los candeleros de oro puro, la mesa de la Presencia, o el altar de oro. El arca del testimonio, representando la Presencia de Dios, se desapareció en el año 586 A.C. cuando Nabucodonosor destruyó a Jerusalén.

El estilo original de adoración, ordenado por Dios, con el altar y los sacerdotes ofreciendo sacrificios por los pecados del pueblo, todos fueron sombras de Jesucristo, Su expiación (reconciliación) por nuestros pecados, y nuestra relación con Él por medio de Su sacrificio en la cruz. Por medio de los romanos, Dios les quitó a los judíos la oportunidad de ofrecer más sacrificios. Estas leyes fueron: «*. . . impuestas hasta el tiempo de reformar las cosas. Pero estando ya presente Cristo, Sumo Sacerdote de los bienes venideros, por el más amplio y más perfecto tabernáculo . . . sino por Su propia sangre, entró una vez para siempre en el Lugar Santísimo, habiendo obtenido eterna redención*» (Hebreos 9:10-12; ver Juan 4:21-24; Gálatas 3:23-25; Colosenses 2:17).

**Pensamiento para hoy:** Siempre buscamos lo que más atesora nuestro corazón, sea el Señor o las cosas del mundo – no se pueden buscar las dos al mismo tiempo.

> ## ✐N LA LECTURA DE HOY
> La visión de la gloria de Dios que llenaba el templo; las ordenanzas para los sacerdotes; la descripción del territorio para el santuario y para la ciudad

✐n visión de Dios, Ezequiel había sido testigo de que «*la gloria de Jehová*» se había alejado del magnífico templo hecho por Salomón que ahora estaba destruido (Ezequiel 9:3; 10:4,18-19; 11:22-23). Israel había elegido ignorar la Palabra de Dios y en verdad había adorado a los ídolos, al sol, y a todas clases de criaturas en el templo que se había dedicado para Dios solo (8:5-17).

Por consiguiente, los israelitas ahora sólo tenían las memorias de su reino que había sido tan glorioso, y se veían como esclavos en una tierra pagana. Ezequiel ahora recibe una visión de un templo futuro que será mucho más grande que el templo de Salomón, donde la gloria del Señor volverá a morar. Ezequiel entonces fue llevado «. . . *a la puerta que mira hacia el oriente; y he aquí la gloria del Dios de Israel, que venía del oriente; y Su sonido era como el sonido de muchas aguas, y la tierra resplandecía a causa de Su gloria. Y la gloria de Jehová entró en la casa por la vía de la puerta que daba al oriente. Y me alzó el Espíritu y me llevó al atrio interior; y he aquí que la gloria de Jehová llenó la casa*» (43:1-2,4-5).

En esta visión, el Señor de Gloria entró a Su nuevo templo por el mismo camino por el cuál había salido del antiguo templo (ver 10:19; 11:22-23). La puerta del oriente iba derecho a la entrada del templo del Rey eterno, quien dijo: «. . . *este es el lugar de Mi trono . . . en el cual habitaré entre los hijos de Israel para siempre; y nunca más profanará la casa de Israel Mi Santo Nombre . . .* » (43:7). El énfasis de esta visión está en la importancia de la santidad en la vida diaria del pueblo de Dios.

El templo, en su apariencia física, daba una sombra de la vida y el ministerio de Cristo. En el «Milenio» ya no habrá más necesidad para los tipos (las sombras) o los símbolos, pues Dios el Padre y Jesucristo, a quien los símbolos representaban, estarán para siempre presentes allí. Nuestra mayor preocupación no debe estar en cuándo ni cómo se cumplirán todas estas profecías. Pero nuestra mayor preocupación debe estar en que nuestro cuerpo, nuestra mente, y nuestro espíritu estén preparados para la venida de nuestro Señor. «*¿No sabéis que sois templo de Dios, y que el Espíritu de Dios mora en vosotros? Si alguno destruyere el templo de Dios, Dios le destruirá a él; porque el templo de Dios, el cual sois vosotros, santo es*» (I de Corintios 3:16-17).

**Pensamiento para hoy:** Hoy mismo vamos a estar propuestos a que otras personas puedan ver a Cristo en nuestras vidas.

---

### ✐N LA LECTURA DE HOY
La adoración al Príncipe; el río que procede del templo;
los límites y las divisiones de la tierra; las puertas de Jerusalén

---

La primera parte de esta visión final que Dios le dio a Ezequiel describe al *«templo»* (Ezequiel 40-43); la segunda parte describe la adoración y el carácter de los adoradores (44-46); y la parte final nos habla de las *«aguas que salían de debajo del umbral de la casa hacia el oriente»* (47-48), y de los límites y las divisiones de la tierra. Entre que más lejos corrían las aguas, más profundas estaban. Entre muchas otras cosas, estas aguas simbolizan nuestro continuo caminar con el Señor, pues, mientras que más y más experimentamos la completa suficiencia de Sus provisiones, entonces es que llegamos a reconocer que, sin ningún límite, las provisiones de Dios siempre abundan en todas nuestras necesidades.

La descripción de la tierra y de la ciudad son muy diferentes al estado geográfico del antiguo o presente Israel y Jerusalén. Esta es una visión que nos da a ver con anticipación el glorioso futuro que todos los creyentes en Jesús el Mesías van a experimentar. Todos los que conocen y aman a Jesucristo como su Salvador van a gozarse de una nueva tierra prometida durante el reino milenario de nuestro Señor y Salvador Jesucristo.

Ezequiel fue guiado por el guía al frente del templo. Las aguas aparentemente salían de debajo de la puerta oriental como un pequeño arroyo que corría *«mil codos»*, un poco menos de 0.54 kilómetros (47:2-3). El guía del profeta le *«hizo pasar por las aguas»*, y Ezequiel encontró que las aguas le llegaban *«hasta los tobillos»*. Este mismo proceso fue repetido por segunda vez y aun más por una tercera distancia, cada vez *«midió mil codos»*. En estos lugares Ezequiel encontró *«las aguas hasta las rodillas»*, y después encontró *«las aguas hasta los lomos»* (47:4). A la cuarta distancia de *«mil codos»* (47:5), las aguas se habían convertido en un gran río que ya no se podía cruzar porque era muy profundo.

Las aguas del río proveían vida para todos los árboles que daban buen fruto (47:9,12). Esto representa exacto lo que el Espíritu Santo hace en la vida de todos los que se rinden a Él. Empezamos a experimentar Su gracia que suple toda nuestras necesidades como un pequeño arroyo que sale de Jesucristo, quien es la Cabeza de la fuente, y que continúa creciendo en Su belleza mientras que caminamos diariamente a la luz de Su Palabra.

Nuestro amoroso Padre le ha provisto a Su pueblo con: «. . . *un río limpio de agua de vida, resplandeciente como cristal, que salía del trono de Dios y del Cordero. . . . Y el Espíritu y la Esposa dicen: Ven. . . . Y el que tiene sed, venga; y el que quiera, tome del agua de la vida gratuitamente»* (Apocalipsis 22:1-2,17).

**Pensamiento para hoy:** Las aguas vivas están disponibles para todos . . . *«los que tienen hambre y sed de justicia»* (Mateo 5:6).

# INTRODUCCIÓN AL LIBRO DE
# *Daniel*

El primer capítulo de Daniel fue escrito en hebreo, pero los capítulos 2-7 fueron escritos en arameo, el idioma común de los israelitas durante su cautiverio en Babilonia. Los capítulos 1-7 describen a Daniel con algunos de sus compañeros que se mantuvieron fieles a Dios a pesar de las presiones que amenazaban sus vidas. Estos fueron tomados de entre *«los hijos de Israel, del linaje real de los príncipes»*, y estaban entre los primeros que se llevaron cautivos a Babilonia (Daniel 1:1-17).

En los capítulos 8-12, Daniel escribe en hebreo sobre los eventos futuros. El ministerio de Daniel cubre el período completo del cautiverio de Judá en Babilonia. Él fue un siervo oficial en las cortes de las dinastías de los caldeos y de los medopersas. Daniel escribió durante un tiempo de gran dolor cuando los judíos se ven sufriendo sobre las pérdidas de muchas vidas y de todas sus posesiones en Jerusalén. El libro de Daniel les dio gran consolación a los exilados y también les dio la seguridad de que finalmente Israel iba a triunfar sobre sus enemigos. Sus escritos, sin duda, fueron la base de los magos sabios que cientos de años después entraron a Jerusalén, *«diciendo: ¿Dónde está el rey de los judíos, que ha nacido? Porque Su estrella hemos visto en el oriente, y venimos a adorarle»* (Mateo 2:2).

Sólo Daniel, por medio de la habilidad que Dios le dio, pudo interpretar el significado de la gigante imagen en el sueño de Nabucodonosor en el segundo capítulo. Esta fue la manera que Dios usó para llevar a Daniel a una posición prominente entre la administración del país. La imagen en el sueño de Nabucodonosor en el capítulo dos y la visión de Daniel en el capítulo siete dan un resumen similar de los imperios de Babilonia, Medopersia, Grecia, y Roma. Estas son las naciones que sucesivamente reinarían al mundo desde el tiempo de Nabucodonosor *«hasta que los tiempos de los gentiles se cumplan»* (Lucas 21:24). Cerca del final de esta presente dispensación, el anticristo *«(hará) guerra contra los santos»* (Daniel 7:21). Entonces Jesucristo vendrá otra vez y establecerá *«un reino que no será jamás destruido»* (2:44). La piedra cortada sin mano que *«fue hecha un gran monte que llenó toda la tierra»* (2:34-35), se refiere a Jesucristo.

Este libro revela el control soberano de Dios sobre todos los individuos, tal y como también sobre los gobiernos mundiales. Pronto Su reino llenará toda la tierra (2:35). Aunque es más fácil ser conmovidos por los detalles de estos eventos futuros, la obediencia es claramente el tema central de este gran libro. Jesucristo citó a Daniel cuando Él habló de *«la abominación desoladora»* (Mateo 24:15; Marcos 13:14; ver Daniel 9:27; 11:31; 12:11), y de la *«gran tribulación»* (Mateo 24:21; ver Daniel 12:1).

# DOS PERSPECTIVAS DE LOS GOBIERNOS QUE REINARÁN HASTA QUE SE CUMPLAN «LOS TIEMPOS DE LOS GENTILES»

*«Estabas mirando, hasta que una piedra fue cortada, no con mano, e hirió a la imagen en sus pies de hierro y de barro cocido, y los desmenuzó»* (2:34, 44-45).

## LA PERSPECTIVA DEL MUNDO
Un gigante deslumbrador que se debe admirar y alcanzar a cualquier precio: *«los deseos de la carne, los deseos de los ojos, y la vanagloria de la vida»* (su estilo de vida) (I de Juan 2:15-17).

## LA PERSPECTIVA DE DIOS
El sistema mundial está lleno de orgullo, egoísmo, avaricia, y crueldad, pero todo este sistema es solamente temporal: *«Y el mundo pasa, y sus deseos; pero el que hace la voluntad de Dios permanece para siempre»* (I de Juan 2:15-17).

## EL SUEÑO DE NABUCODONOSOR (Daniel 2:31-45)
## LAS VISIONES DE DANIEL (Daniel 7:1-9)

**BABILONIA**, en su reino mundial, es representado en el sueño de Nabucodonosor por *«La cabeza . . . de oro fino»* (Daniel 2:31-32, 37-38; 7:4,17). La cabeza de oro en el sueño de Nabucodonosor se ve también en la visión de Daniel como un león que tenía alas de águila. Tanto la cabeza de oro como el león representan a Nabucodonosor, el rey que conquistó a Israel, la nación que representaba el reino terrenal de Dios.

**MEDOPERSIA**, en su reino mundial, es representado en el sueño de Nabucodonosor por *«su pecho y sus brazos, de plata»* (2:32,39; 7:5,17; 8:5-8, 21-22; 11:3-20). Pero, en la visión de Daniel, se ve como un oso con tres costillas en su boca. El oso también representaba a Medopersia.

**GRECIA**, en su reino mundial, es representado en el sueño de Nabucodonosor por *«su vientre y sus muslos, de bronce»* (2:32,39; 7:6,17; 8:5-8, 21-22; 11:3-20). En la visión de Daniel, el vientre y los muslos de bronce se ven como un leopardo con cuatro alas de pájaro en su espalda. Como un leopardo, Grecia conquistó rápidamente el mundo de aquel entonces bajo el liderazgo del joven Alejandro Magno. En la segunda visión de Daniel, él vio a un carnero y a un macho cabrío (5:8). El macho cabrío con un cuerno notable (Grecia) atropelló al carnero (Medopersia) en pedazos. Después de su muerte, el reino de Alejandro Magno fue dividido entre sus cuatro generales, los cuales son representados por las cuatro cabezas del leopardo.

**ROMA**, en su reino mundial, es representado por *«sus piernas, de hierro»* (2:33, 40-44; 7:7-8, 23-24), el cual Daniel interpretó según el sueño de Nabucodonosor. Las dos piernas representan las dos grandes divisiones del gobierno de Roma. En la visión de Daniel, este reino se ve como una bestia espantosa y terrible que tenía unos dientes grandes de hierro, diez cuernos y un cuerno pequeño. Después de la derrota de Grecia, la próxima bestia (Roma) fue el cuarto imperio que gobernó al mundo.

**RESTABLECIMIENTO de ROMA – EL NUEVO ORDEN MUNDIAL** – los 10 dedos de sus pies – *«en parte de hierro y en parte de barro cocido»* (2:33, 40-44; 7:7-8, 23-24). Esta confederación consistirá de 10 reyes. En su gran esfuerzo para destruir a la cristiandad y gobernar al mundo entero, el anticristo muy pronto (el cuerno pequeño en la visión de Daniel 7:24) derrotará tres de los diez reyes de esta confederación. Por último, el nuevo orden mundial, bajo el control del anticristo, será destruido por Jesucristo (la Piedra de Daniel 2:45) que entonces establecerá Su reino aquí en la tierra por mil años tanto para Israel como para todos Sus seguidores verdaderos.

## EN LA LECTURA DE HOY
Daniel rechaza la comida del rey;
Daniel interpreta el sueño de Nabucodonosor;
Sadrac, Mesac y Abed-nego son rescatados del horno de fuego ardiendo

Después de ser capturados, Daniel y un grupo de israelitas escogidos fueron identificados como ciudadanos de Babilonia por sus nuevos nombres que se les dieron. Esto todo fue con la intención de quitarles su identidad como hijos de Dios. La intención del rey fue para que a estos hombres escogidos se les enseñara a pensar y a vivir como los babilonios. El nombre hebreo de Daniel significa «Dios es mi Juez», pero su nombre babilónico de Beltsasar significa «príncipe de Baal». Al oír su nuevo nombre día tras día, Daniel tenía que recordar que su comodidad, su propio estima, y su gran posición de las cuales ahora él se gozaba eran todas el resultado de ser «príncipe de Baal».

« . . . *Nabucodonosor* (tuvo) *sueños, y se perturbó su espíritu.* . . . *Hizo llamar el rey a magos, astrólogos, encantadores y caldeos, para que le explicasen sus sueños.* . . . *No hay hombre sobre la tierra que pueda declarar el asunto del rey* . . . » (Daniel 2:1-2,10). Pero, después que Daniel y sus compañeros oraron « . . . *el secreto fue revelado a Daniel en visión de noche*» y le proclamó al rey: *«Pero hay un Dios en los cielos, el cual revela los misterios, y Él ha hecho saber al rey Nabucodonosor lo que ha de acontecer en los postreros días»* (2:18-19,28).

Daniel le reveló al rey Nabucodonosor que la imagen gigante en su sueño representaba los reinos que gobernarían sobre la tierra. Nabucodonosor fue representado por:*«(la) cabeza de (la) imagen* (que) *era de oro fino».* «*(Su) pecho y sus brazos, de plata»* simbolizaría el imperio de Medopersia, el cual vendría a ser el próximo poder mundial que dominaría al mundo. El imperio de Grecia, representado por *«su vientre y sus muslos, de bronce»* vendría después (2:32). El cuarto imperio, *«sus piernas, de hierro; sus pies, en parte de hierro y en parte de barro cocido»* (2:33), representaría el imperio romano. Este ultimo será revivido como un gobierno mundial que será gobernado por el anticristo, quien será destruido en la segunda venida de Jesucristo, quien establecerá: « . . . *un reino que no será jamás destruido»* (2:44).

Babilonia y Jerusalén simbolizan dos lealtades diferentes tal y como nuestro Señor habló de las dos puertas, los dos caminos, y los dos señores. ¿Estamos nosotros viviendo según la Palabra de Dios o según los caminos de este mundo? Tal y como Jesucristo nos dijo: *«Ninguno puede servir a dos señores; porque o aborrecerá al uno y amará al otro, o estimará al uno y menospreciará al otro. No podéis servir a Dios y a las riquezas»* (Mateo 6:24).

**Pensamiento para hoy:** Jesucristo no sólo tiene los asuntos de hoy en día en Sus manos, pero Él también tiene el futuro de nuestras vidas en Sus manos.

---

### EN LA LECTURA DE HOY

El sueño de Nabucodonosor y la interpretación de Daniel;
la fiesta del rey Belsasar; Daniel en el foso de los leones

---

Belsasar fue el último rey que gobernó a Babilonia; él reinó cerca del cumplimiento de los 70 años del exilio de los judíos. En la misma noche que los ejércitos medopersas invadieron a Babilonia para derrotar y asesinar a Belsasar, él estaba celebrando «... *un gran banquete a mil de sus príncipes, y en presencia de los mil bebía vino.... Entonces fueron traídos los vasos de oro que habían traído del templo de la casa de Dios... en Jerusalén, y bebieron en ellos el rey y sus príncipe ... y alabaron a los dioses de oro y de plata ...* » (Daniel 5:1-4).

De pronto: «... *aparecieron los dedos de una mano de hombre*» (5:5), que escribía en la pared. Belsasar se llenó de temor «... *y sus rodillas daban la una contra la otra*» (5:6). Sus astrólogos y hechiceros no podían interpretar el mensaje. En su desesperación, Belsasar mandó a llamar a Daniel, quien parece haber sido ignorado por unos diez años por el rey, y con gran denuedo Daniel le proclamó: «*Esta es la interpretación del asunto ... Contó Dios tu reino, y le ha puesto fin*» (5:26). Esa misma noche «... *Darío de Media tomó* (le quitó) *el reino ...* » (5:31).

«*Pareció bien a Darío constituir sobre el reino ciento veinte sátrapas* (príncipes), *que gobernasen en todo el reino.... Pero Daniel mismo era superior a estos sátrapas y gobernadores ...* » (6:1,3). En un esfuerzo para destruir a Daniel, ellos le dijeron al rey: «*Todos los gobernadores del reino ... han acordado por consejo que promulgues un edicto real y lo confirmes, que cualquiera que en el espacio de treinta días demande petición de cualquier dios u hombre fuera de ti, oh rey, sea echado en el foso de los leones. Ahora, oh rey, confirma el edicto y fírmalo, para que no pueda ser revocado ...* » (6:7-8).

Desde que a Daniel no se le había pedido que él también tenía que adorar a algún ídolo, entonces él pudiera haber razonado en sí mismo así: «¿por qué no cooperar con ellos y orar en secreto a Jehová?»

«*Cuando Daniel supo que el edicto había sido firmado, entró en su casa, y abiertas las ventanas de su cámara que daban hacia Jerusalén, se arrodillaba tres veces al día, y oraba y daba gracias delante de su Dios, como lo solía hacer antes*» (6:10). Tenemos que preguntarnos: Si un decreto similar fuese establecido por el gobierno hoy en día, ¿nos importaría si no se nos permitiese leer la Palabra de Dios o adorar en la iglesia los domingos? Sí, es verdad que Daniel terminó en el foso de los leones pero, después él también pudo testificarle vigorosamente esto al rey: «*Mi Dios envió Su ángel, el cual cerró la boca de los leones, para que no me hiciesen daño ...* » (Daniel 6:22).

**Pensamiento para hoy:** El orgullo ciega nuestras mentes, y es por eso que no podemos ver la voluntad de Dios.

**EN LA LECTURA DE HOY**

La visión de las bestias que vio Daniel; la visión del carnero y del macho
cabrío; la oración de Daniel por su pueblo; la visión de las 70 semanas

*T*oda la grandeza del sueño de Nabucodonosor es después visto por Daniel
como una ambición personal y un poder salvage del rey. *«Daniel dijo: Miraba
yo en mi visión de noche, y he aquí que los cuatro vientos del cielo* (las fuerzas
políticas y sociales) *combatían en el gran mar»* (Daniel 7:2). Los *«cuatro vientos
del cielo»* representan las fuerzas de las ambiciones personales y la avaricia que
vinieron a estar en desafío delante de Dios y Sus elegidos. El *«gran mar»* es la
humanidad caída con su competición feroz, e ilustra la inestabilidad de las
personas sin Dios. *«Y cuatro bestias grandes* (naciones del mundo), *diferentes
la una de la otra, subían del mar* (en orden)*»* (7:3). Ellas corresponden a los
reinos de Babilonia, Medopersia, Grecia, y Roma. *«La primera* (bestia) *era
como león, y tenía alas de águila»* (7:4). Como la cabeza de la gran imagen era
de oro, así también el león representa el rey de los animales. *«Y he aquí otra
segunda bestia, semejante a un oso»* (7:5), que representa el imperio de
Medopersia, el cual vino después y conquistó a Babilonia.

La tercera bestia, *«(era) semejante a un leopardo, con cuatro alas de ave en sus
espaldas»*, representa el imperio de Grecia. *«Los cuatro vientos del cielo»* ilustran la
velocidad con la cual Alejandro Magno conquistó el mundo antiguo. *«. . . (Tenía)
también esta bestia cuatro cabezas; y le fue dado dominio»* (representan los cuatro
oficiales de Alejandro que dividieron su reino después de su muerte) (7:6).

La cuarta bestia . . . *«era muy diferente de todas . . . y tenía diez cuernos»*. Esta
bestia final era *«. . . espantosa y terrible y en gran manera fuerte, la cual tenía unos
dientes grandes de hierro; devoraba y desmenuzaba, y las sobras hollaba con sus
pies»* (7:7). Esto revela una expansión muy cruel. *«(Los) diez cuernos significan
que de aquel reino se levantarán diez reyes»* (7:24), y corresponden a *«los* (diez)
*dedos de los pies»* de la gigantesca estatua de Nabucodonosor, y representa la
confederación de diez poderes mundiales que aún reinarán sobre la tierra.

Los diez cuernos (7:24) corresponden a los diez dedos de los pies de la gran
imagen de Nabucodonosor y representan una confederación futura de diez reinos.
Daniel declaró: *«Mientras yo contemplaba los cuernos, he aquí que otro cuerno
pequeño . . . este cuerno tenía ojos como de hombre, y una boca que hablaba
grandes cosas»* (7:8,23). Este cuerno pequeño representa al anticristo quien *«. . .
hablará palabras contra el Altísimo, y a los santos del Altísimo quebrantará»* (7:25).

El anticristo destruirá todo lo que se pone en su camino para poder llegar
a su meta del dominio mundial (I de Juan 2:18-22;4:3; II de Juan 1:7). Sin
embargo, en medio de una extremada persecución, la Piedra (Jesucristo)
quebrantará en pedazos la imagen gigante (todos los gobiernos mundiales).
Todos los creyentes esperamos juntos con el apóstol Pablo: *«cuando venga
(Jesucristo) en aquel día para ser glorificado en Sus santos y ser admirado en
todos los que creyeron»* (II de Tesalonicenses 1:10).

**Pensamiento para hoy:** La satisfacción viene cuando vivimos para Jesús.

> ### EN LA LECTURA DE HOY
> El mensajero celestial es detenido; la profecía de los reinos
> desde Daniel hasta el anticristo; la gran tribulación

El reino de Dios y los reinos de este mundo son presentados por Daniel como reinos en un estado constante de conflictos que finalmente dan camino a una hostilidad por todo el mundo contra Dios y Su pueblo. Daniel registró que durante el período del imperio romano que será renovado al final de esta presente dispensación una persecución terrible se llevará a cabo.

Jesucristo nos habló de «*la abominación desoladora*» que todavía está por venir (Marcos 13:14). El más malvado de todos los anticristos: «*. . . hará su voluntad, y se ensoberbecerá, y se engrandecerá sobre todo dios; y contra el Dios de los dioses hablará maravillas, y prosperará, hasta que sea consumada la ira; porque lo determinado se cumplirá*» (Daniel 11:36).

Ya sabemos que estamos en los últimos tiempos y que «*. . . han surgido muchos anticristos*» durante los últimos dos mil años, tal y como el apóstol Juan lo predijo (I de Juan 2:18); y la fuerza que ha estado moviendo a todos los anticristos es la destrucción del reino de Dios. «*En aquel tiempo . . . será tiempo de angustia, cual nunca fue desde que hubo gente hasta entonces; pero en aquel tiempo será libertado tu pueblo, todos los que se hallen escritos en el libro . . .* » (Daniel 12:1).

Daniel también dijo: «*Y yo oí, mas no entendí. Y dije: Señor mío, ¿cuál será el fin de estas cosas? Él respondió: Anda, Daniel, pues estas palabras están cerradas y selladas hasta el tiempo del fin*» (12:8-9). Daniel admitió que habían muchas cosas en sus profecías que él mismo no entendía, pero que él tenía la suprema seguridad que Dios controla el futuro y que Su pueblo reinará para siempre con Él. Una gran paz mental puede descansar dentro de los corazones del pueblo de Dios con la seguridad de que Jesucristo al final ha ganado la victoria, tal y como lo predijo Daniel: «*Muchos serán limpios, y emblanquecidos y purificados; los impíos procederán impíamente, y ninguno de los impíos entenderá, pero los entendidos comprenderán*» (12:10). Estos capítulos finales de las profecías de Daniel nos recuerdan que debemos estar preparados para la inminente segunda venida de Jesucristo, cuando Él reinará y gobernará sobre todo el mundo. «*Puesto que todas estas cosas han de ser deshechas, ¡cómo no debéis vosotros andar en santa y piadosa manera de vivir, esperando y apresurándoos para la venida del día de Dios . . . !*» (II de Pedro 3:11-12).

**Pensamiento para hoy:** No hay ninguna necesidad de temer, pues nuestro Creador nos ama.

# INTRODUCCIÓN AL LIBRO DE
# $\mathcal{O}$SEAS

Oseas vivió en el reino del norte de Israel y profetizó unos 50 años durante los reinos de «... *Uzías, Jotam, Acaz y Ezequías, reyes de Judá, y en* (los) *días de Jeroboam hijo de Joás, rey de Israel»* (Oseas 1:1).

Parece que durante el ministerio de Oseas el reino del norte estaba experimentando una gran prosperidad y su territorio se estaba extendiendo. Esto fue causado primariamente por la decadencia de Siria (Aram) y de Moab, lo que resultó que el reino del norte de Israel tomara el control de las mayores rutas de comercio entre la región del este al oeste. Entre tanto, los centros de adoración del becerro de oro, edificados muchos años antes en las ciudades de Betel y de Dan, habían preparado el malvado camino a la adoración de Baal y de Astoret y a la corrupción y la declinación espiritual de Israel (I de Reyes 12:28-32; ver Oseas 2:13; 10:5-6; 13:2).

La invasión de los asirios tomó lugar cuando Ezequías era el rey de Judá (Isaías 36). Oseas huyó a Judá después de ser testigo de la destrucción del reino del norte de Israel. Oseas experimentó mucho dolor y sufrimientos y una gran humillación por su esposa infiel, Gomer. Su vida de ramera ilustró cómo fue que Israel había quebrantado su pacto de relación con Dios, tal y como una esposa que se va con otros amantes es infiel a su cónyuge en el pacto matrimonial (Oseas 2:7-13). El gran amor y perdón de Oseas para su esposa infiel, y la restauración de su matrimonio fue un ejemplo para Israel de cómo Dios, en Su misericordia, iba a restaurar Sus bendiciones sobre la nación, sólo si ellos volviesen a Él (2:8,15-16; 10:12; 11:8-9; 12:6; 14:1,4). La nación de las diez tribus del norte de Israel se llamaba «Efraín» y es citado más de 35 veces en este libro porque ellos eran la tribu más grande.

Algunos que se llaman a sí mismos «cristianos» han abandonado a Dios y, como Israel, son culpables de la hipocresía espiritual (4:1-2), el adulterio que está por todas partes (4:2,11; 7:4), los negocios falsos (10:4; 12:7), la idolatría (4:12-13; 8:5; 10:1,5; 13:2), la embriaguez (4:11; 7:5), como el resultado de ignorar de la Palabra de Dios (4:4,10; 8:14). La historia de Israel debe servir como un aviso que nuestro amante Creador nos llama a todos nosotros en ser fiel. Pero, si fallamos en serle fiel, Su justo juicio caírá sobre los incrédulos.

---

**Pensamiento clave:** *«Mi pueblo fue destruido, porque le faltó conocimiento. Por cuanto desechaste el conocimiento, Yo te echaré del sacerdocio; y porque olvidaste la Ley de tu Dios, también Yo Me olvidaré de tus hijos»* (Oseas 4:6).

---

## ℰN LA LECTURA DE HOY

Israel es comparado a una esposa infiel; el juicio sobre un Israel adúltero;
Jehová se aleja de Su pueblo; se insiste el arrepentimiento

*J*eroboam II fue rey cuando el reino del norte estaba al final de su existencia. A él le siguieron los breves reinos de Zacarías, Salum, Manahem, Pekaía, Peka, y el rey Oseas (no el profeta). Durante ese tiempo, Oseas, Abdías, Jonás, Amós, y probablemente Joel, eran los profetas de Dios.

Jeroboam II siguió el malvado ejemplo de Jeroboam I, el primer rey de las diez tribus del norte de Israel, las cuales se separaron del reino unido después de la muerte de Salomón (I de Reyes 11:26-40; 12:2-20).

El nivel moral y espiritual de los israelitas había declinado tanto que se habían unido a los sodomitas (una secta de hombres homosexuales): *«Hubo también sodomitas en la tierra, e hicieron conforme a todas las abominaciones de las naciones que Jehová había echado delante de los hijos de Israel»* (de Canaán) (14:24). Ni aun uno de los 19 reyes del reino del norte de Israel trató de guiar a su pueblo a la adoración de Dios en Jerusalén tal y como Dios se lo había instruido. Fue bajo estas circunstancias que: *«Palabra de Jehová que vino a Oseas . . . en* (los) *días . . . de Jeroboam hijo de Joás, rey de Israel. . . . (Porque) no Me compadeceré más de la casa de Israel, sino que los quitaré del todo»* (Oseas 1:1-6).

El Señor habló contra Su pueblo por medio de Oseas, diciendo: *«Oíd Palabra de Jehová . . . porque no hay verdad, ni misericordia, ni conocimiento de Dios en la tierra. Perjurar, mentir, matar, hurtar y adulterar prevalecen . . . »* (4:1-2). Dios les reveló las consecuencias de sus pecados, diciéndoles: *«Mi pueblo fue destruido, porque le faltó conocimiento. Por cuanto desechaste el conocimiento, Yo te echaré del sacerdocio; y porque olvidaste la Ley de tu Dios, también Yo Me olvidaré de tus hijos»* (4:6).

Los reyes de Israel, junto con sus líderes políticos y religiosos, se negaron a ver la importancia de la obediencia a la Palabra de Dios. En los días de Su vida aquí en la tierra, Jesús oró *«Y esta es la vida eterna: que te conozcan a Ti, el Único Dios Verdadero, y a Jesucristo, a quien has enviado. . . . Yo les he dado Tu Palabra; y el mundo los aborreció; porque no son del mundo, como tampoco Yo soy del mundo. No ruego que los quites del mundo, sino que los guardes del mal. . . . Santifícalos en Tu verdad; Tu Palabra es verdad»* (Juan 17:3,14-15,17).

**Pensamiento para hoy:** El verdadero amor para con el Señor se expresa por medio de nuestras vidas cuando perdonamos a los que nos ofenden.

## ☙N LA LECTURA DE HOY

El pecado de Israel es reprendido y su cautiverio es predicho;
la inmediata ruina de Israel pero también su bendición final

El reino del norte de Israel «. . . *no se volvieron a Jehová su Dios, ni lo buscaron con todo esto. Efraín* (simbólico del reino del norte) *fue como paloma incauta, sin entendimiento; llamarán a Egipto, acudirán a Asiria»* (Oseas 7:10-11), buscando la seguridad nacional en vez de confiar en el Señor según Su Palabra. Nada podía haber sido más necio que buscar ayuda de Egipto, el cual les había sujetado a la esclavitud cruelmente un tiempo atrás, o que hacer amistad con la impiadosa Asiria, la cual pronto los iba a destruir.

Los líderes de Israel: «. . . *ellos subieron a Asiria.* . . . *Olvidó, pues, Israel a su Hacedor.* . . . *Llegaron hasta lo más bajo en su corrupción.* . . . *La gloria de Efraín volará cual ave* . . . *y andarán errantes entre las naciones»* (8:9,14; 9:9,11,17). El Señor le dio a Israel un fuerte llamamiento de corazón para volver a Él antes de ser destruidos: «. . . *porque es el tiempo de buscar a Jehová, hasta que venga y os enseñe justicia»* (10:12). Podemos sentir el corazón quebrantado de Dios al decir: «*Con cuerdas humanas los atraje, con cuerdas de amor* . . . » (11:4). Amorosamente Él clamó: «*Vuelve, oh Israel, a Jehová tu Dios; porque por tu pecado has caído»* (14:1).

Neciamente Israel había puesto su confianza en otras naciones y en falsos dioses (5:13; 7:11; 8:9-10) y en su propia fuerza (12:8), en vez de en el Único que es el Verdadero Salvador. Aún, vemos la voluntad del Señor en mostrar misericordia, como siempre Él lo hace a cualquier pecador arrepentido, al decir: «*Yo sanaré su rebelión, los amaré de pura gracia* . . . » (14:4). Las últimas palabras del profeta Oseas antes que los israelitas fueran conquistados por los aisirios son un buen recordatorio para todos nosotros: «*¿Quién es sabio para que entienda esto, y prudente para que lo sepa? Porque los caminos de Jehová son rectos, y los justos andarán por ellos; mas los rebeldes caerán en ellos»* (14:9).

Cuando nos arrepentimos, alejándonos de nuestros pecados, y recibimos a Jesucristo como nuestro Único Salvador, dejando al Espíritu Santo morar y controlar nuestras vidas, es que verdaderamente podemos vivir libres del poder de Satanás, del poder del pecado, y libres de la muerte espiritual. «*Si decimos que tenemos comunión con Él, y andamos en tinieblas, mentimos, y no practicamos la verdad* . . . *estas cosas os escribo para que no pequéis; y si alguno hubiere pecado, abogado tenemos para con el Padre, a Jesucristo el Justo. Y Él es la propiciación por nuestros pecados; y no solamente por los nuestros, sino también por los de todo el mundo»* (I de Juan 1:6; 2:1-2).

**Pensamiento para hoy:** Todos los que se regocijan en el Señor también pueden regocijarse en las tribulaciones.

# INTRODUCCIÓN AL LIBRO DE
# *J*OEL

El fin del tiempo aún futuro *«el día de Jehová»*, es mencionado cinco veces en este libro (Joel 1:15; 2:1,11,31; 3:14), y Judá se menciona seis veces (3:1,6,8,18-20). Pero, desde que las diez tribus del reino del norte no son mencionadas, asumimos que ya habían sido destruidas por los asirios y que Jerusalén muy pronto se enfrentaría a una destrucción similar por los babilonios.

Joel profetizó una advertencia de un desastre nacional que venía como resultado de la nación haberse alejado de la Palabra de Dios. Joel compara este *«el día de Jehová»* como una invasión de langostas destruyendo todo el país, devorando las siembras, despojando todas las hojas de los árboles y llevándolos a un hambre severa. Joel predijo: *«Porque pueblo fuerte e innumerable subió a mi tierra . . . Asoló mi vid, y descortezó mi higuera; del todo la desnudó y derribó; sus ramas quedaron blancas . . . »* (1:7,9). La invasión fue por *« . . . un pueblo grande y fuerte»* (2:2). Tal y como son muchas de las profecías, hay una aplicación local y una aún futura. Joel anunció que *« . . . semejante a él no lo hubo jamás, ni después de él lo habrá en años de muchas generaciones» (2:2)*. Esa nación iba a atacar la tierra y dejarla *« . . . como desierto asolado; ni tampoco habrá quien de él escape»* (2:3). Por razón de la destrucción venidera, el Señor clama a la nación para venir al arrepentimiento: *« . . . dice Jehová, convertíos a Mí con todo vuestro corazón»* (2:12). Si ignoraban la súplica del Señor, entonces ellos tendrían que enfrentarse a una invasión que vendría inevitablemente y destruiría a la nación de Judá.

El profeta Joel también predijo sobre ese futuro *«día de Jehová»* (2:11), cuando Dios después derramaría *«(Su) Espíritu sobre toda carne»* (2:28). Hoy en día estamos viviendo en *«los postreros días»* que empezaron en el día de Pentecostés, cuando *« . . . fueron todos llenos del Espíritu Santo»* (Hechos 2:4,17). El apóstol Pedro claramente declaró: *«Mas esto es lo dicho por el profeta Joel . . . »* (Hechos 2:16).

La profecía de Joel también predijo el tiempo del juicio del Señor, diciendo: *«reuniré a todas las naciones, y las haré descender al valle de Josafat»* (Joel 3:2). Muchos eruditos creen que este *«valle»* está situado hoy en día al lado este de Jerusalén y que es conocido como el valle de Cedrón, o también *«el valle de la decisión»* (3:14). Pronto las naciones que se oponen al reino de Dios se unirán para una gran guerra; pero será su último día de juicio. Jesucristo, el Príncipe de Paz, dará la nota final a todas las guerras y empezará Su glorioso reino de paz: *«Jerusalén será santa, y extraños no pasarán más por ella. . . . Jehová morará en Sion»* (3:17,21).

## ✐N LA LECTURA DE HOY

La plaga de los insectos; el llamamiento de Joel al arrepentimiento;
el día de Jehová; el Espíritu Santo; la restauración de Israel;
el juicio de las naciones

*J*oel da avisos de la inminente destrucción de Jerusalén. En Su misericordia, *«Palabra de Jehová que vino a Joel, hijo de Petuel. . . . Tocad trompeta en Sion, y dad alarma en Mi santo monte . . . »* (Joel 1:1; 2:1). La trompeta fue usada a menudo con propósitos religiosos para llamar a la congregación a unirse, para anunciar las fiestas solemnes y los días de fiesta, y por el atalaya para avisar de algún peligro venidero (Números 10:1-10). En este caso, la trompeta fue usada para avisarles de un gran ejército enemigo que venía. Pero, aun los pecados de los enemigos, que estaban entre ellos en Israel, eran muchos más serios que el enemigo que se acercaba. *«(Porque) viene el día de Jehová, porque está cercano. Día de tinieblas y de oscuridad . . . ni tampoco habrá quien de él escape. . . . Por eso pues, ahora, dice Jehová, convertíos a Mí con todo vuestro corazón, con ayuno y lloro y lamento.»* (Joel 2:1-12).

La única condición indispensable para recibir el perdón y ser aceptado por el Señor es el arrepentimiento genuino. El verdadero arrepentimiento es triple: Primeramente, es un dolor por los pecados que hemos cometido contra Dios, y también contra otras personas; en segundo lugar tenemos que venir al Señor, pidiéndole Su perdón por todos nuestros pecados; y en tercer lugar, tenemos que abandonar el pecado para llegar a vivir vidas que agradan a nuestro Señor y Salvador Jesucristo.

El apóstol Pedro predicó sobre el significado profético de las palabras de Joel, diciendo: *«Y todo aquel que invocare el nombre del Señor, será salvo»* (Hechos 2:21). Después, él (Pedro) concluyó su mensaje al decir: « . . . *Arrepentíos, y bautícese cada uno de vosotros en el nombre de Jesucristo para perdón de los pecados; y recibiréis el don del Espíritu Santo. Porque para vosotros es la promesa, y para vuestros hijos, y para todos los que están lejos»* (Hechos 2:38-39). Todos nosotros estamos entre esos que *«están lejos»;* y la invitación y la promesa que publicó Pedro todavía se les ofrecen hoy a todos.

El profeta Joel también predijo sobre el final *«día de Jehová»* que aún está por venir: *«¡Ay del día! porque cercano está el día de Jehová, y vendrá como destrucción por el Todopoderoso»* (Joel 1:15). Esto traerá a fin el gobierno miserable de la humanidad pecaminosa y finalmente le dará las bienvenidas al reino de Jesucristo, el Justo Rey de Paz.

Jesucristo habló sobre ese tiempo triunfal: *«y verán al Hijo del Hombre viniendo sobre las nubes del cielo, con poder y gran Gloria»* (Mateo 24:30).

**Pensamiento para hoy:** El Espíritu Santo trabaja en nuestras vidas al mismo nivel que nos rendimos a Su voluntad tal y como está revelada en Su Palabra.

# INTRODUCCIÓN AL LIBRO DE
# *Amós*

Amós no era un sacerdote, ni aun fue disciplinado en la escuela de los profetas; él fue meramente un pastor de ovejas y cuidaba de una higuera de sicomoro (higos) cerca del pequeño pueblo montañoso de Tecoa. Pero, en obediencia a la Palabra de Dios, él llegó a ser profeta de Dios (Amós 1:1; 7:14). Tecoa estaba situada a unas 16.09 kilómetros al sur de Jerusalén, en un área conocida como el desierto de Judá, en el reino del sur de Judá. Sin embargo, Dios llamó a Amós a predicar en el reino del norte de Israel (1:1; 3:9; 7:7-17). En obediencia a este llamamiento, Amós viajó al norte unas 35.4 kilómetros hasta Betel, el lugar más al sur del reino de Israel, donde estaban los centros de adoración de los dos becerros de oro. Amós entonces denunció la idolatría religiosa y sus maleantes actividades sociales (2:6-8; 3:9-10; 4:1-5).

La profecía de Amós parece que fue proclamada «*en la puerta de la ciudad*» (5:10,12,15), el centro de los negocios y de la administración de la ciudad, y el lugar donde los ancianos juzgaban al pueblo (Jeremías 17:19; 19:2-3). Fue en este lugar donde el Señor habló por medio de Amós, diciendo: «*Pero así dice Jehová a la casa de Israel: Buscadme, y viviréis*» (Amos 5:4,6). Si ellos continuaban menospreciando la Palabra de Dios, entonces ellos fueron advertidos que la destrucción del reino sería inevitable: «*Cayó la virgen de Israel*» (5:1-6). Durante este tiempo, Uzías era el rey de Judá, Jeroboam II era el rey de Israel, y los profetas Miqueas, Isaías, Oseas, y Jonás eran los prominentes hombres de Dios. Los dos reinos estaban prosperando material y militarmente (II de Reyes 14:23,25; II de Crónicas 26:1-16), pero su prosperidad y éxito sólo les llevó a más y más inmoralidad e injusticia.

Nada parecía tan improbable que pudiese cumplirse como las advertencias de este pastor del campo; pero, según la Palabra profética de Dios, unos 30 años después en el año 722 A.C., el reino del norte fue invadido y destruido por los asirios.

---

¿Le parece a usted que su sacrificio
es vano al servir humildemente al Señor?
Sí, así puede ser para el que sin fe
ignora la Santa Palabra de Dios.
Pero para el que bien conoce al Señor
y conoce Su poderosa Palabra y Su poder,
nada en su visión de fe puede oscurecer
aun en su hora de más pruebas.

— M.E.H.

---

## ᴱN LA LECTURA DE HOY

Los juicios declarados sobre Judá, sobre Israel, y sobre las naciones a sus alrededores; el dolor de Jehová sobre el cautiverio futuro de Israel

*A*mós era sólo un trabajador de campo del pueblo de Tecoa, en Judá, pero él estaba dispuesto a hablar por Dios en contra del pecado aun más allá de los confines del reino del sur. Amós presentó su profecía del juicio pendiente en Betel, el lugar de uno de los dos centros falsos de adoración y el lugar de una de las varias residencias del rey Jeroboam II en el reino del norte de Israel. Esto tomó lugar durante un tiempo de prosperidad y expansión en los territorios del reino del norte. Desde que el pueblo de Israel se sentía orgulloso por su prosperidad, pensamos que le pareció un poco ridículo oír a este intruso proclamar: «*Oíd esta Palabra que ha hablado Jehová contra vosotros, hijos de Israel . . . por tanto, os castigaré por todas vuestras maldades. . . . Un enemigo vendrá por todos lados de la tierra, y derribará tu fortaleza, y tus palacios serán saqueados*» (Amós 3:1-2,11). Por causa de sus pecados, la destrucción era inevitable. Pero, el mensaje de Amós sobre el juicio de Dios fue ignorado (2:6-8; 5:11-12).

Amasías, el sacerdote comprado por el rey Jeroboam II, no era del linaje levítico, y rápidamente le llevó el mensaje al rey sobre este desagradable profeta del reino del sur. Amasías interpretó las palabras de Amós y dijo que Jeroboam II, iba a morir al filo de la espada; pero el profeta sólo había proclamado lo que Dios había dicho: «*(Me) levantaré con espada sobre la casa de Jeroboam. . . . Y Amasías dijo a Amós: Vidente, vete, huye a tierra de Judá*» (7:9-12). La profecía se cumplió cuando Zacarías, el hijo de Jeroboam II, fue asesinado por Salum después de reinar sólo por seis meses. Salum tomó su lugar, pero él también reinó solamente por un mes, pues fue asesinado por Manahem (II de Reyes 15:8-10,13-14).

Dios a veces usa personas ordinarias como Amós para proclamar Su mensaje. No está en lo que poseemos de talentos, o en lo popular que seamos, pero lo que nos capacita para ser usados por el Señor está en lo obediente que seamos al Señor.

«*Pues mirad, hermanos, vuestra vocación, que no sois muchos sabios según la carne, ni muchos poderosos, ni muchos nobles; sino que lo necio del mundo escogió Dios, para avergonzar a los sabios; y lo débil del mundo escogió Dios, para avergonzar a lo fuerte; y lo vil del mundo y lo menospreciado escogió Dios, y lo que no es, para deshacer lo que es, a fin de que nadie se jacte en su presencia*» (I de Corintios 1:26-29).

**Pensamiento para hoy:** El Espíritu Santo proveerá de Su fuerza a cualquiera que esté dispuesto a rendirse a Él.

# INTRODUCCIÓN AL LIBRO DE
# $\mathcal{A}$BDÍAS

El libro de Abdías es el más pequeño de los libros del Antiguo Testamento pero tiene un mensaje bien profundo. Su objetivo doble fue el castigo de Dios sobre Edom y el establecimiento final del reino de Dios sobre la tierra.

El territorio de Edom se extendía hacia el sur, más allá del Mar Muerto, y a lo largo del Arabá (un llano del desierto). La tierra de Edom también se llamaba la tierra de Seir (campo de Edom), por su cordillera de montañas ásperas que le dominaban, la principal siendo el Monte de Seir. Las montañas se extendían unos 3.500 pies por encima de la tierra del desierto y más de 4.500 pies sobre el nivel del mar. La capital de Edom era la ilustre ciudad de piedras rojas de Sela, o Petra, que estaba situada bien segura en medio de los picos de las montañas de piedras calizas. Se consideraba muy segura por el angosto corredor entre las montañas rocosas que llegaba a Petra. Las ciudades fortificadas de Edom estaban situadas en una ruta muy importante de traficantes de caravanas entre Egipto, al sur de Israel, y Siria (Aram), Asiria, y otros reinos al norte.

El profeta predijo la destrucción de los edomitas, quienes habían seguido el ejemplo de su antecesor Esaú en abandonar los valores piadosos y vivían llenados de un odio intenso contra los israelitas. Los edomitas habían ayudado a Nabucodonosor en destruir a Jerusalén en vez de mostrar compasión y haber protegido a los israelitas, pues los dos eran descendientes de Abraham e Isaac (Abdías 1:10; Deuteronomio 23:7). Abdías les amonestó sobre el seguro e imparcial juicio de Dios sobre todos los que se oponen a Él y a Su pueblo.

> Mañana él prometió a su consciencia,
> mañana pensaré en creer.
> mañana viviré como debo,
> mañana recibiré al Salvador.
>
> Mañana, mañana, mañana,
> Así día tras día pasaron.
> Mañana, mañana, mañana,
> hasta que la juventud como una visión había pasado.
>
> Hasta que los años con pasión habían escrito
> el mensaje del destino en su frente,
> y de las sombras de la muerte salió
> esa triste palabra, ahora.
>
> – M.E.H.

## ✏️N LA LECTURA DE HOY
Los juicios predichos sobre el pecado; las langostas;
el fuego, la plomada de albañil; el canastillo de fruta de verano;
el hambre de oír la Palabra de Dios

*L*os edomitas habían sido muy hostiles contra los israelitas por siglos desde el tiempo que Esaú (Edom) había perdido la primogenitura de su familia y su hermano Jacob (Israel) tomó su lugar. El profeta Abdías predijo el final triunfo de Israel, y también la destrucción completa de Edom: «*Por la injuria a tu hermano Jacob te cubrirá vergüenza, y serás cortado para siempre. . . . (Porque) Jehová lo ha dicho*» (Abdías 1:10,18).

Esaú se había mudado al Monte de Seir donde los edomitas, sus descendientes, se sentían más seguros en su fortaleza de la montaña. Su suficiencia propia y el desinterés en la voluntad de Dios les llevó a ignorar el aviso de Abdías.

Los edomitas conspiraron juntos con Amón y Moab para ir contra Judá y llevarse a todos los israelitas cautivos. Ellos también atacaron a Judá en los días del rey Acaz para tomar aun más cautivos para ser sus esclavos (II de Reyes 8:20-22; II de Crónicas 20:1-2,22-23; 21:8-9; 28:16-17). Cuando la ciudad de Jerusalén fue destruida por el ejército de Babilonia, algunos de los judíos que se escaparon trataron de huir de su tierra, pero los edomitas usaron la desventaja de que los israelitas estaban huyendo y cerraron los caminos, les robaron, y los entregaron como refugiados a los babilonios (Abdías 1:12-14). Por razón de su traición, Dios predijo que Edom sería destruido totalmente (1:9-10,18).

Unos cuatro años después de la caída de Jerusalén, el ejército de Nabucodonosor destruyó a Amón, a Moab, y a Edom. Los refugiados edomitas huyeron a un área al oeste de su país y al sur de Judá. Ellos entonces entraron en Judea atacando y tomando parte de la tierra. Este territorio llegó a ser llamado Idumea, de donde vino Herodes, el rey-títere nombrado por los romanos, que trató de matar al niño Jesús. Finalmente, los edomitas se desaparecieron de la historia, tal y como Abdías lo había predicho. Muy diferente a la profecía contra los edomitas, Abdías predijo que Judá se recuperaría, y que un día « . . . *la casa de Jacob recuperará sus posesiones*» (1:15-17). La justicia absoluta de Dios y la seguridad de Su fidelidad nos anima a conocer que los principios del bien y del mal nunca cambian. Jesucristo expresó la inevitable ley espiritual del reino de Dios, diciendo: «*Y como queréis que hagan los hombres con vosotros, así también haced vosotros con ellos*» (Lucas 6:31).

**Pensamiento para hoy:** Cuando le damos a Dios todo el crédito, el orgullo por nuestros logros no existe.

# INTRODUCCIÓN AL LIBRO DE
# $\mathscr{J}$ONÁS

Jonás fue un profeta prominente en el reino del norte de Israel durante el reino próspero pero malvado del rey Jeroboam II. Jonás profetizó el éxito militar de Jeroboam II sobre los sirios (II de Reyes 14:25).

El libro de Jonás es el registro histórico de la misión del profeta a Nínive, la capital de Asiria y el mayor enemigo de Israel. Por la gran perversidad de Nínive, Jonás faltó en obedecer cuando Dios lo mandó a profetizar la destrucción venidera de esa ciudad. Pero, después de una serie de eventos dramáticos, él obedeció pero sin ganas. Después Jonás se sintió desdichado cuando el rey y el pueblo de Nínive se arrepintieron y Dios, en Su gran misericordia, quitó de sobre ellos Su juicio. Este libro revela que «*. . . Dios no hace acepción de personas*» (Hechos 10:34). Su compasión todavía se extiende sobre todos los que se arrepienten, abandonan sus pecados, y le adoran sólo a Él.

El libro de Jonás revela que para Dios los gentiles son importantes tanto como lo son también los judíos, pues todos están perdidos al no aceptar a Jesucristo por fe, pues Él proclamó: «*Yo soy el Camino, y la Verdad, y la Vida; nadie viene al Padre, sino por Mí*» (Juan 14:6).

No hay tiempo, no tengo tiempo para estudiar
ni para meditar y orar,
pero hay siempre tiempo para cumplir en la carne
los caminos del mundo.

No hay tiempo para las cosas eternas,
pero mucho tiempo para lo terrenal;
las cosas de poco valor.

Algunas cosas, en verdad, son necesarias,
pero las más importantes deben ir primero;
y todo lo que reemplaza
la propia Palabra de Dios
por Dios será maldito.

– M.E.H.

## 𝔈N LA LECTURA DE HOY
El esfuerzo de Jonás para evitar la voluntad de Dios;
la segunda comisión; Nínive se arrepiente; el disgusto de Jonás

𝔈l Señor ordenó a Jonás, diciéndole: «*Levántate y ve a Nínive, aquella gran ciudad, y pregona contra ella; porque ha subido su maldad delante de Mí. Y Jonás se levantó para huir de la presencia de Jehová a Tarsis . . .*» (Jonás 1:2-3). Jonás probablemente estaba encantado con las buenas noticias de que el juicio de Dios pronto iba a caer sobre Nínive. Él no podía creer que la misericordia y el amor de Dios se iba a extender aun a los enemigos de Israel. Pues, entonces él decidió de no ser misionero a Nínive. Él probablemente se sintió muy afortunado cuando en el día que él llegó a Jope descubrió una nave que salía para Tarsis, uno de los lugares más lejanos de comercio en Fenicia.

Por un tiempo, los acontecimientos eran favorables en «las vacaciones» de Jonás y momentáneamente le dio tal paz en su mente que *«había bajado al interior de la nave, y se había echado a dormir»* (1:5). Sin embargo, cuando vemos las circunstancias favorables, aun cuando estamos evitando la voluntad de Dios, ellas son sólo temporarias y nunca nos llevan a un buen fin. Los marineros tuvieron miedo cuando una gran tempestad se levantó. Al oír que Jonás huía de la presencia de Dios, lo echaron al mar, pero un gran pez se lo tragó. Después de tres días de buscar razones dentro de sí mismo, Jonás se arrepintió y el gran pez lo vomitó en tierra seca. Entonces Jonás se convirtió en el mejor evangelista de sus días y llegó a ver la ciudad entera de Nínive arrepentirse de sus maldades. Dios podía haber llamado a otro profeta y podía haber dejado a Jonás en el fondo del mar, pero Dios tuvo misericordia, demostrando Su amor hacia el profeta y hacia el pueblo de Nínive que se arrepintió. La buena voluntad de Dios para perdonar a los mayores pecadores que se arrepienten fue bien conocida cuando el rey de Nínive y su pueblo se arrepintieron y se libraron de la destrucción profetizada por Jonás.

Jesucristo confirmó esta verdad histórica sobre Jonás cuando Él proclamó: «*Porque como estuvo Jonás en el vientre del gran pez tres días y tres noches, así estará el Hijo del Hombre en el corazón de la tierra tres días y tres noches. Los hombres de Nínive se levantarán en el juicio con esta generación, y la condenarán; porque ellos se arrepintieron a la predicación de Jonás, y he aquí (Uno) más (grande) que Jonás en este lugar*» (Mateo 12:40-41).

**Pensamiento para hoy:** Las únicas ganancias que podemos obtener al ignorar a Dios son los problemas.

# INTRODUCCIÓN AL LIBRO DE
## ℳIQUEAS

Miqueas era solamente un labrador que vivía en una pequeña aldea en Judea, unas 40.23 kilómetros al suroeste de Jerusalén cerca de Moreset-gat (Miqueas 1:14). Él profetizó durante los reinos de los reyes Jotam, Acaz, y Ezequías de Judá. Al mismo tiempo, Isaías era el profeta prominente en Jerusalén. Miqueas condenó los pecados de Judá y de Israel, con denuedo proclamó la destrucción de Israel (1:6-7), y también predijo la destrucción de Jerusalén y del templo (3:12). Miqueas también profetizó la restauración de Judá. Sin duda, Ezequías encontró gran consolación en las profecías de Isaías y de Miqueas sobre la restauración prometida a los israelitas (Isaías 1:1; 62:1-12; Miqueas 1:1; 7:11-20). Miqueas también dio una profecía muy notable y maravillosa, no solamente profetizó que el Mesías iba a nacer en «*Belén*», pero Miqueas también profetizó sobre la existencia eterna del Mesías (5:2).

Miqueas termina con un mensaje de esperanza declarando el cumplimiento último del pacto de bendición que Dios había prometido a Abraham (7:20). La profecía de Miqueas confirma que Dios requiere obediencia a Su Palabra al decir: «*Oh hombre, Él te ha declarado lo que es bueno, y qué pide Jehová de ti: solamente hacer justicia, y amar misericordia, y humillarte ante tu Dios*» (Miqueas 6:8) (en referencia a Deuteronomio 10:12).

La Santa Palabra de Dios de cierto ha sido inspirada
por Dios y no por los hombres;
ningún poder elocuente de los hombres
pudiera concebir el maravilloso plan de Dios.
Sobrellevando todas las pruebas del tiempo,
se mantiene sin cambio, única, y sublime;
mostrándole a toda lengua y raza,
la sabiduría, la misericordia, el amor y la gracia de Dios.
Pues aunque sigan martillando las manos hostiles;
sus martillos se pierden, pues el yunque de Dios es firme.

- M.E.H.

> ### ✐N LA LECTURA DE HOY
> El juicio pendiente contra Israel y Judá; el futuro rescate del remanente;
> el nacimiento de Cristo es predicho; el juicio y la misericordia del Señor

Excepto por el rey David, todos los reyes de Judá habían nacido en Jerusalén – la ciudad de Dios. Pero, 700 años antes del nacimiento de Jesucristo, el profeta Miqueas fue guiado a profetizar: *«Pero tú, Belén Éfrata, pequeña para estar entre las familias de Judá, de ti me saldrá el que será Señor en Israel; y Sus salidas son desde el principio, desde los días de la eternidad»* (Miqueas 5:2).

Al tiempo establecido por Dios, *« . . . se promulgó un edicto de parte de Augusto César, que todo el mundo fuese empadronado. . . . Y José subió de Galilea, de la ciudad de Nazaret, a Judea, a la ciudad de David, que se llama Belén, por cuanto era de la casa y familia de David»* (Lucas 2:1,4). Por ser descendiente del rey David, José tuvo que ir a su pueblo natal de Belén para registrarse. Al dar este mandato desde Roma, Augusto César solamente estaba pensando en su reino. Sin embargo, el Dios Soberano, quien determina la historia, usó la autoridad de este emperador pagano para llevar a cabo el cumplimiento de la profecía de Miqueas.

Puede que la declaración más significativa de la profecía de Miqueas fue esta: *« . . . y Sus salidas son desde el principio, desde los días de la eternidad»*. Esto claramente proclama la Deidad y la existencia eterna del Rey Redentor. Él no podía ser el Salvador de la humanidad y haber sufrido por los pecados del mundo si Él hubiera heredado una naturaleza pecaminosa tal y como la de todos los humanos. Por eso, Jesús, el Hijo de Dios, nació de la virgen María sin un padre humano. El ángel Gabriel le anunció a María: *«Y ahora, concebirás en tu vientre, y darás a luz un Hijo, y llamarás Su nombre JESÚS. Este será grande, y será llamado Hijo del Altísimo . . . y Su reino no tendrá fin. Entonces María dijo al ángel: ¿Cómo será esto? pues no conozco varón. Respondiendo el ángel, le dijo: El Espíritu Santo vendrá sobre ti, y el poder del Altísimo te cubrirá con Su sombra; por lo cual también el Santo Ser que nacerá, será llamado Hijo de Dios»* (Lucas 1:31-35).

Jesucristo nunca dejó de ser el Dios Eterno. Sin embargo, *« . . . se despojó a Sí mismo, tomando forma de siervo, hecho semejante a los hombres»* (Filipenses 2:7). Pero por ser humanos, por ser descendientes de Adán, todos nosotros hemos heredado una naturaleza pecaminosa pues: *« . . . Porque así como por la desobediencia de un hombre (Adán) los muchos fueron constituidos pecadores, así también por la obediencia de Uno (Jesucristo), los muchos serán constituidos justos»* (Romanos 5:17-19).

**Pensamiento para hoy:** Los hombres sabios siguen a Jesucristo sin cuidado de lo que otras personas hagan.

# INTRODUCCIONES A LOS LIBROS DE
## Nahum y Habacuc

Nahum probablemente vivió inmediatamente antes de la derrota de Asiria, posiblemente durante el mismo período de Sofonías. Los dos profetizaron después de Isaías, casi al final del reino del malvado rey de Judá, Joacim, el rey infiel que guio Su nación en el camino de la destrucción (II de Reyes 23:34-25:5; Jeremías 22:17). Los dos profetas predijeron la destrucción de Nínive, por sus crueldades, sus opresiones, sus adulterios, y sus hechicerías (Nahum 1:1-14; Sofonías 2:13-15). Su destrucción se había tardado unos 150 años por razón del arrepentimiento por el mensaje de juicio de Jonás (Jonás 3:5-10). Finalmente, el pueblo había vuelto otra vez a sus malvados caminos.

Parecía muy difícil al pensar que la poderosa capital del imperio de los asirios dejaría de controlar al mundo por tener paredes bien fortificadas y por sus canales de agua que la rodeaban.

El imperio de los asirios destruyó al reino del norte de Israel en el año 722 A.C., pero ellos, al mismo tiempo, fueron conquistados por los babilonios en menos de 50 años después de la profecía de Nahum. Tal y como Nahum lo predijo, el imperio de Asiria fue extinguido.

Habacuc vivió durante el tiempo cuando Nabucodonosor estaba conquistando al mundo. Él probablemente profetizó en Judá durante los últimos años del reino de Josías, y en los primeros años del reino del rey Joacim. Diferente a su piadoso padre Josías, Joacim «... *hizo lo malo ante los ojos de Jehová*» (II de Reyes 23:37). Habacuc clamó en contra de la corrupción moral de la idolatría en Judá que era prevalente en sus días. Él predijo cómo era que Dios iba a permitir a los insensibles babilonios para traer Su juicio sobre Judá. Durante esas experiencias horribles, la expresión «... *mas el justo por su fe vivirá*», llegó a ser la contraseña de los fieles (Habacuc 2:4; ver Romanos 1:17; Gálatas 3:11; Hebreos 10:38).

Habacuc anima a todos los creyentes a aceptar por fe cada situación y confiar en que la rectitud y la justicia al final triunfarán, según el justo juicio del Único Dios Verdadero.

> Mi única esperanza, mi única súplica –
> la sangre de Jesucristo se derramó por mí;
> Su justicia – mi único derecho –
> Yo vengo, querido Señor, en el nombre de Jesús.
>
> – M.E.H.

## ❦N LA LECTURA DE HOY
La profecía y el cumplimiento de la destrucción de Nínive;
la visión de los ayes venideros; la oración de Habacuc

*U*nos 150 años habían pasado desde el avivamiento durante los días de Jonás, cuando todos los de Nínive se habían arrepentido y ayunado (Jonás 3:5-10). Sin embargo, al pasar los años, el pueblo de Nínive faltó en enseñarle a sus hijos sobre el Único Dios Verdadero que les había perdonado sus vidas. Así que ellos volvieron a su comportamiento pecaminoso. Ahora había llegado el tiempo que Dios tenía que juzgar este pueblo malvado. Al mismo tiempo el profeta Nahum predijo la libertad de Judá, la cual estaba siendo oprimida por Asiria, si los israelitas se mantenían fieles a Dios. Él les suplicó: «*Celebra, oh Judá, tus fiestas, cumple tus votos; porque nunca más volverá a pasar por ti el malvado; pereció del todo*» (Nahum 1:15).

Asiria fue probablemente la nación más cruel de todas las antiguas naciones paganas, y su capital Nínive se había enriquecido por las guerras. Por medio de Nahum, Dios le avisó de antemano, diciendo: «*¡Ay de ti, ciudad sanguinaria, toda llena de mentira y de rapiña . . . ! Nínive es asolada . . . te talará la espada*» (3:1,7,15). Nínive fue destruida exactamente como fue predicho. Esa gran ciudad del pasado todavía se mantiene en ruinas como testimonio a la Palabra de Dios.

Habacuc predijo el juicio venidero que Dios iba a traer sobre Su pueblo de Judá porque adoraba a los ídolos, y que iba a usar a Babilonia para castigarlo. Pero, él también predijo el juicio de Dios sobre Babilonia por la destrucción de Judá: «*¿No eres Tú desde el principio, oh Jehová, Dios mío, Santo mío? No moriremos. Oh Jehová, para juicio lo pusiste* (los de Babilonia); *y Tú, oh Roca, lo fundaste para castigar*» (Habacuc 1:12; ver Romanos 5:3; II de Corintios 4:17; Hebreos 2:10; 12:10-11).

Desde el punto de vista que no sabemos todos los hechos, y en medio de numerosas injusticias perplejas, donde la maldad parece triunfar, no debemos dejar de confiar en el «*Dios . . . Santo*» (Habacuc 1:12) al preguntarnos: «¿Por qué?» Hoy en día vemos que Dios nunca se compromete con el pecado, tal y como también lo fue en aquel entonces. Pero, aún Dios perdona a la persona más pecaminosa que verdaderamente se arrepiente y viene a Él. Toda la humanidad un día reconocerá la justicia, la misericordia, y que «*Jehová es bueno . . . y conoce a los que en Él confían*» (Nahum 1:7). «*Por la fe . . . *» esperamos ese día cuando « *. . . la tierra será llena del conocimiento de la gloria de Jehová*» (Habacuc 2:4,14; ver Romanos 1:17; Gálatas 3:11; Hebreos 10:38; 11:1-6).

**Pensamiento para hoy:** Las actividades religiosas no son buenas sustitutas para una vida piadosa.

# INTRODUCCIONES A LOS LIBROS DE
# 𝒮OFONÍAS, 𝒽AGEO y 𝒵ACARÍAS

Sofonías, el único profeta del linaje real, probablemente tuvo gran influencia sobre su pariente el rey Josías en su reforma piadosa, que empezó en el octavo año de su reino en Judá (II de Crónicas 34:3-7).

Sofonías predijo la caída de Jerusalén unos 35 años antes que pasara (Sofonías 1:4-13). Él también advirtió: «*Cercano está el día grande de Jehová . . . (día) de ira aquel día, día de angustia y de aprieto, día de alboroto y de asolamiento . . . y andarán como ciegos, porque pecaron contra Jehová . . . »* (Sofonías 1:14,15,17). El profeta entonces le suplicó a Judá que se arrepintiese. «*Buscad a Jehová todos los humildes de la tierra, los que pusisteis por obra Su juicio . . . »* (2:3). En el horario de Dios, Él restaurará la nación amablemente.

Sofonías también profetizó que Cristo iba a venir en poder y en gloria. Conocido como «*el día grande de Jehová*» (1:7,14). En los tres capítulos de este libro se menciona este acontecimiento 13 veces, y también se conoce como «*el día de la ira de Jehová*» (1:15,18) sobre todos los malvados; pero será una gran bendición y «bienvenida» para los fieles (3:14,17).

Sofonías, Nahum, Habacuc, y Jeremías profetizaron al mismo tiempo. El período en la historia de Israel en que ellos vivieron está registrado en los libros de Esdras, Nehemías, y Ester. Ellos estaban entre los últimos profetas que hablaron por Dios antes del cautiverio de los 70 años en Babilonia.

Hageo y Zacarías nacieron en Babilonia durante esos años del exilio. Ellos fueron a Jerusalén para edificar el templo un tiempo después del decreto del rey Ciro de Medopersia. Hageo y Zacarías empezaron a predicar en Jerusalén unos 15 años después del decreto del rey Ciro.

Zacarías se unió con Hageo para animar a los judíos a dar prioridad a su responsabilidad espiritual en reconstruir el templo: «*Y los ancianos de los judíos edificaban y prosperaban, conforme a la profecía del profeta Hageo y de Zacarías hijo de Iddo. Edificaron, pues, y terminaron, por orden del Dios de Israel . . .* " (Esdras 6:14-15; Hageo 1:1) en unos cuatro años y medio. Fue la predicación de la Palabra de Dios que hizo volver a los israelitas de una actitud de indiferencia a las necesidades espirituales y los llevó a tener un gran deseo de cumplir con la voluntad de Dios. El momento decisivo en la vida de cada persona es cuando reconoce el poder de la Palabra de Dios.

«*(El) Ángel de Jehová*» (Zacarías 1:11-12; 3:1,5-6; 12:8) es prominente en este libro. Zacarías predijo más sobre Jesucristo que ningún otro profeta con la excepción de Isaías. (Ver 3:8; 9:9,16; 11:11-13; 12:10; 13:1,6.) La segunda venida de Jesucristo es predicha en el 6:12 y en el 14:3-21.

## EN LA LECTURA DE HOY

El juicio del Señor; la destrucción futura de las naciones gentiles; el pueblo es estimulado a reconstruir el templo; los infieles son reprobados

Los israelitas que habían vuelto de Persia con Zorobabel empezaron a reconstruir el templo en Jerusalén con un gran entusiasmo. Pero, había una gran oposición de sus enemigos los samaritanos. Ellos también empezaron a construir sus casas y al mismo tiempo estaban trabajando muchas horas en el campo, lo que también contribuyó a no poner las cosas de Dios en primer lugar en sus vidas. Sin duda, habían muchas «excusas legítimas» que fueron presentadas por las cuales la construcción del templo se suspendió.

Mientras que el pueblo construía sus casas y establecía sus negocios, parecía estar sin esperanza de tener tiempo para construir el templo. Zorobabel seguro estaba desanimado al pensar todo lo que faltaba por hacer, los pocos trabajadores que habían, y qué amenazadora era su oposición. Mientras que los israelitas seguían esperando por mejores días, unos 14 años pasaron y nada más fue realizado para el Señor.

Entonces Dios empezó a mover al profeta Hageo a proclamar: *«(La) Palabra de Jehová»*. Después de dos meses, Zacarías también empezó a proclamar *«(La) Palabra de Jehová»* (Esdras 5:1; Hageo 1:3-11; Zacarías 1:1).

Hageo primeramente anunció: *«Así ha hablado Jehová de los ejércitos, diciendo: Este pueblo dice: No ha llegado aún . . . el tiempo de que la casa de Jehová sea reedificada. Entonces vino Palabra de Jehová por medio del profeta Hageo, diciendo: ¿Es para vosotros tiempo . . . de habitar en vuestras casas artesonadas, y esta casa* (del Señor) *está desierta? . . . Meditad bien sobre vuestros caminos. Sembráis mucho, y recogéis poco . . . »* (Hageo 1:2-6).

Al oír *«(La) Palabra de Jehová»*, el pueblo renovó su interés en reedificar el templo, el único lugar designado por Dios para que Su pueblo le adorara. Esta vez ellos ignoraron las amenazas de sus enemigos *«y los ancianos de los judíos edificaban y prosperaban»* (Esdras 6:14); y terminaron el templo en cuatro años y medio.

Sin *«(La) Palabra de Jehová»* como el estandarte, nosotros también nos caemos subsecuentemente en el engaño. Cuando nos mantenemos en la Palabra de Dios es que renovamos nuestro amor por Su Palabra y al mismo tiempo nos imparte la fuerza espiritual necesaria para poner a Dios primero en nuestras vidas.

Jesús dijo: *«No os dejaré huérfanos; vendré a vosotros. . . . Mas el Consolador, el Espíritu Santo, a quien el Padre enviará en Mi nombre, Él os enseñará todas las cosas, y os recordará todo lo que Yo os he dicho»* (Juan 14:18,26).

**Pensamiento para hoy:** Hoy en día, vamos a hablarle a alguien sobre el Señor.

## ☉N LA LECTURA DE HOY
La resistencia contra el sumo sacerdote;
las visiones del candelero de Zacarías; el rollo volante;
los cuatro carros; la desobediencia resulta en el cautiverio

*Z*acarías predijo la promesa gloriosa de la presencia de Dios e inspiró a los israelitas, diciéndoles: «*Canta y alégrate, hija de Sion; porque he aquí vengo, y moraré en medio de ti, ha dicho Jehová*» (Zacarías 2:10).

Zacarías profetizó la restauración de la nación judía y también declaró: «*Y se unirán muchas naciones* (gentiles) *a Jehová en aquel día, y Me serán por pueblo, y moraré en medio de ti . . .* » (2:11).

A menudo llegamos al final de nuestros propios recursos y perdemos la confianza en nuestras propias habilidades antes de aprender a confiar en el Señor. Fue durante un tiempo similar para Zacarías que el ángel del Señor le dijo: « *. . . Esta es Palabra de Jehová a Zorobabel, que dice: No con ejército, ni con fuerza, sino con Mi Espíritu, ha dicho Jehová de los ejércitos. ¿Quién eres tú, oh gran monte? Delante de Zorobabel serás reducido a llanura*» (los obstáculos humanos como Siria (Aram), Babilonia, y Egipto) (4:6-7).

Zorobabel (hijo de Salatiel), el gobernador de Judá (Hageo 1:1), había sido mandado a reedificar el templo. Josué (no el mismo que conquistó la tierra prometida) era el sumo sacerdote (3:1). Estos dos son tipos (sombras) de nuestro Señor como rey y como sumo sacerdote (Mateo 2:2; Hebreos 5:1-10).

La obra de Dios no se cumple «*(Ni) con ejército, ni con fuerza*», que significa nuestra fuerza, celo, o recursos humanos; «*sino con Mi Espíritu, ha dicho Jehová de los ejércitos*». La presencia que mora en nosotros del Espíritu Santo es indispensable para vivir una vida verdaderamente cristiana y poder cumplir con la voluntad de Dios. «*He aquí el Varón cuyo nombre es el Renuevo . . . Él llevará gloria, y se sentará y dominará en Su trono, y habrá sacerdote a Su lado; y consejo de paz habrá entre ambos. . . . Y los que están lejos vendrán y ayudarán a edificar el templo de Jehová, y conoceréis que Jehová de los ejércitos me ha enviado a vosotros. Y esto sucederá si oyereis obedientes la voz de Jehová vuestro Dios*» (Zacarías 6:12-13,15).

Zacarías predijo el rechazamiento de Jesucristo, Su segunda venida, y Su reino milenario. Después de Su resurrección, Jesucristo le dijo a Sus discípulos: «*¡Oh insensatos, y tardos de corazón para creer todo lo que los profetas han dicho! . . . Y comenzando desde Moisés, y siguiendo por todos los profetas, les declaraba en todas las Escrituras lo que de Él decían*» (Lucas 24:13-27).

**Pensamiento para hoy:** El Señor Jesús vendrá otra vez: «*para ser glorificado en Sus santos y ser admirado en todos los que creyeron*» (II de Tesalonicenses 1:10).

## ☙N LA LECTURA DE HOY
La promesa de la restauración de Jerusalén; el juicio de las naciones
a su alrededor; el futuro Rey de Sion y el rescate futuro de Jerusalén

*A*unque su mensaje profético se cumplió muchos siglos después de su muerte, Zacarías proclamó con gran anticipación: «*Alégrate mucho, hija de Sion; da voces de júbilo, hija de Jerusalén; he aquí tu Rey vendrá a ti, Justo y Salvador, humilde, y cabalgando sobre . . . un pollino hijo de asna*» (Zacarías 9:9). Esta profecía se cumplió al momento que Jesucristo entró a Jerusalén durante Su última semana antes de Su crucifixión. «*Y la multitud, que era muy numerosa . . . aclamaba, diciendo: ¡Hosanna al Hijo de David! ¡Bendito el que viene en el nombre del Señor! ¡Hosanna en las alturas!*» (Mateo 21:8-9). La súplica del pueblo «*Hosanna en las alturas*» (que significa «sálvanos») fue rechazada por los celosos líderes religiosos, quienes, en vez, insistieron en que Él tenía que ser crucificado (Marcos 14:1; 15:13).

Zacarías también predijo los detalles sobre Judas Iscariote, el que traicionó a Jesús, y su negocio con los líderes religiosos, al decir: «*Y les dije: Si os parece bien, dadme mi salario; y si no, dejadlo. Y pesaron por mi salario treinta piezas de plata*» (Zacarías 11:12). Jesucristo, el verdadero Rey de reyes, fue rechazado y traicionado por meramente el precio de un esclavo, tal y como fue profetizado, por «*treinta piezas de plata*» (Éxodo 21:32; ver Mateo 26:14-15). Israel pronto reconocerá su Mesías tal y como Zacarías lo predijo: «*Y derramaré sobre la casa de David, y sobre los moradores de Jerusalén, espíritu de gracia y de oración; y mirarán a Mí, a quien traspasaron, y llorarán como se llora por hijo unigénito, afligiéndose por él como quien se aflige por el primogénito*» (Zacarías 12:10; ver Romanos 11:26-27).

Zacarías también predijo el final de esta presente dispencación pecaminosa y caótica: «*He aquí, el día de Jehová viene. . . . Porque Yo (Dios) reuniré a todas las naciones para combatir contra Jerusalén. . . . Después saldrá Jehová y peleará con aquellas naciones. . . . Y se afirmarán Sus pies en aquel día sobre el monte de los Olivos, que está en frente de Jerusalén al oriente. . . . Y Jehová será Rey sobre toda la tierra. En aquel día Jehová será Uno . . . *» (Zacarías 14:1-4,9).

Todos nosotros estamos propensos a perder el tiempo reflexionando en los acontecimientos futuros y a veces nos olvidamos de lo que Jesucristo le dijo a Sus discípulos cuando ellos le preguntaron: «*Entonces los que se habían reunido le preguntaron, diciendo: Señor, ¿restaurarás el reino a Israel en este tiempo? Y les dijo: No os toca a vosotros saber los tiempos o las sazones, que el Padre puso en Su sola potestad; pero recibiréis poder, cuando haya venido sobre vosotros el Espíritu Santo, y Me seréis testigos en Jerusalén, en toda Judea, en Samaria, y hasta lo último de la tierra*» (Hechos 1:6-8).

**Pensamiento para hoy:** Donde Dios guía Él provee.

# INTRODUCCIÓN AL LIBRO DE
# MALAQUÍAS

No se sabe durante que período Malaquías profetizó. Pero, es seguro que el deseo de Malaquías fue para que los israelitas renovaran su pacto de relación con Dios. Un espíritu mundano prevalecía entre los israelitas tal y como prevalece en nuestras comunidades hoy en día. Malaquías identificó los pecados que estaban separando a los israelitas de poder experimentar las bendiciones de Dios y él les suplicaba que se arrepintiesen (Malaquías 3:7).

En el capítulo uno, Malaquías primeramente les suplicó a los israelitas que viniesen otra vez al Señor en arrepentimiento, pues Él los amaba. Entonces, en el capítulo dos, él les suplicó a los sacerdotes, enumerándoles su hipocresía. Y, en el capítulo tres, él profetizó unos 400 años antes de la era de los cristianos sobre el Mesías que iba a venir, diciendo: «*He aquí, Yo* (Dios) *envío Mi mensajero* (Juan el Bautista), *el cual preparará el camino delante de Mí; y vendrá súbitamente a Su templo el Señor a quien vosotros buscáis. . . . He aquí viene*» (3:1; ver. Lucas 7:27).

Finalmente, tal y como los otros profetas que vivieron antes de él, Malaquías predijo la venida del: «*...día de Jehová, grande y terrible*» (4:5), cuando «*... todos los soberbios y todos los que hacen maldad serán estopa* (destruidos). . . . Mas a vosotros los que teméis Mi nombre* (los hijos de Dios), *nacerá el Sol de justicia, y en Sus alas traerá salvación*» (4:1-2).

---

Puede que usted haya tenido la curiosidad por saber
por qué han venido las dolorosas pruebas a su camino,
o haber murmurado cuándo las tinieblas oscuras de
las aflicciones oscurecen la luz del día.

Dios dice que la prueba de vuestra fe,
es mucho más preciosa que el oro;
y que Él recompensará a Su verdadero siervo
con bendiciones múltiples.

Así que confíe en Él, Su Palabra es segura
e infinito Su amor;
oh, hijos de Dios, prosigan a la meta en fe,
pues nuestro Padre reina en el cielo.

– M.E.H.

## ᗺN LA LECTURA DE HOY

El amor de Dios para con Jacob; los pecados de los sacerdotes; la reprimenda por la infidelidad de Israel; la venida del Señor y Su juicio final

*La* primera generación de israelitas que volvieron a Jerusalén con Zorobabel para reedificar el templo había muerto, y las siguientes generaciones habían perdido la visión del propósito que Dios tenía para ellos por ser Su pueblo.

Malaquías declaró que puede que Dios no siempre se pueda entender completamente, pero casi siempre los que cuestionan a Dios son aquellos que rechazan y olvidan Su Palabra: «*Si no oyereis, y si no decidís de corazón dar gloria a Mi nombre, ha dicho Jehová de los ejércitos, enviaré maldición sobre vosotros, y maldeciré vuestras bendiciones . . .*» (Malaquías 2:2).

Malaquías no les dejó ningún lugar para sus excusas cuando les declaró que los israelitas eran ladrones. Pues él audazmente hablando por Dios les preguntó: «*¿Robará el hombre a Dios? Pues vosotros Me habéis robado. Y dijisteis: ¿En qué Te hemos robado? En vuestros diezmos y ofrendas*» (3:8). Entonces Malaquías habló por Dios y les declaró el inevitable juicio de Dios: «*Malditos sois con maldición, porque vosotros, la nación toda, Me habéis robado*» (3:9).

Los israelitas estaban «*Malditos . . . con maldición*» porque el diezmo pertenece a Dios para las necesidades espirituales del pueblo y el mantenimiento del sacerdocio. Ellos habían fallado en cumplir con esto: «*Honra a Jehová con tus bienes, y con las primicias de todos tus frutos*» (Proverbios 3:9; Éxodo 22:29; II de Crónicas 31:5).

Al darle el diez por ciento de nuestras entradas (ganancias) a Dios estamos expresando nuestra fe en que todo lo que somos y tenemos pertenece al Señor y que el diezmar demuestra nuestro amor y gratitud a Dios como nuestro Salvador y Señor.

Más de 500 años antes que la Ley de Dios fuese dada, el diezmar fue introducido por Abraham, «*padre de todos los creyentes*» (Romanos 4:11), quien le trajo a Dios y «*. . . le dio Abram los diezmos de todo . . .* (al) *sacerdote del Dios Altísimo*» (Génesis 14:18,20). Cuando nos negamos a darle «*. . . a Dios lo que es de Dios*» (Mateo 22:21) estamos guardando para nosotros mismos lo que Dios ha dicho que pertenece para proclamar el evangelio de Cristo. ¿Es avaricia, egoísmo, indiferencia, o sólo somos obstinados y nos negamos a ser obedientes a lo que dice claramente la Palabra de Dios? La seriedad de este pecado se puede ver en la severidad del hambre que Israel estaba experimentando: «*Malditos sois con maldición . . .*» (Malaquías 3:9).

El creyente debe de dar «*. . . como propuso en su corazón: no con tristeza, ni por necesidad, porque Dios ama al dador alegre*» (II de Corintios 9:7).

**Pensamiento para hoy:** La fe es demostrada por la obediencia a la voluntad de Dios.

# Distancia a las mayores ciudades desde Jerusalén

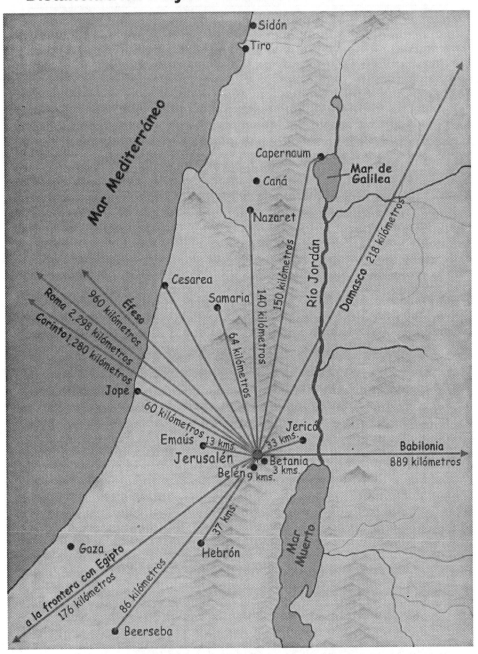

*(Y) me seréis testigos en Jerusalén,*
*en toda Judea, en Samaria,*
*y hasta lo último de la tierra*

(Hechos 1:8)

# INTRODUCCIÓN AL LIBRO DE
## $\mathscr{M}$ATEO

El evangelio de Mateo fue escrito por un judío que también era conocido por Leví. Él era un recaudador de impuestos despreciado por el pueblo y que trabajaba para el gobierno romano (Mateo 10:3; Marcos 2:14; Lucas 5:27). Mateo presenta a Jesús como el cumplimiento de todas las profecías Mesiánicas. En la primera oración, leemos: «*Libro de la genealogía de Jesucristo, Hijo de David, Hijo de Abraham*» (Mateo 1:1).

Mateo identifica a Jesús como «*el Hijo de Abraham*», y lo asociaba con el pacto que Dios había hecho con Abraham, diciendo: «*y serán benditas en ti todas las familias de la tierra*» (Génesis 12:3; 17:7; II de Samuel 7:8-17). «*(Todas) las familias de la tierra*» incluye a los judíos y a los gentiles.

Desde que el enfoque de las Escrituras del Antiguo Testamento está en la venida del Mesías prometido y Su reino, Mateo usa la frase «*el reino de los cielos*» más de 30 veces, «*Hijo de David*» 10 veces, y «*para que se cumpliese lo dicho . . .* » unas 9 veces. Como confirmación del ungimiento de Jesús como el Mesías, el Espíritu Santo guio a Mateo a registrar más de 20 de los milagros de Jesús. Mateo nos da más de 100 referencias sobre Jesucristo y registra doce de Sus parábolas que empiezan con la frase: «*El reino de los cielos es semejante a . . .* » (Mateo 13:24,31,33,44-45,47,52; 20:1; 22:2; 25:1,14).

El Sanedrín mantenía completos archivos genealógicos de los descendientes de Abraham y de David. Estos enemigos de Cristo nunca cuestionaron el linaje de Jesús. Las genealogías de José y María son iguales desde Abraham hasta David. Después, la genealogía de José sigue por Salomón, mientras que la genealogía de María sigue por Natán, otro de los hijos de David.

Para quitar toda duda de quien Jesús era, Mateo registró que, cuando Jesús fue bautizado: «*hubo una voz de los cielos, que decía: Este es Mi Hijo Amado, en quien tengo complacencia*» (3:17). Un poco después, Mateo también registra la espectacular transfiguración de Cristo durante Su conversación con Moisés y Elías, cuando: «*una nube de luz los cubrió; y he aquí una voz desde la nube, que decía: Este es Mi Hijo Amado, en quien tengo complacencia; a Él oíd*» (17:2-5). La transfiguración completó el ministerio de Jesús en Galilea. Él entonces viajó al sur hacia Jerusalén donde Él bien sabía que sería crucificado, «*mas al tercer día resucitará*» (20:19).

Fue sobre el Monte de los Olivos (Lucas 24:50), 40 días después de Su resurrección, que Jesús le dijo a Sus discípulos: «*Por tanto, id,* (enseñad) *y haced discípulos a todas las naciones, bautizándolos en el nombre del Padre, y del Hijo, y del Espíritu Santo; enseñándoles que guarden todas las cosas que os he mandado*» (Mateo 28:19-20).

---

### 𝒠N LA LECTURA DE HOY
La Deidad de Cristo; Juan el Bautista; el Cordero de Dios;
Su primer milagro en Caná; la purificación del templo;
el hombre Nicodemo

---

*«𝒠l nacimiento de Jesucristo fue así: Estando desposada María Su madre con José, antes que se juntasen, se halló que había concebido del Espíritu Santo»* (Mateo 1:18).

*«Vinieron del oriente a Jerusalén unos magos»* (hombres sabios) guiados por *«Su estrella»*, pueden haber venido de Babilonia, y averiguaron y preguntaron: *«¿Dónde está el Rey de los judíos, que ha nacido? Porque Su estrella hemos visto en el oriente, y venimos a adorarle»* (2:1-2). Es probable que estos hombres habían estudiado las profecías de Daniel quien, durante el cautiverio, dio una explicación bien detallada de los números de años que pasarían para que llegase el nacimiento del Mesías (Daniel 9:25-26).

Puede que les haya tomado a los magos un largo tiempo después del nacimiento de Cristo para llegar a Belén, pues leemos: *«Y al entrar en la casa, vieron al Niño con Su madre María, y postrándose, lo adoraron»* (Mateo 2:11). El encontrar al Rey que había sido profetizado *«en la casa»* como *«un Niño»* en vez de un bebito en un pesebre indica que muchos meses habían pasado desde el nacimiento de Jesús en aquel pesebre de Belén.

Los *«magos»* (hombres sabios) dijeron: *«venimos a adorarle»* (2:2). Su adoración incluyó tres clases de regalos (2:11). Primeramente, ellos ofrecieron *«oro»*, el mejor regalo para el *«Rey de reyes, y Señor de señores»* (I de Timoteo 6:15). Entonces, ellos ofrecieron *«incienso»*, un perfume de dulce olor usado en el altar del incienso en el templo, simbólico de nuestras oraciones que suben a Dios. El mejor regalo para un sacerdote, pues este Rey sería también nuestro *«Sumo Sacerdote»* (Hebreos 4:14), *«el que también intercede por nosotros»* delante de Dios (Romanos 8:34). Ellos también ofrecieron *«mirra»*, la cual significaba que Jesús estaba destinado a morir; la mirra era usada muchas veces como especie durante los entierros (Juan 19:39).

En la providencia de Dios, sus regalos también proveyeron los recursos adecuados para el viaje de José y María y su estancia en Egipto, donde se quedaron *«hasta la muerte de Herodes; para que se cumpliese lo que dijo el Señor por medio del profeta, cuando dijo: De Egipto llamé a Mi Hijo»* (Mateo 2:15; Hosea 11:1). Entonces ellos volvieron y *«(habitaron) en la ciudad que se llama Nazaret»* (donde Jesús vivió hasta que Él tenía unos 30 años de edad) (Mateo 2:23).

**Pensamiento para hoy:** El amor genuino se expresa cuando estamos dispuestos a darle al Señor nuestro tiempo y nuestros diezmos.

---

### EN LA LECTURA DE HOY

Las tentaciones por medio de Satanás; las bienaventuranzas;
el Sermón del Monte; los creyentes comparados a la sal y a la luz;
los apóstoles son llamados Jesús habla sobre la ley, el divorcio,
los juramentos, el diezmo, y el ayuno

---

Después de Su bautismo en el río Jordán, *«Jesús fue llevado por el Espíritu al desierto, para ser tentado por el diablo»* (Mateo 4:1). Primeramente, el diablo le sugirió un camino fácil, para gratificarse a Sí mismo, en el cual Jesús podía satisfacer Su hambre (clamando al deseo de la carne). Pero Jesús, sabiendo que la obediencia a la Palabra tiene que ser la base para todas las decisiones, citó las Escrituras, diciendo: *«Escrito está: No sólo de pan vivirá el hombre, sino de toda Palabra que sale de la boca de Dios»* (4:4; Deuteronomio 8:3). Las palabras *«ser tentado»* se usan también como «examinar o probar». Tales pruebas son partes necesarias de nuestras vidas, pues ellas revelan nuestro carácter verdadero. *«Y después de haber ayunado cuarenta días y cuarenta noches, tuvo hambre. Y vino a Él el tentador, y le dijo: Si eres Hijo de Dios, di que estas piedras se conviertan en pan»* (Mateo 4:2-3). Las habilidades que Dios nos ha otorgado deben ser usadas para Su gloria y Su honor.

La segunda tentación de Satanás: *«le llevó a la santa ciudad, y le puso sobre el pináculo del templo»* (4:5). Satanás sugirió que Jesús saltase hacia el lugar donde estaba el pueblo congregado y se presentara a Sí mismo como el Mesías sobrehumano (clamando al orgullo de la vida). Satanás citó las Escrituras para respaldar esta tentación, diciéndole: *«Si eres Hijo de Dios, échate abajo; porque escrito está: A Sus ángeles mandará acerca de Ti, y, en sus manos Te sostendrán, para que no tropieces con Tu pie en piedra»* (4:6; Salmo 91:11-12). El diablo frecuentemente se presenta muy religioso al citar las Escrituras, pero sólo cita la porción que le conviene a su plan. Jesús entonces le dijo: *«Escrito está también: No tentarás al Señor tu Dios»* (Mateo 4:7).

En su última tentación para seducir a Jesús a pecar: *«Otra vez le llevó el diablo a un monte muy alto, y le mostró todos los reinos del mundo y la gloria de ellos, y le dijo: Todo esto te daré, si postrado me adorares»* (4:8-9). El diablo otra vez sugirió otro camino fácil por el cual Jesús podía evitar el dolor y el sufrimiento de la cruz y aún poder gobernar *«todos los reinos del mundo»*. Aun un fracaso solo hubiese hecho de Jesús un pecador. Cuando nosotros permitimos un fracaso, casi siempre nos lleva a otro, etcétera. Jesús le contestó: *«Vete, Satanás, porque escrito está: Al Señor tu Dios adorarás, y a Él sólo servirás»* (Mateo 4:8-10).

**Pensamiento para hoy:** Los pobres en espíritu son ricos en las bendiciones espirituales de Dios. dispuestos a darle al Señor nuestro tiempo y nuestros diezmos.

## EN LA LECTURA DE HOY
La conclusión del Sermón del Monte;
la predicación y los milagros de Jesús; el llamamiento de Mateo

*J*esús nos amonesta: «*Guardaos de los falsos profetas, que vienen a vosotros con vestidos de ovejas, pero por dentro son lobos rapaces*» (Mateo 7:15). Sin duda, la vida eterna es el don de Dios «*no por obras, para que nadie se gloríe*» (Efesios 2:9). Pero, también es verdad que «*la fe sin obras es muerta*» (Santiago 2:20). La enseñanza es falsa cuando ofrece la vida eterna para llegar al cielo sin mencionar la vida del discipulado. Para clarificar la diferencia entre los verdaderos profetas y los falsos profetas, nuestro Señor dijo: «*No todo el que me dice: Señor, Señor, entrará en el reino de los cielos, sino el que hace la voluntad de Mi Padre que está en los cielos*» (Mateo 7:21). Sin embargo, la evidencia de ser un verdadero creyente es mucho más que hacer grandes obras; es el ser obediente al Señor Jesucristo.

Nuestro Señor nos dejó esta parábola: «*Cualquiera, pues, que Me oye estas Palabras, y las hace, le compararé a un hombre prudente, que edificó su casa sobre la roca. Descendió lluvia, y vinieron ríos, y soplaron vientos, y golpearon contra aquella casa; y no cayó, porque estaba fundada sobre la roca. Pero cualquiera que Me oye estas Palabras y no las hace, le compararé a un hombre insensato, que edificó su casa sobre la arena; y descendió lluvia, y vinieron ríos, y soplaron vientos, y dieron con ímpetu contra aquella casa; y cayó, y fue grande su ruina*» (7:24-27).

La obediencia tiene un sentido doble: el primero: «*Cualquiera, pues, que Me oye estas Palabras*», entonces reacciona: «*y las hace* (estas Palabras)». El sabio y el necio les dan mucho cuidado y labor a sus actividades – el uno está haciendo tesoros en el cielo, pero el otro solamente está cumpliendo metas humanas. Cuando nuestro mayor deseo es agradar a Cristo, Su Palabra será nuestro mando supremo para esta vida, y nos guiará a evitar el lazo de la obstinación, del orgullo, y de la avaricia. Por medio de Su Palabra sola, guiados por el Espíritu Santo, es que podemos estar a cuenta con nuestro Creador.

Es imposible vivir otra vez los años malgastados, pero es posible dejar de edificar sobre la arena que se hunde y empezar a edificar sobre la Roca de la eternidad. «*Porque nadie puede poner otro fundamento que el que está puesto, el cual es Jesucristo. Y si sobre este fundamento alguno edificare oro, plata, piedras preciosas, madera, heno, hojarasca, la obra de cada uno se hará manifiesta porque el día la declarará, pues por el fuego será revelada; y la obra de cada uno cuál sea, el fuego la probará*» (I de Corintios 3:11-13).

**Pensamiento para hoy:** El tener la mente de Cristo purifica nuestros pensamientos (Filipenses 2:5).

---

### EN LA LECTURA DE HOY

La misión de los doce apóstoles; las preguntas de Juan el Bautista; Jesús anuncia el juicio sobre las ciudades que no se arrepienten; la gran invitación

---

*«Y al ver las multitudes, tuvo compasión de ellas; porque estaban desamparadas y dispersas como ovejas que no tienen pastor. Entonces* (Jesús) *dijo a Sus discípulos: A la verdad la mies es mucha, mas los obreros pocos. Rogad, pues, al Señor de la mies, que envíe obreros a Su mies»* (Mateo 9:36-38). En respuesta a esta necesidad, Jesús eligió sólo doce hombres ordinarios quienes Él mismo enseñó, diciéndoles: *«Yo os envío como a ovejas en medio de lobos; sed, pues, prudentes como serpientes, y sencillos como palomas»* (10:16-17). La persecución de los creyentes, muchas veces poniéndoles presión para comprometerse a lo malo, es siempre una prueba de nuestra sinceridad. Los tiempos de paz nacional muchas veces causan que las *«ovejas»* se vuelvan indiferentes, pero durante los tiempos de persecución, las *«ovejas»* descubren que ellas tienen que depender en su Pastor. Los lobos son los enemigos naturales de las ovejas. Aunque los *«lobos»* (los falsos profetas) en forma humana a veces aparecen como *«vestidos de ovejas»* (7:15), su indiferencia a la Palabra de Dios llega a ser evidente. Igual que Satanás (4:5-6), los lobos también citan sólo algunos versículos que apoyan sus planes.

El creyente ha recibido una naturaleza «como el de las ovejas» simbólico a la inocencia y nunca a la corbardía. Las ovejas, en su naturaleza verdadera, siempre están necesitadas de un pastor o sino se extravían y fácilmente se convierten en víctimas. Aun peor, si una se va del rebaño, todas las otras ovejas le siguen sin propósito. Nunca hay seguridad entre muchas ovejas; un pastor siempre se necesita. *«Todos nosotros nos descarriamos como ovejas»* (Isaías 53:6) y necesitamos a Jesucristo, *«el Buen Pastor»* (Juan 10:11,14), para que nos guíe diariamente.

Junto con Jesucristo, el creyente puede pararse firme al frente del más feroz enemigo. Él nos da más seguridad, diciéndonos: *«no temáis a los que matan el cuerpo, mas el alma no pueden matar; temed más bien a Aquel que puede destruir el alma y el cuerpo en el infierno»* (Mateo 10:28). El creyente no tiene ninguna razón para suponer o esperar la bondad de un mundo hostil cuando su propio Maestro se tuvo que enfrentar a feroces enemigos en Su ministerio aquí en la tierra. Jesús les dijo a Sus seguidores: *«Si fuerais del mundo, el mundo amaría lo suyo; pero porque no sois del mundo, antes Yo os elegí del mundo, por eso el mundo os aborrece. . . . Si a Mí Me han perseguido, también a vosotros os perseguirán»* (Juan 15:19-20).

**Pensamiento para hoy:** Los mansos son pacientes cuando se enfrenten a las dificultades. (Mateo 5:5)

---

### ⨎N LA LECTURA DE HOY

Jesús, el Señor del día de reposo; la controversia con los fariseos;
el pecado imperdonable; la muerte y la resurrección
de Cristo es predicha; Su verdadera familia

---

*J*esús fue confrontado por los fariseos quienes estaban criticando a Sus discípulos al decir: *«He aquí Tus discípulos hacen lo que no es lícito hacer en el día de reposo»* (Mateo 12:2). Jesús les respondió: *«Pues os digo que Uno mayor que el templo está aquí. Y si supieseis qué significa: Misericordia quiero, y no sacrificio, no condenaríais a los inocentes; porque el Hijo del Hombre es Señor del día de reposo»* (12:6-8). El sistema de adoración en el Antiguo Testamento era una sombra de la vida y el ministerio de Jesucristo y también de Su iglesia. Dios le mandó a Israel de guardar el último día de la semana, el día de reposo, como un día de descanso para conmemorar que *«en seis días hizo Jehová los cielos y la tierra»* (Éxodo 20:9-11).

El día de reposo, tanto como todos los otros días de adoración de los judíos, los cuales eran también días de reposo o santas convocaciones, *«todo lo cual es sombra de lo que ha de venir»* (Colosenses 2:17). La iglesia apostólica reconocía esto y, en conmemoración a la resurrección de Cristo, vemos que en *«(el) primer día de la semana,* (se reunían) *los discípulos para partir el pan»* (Hechos 20:7). Unos años después, el Apóstol Pablo fue guiado a escribir: *«Cada primer día de la semana cada uno de vosotros ponga aparte algo, según haya prosperado, guardándolo, para que cuando yo llegue no se recojan entonces ofrendas»* (I de Corintios 16:2).

Casi todos los creyentes se congregan para adorar al Señor Jesucristo el primer día de la semana. Jesús resucitó de entre los muertos *«el primer día de la semana»* (Marcos 16:9). De esta forma, le honramos como el Señor de nuestras vidas al poner a Jesús en primer lugar cada semana. El día de reposo tiene su contraparte en el nuevo pacto: *«para que en todo tenga* (Jesucristo) *la preeminencia* (el primer lugar). . . . *Por tanto, nadie os juzgue en comida o en bebida, o en cuanto a días de fiesta, luna nueva o días de reposo, todo lo cual es sombra de lo que ha de venir»* (Colosenses 1:18; 2:16-17).

La Pascua, que conmemoraba la libertad de Israel de la esclavitud en Egipto, fue reemplazada durante la última Pascua de Cristo, cuando Él mismo estableció la Cena del Señor. Mientras que Jesús y Sus apóstoles estaban comiendo los alimentos que representaban la Pascua, *«tomó Jesús el pan, y bendijo* (dándole gracias a Dios), *y lo partió, y dio a Sus discípulos, y dijo: Tomad, comed; esto es Mi cuerpo. Y tomando la copa, y habiendo dado gracias, les dio, diciendo: Bebed de ella todos; porque esto es Mi sangre del nuevo pacto, que por muchos es derramada para remisión de los pecados»* (Mateo 26:26-28).

**Pensamiento para hoy:** *«El temor de Jehová es el principio de la sabiduría»* (Proverbios 9:10).

## ⚡N LA LECTURA DE HOY
Las parábolas de Jesús; Juan el Bautista es asesinado;
Jesús alimenta a cinco mil; Jesús camina sobre el agua

⚡h la primera parábola que Mateo registró, Jesús describió cuatro clases de respuestas de aquellos que oían Su Palabra. El verdadero discípulo de Cristo es representado por *«el que fue sembrado en buena tierra»* el cual al mismo tiempo *« . . . da fruto; y produce a ciento, a sesenta, y a treinta por uno»* (Mateo 13:8-23). Su segunda parábola fue *«(la) cizaña»* (la hierba mala) que creció en el mismo campo con el trigo pero no produjo fruto (13:24-30). *«(La) cizaña»* parece idéntica al trigo mientras que está creciendo. En su primera etapa, sólo los expertos conocen la diferencia. Pero, cuando esta hierba mala llega a su madurez, su punta revela que no tiene fruto ni es de valor alguno. En esta parábola, el Maestro nos dice: *«Dejad crecer juntamente lo uno y lo otro hasta la siega . . . »* (13:30). Jesús bien nos explica: *«El campo es el mundo; la buena semilla son los hijos del reino, y la cizaña son los hijos del malo»* (13:38).

*«(La) cizaña»* representa las personas que exteriormente parecen ser conversos a Cristo, pero que en verdad nunca han recibido a Jesucristo como Salvador y Señor de sus vidas. Pueden ser miembros de la iglesia, dar sus diezmos, y aun engañar a otros miembros de la iglesia, pero no pueden engañar a Cristo. Puede ser asombroso leer que *«Enviará el Hijo del Hombre a Sus ángeles, y recogerán de Su reino a todos los que sirven de tropiezo, y a los que hacen iniquidad, y los echarán en el horno de fuego; allí será el lloro y el crujir de dientes»* (13:41-42).

Ninguna persona espera ser arrojada a un horno de fuego, donde habrá *«el lloro y el crujir de dientes»*. Jesucristo nos dijo: *«porque estrecha es la puerta, y angosto el camino que lleva a la vida, y pocos son los que la hallan»* (7:14). Estos pocos tienen características que no son iguales a la mayoría de la gente. Ellos han reconocido que son pecadores y que necesitan al Salvador, y le han preguntado al Señor que les perdone sus pecados, y han puesto a Jesús como el Señor de sus vidas. Ellos también siempre están alegres en asistir a los cultos de adoración los domingos.

La frase: *«Cree en el Señor Jesucristo, y serás salvo»* (Hechos 16:31), quiere decir mucho más que un asenso mental a este hecho – es un estilo de vida. *«(Para) presentaros santos y sin mancha e irreprensibles delante de Él; si en verdad permanecéis fundados y firmes en la fe, y sin moveros de la esperanza del evangelio que habéis oído»* (Colosenses 1:22-23).

**Pensamiento para hoy:** Nuestra fe es fortalecida mientras que obedecemos la Palabra de Dios – la «fuente» de la fe.

### ᎒N LA LECTURA DE HOY

Los escribas y los fariseos son reprendidos; 4.000 son alimentados;
la levadura; la confesión de Pedro; la transfiguración de Jesús;
la falta de fe de los discípulos

᎒esarea de Filipo era el famoso lugar de «Pan», el dios griego representativo de todos los dioses del paganismo como también del dios Baal, considerado como «el dueño del cielo y de la tierra». La ciudad estaba situada a unas 40.23 kilómetros al norte del Mar de Galilea, al pie del lado sur de los montes del Hebrón, con su cumbre llena de nieve a unos 9.000 pies sobre el nivel del agua, la «montaña más alta» en la tierra prometida (Mateo 17:1). Muchos eruditos creen que la transfiguración de Jesús se realizó aquí.

En medio de un gran número de idólatras, Jesús les preguntó a Sus discípulos: «. . . ¿Quién dicen los hombres que es el Hijo del Hombre?» En respuesta a Su pregunta, «Ellos dijeron: Unos, Juan el Bautista; otros, Elías; y otros, Jeremías, o alguno de los profetas». Pero cuando Él les dijo: «Y vosotros, ¿quién decís que soy Yo?», sin vacilar, Simón Pedro le dijo: «Tú eres el Cristo, el Hijo del Dios Viviente» (16:13-16).

Nuestro Señor entonces introdujo las palabras «Mi iglesia» por primera vez (16:18). Una «iglesia», es una comunidad de personas que son hermanos y hermanas que se cuidan en compañerismo los unos con los otros y con Jesucristo quien es «la Cabeza del cuerpo que es la iglesia». La iglesia está compuesta de personas redimidas por Su sangre y comprometidas a Jesucristo como su Salvador y Señor bajo la disciplina de la Palabra de Dios. Ellos reconocen su responsabilidad de ayudarse los unos a los otros en vivir en pacto de relación con Cristo sabiendo que la iglesia es el Cuerpo de Cristo «Vosotros, pues, sois el Cuerpo de Cristo, y miembros cada uno en particular» (I de Corintios 12:27).

Aunque parece muy extraño, algunos de los seguidores de Jesucristo se descuidan de su responsabilidad del compañerismo con otros creyentes cada domingo para celebrar el día del Señor. Sin ellos saberlo, su influencia espiritual con su propia familia llega a ser débil e ineficaz. Aun peor, ellos profanan el día del Señor con sus placeres egoístas.

En una comparación sorprendente, «Cristo amó a la iglesia, y se entregó a Sí mismo por ella, para santificarla, habiéndola purificado en el lavamiento del agua por la Palabra, a fin de presentársela a Sí mismo, una iglesia gloriosa, que no tuviese mancha ni arruga ni cosa semejante, sino que fuese santa y sin mancha» (Efesios 5:25-27; ver I de Corintios 1:10).

**Pensamiento para hoy:** Nuestra adoración nunca es en vano cuando adoramos a nuestro Señor Jesucristo como Dios.

**☙N LA LECTURA DE HOY**
La humildad; la oveja perdida; el perdón; el matrimonio y el divorcio;
el joven gobernador rico; los obreros de la viña; los dos ciegos son sanados

☙l apóstol Pedro le hizo una pregunta al Señor muy importante, más aun de lo que él pensaba, cuando le preguntó a Jesús: *«Señor, ¿cuántas veces perdonaré a mi hermano que peque contra mí? ¿Hasta siete? Jesús le dijo: No te digo hasta siete, sino aun hasta setenta veces siete»* (Mateo 18:21-22).

Pedro pensó que era bien generoso al sugerir *«hasta siete»* veces. Pues eso era el doble de lo que se requería por las tradiciones de los escribas, más aun uno más, por un total de *«hasta siete»* veces. El negarse a perdonar a las personas sus pecados contra nosotros, mientras que al mismo tiempo estamos esperando que Cristo nos perdone todos nuestros pecados contra Él que cometemos cada día por toda una vida, es un pecado fatal. Jesucristo nos amonesta, diciéndonos: *«mas si no perdonáis a los hombres sus ofensas, tampoco vuestro Padre os perdonará vuestras ofensas»* (6:15).

El Señor nos da una ilustración de un siervo *«que le debía diez mil talentos»* a su rey (18:24). Esta cantidad le era imposible pagarla aun en toda una vida. *«Entonces aquel siervo, postrado, le suplicaba, diciendo: Señor, ten paciencia conmigo, y yo te lo pagaré todo. El señor de aquel siervo, movido a misericordia, le soltó y le perdonó la deuda. Pero saliendo aquel siervo, halló a uno de sus consiervos, que le debía cien denarios; y asiendo de él, le ahogaba, diciendo: Págame lo que me debes. Entonces su consiervo, postrándose a sus pies, le rogaba diciendo: Ten paciencia conmigo, y yo te lo pagaré todo. Mas él no quiso, sino fue y le echó en la cárcel, hasta que pagase la deuda»* (18:26-30). Cuando su rey se enteró de lo que había pasado, *«le dijo: Siervo malvado, toda aquella deuda te perdoné, porque me rogaste. ¿No debías tú también tener misericordia de tu consiervo, como yo tuve misericordia de ti? Entonces su señor, enojado, le entregó a los verdugos, hasta que pagase todo lo que le debía. Así también Mi Padre Celestial hará con vosotros si no perdonáis de todo corazón cada uno a su hermano sus ofensas»* (18:31-35).

Cuando nosotros consideramos el temor de Jehová, encontramos que es mucho más fácil perdonar a otras personas. *«Quítense de vosotros toda amargura, enojo, ira, gritería y maledicencia, y toda malicia. Antes sed benignos unos con otros, misericordiosos, perdonándoos unos a otros, como Dios también os perdonó a vosotros en Cristo»* (Efesios 4:31-32; ver Mateo 6:14-15).

**Pensamiento para hoy:** Vamos a vivir para el Señor ahora y nos gozaremos de vivir eternamente con Él.

## ✑N LA LECTURA DE HOY

La entrada triunfal de Jesús; la purificación del templo; Jesús maldice la higuera; la cuestión sobre la autoridad de Jesús; las parábolas; los tributos; el gran mandamiento; el lloro y el crujir de dientes en las tinieblas eternas

✑l día lunes antes de la crucifixión del jueves, y sólo un día después de Su entrada triunfal a Jerusalén, *«entró Jesús en el templo de Dios, y echó fuera a todos los que vendían y compraban . . . y les dijo: Escrito está: Mi casa, casa de oración será llamada; mas vosotros la habéis hecho cueva de ladrones»* (Mateo 21:12-13; ver Isaías 56:7).

Los principales sacerdotes estaban enfurecidos y mandaron una delegación a interrumpir a Jesús *«mientras enseñaba, y le dijeron: ¿Con qué autoridad haces estas cosas? ¿y quién Te dio esta autoridad?»* (Mateo 21:23). Ellos se estaban refiriendo a toda la alabanza que Jesús había aceptado de la multitud como el Mesías, y también le preguntaron sobre quien le había dado la autoridad para echar a los cambistas de dinero del templo. Por esta razón ellos conspiraron para matar a Jesús (26:4).

El templo pertenecía a Dios, quien moraba entre ellos. La purificación del templo por Jesús ilustra la purificación que Cristo solo trae a nuestras vidas por medio del sacrificio (la expiación) por Su sangre (26:28; I de Juan 1:7; Apocalipsis 1:5).

Después de anunciar Su juicio sobre las actividades en el templo, *«Respondiendo Jesús, les volvió a hablar en parábolas, diciendo: El reino de los cielos es semejante a un rey que hizo fiesta de bodas a su hijo . . . Las bodas a la verdad están preparadas; mas los que fueron convidados no eran dignos. Id, pues, a las salidas de los caminos, y llamad a las bodas a cuantos halléis. . . . Y entró el rey para ver a los convidados, y vio allí a un hombre que no estaba vestido de boda. . . . Entonces el rey dijo a los que servían: Atadle de pies y manos, y echadle en las tinieblas de afuera; allí será el lloro y el crujir de dientes»* (Mateo 22:1-13).

Porque el estar separado eternamente de Dios es tan absoluto y tan terrible, Jesús nos habló mucho más de las tormentas horribles de este infierno eterno llamado *«el lago de fuego»* (Apocalipsis 20:10) que ninguno de todos los escritores del Nuevo Testamento puestos juntos. En esta parábola, Jesús nos enseña sobre el error de los que se suponen poder entrar en el cielo por ser muy buenos. El apóstol Pablo nos dice: *«Porque hay aún muchos contumaces, habladores de vanidades y engañadores, mayormente los de la circuncisión . . . Profesan conocer a Dios, pero con los hechos lo niegan, siendo abominables y rebeldes, reprobados en cuanto a toda buena obra»* (Tito 1:10,16).

**Pensamiento para hoy:** La verdadera humildad incluye una actitud de benignidad para con otras personas.

**ℰN LA LECTURA DE HOY**
La hipocresía es denunciada; la destrucción del templo es predicha;
las señales de la venida de Cristo

*D*espués de la purificación del templo y de denunciar a los líderes religiosos como hipócritas, el Señor se sentó en el Monte de los Olivos con Sus discípulos y les predijo esto: «*muchos falsos profetas se levantarán, y engañarán a muchos; y por haberse multiplicado la maldad* (el desorden), *el amor de muchos se enfriará. Mas el que persevere hasta el fin, éste será salvo. Y será predicado este evangelio del reino en todo el mundo, para testimonio a todas las naciones; y entonces vendrá el fin. . . . El cielo y la tierra pasarán, pero Mis Palabras no pasarán*» (Mateo 24:11-14,35). Como los antiguos fariseos los «*falsos profetas*» de hoy en día substituyen las opiniones populares y las filosofías morales contemporáneas por la autoridad de la Palabra de Dios.

Sobre el Monte de los Olivos, sólo tres días antes de la crucifixión, nuestro Señor predijo la destrucción del templo, el cual fue destruido unos 40 años después de Su resurrección. Jesús también habló sobre Su futura segunda venida, diciendo: «*Pero del día y la hora nadie sabe, ni aun los ángeles de los cielos, sino sólo Mi Padre*» (24:36). Él también nos advirtió: «*Velad, pues, porque no sabéis a qué hora ha de venir vuestro Señor. Por tanto, también vosotros estad preparados; porque el Hijo del Hombre vendrá a la hora que no pensáis*» (24:42,44).

Jesús no trató de dar detalles sobre la inminente destrucción del templo de Jerusalén, ni aun sobre el fin de esta presente era que está por venir. Pero estas palabras dichas por nuestro Rey nos dan a entender la importancia de siempre estar preparados, pues así nos habló en la parábola de los dos siervos, diciendo: «*¿Quién es, pues, el siervo fiel y prudente, al cual puso su señor sobre su casa para que les dé el alimento a tiempo? Bienaventurado aquel siervo al cual, cuando su señor venga, le halle haciendo así. De cierto os digo que sobre todos sus bienes le pondrá. Pero si aquel siervo malo dijere en su corazón: Mi señor tarda en venir; y comenzare a golpear a sus consiervos, y aun a comer y a beber con los borrachos, vendrá el señor de aquel siervo en día que éste no espera, y a la hora que no sabe, y lo castigará duramente, y pondrá su parte con los hipócritas; allí será el lloro y el crujir de dientes*» (Mateo 24:45-51).

**Pensamiento para hoy:** Para Dios la condición interna del corazón es tan importante como nuestra conversación y actitudes diarias.

> ## ✑N LA LECTURA DE HOY
> Las parábolas; el complot para matar a Jesús; Jesús es ungido;
> la Cena del Señor; la agonía de Cristo y Su oración;
> Jesús es traicionado por Judas; Jesús es juzgado; Pedro niega al Señor

*J*esús se representó a Sí mismo en esta parábola, diciendo: «*Porque el reino de los cielos es como un hombre que yéndose lejos, llamó a sus siervos y les entregó sus bienes. A uno dio cinco talentos, y a otro dos, y a otro uno, a cada uno conforme a su* (propia) *capacidad; y luego se fue lejos*» (Mateo 25:14-15). Estos talentos no pertenecían a los siervos, pero seguían siendo la propiedad de su dueño. Ellos tenían que ser los administradores de los bienes que se les habían encargado. Los «*bienes*» en esta parábola representan las oportunidades y las habilidades que Dios nos ha dado y que Él espera que usemos para edificar Su Reino.

El siervo que recibió «*cinco talentos*» reconoció que lo qué él había recibido pertenecía a su dueño. En el día del juicio él pudo decir: «*Señor, cinco talentos me entregaste; aquí tienes, he ganado otros cinco talentos sobre ellos*» (25:20).

«*Asimismo el que había recibido dos, ganó también otros dos*» (25:17). El Señor no esperaba que este siervo ganase cinco talentos desde que a él se le había dado también según su habilidad. Los dos primeros siervos fueron fieles en ganar el doble de sus talentos y fueron encomendados igualmente.

El tercer siervo había recibido un talento. Pero él no trató de cumplir con su dueño. Al contrario, «*el que había recibido uno fue y cavó en la tierra, y escondió el dinero de su señor*» (del dueño) (25:18). Su esfuerzo para mantener su «propia seguridad» aquí en la tierra no tenía excusa. Él trató de dar excusas tal y como muchas personas hoy en día que muestran gran diligencia en sus trabajos en el mundo, pero después dicen: «Estoy muy ocupado ahora. Ya serviré al Señor cuando sea más conveniente, o después que esté jubilado».

Las consecuencias de despreciar las oportunidades para servir a su dueño eran irreversibles; ya no había una segunda oportunidad para revivir su vida. El Señor entonces declaró: «*Y al siervo inútil echadle en las tinieblas de afuera; allí será el lloro y el crujir de dientes*» (25:30; ver 8:12; 22:13; 24:51).

Podemos decidir ignorar nuestras oportunidades para servir al Señor, no dar nuestros diezmos, y profanar el día del Señor; pero, sin excepción, «*De manera que cada uno de nosotros dará a Dios cuenta de sí*» (Romanos 14:12). «*¿O ignoráis que vuestro cuerpo es templo del Espíritu Santo, el cual está en vosotros, el cual tenéis de Dios, y que no sois vuestros? Porque habéis sido comprados por precio; glorificad, pues, a Dios en vuestro cuerpo y en vuestro espíritu, los cuales son de Dios*» (I de Corintios 6:19-20).

**Pensamiento para hoy:** Los creyentes reciben y se gozan de la experiencia espiritual mientras que ayudan a otras personas (Tito 3:8).

> ### ☞N LA LECTURA DE HOY
> Judas se suicida; Jesús ante Pilato; la crucifixión, la sepultura,
> y la resurrección de Jesús; la Gran Comisión

*La* resurrección de Jesús le dio a Sus discípulos la llave para entender que Su Rey y Su Reino los dos eran eternos. *«Y Jesús se acercó y les habló diciendo: Toda potestad* (autoridad) *Me es dada en el cielo y en la tierra. Por tanto, id, y haced discípulos a todas las naciones, bautizándolos en el nombre del Padre, y del Hijo, y del Espíritu Santo; enseñándoles que guarden todas las cosas que os he mandado . . . »* (Mateo 28:18-20).

Cuando somos bautizados *«en el Nombre del Padre, y del Hijo, y del Espíritu Santo»* estamos proclamando toda la plenitud de la Deidad. Así, por el bautismo público, confesamos delante del mundo que Dios es nuestro *«Padre Celestial»*. La frase *«y del Hijo»* es nuestro testimonio al mundo que Jesús es ahora el Salvador y el Señor de nuestras vidas. Sobre nuestra confesión, el *«Espíritu Santo»* viene a ser nuestro Santificador, Consolador, y Guía por toda una vida (Juan 14:26; 16:13). Esto confirma la Trinidad de la Deidad y proclama que el Único Dios también se expresa en Tres Personas.

El *«nacer de nuevo»* (Juan 3:3,7) por Su Espíritu Santo es una experiencia sobrenatural que cambia el corazón y transforma nuestro ser a una vida que alaba y sirve al Señor diariamente. Esto no quiere decir que vamos a llegar a la perfección en esta vida; pero tal y como Pedro nos insiste: *«desead, como niños recién nacidos, la leche espiritual no adulterada, para que por ella crezcáis para salvación»* (I de Pedro 2:1-2). El Señor ha provisto sólo un Libro y Su Espíritu Santo para decirnos cómo debemos vivir y lo que Él espera que hagamos. El apóstol Pablo proclama en el libro de Tito: *«(Con) toda autoridad . . . Porque la gracia de Dios se ha manifestado para salvación a todos los hombres, enseñándonos que, renunciando a la impiedad y a los deseos mundanos, vivamos en este siglo sobria, justa y piadosamente, aguardando la esperanza bienaventurada y la manifestación gloriosa de nuestro gran Dios y Salvador Jesucristo, quien se dio a Sí mismo por nosotros para redimirnos de toda iniquidad y purificar para Sí un pueblo propio, celoso de buenas obras»* (Tito 2:11-15). Sin excepción todos nosotros a veces no cumplimos con el Señor pero, todos podemos decir juntos con el apóstol Pablo: *«Hermanos, yo mismo no pretendo haberlo ya alcanzado; pero una cosa hago: olvidando ciertamente lo que queda atrás, y extendiéndome a lo que está delante, prosigo a la meta, al premio del supremo llamamiento de Dios en Cristo Jesús»* (Filipenses 3:13-14).

**Pensamiento para hoy:** Si Dios es tu compañero debes de tener GRANDES planes.

# INTRODUCCIÓN AL LIBRO DE
# $\mathcal{M}$ARCOS

El Espíritu Santo dirigió a Marcos a poner mucho énfasis en la Deidad de Jesús como el perfecto Siervo de Dios. Cinco veces Jesús es nombrado *«el Hijo de Dios, el Hijo del Dios Altísimo, el Cristo, el Hijo del Bendito»* (Marcos 1:1; 3:11; 5:7; 14:61; 15:39). El primer versículo en el libro de Marcos nos dice: *«Principio del evangelio de Jesucristo, Hijo de Dios»* (1:1). Para confirmar a Jesús como *«el Hijo de Dios»*, Marcos registra unos 20 milagros, demostrando la autoridad de Jesús sobre los demonios, la naturaleza, las enfermedades, y la muerte (1:21-28; 1:29-31; 1:32-34; 1:40-45; 2:3-12; 3:1-6; 4:35-41; 5:1-20; 5:22-24,25-34,35-43; 6:31-44; 6:45-50; 6:51-54; 7:24-30; 7:31-37; 8:1-9; 8:22-26; 9:2-10; 9:14-29; 10:46-52; 11:12-14,20-26; 16:1-11; 16:19-20).

El libro de Marcos también describe a Jesús como *«el Hijo del Hombre (que vino) . . . para dar Su vida en rescate por muchos»* (10:45); el Siervo fiel de Dios – un Hombre de acción, siempre ocupado y trabajando; y con tales expresiones como *«inmediatamente»* (al momento), *«prontamente»* (pronto) y *«en seguida»* (en el acto), los cuales Marcos usó más de 40 veces. Su vida de Siervo es presentada en tales pasajes como: *«Porque el Hijo del Hombre no vino para ser servido, sino para servir (ministrar)»* (10:45). El Espíritu Santo también guio a Marcos a registrar nueve parábolas (2:21; 2:22; 4:1-20; 4:21-22; 4:26-29; 4:30-32; 9:50; 12:1-12; 13:28-31; 13:32-37).

Solamente en el libro de Marcos vemos las manos de Jesús trabajando con tan prominencia. Sólo Marcos se registra que Sus propios vecinos dijeron: *« . . . estos milagros que por Sus manos son hechos»* (6:2). Todos estos pasajes son simbólicos de la obra de un siervo. Ninguno de los otros evangelios mencionan las manos de Jesús como lo hace Marcos en las siguientes Escrituras: 1:31; 7:33; 8:23,25; 9:27.

En este libro no encontramos la genealogía de Jesús, no se menciona Su nacimiento, o los magos (hombres sabios), y nada sobre Su niñez o juventud, desde que ninguna de estas cosas son de interés en el relato de la vida de un siervo.

En ninguno de los otros evangelios podemos ver que Jesús *«tomó a un niño . . . y tomándole en Sus brazos»* (9:36). El libro de Marcos también se refiere a Jesús como el *«Maestro»* (Rabí, Señor) 15 veces (4:38; 5:35; 9:5,17,38; 10:17,20,35; 11:21; 12:14,19,32;13:1; 14:14,45).

Cuando comparamos a Marcos con Mateo, vemos que Mateo no provee ninguna explicación sobre las costumbres de los judíos porque su apelación fue para con los judíos. Pero, Marcos estaba clamando a los gentiles, y así fue guiado a explicar muchas de las costumbres y enseñanzas de los judíos las cuales el que no era judío no las conocía (2:18; 7:3-4; 14:12; 15:42), también las plantas y los lugares geográficos de Judea (1:13; 11:13; 13:3), y el valor de las monedas judías en el dinero romano (12:42).

## EN LA LECTURA DE HOY

El ministerio de Juan el Bautista; el bautismo y la tentación de Jesús; Su ministerio en Galilea; los doce apóstoles son elegidos; el pecado imperdonable

*D*ios había dirigido a Moisés, diciéndole: «*Manda a los hijos de Israel que echen del campamento a todo leproso . . . para que no contaminen el campamento de aquellos entre los cuales Yo habito*» (Números 5:2-3). Ninguna enfermedad ocupa más espacio en los escritos de las Escrituras como la lepra. Extrañamente, al principio sólo aparece como una mancha blanca y después rosada. Mientras que la lepra progresa lentamente, llega a ser muy aborrecible, y muchas veces fatal en sus consecuencias. Esto ilustra cómo es que la lepra parece insignificante al principio, pero, si continúa, sus consecuencias siempre nos lleva a la desolación.

Un leproso termina perdiendo su habilidad de sentir el dolor. Pero, aun peor, mientras que la lepra progresa, los dedos de las manos y de los pies se van pudriendo y al fin se caen. Por siglos, los leprosos eran incurables – eran considerados los despreciables de la sociedad que no se podían tocar.

Uno de estos desechados digno de lástima vino con intrepidez a Jesús «*Vino a Él un leproso, rogándole; e hincada la rodilla, le dijo: Si quieres, puedes limpiarme*» (Marcos 1:40). Cuando el leproso dijo «*Si quieres*», él no tenía ninguna duda que Jesús podía limpiarle. Pero él dudaba Su buena voluntad de hacerlo desde que la lepra era más peor que cualquier otra enfermedad incurable, pues también le hacía al leproso una persona inmunda para las ceremonias. No quiso decir «¿podría Él?» sino «¿lo haría Él?». «*Y Jesús, teniendo misericordia de él, extendió la mano y le tocó, y le dijo: Quiero, sé limpio*» (1:41).

Mateo registró que este leproso «*se postró ante Él*» para adorarle (Mateo 8:2), y Lucas dijo que «*se postró con su rostro en tierra*» ante Él (Lucas 5:12). Sólo Marcos nos dice que «*Jesús teniendo misericordia de él*», entonces extendió Su mano amorosa a este leproso inmundo «*y le tocó*». Jesús «*teniendo misericordia*», expresó la más fuerte de las emociones humanas y la expresión verdadera de Su amoroso corazón. Cuando Jesús le tocó esto mostró su compasión por medio de Sus Palabras «*Quiero, sé limpio*» (Marcos 1:41; Lucas 5:13). Hoy en día Jesús nos dice: «*Ya vosotros estáis limpios por la Palabra que os he hablado*» (Juan 15:3). La fe en Dios viene por el oír Su Palabra (Romanos 10:17).

Al saber que estamos salvos, tal y como el leproso que Jesús limpió quien «*comenzó a publicarlo mucho*» (Marcos 1:45), todos nosotros también vamos a querer decirle a otras personas lo que Jesús ha hecho por nosotros.

Mientras que observamos a los pecadores por todo nuestro alrededor y vemos cómo el pecado está destruyendo la vida espiritual de la gente, es muy importante también recordar que «*El Señor . . . es paciente para con nosotros, no queriendo que ninguno perezca, sino que todos procedan al arrepentimiento*» (II de Pedro 3:9).

**Pensamiento para hoy:** Cuando la presión es mayor, más tiempo tenemos que dedicarle a la oración.

---

### ☙N LA LECTURA DE HOY
Las parábolas de Jesús; la tormenta es clamada; la legión
de los demonios es echada al abismo; la hija de Jairo es resucitada

---

𝒥esucristo describe en una parábola cuatro tipos de respuestas de aquellos que oyen Su Palabra, diciendo: *«Oíd: He aquí, el sembrador salió a sembrar; y al sembrar, aconteció que una parte cayó junto al camino, y vinieron las aves del cielo y la comieron»* (Marcos 4:1-4). Esto quiere decir que hay personas que solamente responden al evangelio con una gran indiferencia que les destruye. Ellos representan los oyentes que no expresan interés en los valores espirituales pero están bien interesados en los placeres y la satisfacción de sus propios deseos. Ellos oyen la Palabra de Dios, *«pero después que la oyen, en seguida viene Satanás, y quita la Palabra que se sembró en sus corazones»* (4:15).

Otras personas que oyen Su Palabra son como la semilla que *«cayó en pedregales»* (4:5). Al principio ellos parecen recibirla, pero muy pronto pierden el interés. *«Estos son asimismo . . . los que cuando han oído la Palabra, al momento la reciben con gozo; pero no tienen raíz en sí, sino que son de corta duración, porque cuando viene la tribulación o la persecución por causa de la Palabra, luego tropiezan»* (4:16-17). Los *«pedregales»* significan un lugar con piedras sólidas debajo y muy poca profundidad de tierra encima. Estos «conversos» parecen estar llenos de vida y con un gran futuro; pero cuando son confrontados por un estilo de vida que no es consistente con la vida del creyente, o viene alguna persecución por haber seguido la Palabra de Dios, ellos inmediatamente huyen.

Otros «conversos» son como las semillas *«que fueron sembrados entre espinos . . . que oyen la Palabra, pero los afanes de este siglo, y el engaño de las riquezas, y las codicias de otras cosas, entran y ahogan la Palabra, y se hace infructuosa»* (4:18-19). Tales personas parecen reconocer el verdadero valor de caminar con Cristo y de la vida eterna, pero nunca han podido separarse de los pecados del pasado. Cuando las cosas del mundo que detienen a una persona en dedicarse a Cristo no son arrancadas, gradualmente toman el control de su corazón y los intereses espirituales son atropellados.

Pero un grupo de personas más serias que oyen bien la Palabra de Dios son como las semillas *«que fueron sembrados en buena tierra: los que oyen la Palabra y la reciben, y dan fruto a treinta, a sesenta, y a ciento por uno»* (4:20). Por la fe, ellos aprenden a quebrantar sus lugares de *«pedregales»*, quitando cada cosa que impide su crecimiento espiritual. Ellos saben desarraigar las hierbas malas y los espinos de la falsa motivación, y dan mucho fruto. Jesús nos ha dicho a todos: *«Yo soy la vid, vosotros los pámpanos; el que permanece en Mí, y Yo en él, éste lleva mucho fruto; porque separados de Mí nada podéis hacer»* (Juan 15:5).

**Pensamiento para hoy:** No es «lo que posee» una persona que es importante, pero lo más importante es «quién le posee».

## EN LA LECTURA DE HOY
Los apóstoles son enviados; Juan el Bautista es decapitado;
la alimentación de los cinco mil; Jesús anda sobre el mar;
la reprimenda a los fariseos; la fe de la mujer sirofenicia

Los fariseos insistían que la Ley de Dios fuese observada tal y como los escribas la interpretaban; ellos creían en las Escrituras del Antiguo Testamento, pero ellos se aferraban *«a la tradición de los ancianos»* más que a las Escrituras (Marcos 7:3). Ellos creían que los discípulos de Jesús se habían contaminado porque ellos no se lavaban antes de comer según las ceremonias descritas por los fariseos anteriores y *«la tradición de los ancianos»*. Debería haber sido un gran despertamiento al oír a Jesús decir: *«Hipócritas, bien profetizó de vosotros Isaías, como está escrito: Este pueblo de labios Me honra, mas su corazón está lejos de Mí. Pues en vano Me honran, enseñando como doctrinas mandamientos de hombres. . . . (Invalidando) la Palabra de Dios con vuestra tradición que habéis transmitido»* (7:6-8,13).

Después, Jesús les explicó a Sus discípulos: *«¿No entendéis que todo lo de fuera que entra en el hombre, no le puede contaminar? Porque de dentro, del corazón de los hombres, salen los malos pensamientos, los adulterios, las fornicaciones, los homicidios, los hurtos, las avaricias, las maldades, el engaño, la lascivia* (sensualidad)*, la envidia, la maledicencia, la soberbia, la insensatez. Todas estas maldades de dentro salen, y contaminan al hombre»* (7:18-23).

Satanás a veces sugiere malos pensamientos, pero sólo llegan a convertirse en pecados cuando los aceptamos y empezamos a vivir en ellos. Nos engañamos si asumimos que no hay ningún daño en vivir en los pensamientos pecaminosos mientras que nunca se hablen o se lleven a cabo físicamente. Pero, el Espíritu Santo guio al apóstol Pablo a escribir: *«Por cuanto los designios de la carne* (del mundo) *son enemistad* (hostil) *contra Dios; porque no se sujetan a la Ley de Dios»* (Romanos 8:7).

Los verdaderos creyentes tenemos una responsabilidad, y la habilidad, por medio del Espíritu Santo que mora en nosotros, para poder vencer a todos los pensamientos pecaminosos: *«derribando argumentos y toda altivez* (orgullo) *que se levanta contra el conocimiento de Dios, y llevando cautivo todo pensamiento a la obediencia a Cristo»* (II de Corintios 10:4-5). Un verdadero compromiso para leer toda la Palabra de Dios con un gran deseo de agradecer al Señor producirá cambios interiores en nuestra conducta y en nuestras actitudes que causarán un gran efecto en todo lo que decimos y en todo lo que hacemos. *«Digo, pues: Andad en el Espíritu, y no satisfagáis los deseos de la carne»* (Gálatas 5:16).

**Pensamiento para hoy:** Los pensamientos no hablados expresan los verdaderos deseos de nuestros corazones.

---

**ℰN LA LECTURA DE HOY**

La alimentación de los cuatro mil; la levadura es explicada;
la sanidad del hombre ciego; la confesión de fe de Pedro;
la muerte y la resurrección de Jesús es predicha; la transfiguración;
los discípulos no pueden sanar a un niño; la disputa sobre quién
sería el más grande; las tormentas horribles del infierno eterno

---

*ℐ*esús y Sus discípulos habían estado en la famosa ciudad de los idólatras de «*Cesarea de Filipo*» (Mark 8:27-9:1). Fue aquí donde Jesús «*en el camino preguntó a Sus discípulos, diciéndoles: ¿Quién dicen los hombres que soy Yo? Ellos respondieron: Unos, Juan el Bautista; otros, Elías; y otros, alguno de los profetas. Entonces Él les dijo: Y vosotros, ¿quién decís que soy? Respondiendo Pedro, le dijo: Tú eres el Cristo*» (8:27-29).

Un breve tiempo después, Jesús invitó al pueblo a seguirle, pero con algunos requisitos, diciéndoles: «*Si alguno quiere venir en pos de Mí, niéguese a sí mismo, y tome su cruz, y sígame. Porque todo el que quiera salvar su vida, la perderá; y todo el que pierda su vida por causa de Mí y del evangelio, la salvará. Porque ¿qué aprovechará* (beneficiará) *al hombre si ganare todo el mundo, y perdiere su alma? ¿O qué recompensa dará el hombre por su alma? Porque el que se avergonzare de Mí y de Mis Palabras en esta generación adúltera y pecadora, el Hijo del Hombre se avergonzará también de él, cuando venga en la gloria de Su Padre con los santos ángeles*» (8:34-38).

Fue en esta misma región que, seis días después, Jesús y tres de Sus discípulos fueron «. . . *aparte solos a un monte alto; y se transfiguró delante de ellos. . . . Y les apareció Elías con Moisés, que hablaban con Jesús*» (9:2-4). Moisés y Elías estaban ahora en la presencia de su Mesías. Durante este grandioso evento, los dos profetas del Antiguo Testamento hablaron con Jesús sobre «*Su partida* (muerte), *que iba Jesús a cumplir en Jerusalén*» (Lucas 9:31). Moisés, que representaba la Ley de Dios, y Elías, que representaba a los profetas de Dios, se aparecieron para honrar a Jesús antes de Su sufrimiento, Su muerte en la cruz, y Su resurrección física.

Pedro cometió el error de sugerir que ellos hicieren «*tres enramadas, una para Ti, otra para Moisés, y otra para Elías. Porque no sabía lo que hablaba, pues estaban espantados*» (Marcos 9:5-6). Sin embargo, desde que Jesucristo es el Unigénito Hijo de Dios, Él solo es digno de toda nuestra adoración y obediencia (Apocalipsis 4:9-11). Nada, ni nadie, puede reemplazar ni ser igual a la comunión personal con Jesús como nuestro Señor.

Después de la sugerencia de Pedro de hacer «*tres enramadas*», entonces: «. . . *vino una nube que les hizo sombra, y desde la nube una voz que decía: Este es Mi Hijo Amado; a Él oíd*» (Marcos 9:7).

**Pensamiento para hoy:** La adoración, el amor, y la lealtad que le pertenece sólo a Cristo no se puede compartir con otro.

## EN LA LECTURA DE HOY

Jesús enseña sobre el divorcio; Jesús bendice a los niños;
el joven rico; Jesús sana a Bartimeo el ciego;
la entrada triunfal; la purificación del templo

El rey Herodes había arrestado a Juan el Bautista, «*Porque . . . le había encadenado y metido en la cárcel, por causa de Herodías, mujer de Felipe su hermano; porque Juan le decía: No te es lícito tenerla. . . . (Y) ordenó decapitar a Juan en la cárcel*» (Mateo 14:3-4,10). En un esfuerzo para arrestar a Jesús y también esperando que Herodes lo mandara a asesinarlo, los fariseos le preguntaron a Jesús para tentarle: «*. . . si era lícito al marido repudiar a su mujer*» (Marcos 10:2). Jesús no tuvo miedo de ellos, sino que les citó la Palabra de Dios, diciéndoles: «*pero al principio de la creación, varón y hembra los hizo Dios. Por esto dejará el hombre a su padre y a su madre, y se unirá a su mujer, y los dos serán una sola carne; así que no son ya más dos, sino uno. Por tanto, lo que Dios juntó, no lo separe el hombre*» (que no terminen en un divorcio) (10:6-9; Génesis 2:24).

La mayor responsabilidad en una relación matrimonial descansa sobre el esposo, quien debe de amar a su esposa, «*. . . así como Cristo amó a la iglesia, y se entregó a Sí mismo por ella*» (Efesios 5:25). Aunque existen numerosas imperfecciones dentro de la iglesia, Jesús no repudia Su iglesia para ir a buscar otros medios para unir a Su pueblo en seguirle a Él. Además, Jesús no fuerza a nadie a estar sumiso a Él. La conducta y la compasión del esposo para con su esposa necesitan ser tal y como las de Cristo por Su iglesia. Cristo establece el ejemplo y Él mismo nos guía en el camino de la compasión, de la bondad, y del perdón.

Cuando un hombre vive en sumisión a Cristo, él prepara el camino para que su esposa también desee vivir en sumisión a él: «*Así que, como la iglesia está sujeta a Cristo, así también las casadas lo estén a sus maridos en todo*» (5:24). Es de suma importancia que la esposa se sienta segura en el amor de su esposo. Pues, entonces, es la responsabilidad del esposo dejarle saber a su esposa que ella le es muy importante.

Dios creó el mundo y puso a Adán como su encargado. Dios creó a Eva para ser ayuda idónea para Adán. El esposo con su esposa son un equipo y deben de «*. . . sed benignos unos con otros, misericordiosos, perdonándoos unos a otros, como Dios también os perdonó a vosotros en Cristo*» (Efesios 4:32).

**Pensamiento para hoy:** Una «*ayuda idónea*» es una esposa que trabaja junto para proveer un gran apoyo.

## ✐N LA LECTURA DE HOY

Los labradores malvados; la cuestión sobre el tributo a César;
la resurrección; el gran mandamiento; la ofrenda de la viuda;
las señales del fin de esta era

*J*esucristo fue interrogado por un escriba, quien le preguntó *«¿Cuál es el primer* (mayor) *mandamiento de todos?* (Marcos 12:28). Jesús le contestó citando el libro de Deuteronomio 6:4-5. *«El primer mandamiento de todos es: Oye, Israel; el Señor nuestro Dios, el Señor Uno es. Y amarás al Señor tu Dios con todo tu corazón, y con toda tu alma, y con toda tu mente y con todas tus fuerzas. Este es el principal mandamiento»* (Marcos 12:29-30). Jesús entonces citó al libro de Levítico 19:18, diciéndole: *«Y el segundo es semejante: Amarás a tu prójimo como a ti mismo. No hay otro mandamiento mayor que éstos»* (12:31).

La palabra hebrea «Elohenu» se traduce al español como «nuestro Dios». Sin embargo, Dios escogió usar la forma plural «Elohim», queriendo decir «Dioses», unas 2.500 veces en referencia a Sí mismo como el que existe por Su propio poder, el *«Único Dios Verdadero»*. Esto, entonces, es lo que la sagrada proclamación a Israel literalmente nos dice: *«Oye, Israel; el Señor* (nuestros Dioses), *el Señor Uno es»*. Además, la palabra hebrea para *«Único»* que aquí se usa es también una solemne declaración de que el Señor es una unidad plural. El *«Único»* (El-echad) es una palabra que expresa «uno» en un sentido colectivo. En esto vemos una unidad compuesta – no una unidad absoluta. Por ejemplo, Dios dijo: *«Por tanto, dejará el hombre a su padre y a su madre, y se unirá a su mujer, y serán una sola carne»* (Génesis 2:24). Aun con muchos hijos, todavía le llamamos a esta unidad «una» familia. La expresión *«un tabernáculo»* (Éxodo 36:13) incluía muchas partes individuales. Sin embargo, sí hay una palabra en hebreo que representa «uno» en el sentido de uno absoluto. Es la palabra «yacheed» y vemos que esta palabra nunca es usada para expresar la Deidad, aunque es usada muchas veces en las Santas Escrituras.

Esta verdad manifiesta la ignorancia de todos los que se niegan a reconocer a Jesús como el Único Dios Verdadero, el Creador de todas las cosas. El Espíritu Santo guio al apóstol Pablo a escribir sobre Jesús: *«Porque en Él fueron creadas todas las cosas, las que hay en los cielos y las que hay en la tierra . . . »* (Colosenses 1:16). Todas las personas que rechazan a Jesús como nuestro Dios y al Espíritu Santo como el Único quien nos « . . . *guiará a toda la verdad»* (Juan 16:13) están, por hecho, rechazando la revelación de Dios mismo como Dios el Padre, Dios el Hijo, y Dios el Espíritu Santo. Jesús no dejó ninguna duda en cuanto a quien Él era cuando Él dijo: *«Yo y el Padre Uno somos»* (Juan 10:30; ver 5:18; 12:45; 14:9-11,20).

**Pensamiento para hoy:** Vamos a orar hoy en día por los que están en autoridad.

---

### ☙N LA LECTURA DE HOY

La última Pascua de Jesús; Getsemaní; Pedro niega al Señor; Jesús ante Pilato; la crucifixión, la sepultura, la resurrección, y la ascensión de Jesús

---

*S*imón, un leproso a quien Jesús había sanado, vivía en Betania, un pequeño pueblo situado entre las lomas del Monte de los Olivos menos de 3.22 kilómetros de Jerusalén. Solamente unos días antes de que Jesús sería crucificado, Simón invitó a Jesús y a Sus apóstoles a una cena en su casa. Mientras que ellos estaban sentados comiendo, «. . . *vino una mujer con un vaso de alabastro de perfume de nardo puro de mucho precio* (muy costoso)*; y quebrando el vaso de alabastro, se lo derramó sobre Su cabeza*» (Marcos 14:3; ver Mateo 26:6-13; Juan 12:1-8).

Este «*perfume de nardo puro*» estaba valorado en «*más de trescientos denarios*» – que era como las ganacias de un año para un obrero común (Marcos 14:5; Mateo 20:2). El apóstol Juan fue quien registró que había sido Judas quien había hablado en alta voz, diciendo: «*¿Por qué no fue este perfume vendido por trescientos denarios, y dado a los pobres? Pero dijo esto, no porque se cuidara de los pobres, sino porque era ladrón, y teniendo la bolsa* (del dinero), *sustraía de lo que se echaba en ella*» (Juan 12:5-6). Para Judas, cualquier cosa que se derramara sobre Jesús era una pérdida; él codiciaba el dinero que se podía haber obtenido al vender el perfume. Pero, Jesús le contestó: «*Déjala; para el día de Mi sepultura ha guardado esto. Porque a los pobres siempre los tendréis con vosotros, mas a Mí no siempre Me tendréis*» (12:7-8).

La oportunidad ya perdida de vender el perfume y cogerse el dinero, junto con la fuerte reprimenda que Jesús le dio y el gran honor que María le había otorgado a Jesús, probablemente enfurecieron mucho más a Judas, quien «*fue a los principales sacerdotes para entregárselo*» (Marcos 14:10). La verdadera razón por la cual Judas estaba entre los doce apóstoles se hizo bien clara cuando le dijo a los principales sacerdotes: «*¿Qué me queréis dar, y yo os lo entregaré?*» (Mateo 26:15-16). «*Ellos, al oírlo, se alegraron, y prometieron darle dinero . . .*» (Marcos 14:11). La traición de Judas junto con la cantidad de dinero que iba a recibir, todo fue profetizado por uno de los profetas del Señor unos 600 años atrás: «*Y les dije: Si os parece bien, dadme mi salario; y si no, dejadlo. Y pesaron por mi salario treinta piezas de plata*» (Zacarías 11:12).

Nuestra generación no es muy diferente a la generación durante los días de Jesús aquí en la tierra. La pecaminosa naturaleza humana sigue siendo igual. Cada persona tiene que tomar una decisión personal si va a aceptar o a rechazar a Jesús como el Salvador y el Señor de su vida. La pregunta hecha por Poncio Pilato debe de aun contestarse: «*¿Qué, pues, haré de Jesús, llamado el Cristo?*» (Mateo 27:22).

**Pensamiento para hoy:** Lo que uno decide hacer con Jesús determina el destino eterno.

# INTRODUCCIÓN AL LIBRO DE
## $\mathcal{L}$UCAS

Lucas fue un gentil que le escribió este libro, como también el libro de los Hechos, a Teófilo, cual nombre significa «*amigo de Dios*». Él proclamó este evangelio universal a todas las personas que desean ser llamados «amigos de Dios» cuando registró este mensaje que el ángel les trajo a los pastores durante esos días del nacimiento de Jesús: «*No temáis; porque he aquí os doy nuevas de gran gozo, que será para todo el pueblo*» (Lucas 2:10). Lucas reveló que el propósito de Jesús en venir del cielo a la tierra fue «*a buscar y a salvar lo que se había perdido*» (19:10; ver 1:68; 2:11;38; 24:21). Lucas fue bien conocido como «*el médico amado*» (Colosenses: 4:14).

Lucas acentúa, clara y fuertemente, la Divinidad de Cristo en Su perfecta humanidad. La humanidad perfecta de Jesús es revelada en la forma que Lucas presenta a Jesús como el Hijo del Hombre. Esta frase «*el Hijo del Hombre*» es mencionada por lo menos 25 veces en este libro. Lucas también proclamó la completa Deidad de Jesús como el Hijo de Dios nacido de una virgen cuando él trazó la genealogía de Jesús por medio de Su madre María hasta la misma creación del primer hombre, Adán. Por medio de la física y actual genealogía de María, Cristo es unido a toda la humanidad.

Ninguno de los otros evangelios dan tantos detalles sobre la humanidad de Jesús como lo hace el libro de Lucas. Él nos habla sobre los padres y el nacimiento de Juan el Bautista, el primo de Jesús que era mayor que Jesús por sólo seis meses (Lucas 1:36). Él también nos da los detalles del viaje de José y María a Belén donde nació Jesús (2:1-7). Solamente Lucas registra que Jesús fue «(acostado) *en un pesebre*» (2:7); que fue presentado en el templo para ser circuncidado (2:21-24); que a los doce años de edad conversó con los maestros (rabinos eruditos de la Ley); «*Y Jesús crecía en sabiduría y en estatura, y en gracia para con Dios y los hombres*» (2:52).

Lucas también revela la gran dependencia humana que Jesús tenía en el Padre Celestial al orar (3:21; 5:16; 6:12; 9:16,18,28-29; 10:21; 11:1; 22:17,19; 23:46; 24:30). Esto nos enseña la gran importancia que todos Sus seguidores tenemos al reconocer que siempre estamos dependiendo en Dios, por medio de la oración, para cumplir Su voluntad. Sólo Lucas registra la petición de Sus discípulos: «*Señor, enséñanos a orar*» (11:1), o la enseñanza de Jesús «*sobre la necesidad de orar siempre, y no desmayar*» (perder ánimo) (18:1). La parábola del juez injusto y la viuda (18:2-8), y la parábola del amigo que a medianoche clamó: «*Amigo, préstame tres panes*» (11:5-13) están sólo en Lucas. Todas estas parábolas nos enseñan la importancia de continuar orando hasta que se supla cada necesidad.

Lucas demuestra que el evangelio de Jesucristo es para todas las personas, aun los samaritanos (17:11-19).

## EN LA LECTURA DE HOY

El nacimiento de Jesús por una virgen; la visita de María a Elisabet;
la alabanza de María a Dios; el nacimiento de Juan el Bautista

*J*esús hubiese nacido con la naturaleza pecaminosa de Adán si José hubiese sido Su padre biológico. Esto hubiese hecho de Jesús un pecador igual que toda la humanidad y así no hubiese podido ser el Impecable Sacrificio para pagar por nuestros pecados. Pero Gabriel, el mensajero angélico de las buenas nuevas, vino a María y le dijo: *«¡Salve, muy favorecida! El Señor es contigo . . . Y ahora, concebirás en tu vientre, y darás a luz un Hijo, y llamarás Su nombre JESÚS. Este será grande, y será llamado Hijo del Altísimo; y el Señor Dios le dará el trono de David Su padre . . . y el poder del Altísimo te cubrirá con Su sombra; por lo cual también el Santo Ser que nacerá, será llamado Hijo de Dios»* (Lucas 1:28,31-32,35).

Lucas registró que cuando María vio al ángel *«se turbó por sus palabras»* sumamente (1:29). José también se turbó cuando él supo que María estaba en cinta y contempló un divorcio privado. *«Y pensando él en esto, he aquí un ángel del Señor le apareció en sueños y le dijo: José, hijo de David, no temas recibir a María tu mujer, porque lo que en ella es engendrado, del Espíritu Santo es. Y dará a luz un Hijo, y llamarás Su nombre JESÚS»* («Jesús» en hebreo es el mismo nombre de «Josué» que significa «Yahweh» – Jehová que nos rescata - nuestro Salvador), *«porque Él salvará a Su pueblo de sus pecados»* (Mateo 1:20-21). Esto debe haber sido de mucha consolación para María. En vez de vivir bajo esa sospecha, José recibió una confirmación milagrosa de la virginidad de María.

Unos 700 años antes, Isaías predijo: *«Por tanto, el Señor mismo os dará señal: He aquí que la virgen concebirá, y dará a luz un Hijo, y llamará Su nombre Emanuel»* (Dios con nosotros). *«Porque un Niño nos es nacido, Hijo nos es dado, y el principado sobre Su hombro; y se llamará Su nombre Admirable, Consejero, Dios Fuerte, Padre Eterno, Príncipe de Paz»* (Isaías 7:14; 9:6). El nacimiento de Jesús reveló Su Única Naturaleza como Dios y como Hombre.

El profeta Miqueas había profetizado que el Mesías iba a nacer en Belén Éfrata, y que *«Sus salidas son desde el principio, desde los días de la eternidad»* (Miqueas 5:2). Este pequeño pueblecito, unas seis millas al sur de Jerusalén, era llamado *«la Ciudad de David»*, porque allí fue donde el rey David nació.

*«Zacarías . . . profetizó, diciendo: Bendito el Señor Dios de Israel, que ha visitado y redimido a Su pueblo»* (Lucas 1:67-75).

**Pensamiento para hoy:** *«Vimos Su gloria, gloria como del Unigénito del Padre, lleno de gracia y de verdad»* (Juan 1:14).

## *E*N LA LECTURA DE HOY

El nacimiento de Jesús; la adoración de los pastores;
las profecías de Simeón y Ana; Jesús en el templo; Juan el Bautista;
el bautismo de Jesús y Su genealogía

*L*a Pascua trajo a José y María a Jerusalén cada año. Cuando Jesús cumplió 12 años de edad, José y María estaban ocupados en la preparación para volver a su casa después de la fiesta, «*(y) pensando que* (Jesús) *estaba entre la compañía* (el grupo), *anduvieron camino de un día; y le buscaban entre los parientes y los conocidos; pero como no le hallaron, volvieron a Jerusalén buscándole. Y aconteció que tres días después le hallaron en el templo, sentado en medio de los doctores de la ley, oyéndoles y preguntándoles*» (Lucas 2:44-46).

Después de encontrarlo en el templo, María le dijo: «*Hijo, ¿por qué nos has hecho así? He aquí, tu padre y yo te hemos buscado con angustia*» (2:48). Jesús calmadamente le explicó a María y a José (no Su padre biológica) Su razón por haber estado en el templo, diciéndoles: «*¿Por qué me buscabais? ¿No sabíais que en los negocios de Mi Padre Me es necesario estar?*» (2:49). Jesús les dejó saber bien claro quien era Su Padre Real. La devoción a los intereses de Su Padre Celestial le llevó al templo; pero Su sumisión a la voluntad de Su Padre también le causó volver otra vez a Nazaret donde «*estaba sujeto* (obediente) *a ellos* » (2:51).

En esta era de rebelión, muchos jóvenes no son disciplinados para estar sumisos a sus padres o a ninguna otra persona. El honrar y el obedecer a la autoridad de los padres que ha sido ordenada por Dios « . . . *es el primer mandamiento con promesa*» (Efesios 6:2). Los padres que viven en sumisión a Dios tienen una gran responsabilidad para con sus hijos de enseñarles todo lo espiritual – especialmente por medio de sus propios ejemplos personales, sus devocionales diarios, y por la asistencia regular a una iglesia que enseña la Biblia. Son dignos de lástima los padres que se rebelan contra las restricciones que se les pone en el trabajo, en la iglesia, o en la comunidad. Tales personas pueden aun pensar que ellos tienen el derecho de vivir independientes de la autoridad ordenada por Dios, pero ellos sí esperan que sus hijos sean obedientes a las autoridades.

«*Sométase toda persona a las autoridades* (y gobiernos) *superiores; porque no hay autoridad sino de parte de Dios, y las que hay, por Dios han sido establecidas. De modo que quien se opone a la autoridad, a lo establecido por Dios resiste; y los que resisten, acarrean condenación para sí mismos*» (Romanos 13:1-2).

**Pensamiento para hoy:** La certeza de que toda la Palabra de Dios se cumplirá es el fundamento de nuestra fe cristiana.

---

### EN LA LECTURA DE HOY
La tentación de Jesús; Sus enseñanzas; Sus sanidades;
la gran cantidad de peces; otros milagros; el llamamiento de Mateo

---

Algunas personas piensan que ellos pueden alabar a Dios en un lago pescando o en sus casas descansando al igual que en la iglesia. Pero, al contrario, Jesús reconoció la necesidad de honrar a Dios al asistir regularmente a los cultos de adoración. Leemos que Él *«enseñaba en las sinagogas de ellos»* (Lucas 4:15), mientras que estaba en Galilea. *«Vino a Nazaret, donde se había criado; y en el día de reposo entró en la sinagoga, conforme a Su costumbre, y Se levantó a leer»* (4:16). Jesús fue invitado a hablar, *«(y) se le dio el libro del profeta Isaías; y habiendo abierto el libro, halló el lugar donde estaba escrito: El Espíritu del Señor está sobre Mí, por cuanto Me ha ungido para dar buenas nuevas a los pobres; Me ha enviado a sanar a los quebrantados de corazón; a pregonar libertad a los cautivos . . . Y enrollando el libro, lo dio al ministro, y se sentó»* (4:17-20; ver Isaías 61:1-2). La Escritura que Jesús leyó contenía una mención bien clara de las tres Personas de la Trinidad – El Espíritu Santo, el Padre, y el Único Ungido.

El pueblo se quedó asombrado, *«los ojos de todos en la sinagoga estaban fijos en Él. Y comenzó a decirles: Hoy se ha cumplido esta Escritura delante de vosotros»* (Lucas 4:20-21). Ellos se maravillaron de Sus *«Palabras de gracia»* (4:22), pero también sabían que Él estaba claramente refiriéndose a Sí mismo como el Mesías que había sido profetizado por Isaías y otros de los profetas empezando con Génesis 3:15. Nos podemos imaginar lo sorprendida que se quedó la gente cuando Jesús dijo que Él mismo, quien ellos asumían era el *«hijo . . . de José»* (Lucas 3:23), era su Verdadero Mesías que por mucho tiempo habían esperado.

La congregación que estaba oyendo a Jesús se enfureció tanto a que Él se estaba igualando a Sí mismo con Dios, que ellos interrumpieron el servicio de adoración, *«le echaron fuera de la ciudad»*, y trataron de matarle por blasfemar al llevarle hasta una cumbre para despeñarle. *«Mas Él pasó por en medio de ellos, y se fue»* (4:28-30). Lucas acentuó claramente que Jesucristo es Dios (el Mesías).

Qué fácil es caer en el error de seguir las emociones en vez de la verdad revelada en la Palabra de Dios. En desemejanza a los judíos de Nazaret, un poco después se ven los judíos en Berea que *«eran más nobles que los que estaban en Tesalónica, pues recibieron la Palabra con toda solicitud, escudriñando cada día las Escrituras para ver si estas cosas eran así»* (Hechos 17:11).

**Pensamiento para hoy:** Vamos a pensar en esto: ¡Tenemos un gran privilegio de trabajar para nuestro Creador!

## EN LA LECTURA DE HOY

Jesús y el día de reposo; Él escoge a Sus doce discípulos; el Sermón del Monte; la sanidad y los milagros; la pregunta de Juan el Bautista; Jesús es ungido

Todos nosotros hemos pecado más allá de nuestra habilidad de poder contarlo, y debemos de estar profundamente agradecidos que nuestro Padre Celestial nos perdona cuando nos arrepentimos de todos nuestros pecados. Si estamos verdaderamente agradecidos, entonces trataremos a las personas que pecan contra nosotros con la misma misericordia y compasión que hemos recibido de nuestro Señor. Jesús, quien bien sabe la tendencia de nuestros corazones humanos de ser hipócritas, nos advierte: *«¿Por qué miras la paja que está en el ojo de tu hermano, y no echas de ver la viga que está en tu propio ojo? . . . Hipócrita, saca primero la viga de tu propio ojo, y entonces verás bien para sacar la paja que está en el ojo de tu hermano»* (Lucas 6:41-42).

Es nuestra responsabilidad reconocer *«la paja»* (lo malo) por lo que en verdad es, pero nosotros debemos de considerar primeramente *«la viga»* propia (nuestras críticas y actitudes negativas hacia otras personas). Sólo entonces somos aptos para ayudar a otros en sus necesidades.

Un corazón de compasión y cuidado para ayudar a otros es contrario a las personas que ignoran sus propias faltas y fracasos, y que casi nunca pierden una oportunidad para chismear sobre la conducta o los fracasos de otras personas. A veces estamos dispuestos a exagerar e implicar que las acciones de otras personas tienen motivos malvados. Gracias que Dios es un Dios de misericordia, que nos perdona por completo cuando nos arrepentimos de nuestros pecados. Pero, tenemos la tendencia de juzgarnos según nuestras buenas intenciones pero juzgamos a los otros por sus errores. Desde el punto de vista que esperamos la misericordia de Dios en nuestras vidas, esto pone una gran demanda sobre nosotros para extender esa misma misericordia hacia otras personas. *«(Mas) si no perdonáis a los hombres sus ofensas, tampoco vuestro Padre os perdonará vuestras ofensas».* (Mateo 6:15).

El criticar y el menospreciar a otras personas es a veces una forma de justificarse a sí mismo y de aumentar el autoestima. También, es más fácil llegar rápidamente a las conclusiones sin oír cuidadosamente todo lo sucedido. Todos tenemos una habilidad asombrosa para juzgar erróneamente los pensamientos y las acciones de otras personas. Los críticos siempre viven buscando y encontrando algo mal con todo lo que se dice o se hace por otros a quienes ellos desean despreciar. Jesús habló en contra de esta justificación personal al decir: *«saca primero la viga de tu propio ojo».* Es entonces que el amor de Cristo puede expresarse por medio de nuestras vidas. Si alguien *«fuere sorprendido en alguna falta, vosotros que sois espirituales, restauradle con espíritu de mansedumbre, considerándote a ti mismo, no sea que tú también seas tentado»* (Gálatas 6:1).

**Pensamiento para hoy:** Es injusto criticar a otros – aun cuando ellos no cumplen con lo que esperamos. Todos tendremos que darle cuenta a Cristo por lo que hacemos.

## ᎬN LA LECTURA DE HOY
Las enseñanzas de Jesús y más de Sus milagros;
los doce apóstoles son enviados; la alimentación de cinco mil;
la confesión de Pedro; la transfiguración de Jesús

*J*esús puso a prueba la sinceridad de los que serían discípulos cuando *«Yendo ellos, uno le dijo en el camino: Señor, Te seguiré adondequiera que vayas. Y le dijo Jesús: Las zorras tienen guaridas, y las aves de los cielos nidos; mas el Hijo del Hombre no tiene dónde recostar la cabeza»* (ningún lugar para dormir) (Lucas 9:57-58). *«Las zorras»* ilustran las personas que son bien capaces, y *«las aves de los cielos»* ilustran las personas mundanas. Jesús le indicó a este hombre que, si él escogía seguirle, él podía esperar tiempos de opresión y necesidad. Jesús también estaba diciendo que Él mismo no estaba atado a las posesiones del mundo, ni que Sus seguidores tendrían alguna garantía de que iban a recibir los grandes recursos de este mundo.

*«Entonces también dijo otro: Te seguiré, Señor; pero déjame que me despida primero de los que están en mi casa. Y Jesús le dijo: Ninguno que poniendo su mano en el arado mira hacia atrás, es apto para el reino de Dios»* (9:61-62). Nuestro Señor no recibió a esos voluntarios que sólo estaban interesados en unirse a Él teniendo sus propias condiciones, pues para servir a Cristo requiere un compromiso de vida. El amor nos dicta que no puede haber otros compromisos al seguirle. Jesús no estaba en aquel entonces, ni aun hoy en día, en medio de una campaña para buscar miembros, ni aun estaba contando los conversos para mostrar Su éxito.

Las personas que están buscando su propio éxito y se comprometen a buscarlo se encuentran casi siempre extraviados, creyendo que habrá un día más conveniente cuando puedan escoger seguir al Señor. Sus excusas revelan que son personas de doble ánimo. Algunas personas carecen de tener un *«ojo que es bueno»* dedicado a Cristo cuando, en comparación, todo lo del mundo es de poca importancia. Otras pesonas fallan al no poner a Jesús en primer lugar en sus decisiones diarias, mas todos los que lo han hecho han descubierto que la satisfacción de negarse a sí mismos sobrepasa las recompensas pasajeras que el mundo ofrece. Todos nosotros tenemos que considerar si hay alguien o algo en nuestros corazones que nos están alejando de darle a Cristo, a Su Palabra, y a Su voluntad, el primer lugar en nuestras vidas.

Jesús nos advirtió: *«sabed que está cerca el reino de Dios. De cierto* (verdad) *os digo . . . El cielo y la tierra pasarán, pero Mis Palabras no pasarán. Mirad también por vosotros mismos, que vuestros corazones no se carguen de glotonería y embriaguez y de los afanes de esta vida, y venga de repente sobre vosotros aquel día»* (Lucas 21:31-34).

**Pensamiento para hoy:** Las ambiciones mundanas se marchitan y son insignificante cuando dedicamos nuestras vidas a conocer al Señor por la lectura de Su Palabra.

---

### EN LA LECTURA DE HOY

Los setenta mensajeros son enviados; el buen samaritano; Marta y María;
las enseñanzas sobre la oración; Jesús critica a los fariseos

---

*Un* escriba que era un intérprete oficial de la Ley de Moisés y también de las tradiciones de los ancianos, *«se levantó y dijo, para probarle: Maestro, ¿haciendo qué cosa heredaré la vida eterna?»* (Lucas 10:25). Entonces Jesús le contestó: *«¿Qué está escrito en la ley? ¿Cómo lees?»* El hombre respondió: *«Amarás al Señor tu Dios con todo tu corazón, y con toda tu alma, y con todas tus fuerzas, y con toda tu mente; y a tu prójimo como a ti mismo».* Jesús le dijo: *«Bien has respondido; haz esto, y vivirás. Pero él, queriendo justificarse a sí mismo, dijo a Jesús: ¿Y quién es mi prójimo?»* (10:26-29).

Jesús contestó esta pregunta con una ilustración, diciendo: *«Un hombre descendía de Jerusalén a Jericó, y cayó en manos de ladrones, los cuales le despojaron* (de lo que llevaba); *e hiriéndole, se fueron, dejándole medio muerto. Aconteció que descendió un sacerdote por aquel camino, y viéndole, pasó de largo. Asimismo un levita, llegando cerca de aquel lugar, y viéndole, pasó de largo. Pero un samaritano, que iba de camino, vino cerca de él, y viéndole, fue movido a misericordia; y acercándose, vendó sus heridas, echándoles aceite y vino; y poniéndole en su cabalgadura, lo llevó al mesón, y cuidó de él. . . . ¿Quién, pues, de estos tres te parece que fue el prójimo del que cayó en manos de los ladrones? Él dijo: El que usó de misericordia con él. Entonces Jesús le dijo: Ve, y haz tú lo mismo»* (10:30-37).

Mi *«prójimo»* es cualquiera que necesita mi compasión y a quien yo tengo la oportunidad y la habilidad de ayudar. No importa cual sea su posición, su raza, o su religión. Nosotros solamente entramos en los sentimientos de sufrimientos y de desgracias de otras personas así como Dios lo ha hecho con nosotros (Hebreos 4:15). Todo lo que es mío en verdad pertenece a Dios y todo lo que pertenece a Dios lo debo de compartir con mi prójimo, pues mi prójimo también fue creado por y en la imagen de Dios.

Todos nosotros necesitamos de ser recordados de la respuesta que nuestro Señor le dio a este abogado. *«Maestro, ¿haciendo qué cosa heredaré la vida eterna?»* Jesús le llevó a reconocer que la evidencia de la vida eterna en nuestras vidas es el deseo de obedecer la Palabra de Dios. Jesucristo dijo: *«Un mandamiento nuevo os doy: Que os améis unos a otros; como Yo os he amado, que también os améis unos a otros. En esto conocerán todos que sois Mis discípulos, si tuviereis amor los unos con los otros»* (Juan 13:34-35).

**Pensamiento para hoy:** Es una cosa servir a Dios, pero es otra cosa completamente diferente el mostrar compasión a los que son menos afortunados que nosotros.

## ÉN LA LECTURA DE HOY
### Las advertencias contra la avaricia y la hipocresía; las parábolas, las sanidades, y las enseñanzas de Jesús

El Señor ilustra el peligro engañoso de la avaricia al relatar esta parábola: *«La heredad de un hombre rico había producido mucho. Y él pensaba dentro de sí, diciendo: ¿Qué haré, porque no tengo dónde guardar mis frutos? Y dijo: Esto haré: derribaré mis graneros, y los edificaré mayores, y allí guardaré todos mis frutos y mis bienes; y diré a mi alma: Alma, muchos bienes tienes guardados para muchos años; repósate, come, bebe, regocíjate. Pero Dios le dijo: Necio, esta noche vienen a pedirte tu alma; y lo que has provisto, ¿de quién será?»* (Lucas 12:16-20). Por el arduo trabajo de la ocupación bien respetada de la agricultura, este hombre se había hecho muy rico. No hay ninguna indicación que él había obtenido sus riquezas por métodos deshonestos. Su gran pecado que le destruyó fue que él malgastó toda su vida en satisfacer sus propios placeres. Dios le llamó *«necio»*, y después añade: *«Así es el que hace para sí tesoro, y no es rico para con Dios»* (12:20-21).

Nosotros los creyentes no debemos de permitir que los deseos materiales nos distraigan de hacer la voluntad de Dios. No debemos de preocuparnos de nuestras necesidades futuras. Sabiendo bien la importancia de lo que comemos, lo que vestimos, y la vivienda para mantener nuestras vidas, aún nuestra primera ocupación debe siempre ser: *« . . . buscad primeramente el reino de Dios y Su justicia, y todas estas cosas os serán añadidas»* (Mateo 6:33). Al poder mantener con bien nuestras prioridades, nos preparamos para llegar a ser todo lo que nuestro Señor quiere que seamos y cumplir así el propósito por el cual Él nos ha creado.

De la manera que usamos nuestro tiempo y nuestros talentos es una expresión de nuestra fe cristiana. Cristo nos enseñó que la vida es verdaderamente completa cuando amamos, servimos, y damos para extender las «Buenas Nuevas» a un mundo perdido. Sin importar de cuantos – muchos o pocos – de talentos tenemos, o cuantas posesiones tenemos o hemos acumulado, como buenos administradores debemos de entregarnos a la oración considerando lo que Jesús quisiera hacer con lo que tenemos.

*«Mas tú, oh hombre de Dios, huye de estas cosas, y sigue la justicia, la piedad, la fe, el amor, la paciencia, la mansedumbre. Pelea la buena batalla de la fe, echa mano de la vida eterna, a la cual asimismo fuiste llamado, habiendo hecho la buena profesión delante de muchos testigos»* (I de Timoteo 6:11-12).

**Pensamiento para hoy:** Si verdaderamente cuidamos de los intereses de Dios, Él cuidará de nuestros intereses.

## ᏉN LA LECTURA DE HOY
La humildad; más parábolas; el hijo pródigo; el rico y Lázaro;
Abraham y el gozo de la vida eterna; el horror del infierno eterno

*N*uestro Señor ilustra dos alternativas para la vida. El primero a escoger es el hijo que vivía concentrado en sí mismo que exigió su libertad para no estar bajo la autoridad de su padre, y entonces *«No muchos días después, juntándolo todo el hijo menor, se fue lejos a una provincia apartada; y allí desperdició sus bienes* (herencia) *viviendo perdidamente. Y cuando todo lo hubo malgastado, vino una gran hambre en aquella provincia, y comenzó a faltarle»* (muriéndose de hambre) (Lucas 15:13-16).

Una alternativa más inteligente es la segunda a escoger por este hijo pródigo, cuando dijo: *«¡ . . . yo aquí perezco* (muero) *de hambre! Me levantaré e iré a mi padre, y le diré: Padre, he pecado contra el cielo y contra ti»* (15:17-18).

La palabra «pródigo» significa malgastador; el joven *«malgastó»* la herencia de su padre. Después que se arrepintió, su padre le hizo reconocer la seriedad de su antigua forma de vivir como un pecador al decir: *«porque este mi hijo muerto era, y ha revivido; se había perdido, y es hallado. Y comenzaron a regocijarse»* (15:24).

Tal y como este hijo pródigo descubrió que el amor de su padre era mucho mayor que lo que él anteriormente había reconocido, también lo podrá así descubrir cada pecador que se arrepiente y podrá ver que el Padre Celestial está esperando con gran compasión para perdonar a todos los que vienen a Él.

Jesús entonces habló de un hombre rico que nunca llegó a reconocer que él había *«malgastado»* su vida, aunque él había llegado a tener «gran éxito». Pero, *«en el Hades alzó sus ojos, estando en tormentos . . . Entonces él, dando voces, dijo . . . porque estoy atormentado en esta llama»* (16:23-24). Fue entonces que él llegó a descubrir que el infierno es eterno y que, entre él y Abraham, había *«una gran sima»* (16:26). Las preocupaciones del rico con sus ganancias le llevó a remover todo deseo de usar sus habilidades o recursos para la gloria de Dios. El mayor propósito de nuestras breves vidas en esta tierra es prepararnos para una eternidad sin fin, y después hacer todo lo posible para proveer el alimento espiritual para otras personas necesitadas.

Desde que la *«ciudadanía»* (estilo de vida) del verdadero creyente *«está en los cielos»* (Filipenses 3:20), no nos atrevemos a fijar metas mundanas, ni a ganancias materialistas, ni aun establecer las satisfacciones físicas como nuestra única prioridad. Toda la humanidad, el rico o el pobre, tiene una cosa en común – la muerte del cuerpo abrirá la puerta al gozo de la vida eterna o a los horrores del infierno eterno. *«Por tanto, es necesario que con más diligencia atendamos a las cosas que hemos oído . . . ¿cómo escaparemos nosotros, si descuidamos una salvación tan grande?»* (Hebreos 2:1,3).

**Pensamiento para hoy:** ¿Es usted uno de esos hijos pródigos? El Padre Celestial está amorosamente esperando darle las bienvenidas.

---

### EN LA LECTURA DE HOY

El perdón; los diez leprosos; la venida de Cristo es predicha; el joven rico;
la muerte y la resurrección de Cristo es predicha;
la sanidad del ciego mendigo

---

*N*inguna pregunta es de mayor importancia que la que hizo *«un hombre principal»* (Lucas 18:18), que *«vino . . . corriendo, e hincando la rodilla delante de Él (Jesús)»* (Marcos 10:17). Este hombre era *«joven»* (Mateo 19:20,22), y tenía grandes riquezas. Hincándose de rodillas delante de Jesús, el joven le preguntó: *«Maestro bueno, ¿qué haré para heredar la vida eterna? Jesús le dijo . . . No adulterarás; no matarás; no hurtarás; no dirás falso testimonio; honra a tu padre y a tu madre»* (Lucas 18:18-27; ver Mateo 19:16-30; Marcos 10:17-31). Nadie nunca se dirigía a un escriba o a un rabino como *«Maestro bueno»* – sólo a Dios se le llamaba Bueno. Tres de los evangelios registran que el joven reconoció que Jesús era más que otro Maestro, pero como el *«Buen Maestro»* (Señor). Él sabía que, más allá de la vida física, había una eternidad que él quería heredar.

En respuesta a su suma importante pregunta: *«¿qué haré . . . ?»*, entonces Jesús le dijo: *«Aún te falta una cosa: vende todo lo que tienes, y dalo a los pobres, y tendrás tesoro en el cielo; y ven, sígueme. Entonces él, oyendo esto, se puso muy triste, porque era muy rico»* (Lucas 18:22-23). A esta respuesta no se le debe torcer el sentido a decir que la vida eterna se puede ganar por los esfuerzos personales o por los sacrificios que se hacen en dar y ayudar a otras personas. La vida eterna sólo viene por medio de Él (Jesucristo) quien *«nos amó, y nos lavó de nuestros pecados con Su sangre»* (Apocalipsis 1:5). Este joven no estaba dispuesto a dejar que Jesús fuese el Señor de su vida. Él no quería dejar atrás la influencia, el prestigio, y la seguridad financiera que sus riquezas proveían. Él pensó que él era un *«buen hombre»*, muy religioso, pero tristemente estaba perdido eternamente.

La Biblia no condena a las personas sólo por ser ricos, pero: *«A los ricos de este siglo manda (instruye) que no sean altivos (orgullosos), ni pongan la esperanza en las riquezas, las cuales son inciertas, sino en el Dios Vivo, que nos da todas las cosas en abundancia para que las disfrutemos. Que hagan bien, que sean ricos en buenas obras, dadivosos, generosos (compartiendo); atesorando para sí buen fundamento para lo por venir, que echen mano de la vida eterna»* (I de Timoteo 6:17-19).

Las decisiones diarias y el estilo de vida revelan lo que en verdad se cree. Este joven rico ilustra la razón por qué Jesús dijo: *«estrecha es la puerta, y angosto el camino que lleva a la vida, y pocos son los que la hallan»* (Mateo 7:14).

**Pensamiento para hoy:** Debemos de leer Su Palabra – la Palabra de Dios. *«Reconócelo en todos tus caminos, y Él enderezará tus veredas»* (Proverbios 3:6).

## ✏N LA LECTURA DE HOY
Jesús y Zaqueo; la entrada triunfal; la purificación del templo;
la parábola de los labradores malvados; el pago del tributo; la resurrección;
la autoridad de Jesús

*L*os fariseos habían conspirado contra Jesús con la cooperación de un partido político no religioso llamado *«los herodianos»*, un grupo que empujaba al pueblo de Israel a estar sometido a Roma (Mateo 22:16). Estos grupos de personas hipócritas y opuestos en su forma de pensar mandaron un comité investigador junto con unos miembros de la junta del Sanedrín, pretendiendo estar interesados en seguir a Jesús. Ellos le dijeron a Jesús: *«Maestro, sabemos que dices y enseñas rectamente . . . que enseñas el camino de Dios con verdad. ¿Nos es lícito dar tributo a César, o no?»* (Lucas 20:21-22). Desde que la mayoría de los judíos se sentían sumamente agraviados por el tributo (los impuestos) que tenían que pagarle al gobierno romano, este «comité» estaba seguro que el gentío pronto dejaría de seguir a Jesús si Él decía que «Sí». Y también los fariseos podían decirle al pueblo que Él no podía ser el Verdadero Mesías de Israel si Él enseñaba que tenían que estar sujetos a un gobierno gentil. Pero, si Él decía que «No», entonces el partido de los herodianos podían acusarle de conspirar en contra el gobierno romano y entonces Poncio Pilato le podía arrestar por traición.

*«Mas Él, comprendiendo la astucia de ellos, les dijo: ¿Por qué Me tentáis? Mostradme la moneda. ¿De quién tiene la imagen y la inscripción? Y respondiendo dijeron: De César. Entonces les dijo: Pues dad a César lo que es de César»*, (entonces el resto de su respuesta fue como una fuerte reprimenda que ardía por su hipocresía, al decirles): *«y (dad) a Dios lo que es de Dios»* (20:23-25). Mientras que la imagen en la moneda está representando la autoridad del gobierno, también tenemos que someternos a una autoridad mayor que ella porque fuimos creados *«a imagen de Dios»* (Génesis 1:26-27). Esto significa que las Palabras de Jesús son también verdaderas para nosotros hoy en día.

Algunos ciudadanos equivocados aceptan los beneficios del gobierno pero evitan pagar los impuestos. Ellos ignoran las dos razones por las cuales se deben pagar los impuestos. Los creyentes pagamos los impuestos requeridos porque obedecemos la ley, pero también lo hacemos porque es un requerimiento que le agrada a Dios. Nosotros no podemos simplemente ignorar Su mandato bien evidente: *«Por causa del Señor someteos a toda institución humana, ya sea al rey, como a superior, ya a los gobernadores, como por Él enviados para castigo de los malhechores y alabanza de los que hacen bien»* (I de Pedro 2:13-14).

**Pensamiento para hoy:** Oh, poder oír a Jesús decir: *«Bien, buen siervo y fiel»*.

## ☙N LA LECTURA DE HOY

La ofrenda de la viuda; las señales del fin; la última Pascua y la Cena del Señor; la oración en Getsemaní; el arresto de Jesús; Pedro niega al Señor

*L*os alimentos de la Pascua anual de los israelitas eran un recordatorio de que la sangre de un cordero inocente y la obediencia a la Palabra de Dios habían hecho posible para sus descendientes ser redimidos de la muerte, ser libertados del Faraón y de la esclavitud en Egipto, y gozarse de la libertad en la tierra prometida.

En la noche de la Pascua, Jesús *«tomó el pan y dio gracias, y lo partió y les dio* (a Sus doce discípulos), *diciendo: Esto es Mi cuerpo, que por vosotros es dado; haced esto en memoria de Mí. De igual manera, después que hubo cenado, tomó la copa, diciendo: Esta copa es el nuevo pacto en Mi sangre, que por vosotros se derrama»* (Lucas 22:19-20). Durante esta Pascua, nuestro Señor se identificó a Sí mismo con el Cordero del sacrificio de la Pascua.

La Cena del Señor es un recordatorio que la muerte de Jesucristo en la cruz nos rescata de las manos de Satanás, y nos da la libertad de la condenación de nuestros pecados para recibir la vida eterna. Esta ordenanza es tan sagrada que el Espíritu Santo puso mucho énfasis sobre su importancia por medio del apóstol Pablo, quien nos escribió: *«Que el Señor Jesús, la noche que fue entregado, tomó pan; y habiendo dado gracias, lo partió, y dijo: Tomad, comed; esto es Mi cuerpo que por vosotros es partido; haced esto en memoria de Mí»* (I de Corintios 11:23-25). Es de suma importancia que consideremos cuidadosamente que nuestro Señor nos dijo: *«haced esto en memoria de Mí»*. Él no nos dio una sugerencia pero sí nos dio un mandamiento. Jesús le recuerda a todos Sus seguidores: *«¿Por qué Me llamáis, Señor, Señor, y no hacéis lo que Yo digo?»* (Lucas 6:46). Y otra vez Él dijo: *«El que Me ama, Mi Palabra guardará»* (Juan 14:23).

El Señor quería que nosotros supiéramos que Su muerte en la cruz hizo toda la diferencia entre pasar la eternidad en *«el lago de fuego»* (Apocalipsis 20:14-15), o en el cielo con Él (Juan 3:16; 14:2-3). La Cena del Señor es un recordatorio continuo de que hay perdón para todos los que, por fe, aceptan el sacrificio expiatorio de Jesús como la única forma de obtener la vida eterna. Es también un buen tiempo para examinar ¿qué mala actitud hemos tenido para con otros, qué venganza, y qué deseo carnal, necesitamos confesar y dejar atrás? La Cena del Señor es un recordatorio que: *«cualquiera que comiere este pan o bebiere esta copa del Señor indignamente, será culpado del cuerpo y de la sangre del Señor. Por tanto, pruébese cada uno a sí mismo, y coma así del pan, y beba de la copa»* (I de Corintios 11:27-28).

**Pensamiento para hoy:** Necesitamos expresar un amor que perdona en nuestros corazones para todos los que nos ofenden.

**ᴇN LA LECTURA DE HOY**
Jesús ante Poncio Pilato y Herodes; Su crucifixión y Su resurrección;
el ministerio de Cristo resucitado; Su gran comisión; Su ascensión

*A*lgunas de las mujeres que eran las seguidoras de Jesús observaron mientras que Él moría en la cruz, y después observaron mientras que el cuerpo de su querido Señor fue rápidamente puesto en el sepulcro de José de Arimatea que se había abierto en una peña. *«Era día de la preparación . . . (y) las mujeres . . . vueltas, prepararon especias aromáticas y ungüentos; y descansaron el día de reposo, conforme al mandamiento»* (Lucas 23:54-56). *«El primer día de la semana, muy de mañana»* (24:1), en camino al sepulcro, estas mujeres estaban bien preocupadas sobre *«¿Quién nos removerá la piedra de la entrada del sepulcro?»* Pues, *«la piedra . . . era muy grande»* (Marcos 16:3-4). Ellas pronto descubrieron que sus preocupaciones se habían desvanecido y hecho realidad por un ángel.

Mateo registró el terror experimentado por los guardas romanos quienes habían sido asignado a velar y sellar el sepulcro, *«porque un ángel del Señor, descendiendo del cielo y llegando, removió la piedra, y se sentó sobre ella»* (Mateo 28:2,4). Cuando las mujeres vinieron al sepulcro para completar el proceso del entierro, *«y entrando, no hallaron el cuerpo del Señor Jesús. Aconteció que . . . he aquí se pararon junto a ellas dos varones con vestiduras resplandecientes; . . . les dijeron: ¿Por qué buscáis entre los muertos al que vive? No está aquí, sino que ha resucitado. Acordaos de lo que os habló, cuando aún estaba en Galilea, diciendo: Es necesario que el Hijo del Hombre sea entregado en manos de hombres pecadores, y que sea crucificado, y resucite al tercer día»* (Lucas 24:3-7). Animadas y con gran emoción, las mujeres corrieron a donde estaban los discípulos para relatarles este gran descubrimiento conmovedor.

Estas mujeres no tenían ninguna intensión de huir y dejar a su Señor solo en Su muerte, aun cuando había sido un gentío hostil que lo había crucificado. Nuestro amor para con el Señor Jesús y Su Santa Palabra siempre nos da el poder para vencer a cada tentación de ser intimidados por los incrédulos. Ni las mujeres, ni los apóstoles, estaban esperando tan gloriosa experiencia en esa mañana de la resurrección. Dios siempre tiene mejores planes para nosotros que los que nosotros podemos pensar posibles, *«para que os dé, conforme a las riquezas de Su gloria, el ser fortalecidos con poder en el hombre interior por Su Espíritu . . . y de conocer el amor de Cristo, que excede a todo conocimiento, para que seáis llenos de toda la plenitud de Dios. Y a Aquel que es poderoso para hacer todas las cosas mucho más abundantemente de lo que pedimos o entendemos, según el poder que actúa en nosotros, a Él sea gloria en la iglesia en Cristo Jesús por todas las edades, por los siglos de los siglos. Amén»* (Efesios 3:16,19-21).

**Pensamiento para hoy:** Dios es misericordioso para todos los que piden.

# INTRODUCCIÓN AL LIBRO DE
# 𝒥UAN

El Espíritu Santo guio al apóstol Juan a revelar la verdadera naturaleza y el verdadero propósito de Jesucristo, como el Perfecto Hombre y como Perfecta Deidad, Uno con Dios el Padre en la creación de todas las cosas. El evangelio de Juan empieza declarando: «*En el principio era el Verbo, y el Verbo era con Dios, y el Verbo era Dios. Este era en el principio con Dios. Todas las cosas por Él fueron hechas, y sin Él nada de lo que ha sido hecho, fue hecho*» (Juan 1:1-3).

Dios se reveló a Sí mismo mucho más cuando «*aquel Verbo fue hecho carne, y habitó entre nosotros (y vimos Su gloria, gloria como del Unigénito del Padre), lleno de gracia y de verdad*» (1:14).

Juan reveló a Jesús como el profetizado, Impecable «*Cordero de Dios, que quita el pecado del mundo*» (1:29; ver Isaías 53:7). Los líderes religiosos «. . . *aun más procuraban matarle, porque:* [1] . . . *(Jesús) decía que Dios era Su propio Padre, haciéndose igual a Dios*» (5:18); [2] que Él sabía «. . . *todas las cosas que Él* (Dios) *hace*» (5:20); [3] por Su juicio, «*Porque el Padre a nadie juzga, sino que todo el juicio dio al Hijo*» (5:22); [4] por recibir todo el honor «*para que todos honren al Hijo como honran al Padre*» (5:23); [5] por Su poder para dar la vida eterna: «*El que oye Mi Palabra, y cree al que Me envió, tiene vida eterna*» (5:24-25); [6] por ser el que existe por Sí mismo, «*Porque como el Padre tiene vida en Sí mismo, así también ha dado al Hijo el tener vida* (la fuente de la vida) *en Sí mismo*» (5:26); y [7] por el poder de Su resurrección, «*el Hijo a los que quiere da vida* (eterna)» (5:21,28-29).

Jesús declaró: «*Yo y el Padre Uno somos. . . . El que Me ha visto a Mí, ha visto al Padre*» (10:30; 14:9). Él aun habló de «*la gloria*» que Él tenía con el Padre: «*con aquella gloria que tuve contigo antes que el mundo fuese*» (17:5). Jesús también se reveló a Sí mismo como el eterno «*YO SOY EL QUE SOY*» del Antiguo Testamento (Éxodo 3:14), con ocho declaraciones de «*YO SOY*»: «*Yo soy el Pan de Vida*» (Juan 6:35); «*Antes que Abraham fuese, Yo soy*» (8:58); «*Yo soy la Luz del mundo*» (8:12); «*Yo soy la Puerta; el que por Mí entrare, será salvo*» (10:7-9); «*Yo soy el Buen Pastor*» (10:11); «*Yo soy la Resurrección y la Vida*» (11:25); «*Yo soy el Camino, y la Verdad, y la Vida; nadie viene al Padre, sino por Mí*» (14:6); «*Yo soy la Vid Verdadera . . . El que en Mí no permanece, será echado fuera como pámpano, y se secará; y los recogen, y los echan en el fuego*» (15:1-2,6).

Jesús le dijo a Sus seguidores: «*Permaneced en mí . . . Si guardareis* (obedeciereis) *Mis mandamientos, permaneceréis en Mi amor*» (15:4,10). «*Si vosotros permaneciereis en Mi Palabra, seréis verdaderamente Mis discípulos; y conoceréis la verdad, y la verdad os hará libres*» (8:31-32). El propósito del libro de Juan es bien claro. «*Pero éstas se han escrito para que creáis que Jesús es el Cristo, el Hijo de Dios, y para que creyendo, tengáis vida en Su Nombre*» (Juan 20:31).

**€N LA LECTURA DE HOY**
La Deidad de Cristo; Juan el Bautista; el Cordero de Dios;
Su primer milagro en Caná; la purificación del templo;
el hombre Nicodemo

« *Había un hombre de los fariseos que se llamaba Nicodemo, un principal entre los judíos*» (Juan 3:1). Este prominente rabí probablemente quería tener una conversación sin interrupción con Jesús, así, pues, él decidió venir a Jesús de noche. Nicodemo era miembro del Sanedrín, el concilio que controlaba la vida religiosa de Israel, pero aún él pudo confesarle a Jesús: «*Rabí, sabemos que has venido de Dios como Maestro*» (3:2).

Jesús le dijo a Nicodemo: «*De cierto, de cierto te digo, que el que no naciere de agua y del Espíritu, no puede entrar en el reino de Dios. Lo que es nacido de la carne* (de padres humanos), *carne es; y lo que es nacido del Espíritu, espíritu es*» – («ser hechos hijos de Dios» – 1:12) (3:5-6). «*Os es necesario nacer de nuevo*» – («*de Dios*» – 1:13) (3:7). Para ilustrar lo importante que es «*nacer de nuevo*» (tener la vida eterna), Jesús le recordó del tiempo cuando los israelitas, cerca del final de sus jornadas de 40 años en el desierto, otra vez murmuraron sobre sus circunstancias. Por eso, el Señor les mandó serpientes ardientes entre ellos. Miles de personas murieron. Cuando el pueblo clamó a Dios, Él mandó a Moisés a hacer una serpiente de bronce y levantarla sobre un asta. El pueblo sólo podía ser sanado al poner sus ojos y mirar a la serpiente de bronce (Números 21:5-9). Jesús entonces dijo: «*Y como Moisés levantó la serpiente en el desierto, así es necesario que el Hijo del Hombre sea levantado, para que todo aquel que en Él cree, no se pierda, mas tenga vida eterna*» (Juan 3:14-15). «*El que en Él cree, no es condenado; pero el que no cree, ya ha sido condenado, porque no ha creído en el Nombre del Unigénito Hijo de Dios*» (3:18). La serpiente fue hecha de bronce desde que es el símbolo bíblico del juicio.

La persona que ha llegado a «*nacer de nuevo*» del Espíritu Santo ahora ama las cosas de Dios que antes vivía ignorando, y odia las cosas malas que antes deseaba. Cuando nacimos la primera vez recibimos la naturaleza pecaminosa de nuestros padres, la cual fue heredada de Adán. Pero, cuando llegamos a «*nacer de nuevo*» y entramos en la familia de Dios, es que recibimos Su naturaleza divina. Por esta razón Dios nos dice: «*andad como hijos de luz (porque el fruto del Espíritu es en toda bondad, justicia y verdad), comprobando lo que es agradable al Señor*» (Efesios 5:8-10).

**Pensamiento para hoy:** La persona más insignificante por la medida del mundo es preciosa en los ojos de Dios.

---

**EN LA LECTURA DE HOY**

Jesús y la mujer samaritana; los milagros de sanidad;
Jesús contesta la pregunta de los judíos

---

*La* puerta de las ovejas donde los corderos eran llevados para el sacrificio estaba en el área al nordeste de la corte del templo en Jerusalén. Allí había *«cerca de la puerta de las ovejas, un estanque, llamado en hebreo Betesda, el cual tiene cinco pórticos»* (Juan 5:2). En este estanque *«yacía una multitud de enfermos, ciegos, cojos y paralíticos»* (5:3). Se creía que el primero en descender al estanque después del movimiento del agua por *«un ángel»* quedaría sano (5:4). El Gran Médico se acercó a este gentío de personas sufriendo y sin ayuda, pero nadie le reconoció.

En este gentío de sufridos *«había allí un hombre que hacía treinta y ocho años que estaba enfermo»* (5:5). ¿Qué posibilidad había que después de tantos años a alguien le importara si él se sanaba o no? Cuando este hombre expresó su desesperación, entonces Jesús miró más allá de los problemas que este hombre tenía y le pidió de hacer algo: *«Levántate, toma tu lecho, y anda. Y al instante aquel hombre fue sanado, y tomó su lecho, y anduvo»* (5:7-9).

Tal y como este hombre, todos nosotros estábamos espiritualmente sin esperanza. Debemos estar agradecidos eternamente que Jesús no nos dejó a un lado, pero al contrario, Él nos preguntó si queríamos ser sanados. Jesús cuida de aun los más desamparados, deseando que todos ellos le reconozcan como su Salvador y Señor. No importa si son buenos atletas populares, líderes intelectuales como Nicodemo, prostitutas dignas de lástima como la mujer samaritana que vino al pozo, o cualquier otra persona perdida.

Esto pasó en el día cuando *«había una fiesta de los judíos»* (5:1). Algunos cristianos creen que este fue el día de celebrar la Pascua (Deuteronomio 16:1-11), lo cual viene bien al caso. Pero aun otros creen que este fue el día de celebrar Pentecostés, que también llegó a ser el día cuando los creyentes por primera vez fueron llenos del Espíritu Santo y recibieron poder para ser *«testigos en Jerusalén, en toda Judea, en Samaria, y hasta lo último de la tierra»* (Hechos 1:8; ver 2:1-4).

La puerta de las ovejas ilustra a Jesús como *«el Cordero de Dios, que quita el pecado del mundo»* (Juan 1:29). El estanque *«llamado en hebreo Betesda»* significa «la casa de misericordia o de gracia». Es sólo por medio de la compasión de Cristo que cualquier persona perdida, sin excepción, puede encontrar misericordia y gracia al aceptar Su sacrificio en la cruz por todos los pecados. El apóstol Pablo nos recuerda que antes *«éramos por naturaleza hijos de ira»* pero ya hemos sido purificados de nuestros pecados y hemos recibido una naturaleza nueva con el privilegio de ser *«(vestidos) del nuevo hombre, creado según Dios en la justicia y santidad de la verdad»* (Efesios 2:3; 4:24).

**Pensamiento para hoy:** Las «satisfacciones» temporales pueden que «sacien nuestra sed» momentáneamente, pero nunca satisfarán en verdad.

## ᴇN LA LECTURA DE HOY

Jesús alimenta cinco mil; Jesús, el Pan de Vida; la fiesta de los Tabernáculos;
Jesús perdona a la mujer adúltera; Jesús la Luz del mundo

*J*esús entró *«al templo, y todo el pueblo vino a Él; y sentado Él, les enseñaba»* (Juan 8:2). Jesús fue interrumpido rudamente por *«los escribas y los fariseos* (que) *le trajeron una mujer . . . (y) . . . le dijeron: Maestro, esta mujer ha sido sorprendida en el acto mismo de adulterio. Y en la ley nos mandó Moisés apedrear a tales mujeres. Tú, pues, ¿qué dices?»* (8:3-5). Ellos trajeron a esta mujer a Jesús, no porque ellos estaban asombrados con su conducta o entristecidos que la Ley de Dios había sido quebrantada, sino que *«esto decían tentándole, para poder acusarle»* (8:6). Si Él hubiese dicho: «déjenla irse», entonces ellos podían acusarle de comprometerse con el pecado y de haber quebrantado la Ley de Moisés. Si Él hubiese dicho: «apedréenla», entonces Él hubiese violado la ley de los romanos y hubiese tenido que darle cuenta a Roma.

Jesús trajo bajo convicción a cada uno de los acusadores de la mujer cuando Él dijo: *«El que de vosotros esté sin pecado sea el primero en arrojar la piedra contra ella»* (8:7). *«Pero ellos, al oír esto, acusados por su conciencia, salían uno a uno, comenzando desde los más viejos hasta los postreros; y quedó solo Jesús, y la mujer que estaba en medio»* (8:9). Entonces Jesús le dijo: *«Mujer, ¿dónde están los que te acusaban? ¿Ninguno te condenó? Ella dijo: Ninguno, Señor. Entonces Jesús le dijo: Ni Yo te condeno; vete, y no peques más»* (8:10-11). Después de esta interrupción tan hipócrita por estos líderes religiosos que se creían justos en su propia estimación, Jesús siguió Sus enseñanzas, diciendo: *«Yo soy la Luz del mundo; el que Me sigue, no andará en tinieblas, sino que tendrá la Luz de la vida»* (8:12).

Es posible seguir a *«la Luz del mundo»* por motivos equivocados. A veces, durante los malos tiempos, cuando alguien tiene que enfrentarse a una sentencia de prisión o a una enfermedad como el cáncer, tal persona puede «parecer» muy sincera en haber aceptado a Jesús como su Salvador y Señor. Sin embargo, a la vez que vuelve la salud o haya un cambio de circunstancias para lo mejor, entonces su verdadero motivo se hace bien evidente. Todos los que verdaderamente hemos llegado a *«nacer de nuevo»* nos mantenemos fieles. Otras personas se ven al principio que son muy celosos para ser partidarios en la fe, pero pronto retroceden y vuelven otra vez a sus pecados egoístas. Tales personas sólo se han «reformado» temporáneamente y no han sido «(transformados) *por medio de la renovación de* (su) *entendimiento»* (Romanos 12:2). En una sorprendente desemejanza con estos hipócritas están los que, sin mirar las consecuencias, se mantienen fieles a Jesús. Pero, *«el que guarda Su Palabra, en éste verdaderamente el amor de Dios se ha perfeccionado; por esto sabemos que estamos en Él»* (I de Juan 2:5).

**Pensamiento para hoy:** El saber la verdad, y no vivirla, es pecado.

## ✑N LA LECTURA DE HOY
La sanidad del hombre que nació ciego; Jesús el Buen Pastor;
los líderes religiosos desean apedrear a Jesús

*L*os líderes religiosos en Israel eran considerados los pastores de Israel; pero ellos eran falsos, sirviéndose a sí mismos, tal y como Ezequiel predijo: *«¡Ay de los pastores de Israel, que se apacientan a sí mismos! ¿No apacientan los pastores a los rebaños?»* (Ezequiel 34:2). Ezequiel entonces reveló al Pastor Verdadero, diciendo: *«levantaré sobre ellas* (las ovejas) *a un pastor, y él las apacentará; a Mi siervo David . . . Yo Jehová les seré por Dios, y Mi siervo David príncipe en medio de ellos. . . . Y estableceré con ellos pacto de paz»* (34:23-25).

Jesús se identificó a Sí mismo con la profecía de Ezequiel cuando Él dijo: *«Yo soy el Buen Pastor; el Buen Pastor Su vida da por las ovejas. Mas el asalariado . . . ve venir al lobo y deja las ovejas y huye, y el lobo arrebata las ovejas y las dispersa. . . . Yo soy el Buen Pastor; y conozco Mis ovejas, y las Mías Me conocen, así como el Padre Me conoce, y Yo conozco al Padre; y pongo Mi vida por las ovejas»* (Juan 10:11-15).

Una de las características que distinguen al creyente es cuando él o ella reconoce la necesidad de tener la dirección y sentir el deseo de seguir al Buen Pastor. *«(Y) las ovejas Le siguen, porque conocen Su voz. Mas al extraño no seguirán, sino huirán de él, porque no conocen la voz de los extraños»* (10:4-5).

El Espíritu Santo guio al apóstol Pablo a escribir: *«Y el Dios de paz que resucitó de los muertos a nuestro Señor Jesucristo, el Gran Pastor de las ovejas, por la sangre del pacto eterno, os haga aptos en toda obra buena para que hagáis Su voluntad, haciendo Él en vosotros lo que es agradable delante de Él por Jesucristo; al cual sea la gloria por los siglos de los siglos»* (Hebreos 13:20-21).

Jesucristo también nos dice: *«Yo les doy vida eterna; y no perecerán jamás, ni nadie las arrebatará de Mi mano. Mi Padre que Me las dio, es mayor que todos»* (Juan 10:28-29). Aquí Jesús se revela a Sí mismo como igual y coeterno con Dios el Padre. Es una gran consolación saber y estar seguro que tenemos a Jesús – el Buen Pastor cuidando por nosotros.

El apóstol Pedro nos predijo: *«Y cuando aparezca el Príncipe de los pastores* (Jesucristo), *vosotros recibiréis la corona incorruptible de gloria»* (I de Pedro 5:4).

**Pensamiento para hoy:** Los creyentes, como las ovejas, necesitan vivir cerca del Pastor para estar protegidos de los engaños del mundo.

## ❧N LA LECTURA DE HOY

La resurrección de Lázaro; el complot de los fariseos para matar a Jesús;
María unge los pies de Jesús; Su entrada triunfal; Él les contesta a los griegos

*D*urante los años del ministerio de Jesús aquí en la tierra, muchas veces vemos que Él se fue aparte del gentío público, y les pidió y *«mandó a Sus discípulos que a nadie dijesen que Él era Jesús el Cristo* (el Mesías)*»* (Mateo 16:20). Cuando Jesús resucitó la hija de Jairo, *«Él les mandó mucho que nadie lo supiese»* (Marcos 5:43). Cuando Sus discípulos descendieron del monte de la transfiguración, Jesús les instruyó: *«(y) les mandó que a nadie dijesen lo que habían visto, sino cuando el Hijo del Hombre hubiese resucitado de los muertos»* (9:9). La razón por esto se puede ver porque, cuando los cinco mil que fueron alimentados milagrosamente con los dos peces y los cinco panecillos y estaban listos: *«para apoderarse de Él y hacerle Rey,* (entonces) *volvió a retirarse al monte Él solo»* (Juan 6:15). Pero cuando Sus hermanos que no eran creyentes le insistieron: *«manifiéstate al mundo»*, entonces Jesús les dijo: *«Mi tiempo aún no ha llegado»* (7:4,6).

En esos días Jerusalén estaba llena de personas que venían allí a adorar desde Judea, de Samaria, de Galilea, y hasta desde lugares bien lejos como Grecia. Muchos venían días antes para purificarse y estar limpios según la Ley para participar de la fiesta: *«Y estaba cerca la pascua de los judíos; y muchos subieron de aquella región a Jerusalén antes de la pascua, para purificarse»* (11:55-56), y también para ver a Jesús.

Cuando Jesús entró a Jerusalén en Su entrada (triunfal) pública, los líderes religiosos estaban abrumados por la multitud tan grande que seguía a Jesús, y se oía que decían: *«Mirad, el mundo se va tras Él»* (12:19). Cuando llegó el cumplimiento del tiempo de Dios, Jesús aceptó justa y públicamente el clamar de la multitud que decían que Él era su Mesías.

El profeta Zacarías bien había profetizado unos 500 años antes: *«Alégrate mucho, hija de Sion; da voces de júbilo, hija de Jerusalén; he aquí tu Rey vendrá a ti, Justo y Salvador, Humilde, y cabalgando sobre un asno, sobre un pollino hijo de asna»* (Zacarías 9:9). El Verdadero Rey de Israel oficialmente se presentó a Sí mismo a la nación como el cumplimiento de esta profecía. *«Con todo eso, aun de los gobernantes, muchos creyeron en Él; pero a causa de los fariseos no lo confesaban, para no ser expulsados de la sinagoga. Porque amaban más la gloria de los hombres que la gloria de Dios»* (Juan 12:42-43).

**Pensamiento para hoy:** Debemos de vivir de tal manera que otras personas puedan ver a Cristo viviendo en y por nosotros.

## ℰN LA LECTURA DE HOY
Jesús le lava los pies a los discípulos; Jesús predice que a Él lo iban a
traicionar y a matar, y también predice Su segunda venida;
el Espíritu Santo es prometido

*L*os once apóstoles estaban convencidos que Jesús era el Mesías. Junto con la multitud, ellos también se unieron a clamar: «*¡Hosanna! ¡Bendito el que viene en el nombre del Señor, el Rey de Israel!*» (Juan 12:13). Pero, Jesús anteriormente había dicho: «*que le era necesario ir a Jerusalén y padecer mucho de los ancianos, de los principales sacerdotes y de los escribas; y ser muerto, y resucitar al tercer día*» (Mateo 16:21). Durante esas pláticas los discípulos «tenían miedo» porque Jesús les había dicho que Él se tenía que ir al Padre. Los apóstoles también estaban perturbados que Él les había dicho que uno de ellos iba a traicionarle (Juan 13:21-22).

Unas de las palabras más consoladoras que Jesús habló fueron al mismo momento que los líderes religiosos estaban planeando cómo matarle pero Él bien lo sabía. Con una suma calma Jesús dijo: «*No se turbe vuestro corazón; creéis en Dios, creed también en Mí. . . . (Voy), pues, a preparar lugar para vosotros. Y si Me fuere y os preparare lugar, vendré otra vez, y os tomaré a Mí mismo, para que donde Yo estoy, vosotros también estéis. . . . La paz os dejo, Mi paz os doy; Yo no os la doy como el mundo la da. No se turbe vuestro corazón, ni tenga miedo*» (14:1-3,27).

La historia es mucho más clara para nosotros hoy en día dos mil años después al leer el relato completo. Sin embargo, como los discípulos, ocasionalmente, cada uno de nosotros nos tenemos que enfrentar a los temores de lo que pasará mañana. Cuando nos enfrentamos a las pérdidas financieras, a un divorcio, a las enfermedades, a las desventajas físicas, o a «muchas otras cosas» que les pasan a los que aman al Señor, necesitamos recordar que el Señor sabe cómo cuidar todos nuestros futuros. Nosotros también podemos tener la suma confianza en las Palabras consoladoras de nuestro Señor: «*No se turbe vuestro corazón; creéis en Dios, creed también en Mí*» (14:1).

Nosotros tenemos que elegir si vamos o no vamos a permitir que «nuestros corazones se turben». Cada contratiempo ofrece una oportunidad para vencer la tensión que existe, el temor, la depresión, y cómo desarrollar la paciencia y la fe en el Señor. «*Amados, no os sorprendáis del fuego de prueba que os ha sobrevenido, como si alguna cosa extraña os aconteciese, sino gozaos por cuanto sois participantes de los padecimientos de Cristo, para que también en la revelación de Su gloria os gocéis con gran alegría*» (I de Pedro 4:12-13).

**Pensamiento para hoy:** Nosotros necesitamos estar agradecidos por el ministerio del Espíritu Santo en y a través de nuestras vidas.

**ᴇN LA LECTURA DE HOY**

La oración de intercesión de Jesús; la traición y el arresto; Pedro niega al Señor; Jesús ante el sumo sacerdote; Jesús es condenado; sueltan a Barrabás

*D*espués de la cena de la Pascua, Jesús empezó a orar: *«Padre, la hora ha llegado; glorifica* (honra) *a Tu Hijo . . . Yo Te he glorificado* (honrado) *en la tierra . . . He manifestado* (dado a saber) *Tu nombre a los hombres que del mundo Me diste . . . y han guardado Tu Palabra»* (Juan 17:1,4-6). Todos los verdaderos creyentes deben unirse para glorificar al *«Padre»* y a Cristo nuestro Señor, y para cumplir con Su Palabra.

Jesús continuó orando por todos los que iban a creer en Él *«para que todos sean uno; como Tú, oh Padre, en Mí, y Yo en Ti»* (17:20-22). Jesús y los once discípulos entonces fueron al Monte de los Olivos. Jesús sabía que Judas pronto llegaría con los líderes religiosos los cuales guiarían al tumulto hostil y a los soldados romanos hasta el punto de crucificarle. Sólo unos minutos después todos los seguidores de Jesús dejándole, huyeron.

Satanás es *«el acusador de nuestros hermanos»* (Apocalipsis 12:10); pero es un gran consuelo saber que Jesús puede ver mucho más en Sus seguidores que nosotros podemos ver en nosotros mismos o en otros. Jesús sabía que Sus discípulos le iban a dejar, pero Jesús los amaba tanto que los perdonó.

La diferencia entre los más débiles de los discípulos de Jesús y una persona mundana, que no está salva es revelada en la oración de Jesús a Su Padre en el cielo: *«porque las Palabras que Me diste, les he dado; y ellos las recibieron, y han conocido verdaderamente que salí de Ti, y han creído que Tú Me enviaste»* (Juan 17:8). Notemos el orden: *«las Palabras que Me diste, les he dado; y ellos las recibieron»*. Esto nos muestra *«que la fe es por el oír, y el oír, por la Palabra de Dios»* (Romanos 10:17). La fe y el discernimiento espiritual nos son dotados al leer y meditar en la Palabra de Dios diariamente. El salmista registró: *«Buen entendimiento tienen todos los que practican Sus mandamientos»* (Salmo 111:10).

Jesús también le oró al Padre Celestial, diciendo: *«Padre Santo, a los que Me has dado, guárdalos en Tu nombre»* (Juan 17:11). Es una buena consolación saber que Su oración incluye a todos nosotros cuando Él oró: *«Yo les he dado Tu Palabra . . . No son del mundo, como tampoco Yo soy del mundo. Santifícalos* (santos para el servicio de Dios) *en Tu verdad; Tu Palabra es verdad. . . .Mas no ruego solamente por éstos, sino también por los que han de creer en Mí por la palabra de ellos»* (Juan 17:14,16-20).

**Pensamiento para hoy:** Recibimos el gozo del Señor mientras que compartimos Su amor.

## EN LA LECTURA DE HOY

La crucifixión, la sepultura, y la resurrección de Cristo, y Sus apariencias a Sus discípulos después de Su resurrección; la devoción de Pedro es reafirmada

*J*udas guio al tumulto y a los soldados romanos a arrestar a Jesús. Después de Su arresto, *«le llevaron primeramente a Anás; porque era suegro de Caifás, que era sumo sacerdote aquel año»* (Juan 18:13).

Según la Palabra de Dios, el *«sumo sacerdote»* tenía que ser un descendiente en el linaje directo de Aarón y tenía que mantener su posición hasta su muerte (Éxodo 40:15; Números 35:25). Sin embargo, Roma nombraba a un nuevo *«sumo sacerdote»* cada año. Anás era el *«sumo sacerdote»* según el linaje de Aarón, pero Roma lo había quitado. El que tomó su lugar era su yerno Caifás, quien era el *«sumo sacerdote»* oficial según Roma. Sin embargo, muchas personas todavía consideraban a Anás como el verdadero *«sumo sacerdote»*.

Jesucristo, el profetizado *«Cordero de Dios, que quita el pecado del mundo»* (Juan 1:29), fue llevado ante los sumos sacerdotes: primeramente ante el de los judíos y después al que había sido nombrado por los gentiles. Con Caifás estaban los escribas, los ancianos, los principales sacerdotes *«y todo el concilio»* (Mateo 26:57,59). En respuesta a la pregunta del sumo sacerdote sobre Su Deidad y si Él era el Cristo, el Hijo de Dios, Jesús le dijo: *«Tú lo has dicho; y además os digo, que desde ahora veréis al Hijo del Hombre sentado a la diestra del poder de Dios, y viniendo en las nubes del cielo»* (26:64). Entendiendo que Jesús estaba reclamando ser el Mesías, Caifás rasgó sus vestiduras, que representaban su autoridad, como una señal de su justa indignación, y gritó: *«¡Ha blasfemado! ¿Qué más necesidad tenemos de testigos? He aquí, ahora mismo habéis oído Su blasfemia»* (26:65). Caifás había basado su decisión en lo que Dios le había dicho a Moisés: *«Y el que blasfemare el nombre de Jehová, ha de ser muerto»* (Levítico 24:16). *«Y le llevaron atado, y le entregaron a Poncio Pilato, el gobernador»* (Mateo 27:2).

Poncio Pilato bien sabía que Jesús era inocente de toda ofensa criminal y entonces dijo: *«Yo no hallo en Él ningún delito»* (Juan 18:38). Pero los líderes religiosos gritaron violentamente: *«¡Crucifícale! ¡Crucifícale! . . . (Y) según nuestra ley debe morir, porque se hizo a Sí mismo Hijo de Dios. . . . Si a Éste sueltas, no eres amigo de César»* (19:6-12). Poncio Pilato tuvo que escoger entre Jesús *«el Hijo de Dios»* y un tumulto bien irritado; pues entonces él escogió a las autoridades religiosas. Cuando una persona se compromete a no hacer lo que es correcto por miedo a perder su trabajo o cualquier otra cosa, tal persona ha tomado el primer paso en el camino que llega hasta el infierno eterno. Jesús nos dijo: *«Ningún siervo puede servir a dos señores»* (Lucas 16:13).

**Pensamiento para hoy:** Cada creyente es responsable de hablar del amor de Dios que nos da el perdón.

# INTRODUCCIÓN AL LIBRO DE LOS
# *Hechos*

El libro de los Hechos es una continuación del evangelio según Lucas. El evangelio de Lucas termina con la ascensión del Señor (Lucas 24:51), y el libro de los Hechos empieza también con la ascensión de Jesucristo. Este libro registra más de diez apariencias de Cristo durante los 40 días después de Su resurrección física. Las últimas Palabras de despedida de Jesús a Sus discípulos antes que «(fuese) *alzado...al cielo*» (Hechos 1:9-11) son de suma importancia: «*recibiréis poder, cuando haya venido sobre vosotros el Espíritu Santo, y Me seréis testigos... hasta lo último* (lo más lejano) *de la tierra*» (1:8).

Tal y como fue registrado en el libro de los Hechos, durante los primeros 30 años de la iglesia, en cada ocasión, cada creyente fue bautizado después de haber confesado a Jesús como su Señor y Salvador (Mateo 28:18-20; Marcos 16:16; Hechos 2:38,41; 8:12-13,36,38; 9:18; 10:47-48; 16:15,33; 18:8; 19:5).

Los primeros doce capítulos de este libro presentan la vida del apóstol Pedro y la primera iglesia en Jerusalén, y concluyen con sus notables experiencias con los gentiles en Samaria quienes llegaron a ser creyentes en Jesús como su Salvador.

Empezando cuando Esteban fue apedreado a muerte, una gran persecución vino sobre la iglesia (7:59-8:4). Saulo de Tarso era uno de los principales líderes de esta persecución sobre todos los que habían aceptado a Jesucristo como el Mesías que fue profetizado (el Ungido de Dios). Estos creyentes llegaron a ser llamados cristianos (discípulos de Cristo) en Hechos 11:26.

Después de su maravillosa conversión de fe, Saulo, un judío y también un ciudadano romano por nacimiento, consagró su vida a Cristo y al evangelio mundial. Saulo llegó a ser conocido como el apóstol Pablo, su nombre romano, en su ministerio al mundo de los gentiles (los que no eran judíos). Él estableció la sede de su ministerio en Antioquía de Siria, una ciudad pagana que llegó a ser el centro de la evangelización mundial. Los Hechos 13:1-21:26 describen los acontecimientos de los tres viajes misioneros de Pablo.

Empezando con Hechos 21:27 hasta el fin del libro, encontramos los detalles del arresto de Pablo y su viaje a Roma como prisionero con el propósito de presentarse ante el emperador Neron. El libro termina con Pablo todavía como un prisionero en una casa alquilada en Roma después de dos años (28:16,30). La expresión prominente por todo este libro es «*La Palabra*», que se refiere a las Santas Escrituras (2:41; 4:4,29,31; 8:4,14,25; 10:36-37,44; 11:1,16,19; 12:24; 13:5,7,26,44,46,48-49; 14:3,25; 15:7,35-36; 16:6,32; 17:11,13; 18:11; 19:10,20; 20:32). Lucas hace referencia al Espíritu Santo más de 40 veces, al expresar cómo el Espíritu Santo llena, guía, y sostiene a los creyentes. Lucas menciona la oración más de 30 veces. Este libro muestra lo importante que es la Palabra de Dios, la oración, y la obra del Espíritu Santo en la vida del creyente y en el cuerpo colectivo de Jesucristo, Su iglesia.

## ⌀N LA LECTURA DE HOY

La ascención de Cristo; la promesa de la segunda venida del Señor;
Matías fue elegido para tomar el lugar de Judas;
la venida del Espíritu Santo el día de Pentecostés y el sermón de Pedro

*L*a fiesta (la celebración) del Pan sin levadura representó al Impecable Salvador, quien es: «*el Pan de Vida*» (Juan 6:35,48) y se celebraba junto con la Pascua. El cordero sin mancha que se ofrecía como un sacrificio durante la Pascua también representaba a Jesús, el Perfecto «*Cordero de Dios*» (1:29,36).

La tercera fiesta durante la semana de Pascua fue la fiesta de las primicias (los primeros frutos). Era celebrada el domingo después del día que se observaba la Pascua. Fue en este día de las primicias que Jesucristo resucitó: «*Mas ahora Cristo ha resucitado de los muertos; primicias de los que durmieron* (de los muertos) *es hecho*» (I de Corintios 15:20).

Después de esta semana había una segunda gran celebración 50 días después donde cada varón tenía que presentarse anualmente delante de Dios, «*Y contaréis desde el día que sigue al día de reposo . . . siete semanas cumplidas serán. Hasta el día siguiente del séptimo día de reposo contaréis cincuenta días; entonces ofreceréis el nuevo grano a Jehová*» (Levítico 23:15-16). Ésta era la fiesta de la Cosecha de los frutos.

Esta celebración llegó a ser conocida entre los cristianos como el día de Pentecostés (en el griego: pentekoste) que viene de la palabra griega para el número 50 (pentekonta). En ese día, lleno del Espíritu Santo y citando las Escrituras proféticas (Joel 2:28-29), Pedro proclamó: «*a este Jesús a quien vosotros crucificasteis, Dios le ha hecho Señor y Cristo*» (Hechos 2:36). Entonces el gentío le dijo a Pedro y a los discípulos «*Varones hermanos, ¿qué haremos? Pedro les dijo: Arrepentíos, y bautícese cada uno de vosotros en el nombre de Jesucristo para perdón de los pecados; y recibiréis el don del Espíritu Santo. Porque para vosotros es la promesa, y para vuestros hijos, y para todos los que están lejos; para cuantos el Señor nuestro Dios llamare*» (para ser salvos) (2:37-39). «*Y perseveraban en la doctrina* (enseñanza) *de los apóstoles, en la comunión unos con otros, en el partimiento del pan y en las oraciones*» (2:42).

Las ofrendas requeridas en el día de Pentecostés consistían de dos panes con levadura (Levítico 23:17). Estos panes representaban los creyentes judíos juntos con los gentiles, incluyendo la levadura, que simboliza el pecado, desde que todos los humanos hemos pecado, con la excepcíon de Jesús. Las identidades separadas de los granos eran mezcladas en unidad, y simboliza todos los creyentes que pierden su identidad personal para llegar a ser la Novia de Cristo – Su iglesia (Efesios 5:21-32; I de Corintios 12:27). El apóstol Pablo, años después, nos declaró: «*donde no hay griego ni judío . . . sino que Cristo es el todo, y en todos*» (Colosenses 3:11).

**Pensamiento para hoy:** Necesitamos decirle a otras personas sobre el gozo del compañerismo de los creyentes.

## 𝒮N LA LECTURA DE HOY

Pedro y Juan son encarcelados; los creyentes comparten sus posesiones; Ananías y Safira; los siete ayudantes elegidos; el arresto de Esteban

𝒮a lealtad hacia el Señor y el amor de los unos con los otros corrían por toda la primera iglesia *«Y la multitud de los que habían creído era de un corazón y un alma; y ninguno decía ser suyo propio nada de lo que poseía, sino que tenían todas las cosas en común. . . . (Porque) todos los que poseían heredades o casas, las vendían, y traían el precio de lo vendido, y lo ponían a los pies de los apóstoles; y se repartía a cada uno según su necesidad»* (Hechos 4:32,34-37). Sin duda, esto fue de gran ánimo para la congregación porque casi todos los judíos que habían confesado a Jesús como el Mesías probablemente habían perdido sus trabajos. No hay ninguna mención de que a ellos se les requería vender sus propiedades o compartir sus riquezas.

Ananías y su esposa Safira también vendieron una heredad; pero ellos dieron sólo parte del dinero a la iglesia y al mismo tiempo proclamaron que ellos habían dado todo el dinero tal y como otros habían hecho (5:1-2). La propiedad era de ellos para hacer con ella lo que querían. Todo lo que se daba se hacía voluntariamente (5:4). Pero, esta «generosa ofrenda» de Ananías y Safira había sido una mentira al Cuerpo de Cristo – la iglesia (Juan 8:44; Apocalipsis 21:8; Jeremías 17:9).

El problema de hoy en día es aun más serio, no porque los cristianos se quedan con el dinero de las ventas, pero porque muchos se niegan a dar aun el diezmo (10%) de todas sus ganancias, que es lo mínimo que Dios requiere para el ministerio de Su Palabra. El diezmo no es una opción que se nos da; es una deuda que debemos. Dios justamente es el dueño de todo lo que Él creó, pero Él sólo requiere que le demos otra vez a Él la décima parte de todo lo que Él ha puesto en nuestro cuidado, y así reconocemos que somos solamente administradores de Su propiedad. Este principio fue demostrado por Abraham unos 500 años antes que la Ley fuese dada (Génesis 14:20; Hebreos 7:1-2). Después, la Ley demandó *«Y el diezmo* (el 10%) *de la tierra, así de la simiente de la tierra como del fruto de los árboles, de Jehová es; es cosa dedicada* (separada) *a Jehová»* (Levítico 27:30).

El Espíritu Santo también dirigió a Lucas a escribir que nadie puede dar más que Dios, pues Dios dijo: *«Dad, y se os dará; medida buena, apretada, remecida y rebosando darán en vuestro regazo; porque con la misma medida con que medís, os volverán a medir»* (Lucas 6:38).

**Pensamiento para hoy:** Nada es imposible. Vamos a poner nuestra confianza en Dios (ver Filipenses 4:13).

## ᎬN LA LECTURA DE HOY
La predicación de Esteban y su martirio; la persecución de
los cristiano por Saulo; Simón el hechicero; Felipe y el etíope

Ꭼsteban era un diácono en la iglesia de Jerusalén que conocía bien las Escrituras del Antiguo Testamento. Valientemente él les recordó a los incrédulos que estaban en autoridad: *«Vosotros resistís siempre al Espíritu Santo; como vuestros padres, así también vosotros. ¿A cuál de los profetas no persiguieron vuestros padres? Y mataron a los que anunciaron de antemano la venida del Justo, de quien vosotros ahora habéis sido entregadores y matadores»* (Hechos 7:51-56).

Con el mismo odio que habían tenido durante la crucifixión de Cristo, las autoridades furiosamente sacaron a Esteban, *«Y echándole fuera de la ciudad, le apedrearon»*. Mientras que él moría *«puesto de rodillas, clamó a gran voz: Señor, no les tomes en cuenta este pecado»* (7:57-60). Esteban podía haber evitado su muerte si hubiese callado, pero él les dejó saber bien claro que ellos eran responsables por haber crucificado a Jesús, *«el Justo»*. La fe de Esteban y su actitud de poder perdonar al enfrentarse a la muerte fue la misma que la de su Salvador en la cruz, y seguramente tuvo un gran impacto en todos los que fueron testigos del amor de Esteban para con sus asesinos. En ese mismo espíritu de amor, todos nosotros necesitamos orar por esas personas que nos maltratan. Esos que hoy en día parecen ser nuestros enemigos puede que algún día encuentren la salvación si les mostramos el amor de Cristo tal y como Esteban lo hizo con los que le perseguían.

*«En aquel día hubo una gran persecución contra la iglesia que estaba en Jerusalén»* (8:1). En vez de desanimar a los creyentes, la persecución trajo un gran movimiento misionero mientras que los seguidores de Jesús fueron dispersos por toda la región. Felipe, que también era un diácono en la primera iglesia, fue guiado por el Espíritu Santo a encontrar un oficial etíope que estaba en camino a su tierra natal. Mientras que él leía el libro de Isaías, Dios guio a Felipe para explicarle a este oficial de Etiopía que la profecía de Isaías 53:7-8 se había cumplido en Jesús de Nazaret. Al reconocer que Jesús era el Salvador-Mesías, el etíope pidió: *«¿qué impide que yo sea bautizado? Felipe dijo: Si crees de todo corazón, bien puedes. Y respondiendo, dijo: Creo que Jesucristo es el Hijo de Dios. . . . (Y) le bautizó. . . . (Y) el eunuco no le vio más, y siguió gozoso su camino»* (Hechos 8:36-39).

**Pensamiento para hoy:** Cristo desea controlar todos nuestros pensamientos cada día.

***ℰN LA LECTURA DE HOY***

La conversión de Saulo; Dorcas es resucitada de entre los muertos;
las visiones de Pedro y Cornelio; los gentiles reciben el Espíritu Santo

*𝒮*aulo de Tarso era un fariseo sincero que estaba determinado a apagar la llama del evangelio de los seguidores de Jesús quienes él consideraba que eran blasfemos religiosos que se merecían la sentencia de muerte. De esta manera Saulo recibió las cartas del sumo sacerdote para viajar 217.22 kilómetros hasta Damasco en Siria para arrestar a los creyentes que habían huido de Jerusalén. Él dijo: *«a fin de que si hallase algunos hombres o mujeres de este Camino* (seguidores de Jesús*), los trajese presos a Jerusalén»* (Hechos 9:2), donde podían ser juzgados por herejía y sentenciados a muerte.

En camino cerca de Damasco, *«repentinamente le rodeó un resplandor de luz del cielo; y cayendo en tierra, oyó una voz que le decía: Saulo, Saulo, ¿por qué me persigues? Él dijo: ¿Quién eres, Señor? Y le dijo: Yo soy Jesús, a quien tú persigues»* (9:3-5). Tres días después, el Señor llamó a Ananías, un discípulo de Cristo que vivía en Damasco, y le dijo: *«Levántate, y ve a la calle que se llama Derecha, y busca en casa de Judas a uno llamado Saulo, de Tarso; porque he aquí, él ora, y ha visto en visión a un varón llamado Ananías»* (9:11-12).

Ananías le respondió al Señor: *«Señor, he oído de muchos acerca de este hombre, cuántos males ha hecho a Tus santos en Jerusalén . . . El Señor le dijo: Ve, porque instrumento escogido Me es éste, para llevar Mi nombre en presencia de los gentiles, y de reyes, y de los hijos de Israel; porque Yo le mostraré cuánto le es necesario padecer por Mi nombre. Fue entonces Ananías y entró en la casa, y poniendo sobre él las manos, dijo: Hermano Saulo, el Señor Jesús . . . me ha enviado para que recibas la vista y seas lleno del Espíritu Santo. . . . (Y) recibió al instante la vista; y levantándose, fue bautizado»* (9:13-18).

Durante esos mismos días, Pedro también tuvo una visión que le causó reconocer que *«(En) verdad comprendo que Dios no hace acepción de personas»* (10:34). Hablándole a los gentiles en la casa de Cornelio, Pedro les declaró: *«De Éste dan testimonio todos los profetas, que todos los que en Él creyeren, recibirán perdón de pecados por Su nombre. Mientras aún hablaba Pedro estas palabras, el Espíritu Santo cayó sobre todos los que oían el discurso»* (10:43-44). Después que el Espíritu Santo había caído sobre ellos, Pedro preguntó: *«¿Puede acaso alguno impedir el agua, para que no sean bautizados estos que han recibido el Espíritu Santo también como nosotros? Y mandó bautizarles en el nombre del Señor Jesús»* (10:47-48). *«Porque por un solo Espíritu fuimos todos bautizados en un Cuerpo»* (I de Corintios 12:13,27).

**Pensamiento para hoy:** Vamos a vivir para Dios y Él nos dará lo mejor que Él tiene.

## ℰN LA LECTURA DE HOY

El reporte de Pedro a la iglesia de Jerusalén; la muerte de Santiago;
Pedro es encarcelado y rescatado; muerte de Herodes;
el primer viaje misionero de Pablo

*S*aulo de Tarso era judío de nacimiento, pero también era un ciudadano romano por haber nacido en la ciudad de Cilicia, una provincia de Roma (Hechos 16:37-38). Su familia parece haber tenido considerables riquezas. Después de cumplir con los estudios recomendados de las Santas Escrituras en Tarso, Saulo fue escogido para continuar sus estudios de rabino en Jerusalén como estudiante del famoso rabí Gamaliel (22:3). Pablo después pudo compartir con los creyentes en Galacia que él era *«mucho más celoso de las tradiciones de mis padres»* (los ritos de los antiguos rabinos que se mantenían como leyes autoritarias) (Gálatas 1:14).

Después de aceptar a Jesucristo como el Mesías, Saulo se cambió su nombre hebreo a su nombre romano (pagano) de Pablo para identificarse mejor con los gentiles. Durante su primer viaje misionero, *«Pablo y sus compañeros . . . pasando de Perge, llegaron a Antioquía de Pisidia»* (una provincia romana de Galacia, hoy en día en Turquía); *« . . . y entraron en la sinagoga un día de reposo y se sentaron. Y después de la lectura de la Ley y de los profetas»* (Hechos 13:13-15), fueron invitados a hablar. Pablo escogió las Escrituras proféticas para mostrar que Jesús era el Mesías. Él empezó con un repaso de cómo *«El Dios de este pueblo de Israel escogió a nuestros padres . . . les levantó por rey a David . . . (De) la descendencia de éste, y conforme a la promesa, Dios levantó a Jesús por Salvador a Israel. . . . (Sus) gobernantes, no conociendo a Jesús . . . pidieron a Pilato que se le matase. Y habiendo cumplido todas las cosas que de Él estaban escritas, quitándolo del madero, lo pusieron en el sepulcro* (la tumba). *Mas Dios le levantó de los muertos»* (13:17,22-23,27-30).

Por medio de la muerte y la resurrección de Cristo, recibimos la vida eterna. Pero el llegar a ser salvo y en Él ser *«justificado todo aquel que cree»* es mucho más que sólo escoger un mejor estilo de vida. Primeramente, llegamos a reconocer lo terrible que es el pecado como una ofensa contra Dios, y sintiendo un verdadero dolor por nuestros pecados y un deseo sincero para ser librado del poder de esos pecados. Después sigue la decisión de vivir nuestras vidas evitando y resistiendo el pecado por medio del poder del Espíritu Santo. Pablo declaró: *«todo aquello de que por la Ley de Moisés no pudisteis ser justificados, en Él es justificado todo aquel que cree»* (Hechos 13:39).

**Pensamiento para hoy:** Vamos a compartir con otros hoy en día lo que Cristo significa para nosotros.

continúa en la página 372

# Los acontecimientos en la vida del apóstol Pablo

TARSO – La capital de Cilicia fue el lugar donde el apóstol Pablo nació (Pablo es el nombre romano para Saulo). Él era un judío, pero también era un ciudadano romano por la ciudad de su nacimiento (Hechos 16:37-38; 22:3-29). El apóstol Pablo fue criado en la cultura helenística de Tarso, la cual tenía la tradición hebrea como también la cultura griega. Situada en la provincia de Cilicia en Asia Menor, la ciudad de Tarso tenía una de las tres grandes universidades del mundo antiguo. Tarso era como la ciudad de Atenas al Este del Mediterráneo y como Alejandría en Egipto. JERUSALÉN – El apóstol Pablo recibió su educación sobre el Antiguo Testamento en la ciudad de Jerusalén bajo el rabí Gamaliel, el mejor educador intelectual entre los hebreos de su tiempo, *«estrictamente conforme a la Ley de nuestros padres»* (22:3; ver 5:34-40). La primera mención del apóstol Pablo en el Nuevo Testamento fue cuando apedrearon a Esteban a muerte, *«y los testigos pusieron sus ropas a los pies de un joven que se llamaba Saulo. . . . Y Saulo consentía en su muerte»* (7:58-8:1). Saulo persistentemente perseguía a todos los cristianos: *«Y Saulo asolaba la iglesia»* (8:3; 9:1).

SU CONVERSIÓN A CRISTO – Saulo obtuvo una comisión del sumo sacerdote para ir a Damasco y perseguir a los creyentes. En su camino, cegado por un gran resplandor de luz del cielo, Saulo *«oyó una voz que le decía: Saulo, Saulo, ¿por qué Me persigues? . . . Yo soy Jesús»* (9:4-5). Después que Saulo recibió a Cristo, él recibió otra vez la vista y fue *«lleno del Espíritu Santo. Y . . . levantándose, fue bautizado»* (9:17-18). ARABIA – El apóstol Pablo *«en seguida . . . (fue) a Arabia, y (volvió) de nuevo a Damasco»* (Gálatas 1:16-17). Entonces, *« . . . estuvo Saulo por algunos días con los discípulos que estaban en Damasco. En seguida predicaba a Cristo en las sinagogas, diciendo que Éste* (Jesús) *era el Hijo de Dios – demostrando que Jesús era el Cristo»* (Hechos 9:19-20,22). JERUSALÉN – *«Después, pasado de tres años»* (Gálatas 1:18) algunos de los judíos de Damasco se propusieron matar a Saulo, pero él se escapó (Hechos 9:25) y se fue hasta Jerusalén [unas 214 kilómetros al Sur de Damasco] donde se encontró con Pedro y Santiago (Gálatas 1:18-19) y *«hablando valerosamente en el nombre de Jesús . . . pero éstos* (los griegos) *procuraban matarle. Cuando supieron esto los hermanos, le llevaron hasta Cesarea, y le enviaron a Tarso»* (Hechos 9:26-29). TARSO – Después, Bernabé, sabiendo que Pablo había predicado con denuedo en el nombre de Jesús, tanto en Damasco como en Jerusalén – se fue a Tarso y trajo a Pablo a Antioquía [unas 160.9 kilómetros al Sudoeste de Tarso] (11:25-26).

## EL PRIMER VIAJE MISIONERO

ANTIOQUÍA de SIRIA – Pablo se juntó con *« . . . Bernabé, Simón el que se llamaba Níger, Lucio de Cirene, Manaén»* (13:1). Una gran hambre se había profetizado *«en toda la tierra habitada»* (11:28) y los discípulos mandaron a Bernabé y Saulo con una ofrenda de dinero para *«los hermanos que habitaban en Judea»* (11:27-30). En Jerusalén, Pablo se encontró con *«Jacobo, Cefas y Juan, que eran considerados como columnas»* en la iglesia (Gálatas 2:1-20) – posiblemente unos 14 años después del primer viaje misionero de Pablo a la iglesia en Jerusalén. En su viaje otra vez desde Jerusalén hasta Antioquía, ellos trajeron a Juan Marcos, un primo de Bernabé (Hechos 12:25). ANTIOQUÍA – En Siria (13:1-3), Pablo y Bernabé fueron separados por la iglesia en Antioquía, como mandados por el Espíritu Santo, para la obra misionera entre los gentiles. Antioquía fue el lugar donde empezó cada uno de los tres grandes viajes misioneros de Pablo. Bernabé y Pablo fueron *«enviados por el Espíritu Santo»* (13:4). Ellos tomaron a Juan Marcos, y *«descendieron a Seleucia, y de allí navegaron a Chipre»* (13:1-4). CHIPRE – La tierra natal de Bernabé era Chipre (4:36), una isla en el Mar Mediterráneo que estaba a unas 96.54 kilómetros de Siria. SALAMINA – Pablo [y los hermanos] *«anunciaban la Palabra de Dios en las sinagogas de los judíos»* (13:5) en esta ciudad al Este que era un puerto de mar. Él y Bernabé viajaron por la isla [unas 160.9 kilómetros] hasta Pafos.

**PAFOS** – Sergio Paulo (13:6-7), *«el procónsul»* romano [gobernador], llegó a ser un creyente (13:12). *«Habiendo zarpado de Pafos, Pablo y sus compañeros arribaron a Perge de Panfilia»* (13:13). **PERGE** – Esta capital de la provincia de Panfilia estaba a unas 289.62 kilómetros al Norte de Pafos. Juan Marcos los abandonó y se fue otra vez para Jerusalén. Entonces Pablo y Bernabé siguieron hasta Antioquía (13:13-14). **ANTIOQUÍA de PISIDIA** – Esta Antioquía (13:14-41) estaba situada en Pisidia, unas 193.08 kilómetros al Norte de Perge. Aquí *«la Palabra del Señor se difundía por toda aquella provincia»* (13:49). Pero los judíos incrédulos *«levantaron persecución contra Pablo y Bernabé, y los expulsaron de sus límites»* (13:50). Los apóstoles entonces siguieron el camino romano por unas 160.09 kilómetros hasta Iconio (13:51). **ICONIO** – Iconio era la capital de Licaonia donde *«creyó una gran multitud de los judíos, y así mismo de los griegos»* (14:1). Pablo y Bernabé *«se detuvieron allí mucho tiempo»* (14:30), hasta que un tumulto atentó apedrearlos, entonces huyeron unas 32.18 kilómetros hasta Listra.

**LISTRA** – El pueblo de Listra era un pequeño pueblo de campo en Licaonia donde Timoteo vivía y *«allí predicaban el evangelio»* (14:7). Pronto, los airados judíos de Antioquía de Pisidia y de Iconio llegaron y levantaron tanta oposición a la predicación de Pablo que muchos hombres lo apedrearon y lo arrastraron hasta sacarlo de la ciudad, y allí lo dejaron por muerto (14:19); pero Pablo revivió. Timoteo probablemente fue testigo a la predicación de Pablo y cómo cruelmente fue apedreado. Al próximo día Pablo y Bernabé fueron a un pequeño pueblo llamado Derbe. **DERBE** – Ellos fueron a Derbe y *«(anunciaron) el evangelio»* (14:20-21), unas 48.27 kilómetros al Sudeste. Entonces volvieron por Listra, Iconio, y Antioquía de Pisidia donde constituyeron ancianos en cada iglesia (14:21-23). Pablo y Bernabé entonces volvieron a Perge.

**PERGE** – Aquí Pablo y Bernabé predicaron la Palabra de Dios (14:25); entonces ellos descendieron a Atalia y de allí navegaron hasta Antioquía de Siria, completando así el primer viaje misionero de Pablo. **ANTIOQUÍA de SIRIA** – Pablo y Bernabé se quedaron aquí por varios años (14:26-28). **JERUSALÉN** – La iglesia en Antioquía mandó a Pablo y a Bernabé con otros creyentes a Jerusalén donde dieron testimonio de las grandes cosas que Dios había hecho dándole la salvación a los gentiles.

**ANTIOQUÍA** – Pablo y Bernabé regresaron a Antioquía *«enseñando la Palabra del Señor y anunciando el evangelio con otros muchos»* (15:22,35). Bernabé se fue y navegó a su tierra natal de Chipre (15:39). Entonces Pablo escogió a Silas para que le acompañare a viajar con él a los lugares donde él había predicado la Palabra de Dios en su primer viaje misionero (15:40).

# EL SEGUNDO VIAJE MISIONERO

**SIRIA y CILICIA** – Pablo, escogiendo a Silas, salió de Antioquía siendo *«encomendado por los hermanos a la gracia del Señor y pasó por Siria y Cilicia»* (15:40-41). En este viaje el apóstol Pablo confirmó y fortaleció la fe de los creyentes en las iglesias. **DERBE y LISTRA** – Aquí (16:1-3), Timoteo se unió a ellos *«al pasar por las ciudades... Así que las iglesias eran confirmadas en fe, y aumentaban en número cada día»* (16:4-5). **FRIGIA y GALACIA** – Mientras que continuaban su viaje por estos territorios (16:6), a ellos *«les fue prohibido por el Espíritu Santo hablar la Palabra en Asia; (entonces) llegaron a Misia»* **MISIA** – (16:6-8). Otra vez, les fue prohibido por el Espíritu Santo de continuar el viaje que tenían propuesto a Bitinia, pasando entonces junto a Misia, llegaron hasta Troas.

**TROAS** – Aquí (16:8), Lucas se juntó a ellos (16:10). Pablo tuvo una visión de un hombre pidiéndole que viniese a Macedonia. Inmediatamente ellos subieron a una barca y navegaron *«directo a Samotracia, y el día siguiente a Neápolis»* (16:11).

NEÁPOLIS – (Hoy en día es Kavala en Grecia) – Desde allí ellos se fueron 16.09 kilómetros hasta el territorio de Macedonia a la ciudad de Filipos. **FILIPOS** – Aquí en Filipos (16:12) se encontraron con Lidia de Tiatira – una mujer negociante, *«vendedora de púrpura»* la cual se bautizó, junto con su familia (16:13-15). Éstos fueron los primeros conversos en Europa. Pronto, Pablo y Silas fueron fuertemente golpeados, encarcelados, y milagrosamente librados de noche (16:22-34). El carcelero habiendo creído en Jesús fue bautizado, junto con su familia (16:22-34). Lucas se quedó en Filipos mientras que Pablo, Silas, y Timoteo fueron hasta *«Tesalónica, donde había una sinagoga de los judíos»* (17:1). **TESALÓNICA** – Ésta era la capital de Macedonia [unas 160.9 kilómetros al Oeste]. *«Y Pablo, como acostumbraba, fue a ellos, y por tres días de reposo discutió con ellos, declarando y exponiendo por medio de las Escrituras. . . . Y algunos de ellos creyeron»* (17:2-4). Entonces un grupo de judíos que no creían *«alborotaron la ciudad. …Inmediatamente, los hermanos enviaron de noche a Pablo y a Silas hasta Berea»* (17:1-10), unas 80.45 kilómetros de allí.

**BEREA** – En Berea (17:10), muchos *«recibieron la Palabra con toda solicitud. . . . Así que creyeron muchos de ellos»* (17:11-12). Pero una fuerte oposición iniciada por los que vinieron desde Tesalónica forzaron a Pablo a irse inmediatamente (17:14). Entonces Pablo y los otros se fueron hasta Atenas mientras que Silas y Timoteo se quedaron en Berea. **ATENAS** – Esta ciudad (17:15) fue uno de los centros más grandes de aprendizaje en el mundo antiguo. Al ver toda la ciudad entregada a la idolatría, Pablo *«discutía en la sinagoga con los judíos y piadosos, y en la plaza cada día. …Y algunos de los filósofos . . . le trajeron al Areópago»* donde el apóstol Pablo les urgió *«para que (buscaran) a Dios, . . . (que) ahora manda a todos los hombres en todo lugar, que se arrepientan»* (17:17-32). Algunos de ellos creyeron, entonces Pablo se fue hasta Corinto. **CORINTO** – La ciudad de Corinto (18:1) era una gran ciudad y puerto de mar donde Pablo conoció a Aquila y a su esposa Priscila. Silas y Timoteo pronto se unieron a él, y *«Pablo estaba entregado por entero a la predicación de la Palabra, testificando a los judíos que Jesús era el Cristo»* (18:5). *«Y Crispo, el principal de la sinagoga, creyó en el Señor con toda su casa; y muchos de los corintios, oyendo, creían y eran bautizados»* (18:8). Pablo se quedó en Corinto por más de un año y seis meses (18:11). Después de este tiempo el apóstol Pablo pasó a Éfeso con Aquila y Priscila. **ÉFESO** – Esta ciudad magnífica (18:19) tenía una población de más de 225.000 personas. Después de un corto tiempo ministrando en la sinagoga, Aquila y Priscila se quedaron allí, pero Pablo se fue en un barco hasta llegar *«a Cesarea»*, para seguir hasta Jerusalén para guardar *«la fiesta»* que venía (18:18-22). Después Pablo descendió a Antioquía. **ANTIOQUÍA de SIRIA** – Otra vez (18:22), ya habían pasado tres o cuatro años desde que Pablo había estado con ellos, así que se quedó allí con ellos *«algún tiempo»*, más o menos un año. Entonces él empezó su tercer viaje misionero con Timoteo por compañero.

## EL TERCER VIAJE MISIONERO

**GALACIA Y FRIGIA** – Dejando atrás a Antioquía (18:23) ellos viajaron por todo el territorio de Galacia y Frigia y llegaron hasta Éfeso. **ÉFESO** – En la ciudad de Éfeso (19:1) el apóstol Pablo estuvo enseñando diariamente por dos años *«en la escuela de uno llamado Tiranno»* (19:9-10). *«Así crecía y prevalecía poderosamente la Palabra del Señor»* (19:20). Pablo mandó a Timoteo y Erasto a Macedonia, pero él se quedó en Éfeso hasta que Demetrio, el platero, incitó a un gran tumulto (19:23-41). El apóstol Pablo entonces se fue hasta Macedonia. **MACEDONIA** – El apóstol Pablo salió para Macedonia donde animaba a todos los creyentes en los lugares que él había visitado en sus viajes anteriores. Él entonces viajó hasta Grecia. **GRECIA** – Pablo se quedó allí por tres meses (20:2-3), probablemente visitando a las iglesias en camino a Corinto. Él intentó navegar hasta Siria, pero no lo hizo por razón de un complot para matarle (20:3). Pues, entonces, se fue por el camino de Macedonia hasta Filipos.

**FILIPOS** – En Filipos (20:6) se juntó Lucas con Pablo. Ellos navegaron juntos y, en cinco días, llegaron a Troas. **TROAS** – Pablo y Lucas (20:6) se quedaron en Troas por siete días, entonces se fueron – Pablo caminando, pero a los otros los mandó por barco hasta Asón donde Pablo después se unió con ellos para navegar hasta Mileto. **MILETO** – Aquí (20:15) se encontraron con Pablo los ancianos de la iglesia en Éfeso (20:17-38). Pablo entonces navegó pasando por Rodas hasta Pátara. **PÁTARA** – Aquí (21:1) se cambiaron a otro barco, navegando directamente hasta Fenicia (21:2). Pasando por el sur de Chipre hicieron puerto en Tiro.

**TIRO** – Los discípulos aquí (21:3) les avisaron a Pablo de no ir a Jerusalén (21:4). Pero, después de orar con ellos, Pablo y algunos otros se fueron en un barco y continuaron hasta Tolemaida. **TOLEMAIDA** – Aquí (21:7) ellos se quedaron por un día en compañerismo con otros creyentes. El próximo día ellos salieron para Cesarea. **CESAREA** – Aquí (21:8) se quedaron en la casa de Felipe el evangelista. Un profeta llamado Ágabo predijo que Pablo iba a ser encarcelado si él volvía a Jerusalén (21:10-11). **JERUSALÉN** – Los hermanos aquí le dieron las bienvenidas a Pablo (21:15-17). Pero, por causa de una confusión sobre su identidad, Pablo fue asaltado por un tumulto (21:29,38) y fue golpeado, arrestado, y encadenado con dos cadenas (21:32-33), y después encarcelado. El Señor entonces se le apareció, y le dijo: «*Ten ánimo, Pablo, pues como has testificado de mí en Jerusalén, así es necesario que testifiques también en Roma*» (23:11). Después que su sobrino oyó sobre un complot para matarlo (23:12-30), Pablo fue llevado a Félix, el gobernador romano, en Cesarea (23:32-33).

**CESAREA** – Aquí (24:1-26:29) los acusadores de Pablo eran Ananías, el sumo sacerdote, con los ancianos y un orador llamado Tértulo (24:1-26). El apóstol Pablo estuvo prisionero en Cesarea por dos años (24:27). El sumo sacerdote apeló el caso ante Festo, el siguiente sucesor a Félix, para presentarse en Jerusalén (25:1-9); pero «*Pablo dijo: Ante el tribunal de César estoy . . . A César apelo*» (25:10-11). Así fue cómo Festo entonces lo mandó a presentar su defensa ante el rey Agripa (25:22-26:29). Pero tanto Festo como Agripa insistieron, diciendo: «*Ninguna cosa digna ni de muerte ni de prisión ha hecho este hombre*», pero, por haber apelado a César, Pablo fue trasladado a Roma en un barco (26:30-27:2).

**EN RUTA A ROMA** – Ellos navegaron en un barco (27:1-28:11) hacia el sur de Creta el cual pasó frente a Salmón, «*a un lugar que llaman Buenos Puertos*» (27:7-8). Después de esto «*iban costeando Creta. Pero no mucho después dio contra la nave un viento huracanado llamado Euroclidón*» (27:13-14). Durante la tormenta, Pablo tuvo una visión y «*el ángel del Dios de quien soy y a quien sirvo*» (27:23-24) vino y le dijo que el barco sería destruido cerca de «*alguna isla*»; y de ver que el barco se hundía durante la tormenta «*todos se salvaron saliendo a tierra*» (27:26-44). En la isla de Malta, una víbora se le prendió en la mano de Pablo, «*(pero) él, sacudiendo la víbora en el fuego, ningún daño padeció*» (28:5). Mientras que estaban en Malta, el apóstol Pablo también sanó al padre de Publio (28:8-9). «*Pasados tres meses, nos hicimos a la vela en una nave alejandrina . . . y luego fuimos a Roma*».(28:11-14).

**ROMA** – Aunque el apóstol Pablo era todavía un prisionero, por ser un ciudadano romano se le permitió vivir en una casa alquilada y así continuó su predicación por dos años. Durante ese tiempo, él probablemente escribió las epístolas de Efesios, Filipenses, Colosenses, y Filemón. De aquí, por no tener más explicaciones bíblicas sobre lo que pasó después, solamente podemos especular que su caso fue presentado ante Nerón, el cual lo puso en una prisión Mamertina, de donde el apóstol Pablo escribió su segunda epístola a Timoteo, diciendo: «*Porque yo ya estoy para ser sacrificado, y el tiempo de mi partida está cercano. He peleado la buena batalla, he acabado la carrera, he guardado la fe. Por lo demás, me está guardada la corona de justicia, la cual me dará el Señor, Juez Justo, en aquel día; y no sólo a mí, sino también a todos los que aman Su venida*» (II de Timoteo 4:6-8).

---

### ✒N LA LECTURA DE HOY

Pablo y Bernabé en Iconio; Pablo es apedreado en Listra y vuelve a Antioquía;
el viaje con Silas; la visión de Pablo para ir a Macedonia;
la conversión de Lidia y del carcelero de Filipos

---

✒n casi todos los lugares adonde Pablo y Bernabé fueron, *«los judíos y los gentiles, juntamente con sus gobernantes, se lanzaron a afrentarlos y apedrearlos»* (Hechos 14:5). En Iconio unas 144.81 kilómetros al este de Antioquía de Pisidia, una violenta oposición otra vez surgió cuando Pablo les dijo que Jesús era el Mesías predicho por los profetas. Él se fue de Iconio y viajó unas 32.8 kilómetros hasta Listra donde fue atraído a un hombre inválido. *«Este oyó hablar a Pablo, el cual, fijando en él sus ojos, y viendo que tenía fe para ser sanado, dijo a gran voz: Levántate derecho sobre tus pies. Y él saltó, y anduvo»* (14:9-10). Al ver esta sanidad milagrosa, la gente estaba convencida que *«dioses bajo la semejanza de hombres han descendido a nosotros»* (14:11). Pero Pablo y Bernabé se opusieron firmemente a ser hechos objetos de cultos idólatras (14:12-18).

Después de este evento, *«vinieron unos judíos de Antioquía y de Iconio, que persuadieron a la multitud, y habiendo apedreado a Pablo, le arrastraron fuera de la ciudad, pensando que estaba muerto. Pero rodeándole los discípulos, se levantó y entró en la ciudad; y al día siguiente salió con Bernabé para Derbe»* (14:19-20) donde hicieron muchos discípulos.

Después, Pablo hizo una breve referencia de sus sufrimientos por causa de Cristo, diciendo: *«Es necesario que a través de muchas tribulaciones entremos en el reino de Dios»* (14:22; ver 9:16). Donde quiera que encontramos un avivamiento espiritual y hay personas que se están salvando, sin excepción, Satanás buscará la forma de interrumpir, desanimar, y destruir su efecto. Así, que nosotros no debemos de sorprendernos cuando, después de nuestros mejores esfuerzos para servir al Señor, Satanás tratará de desanimarnos por medio de la opresión y aun por los disgustos con las personas de quienes esperábamos la animación. Pablo, el hombre que Dios eligió para escribir gran parte del Nuevo Testamento, tuvo que enfrentarse a muchos peligros; pero aun pudo escribir: *«Sé vivir humildemente, y sé tener abundancia; en todo y por todo estoy enseñado, así para estar saciado como para tener hambre, así para tener abundancia como para padecer necesidad. Todo lo puedo en Cristo que me fortalece»* (Filipenses 4:12-13).

**Pensamiento para hoy:** Para ser guiados a toda la verdad, tenemos que leer y obedecer toda la Verdad.

## ⒺN LA LECTURA DE HOY

La oposición de los judíos; Pablo y Silas en Berea; Pablo en el Areópago
de Atenas, en Corinto, y en Éfeso; Aquila y Priscila; los plateros

Ⓔl apóstol Pablo y su compañero Silas fueron golpeados brutalmente por un tumulto en Filipos y echados en la prisión. Sin embargo, por medio de la intervención de Dios, ellos fueron soltados al próximo día. Pablo no se daba por vencido, *«habiendo visto a los hermanos, los consolaron, y se fueron. . . . (Y) llegaron a Tesalónica»* (Hechos 16:40-17:1). Dondequiera que él iba, Pablo siempre asistía a la sinagoga de los judíos. *«Pablo, como acostumbraba, fue a ellos, y por tres días de reposo discutió con ellos, declarando y exponiendo* (dando evidencias) *por medio de las Escrituras, que era necesario que el Cristo padeciese, y resucitase de los muertos; y que Jesús, a quien yo os anuncio . . . es el Cristo. Y algunos de ellos creyeron»* (17:2-4).

Cuando los incrédulos líderes religiosos se dieron cuenta de todos estos nuevos conversos, ellos se enfurecieron y empezaron un gran alboroto. Inmediatamente después de esto, Pablo se fue de noche y viajó hacia el suroeste hasta Berea. Al llegar, *«entraron en la sinagoga de los judíos. Y éstos eran más nobles que los que estaban en Tesalónica, pues recibieron la Palabra con toda solicitud, escudriñando cada día las Escrituras para ver si estas cosas eran así. Así que creyeron muchos de ellos»* (17:10-12). El hecho de confesar a Jesús como su Mesías era una decisión monumental para los creyentes, lo cual tendría un gran efecto sobre todos los aspectos de sus vidas – su familia, sus amigos, y sus asociados en los negocios. Su dedicación a la verdad debe de animarnos a todos, sin pensar en el nivel de entrenamiento religioso, para estudiar todas las Escrituras con un deseo sincero para aprender las verdades que ellas nos revelan.

Nuestro Creador nos ha distribuido a cada uno de nosotros con sólo una vida para prepararnos en nuestro destino eterno. Todos nosotros tenemos una responsabilidad doble – de llegar a ser la persona que Dios quiere que seamos y de llegar a cumplir con el propósito para el cuál Él nos creó. Vamos a pensar en lo trágico que será para esas personas que no llegan a cumplir la voluntad de Dios, solamente perdiendo sus cortos años en esta vida acumulando las metas materiales, sociales y financieras para su auto complacencia. Dios ha provisto solamente un perfecto libro para guiarnos – Su Santa Palabra. Vamos a obedecerla y vamos a seguir a Jesús, como nuestro Salvador y nuestro Señor (I de Timoteo 2:5).

*«Pero Dios, habiendo pasado por alto los tiempos de esta ignorancia, ahora manda a todos los hombres en todo lugar, que se arrepientan; por cuanto ha establecido un día en el cual juzgará al mundo con justicia»* (Hechos 17:30-31).

**Pensamiento para hoy:** Alabado sea Dios, Sus caminos siempre son los mejores.

## 𝒞N LA LECTURA DE HOY

La misión de Pablo a Macedonia y Grecia; la resurrección de Éutico de entre los muertos; el mensaje a los ancianos en Éfeso; Pablo es arrestado en el templo

𝒞l apóstol Pablo se reunió en Mileto con los ancianos de la iglesia en Éfeso, diciendo: «*Ahora, he aquí, ligado yo en espíritu, voy a Jerusalén, sin saber lo que allá me ha de acontecer; salvo* (excepto) *que el Espíritu Santo por todas las ciudades me da testimonio, diciendo que me esperan prisiones y tribulaciones. Pero de ninguna cosa hago caso, ni estimo preciosa mi vida para mí mismo, con tal que acabe mi carrera con gozo, y el ministerio que recibí del Señor Jesús, para dar testimonio* (afirmar solemnemente) *del evangelio de la gracia de Dios*» (Hechos 20:22-24).

El Espíritu Santo que mora en nuestras vidas nos dará la fuerza para resistir nuestras pruebas y tentaciones tal y como lo hizo para el apóstol Pablo. Jesucristo les prometió a todos los creyentes: «*Y Yo rogaré al Padre, y os dará otro Consolador, para que esté* (more) *con vosotros para siempre*» (Juan 14:16). Dios no nos ha dejado solos, sino que somos «*fortalecidos con poder en el hombre interior por Su Espíritu*» (Efesios 3:16). Con la seguridad de la Presencia del Espíritu Santo que mora en nosotros podemos enfrentarnos a la vida con la certeza que tenemos un futuro con Él. Esto nos permite gozarnos de una profunda paz interna que procede de Dios (Juan 14:27). Nosotros entonces experimentamos gran contentamiento que «*sobrepasa todo entendimiento*» (Filipenses 4:7), cual paz las circunstancias de esta vida no pueden afectar. Porque Dios, quien es misericordioso y amoroso, mora en nuestras vidas, nosotros podemos responder con amor y misericordia para todas las personas y hacer desvanecer todo prejuicio, celo, odio, y envidia. Ninguna oposición puede robarnos de la paz que Dios nos da cuando permitimos que Cristo nuestro Rey reine sobre nuestras emociones. Aunque anteriormente no le habíamos permitido a Cristo gobernar nuestras emociones, ahora podemos decir: «Aunque todavía no soy lo que debo de ser, ya no soy lo que antes era; gracias a Cristo, estoy llegando a ser lo que Dios propuso que yo fuese».

El crecimiento espiritual viene cuando damos, no sólo de las cosas materiales, pero también de lo que las personas verdaderamente necesitan: de nuestro amor, de nuestro perdón, y de nuestro entendimiento. Al hacer esto, estamos llegando a ser más y más como Jesucristo. Pablo nunca denunció las maldades del emperador romano Nerón, pero sí sabemos que él oró por Nerón. Aun siendo un prisionero en Roma, Pablo escribió: «*Exhorto ante todo, a que se hagan rogativas, oraciones, peticiones y acciones de gracias, por todos los hombres; por los reyes y por todos los que están en eminencia . . . Porque esto es bueno y agradable delante de Dios nuestro Salvador, el cual quiere que todos los hombres sean salvos y vengan al conocimiento de la verdad*» (I de Timoteo 2:1-4).

**Pensamiento para hoy:** «*Este es el día que hizo Jehová; nos gozaremos y alegraremos en él*» (Salmo 118:24).

## ÉN LA LECTURA DE HOY

Pablo ante el Sanedrín (los líderes religiosos); los judíos hacen voto de matar a Pablo; Pablo es mandado a Félix; Pablo ante Festo y su apelación a César

Cuando el apóstol Pablo llegó a Jerusalén, los líderes religiosos *«alborotaron a toda la multitud»* con acusadores falsos: *«Este es el hombre que por todas partes enseña a todos contra el pueblo, la Ley y este lugar»* (Hechos 21:27-28). En respuesta, el tumulto con aun más ira se apoderó de Pablo y trató de matarlo, pero él fue rescatado de este acto violento por los soldados romanos. Entonces le permitieron hablar en defensa propia a los judíos. Cuando Pablo mencionó la comisión que él había recibido de Jesús de ir a los gentiles, ellos inmediatamente le consideraron un traidor a su religión, y airadamente gritaron: *«Quita de la tierra a tal hombre, porque no conviene que viva»* (22:22).

Cuando las autoridades del Sanedrín no pudieron sentenciar a Pablo, los religiosos celosos decidieron tomar la ley en sus propias manos y asesinarle (23:12-15). *«Mas el hijo de la hermana de Pablo»* oyó del malvado complot para asesinar a Pablo y vino y se lo dijo a un capitán romano, quien entonces tuvo que transferir a Pablo secretamente de noche y lo llevaron ante Félix, el gobernador romano de Judea que vivía en Cesarea (23:16-35).

Durante su encarcelamiento por varios años en Cesarea, Pablo fue juzgado por tres poderosos gobernadores del imperio romano que oyeron lo que él tenía que decir sobre su fe en Cristo Jesús. Él fielmente disertó *«acerca de la justicia, del dominio propio y del juicio venidero»* (24:25). Cada uno de sus jueces tuvieron diferentes reacciones cuando Pablo les habló *«del juicio venidero»*. Su primer juez Félix *«se espantó»* (24:25), y por eso sólo le oyó de vez en cuando. Después, su segundo juez Festo mostró su indiferencia al exclamar en gran voz: *«Estás loco, Pablo; las muchas letras te vuelven loco»* (26:24). Y, por lo que esto quiera decir, su tercer juez Agripa le dijo: *«Por poco me persuades a ser cristiano»* (26:28). No sabemos si las palabras de Agripa fueron sinceras, o sólo una burla, como algunos piensan, pero eso no importa – pues el resultado fue igual. Por lo que sabemos, ninguno de estos tres hombres recibieron a Cristo como su Salvador y Señor de sus vidas y, por consiguiente, todos terminaron perdidos eternamente.

Puede que haya solamente un tiempo conveniente para arrepentirse y recibir a Cristo como el Salvador y el Señor: *«he aquí ahora el día de salvación»* (II de Corintios 6:2).

**Pensamiento para hoy:** Cristo dejó todo lo que Él era por nosotros; vamos a darle todo lo que somos para que Él pueda vivir Su vida en y por nosotros.

## ✑N LA LECTURA DE HOY
La defensa de Pablo ante el rey Agripa; su viaje a Roma;
la tormenta en el mar; el naufragio en Malta; Pablo en Roma

*C*uando Saulo de Tarso confesó sobre su fe en Jesucristo como el Salvador y Mesías resucitado delante de Festo, el nuevo gobernador romano de Judea, exclamó en alta voz: «*Estás loco, Pablo; las muchas letras te vuelven loco. Mas él* (Pablo) *dijo* (Hechos 26:24-25).

Desde que Pablo, como un ciudadano romano, había apelado su caso para ir ante César, Festo le puso bajo el cuidado de «*un centurión llamado Julio, de la compañía Augusta*» (27:1). Julio tenía que llevar a Pablo a salvo hasta Roma para presentarse en juicio ante Nerón, el emperador romano. Ellos salieron en un barco, y después de un tiempo en el muelle de Sidón, continuaron a lo largo de la costa de Chipre. Pero los vientos de una gran tormenta no les permitió adelantar muy rápido. Al llegar a «*Buenos Puertos*» en Creta (27:8), Pablo les sugirió de quedarse allí durante los meses del invierno. Entonces él les advirtió: «*Varones, veo que la navegación va a ser con perjuicio y mucha pérdida, no sólo del cargamento y de la nave, sino también de nuestras personas*»; pero la mayoría de las personas en el barco le pidieron a Julio de continuar «*por si pudiesen arribar a Fenice, puerto de Creta que mira al nordeste y sudeste, e invernar allí*» (27:10-12).

Un poco después, furiosos vientos de categoría de huracán empezaron a abatirles. Después de dos semanas de tormentas, el barco empezó a hundirse cerca de la costa de Malta. «*Entonces Pablo . . . puesto en pie en medio de ellos, dijo . . . Pero ahora os exhorto a tener buen ánimo, pues no habrá ninguna pérdida de vida entre vosotros, sino solamente de la nave. Porque esta noche ha estado conmigo el ángel del Dios de quien soy y a quien sirvo, diciendo: Pablo, no temas; es necesario que comparezcas ante César; y he aquí, Dios te ha concedido todos los que navegan contigo*» (27:21-24). De esta experiencia podemos aprender que nuestra habilidad para juzgar es sólo buena según la fuente de nuestra información.

El viaje que hacemos a lo largo de nuestras vidas, como el de Pablo, puede que esté lleno de tormentas violentas. Puede que experimentemos naufragios físicos, financieros, o aun emocionales, y «*toda esperanza de salvarnos*» puede parecer perdida (27:20). Pero, llegará un día cuando las tormentas que hemos sufrido parecerán insignificantes al compararlas con todo lo que Dios ha cumplido por medio de nuestra fidelidad. Por causa de Cristo, Pablo con confianza pudo decir: «*me gozo en las debilidades, en afrentas, en necesidades, en persecuciones, en angustias; porque cuando soy débil, entonces soy fuerte*» (II de Corintios 12:10; ver Romanos 5:1-5).

**Pensamiento para hoy:** No hay garantía que usted pueda aceptar a Cristo mañana.

# INTRODUCCIÓN AL LIBRO DE
# ℛOMANOS

La vida cristiana es revelada progresivamente en el libro de Romanos. El tema principal es el evangelio de Jesucristo *«porque es poder de Dios para salvación a todo aquel que cree . . . Porque en el evangelio la justicia de Dios se revela por fe y para fe, como está escrito: Mas el justo por la fe vivirá»* (Romanos 1:16-17; ver Habacuc 2:4).

Los capítulos 1-3, establecen tres verdades: [1] *«Porque la ira de Dios se revela desde el cielo contra toda impiedad e injusticia»* (Romanos 1:18); [2] *«pues ya hemos acusado a judíos y a gentiles, que todos están bajo pecado»* (3:9-11); [3] *«ya que por las obras de la Ley ningún ser humano será justificado delante de Él»* (3:20).

Los capítulos 4-5, explican que el Justo Dios ha provisto el único camino para que cualquier persona pueda ser perdonada de todos sus pecados: *«Jesús, Señor nuestro . . . el cual fue entregado* (a muerte) *por nuestras transgresiones, y resucitado para nuestra justificación. . . . Justificados, pues, por la fe, tenemos paz para con Dios por medio de nuestro Señor Jesucristo»* (4:24-25; 5:1).

El capítulo 6, explica el significado y la importancia del bautismo del creyente: *«¿O no sabéis que todos los que hemos sido bautizados en Cristo Jesús, hemos sido bautizados en Su muerte? Porque somos sepultados juntamente con Él para muerte por el bautismo, a fin de que como Cristo resucitó de los muertos por la gloria del Padre, así también nosotros andemos en vida nueva»* (6:3-4).

Los capítulos 7-8, revelan el conflicto que existe entre la nueva naturaleza espiritual del creyente y su vieja (pecaminosa) naturaleza. La victoria es también revelada así: *«Pero si Cristo está en vosotros, el cuerpo en verdad está muerto a causa del pecado, mas el espíritu vive a causa de la justicia. . . . Así que, hermanos, deudores somos* (bajo obligación), *no a la carne, para que vivamos conforme a la carne; porque si vivís conforme a la carne, moriréis; mas si por el Espíritu hacéis morir las obras de la carne, viviréis»* (8:10,12-13).

Los capítulos 9-11, declaran el evangelio universal (las buenas nuevas) a toda la humanidad: *«Porque no hay diferencia entre judío y griego, pues el mismo que es Señor de todos, es rico para con todos los que le invocan; porque todo aquel que invocare el nombre del Señor, será salvo»* (10:12-13).

Los capítulos 12-16, contienen las normas que nos guían al crecimiento espiritual y al discernimiento: [1] *«que presentéis vuestros cuerpos en sacrificio vivo, santo, agradable a Dios»;* [2] *«No os conforméis a este siglo»;* [3] *«sino transformaos por medio de la renovación de vuestro entendimiento, para que comprobéis cuál sea la buena voluntad de Dios, agradable y perfecta»* (12:1-2).

Enfáticamente, Pablo nos explica sobre lo importante que es el Antiguo Testamento para entender la naturaleza de Dios y la vida del creyente: *«Porque las cosas que se escribieron antes, para nuestra enseñanza se escribieron»* (15:4).

## ᴇN LA LECTURA DE HOY

El deseo de Pablo de visitar a los creyentes en Roma; los judíos y los gentiles están todos bajo condenación; somos justificados por medio de la fe

*S*atanás y todos los incrédulos serán echados al eterno *«lago de fuego»* (Apocalipsis 20:10,13,15). Sin embargo, *«la ira de Dios se revela desde el cielo contra toda impiedad e injusticia de los hombres que detienen con injusticia la verdad . . . Dios se lo manifestó. . . . (De) modo que no tienen excusa. Pues habiendo conocido a Dios, no le glorificaron como a Dios, ni le dieron gracias . . . y su necio corazón fue entenebrecido. Profesando ser sabios, se hicieron necios, y cambiaron la gloria del Dios incorruptible en semejanza de imagen de hombre corruptible . . . Por lo cual también Dios los entregó a la inmundicia, en las concupiscencias de sus corazones, de modo que deshonraron entre sí sus propios cuerpos»* (Romanos 1:18-27).

Tres veces leemos que Dios *«los entregó a la inmundicia»*, a sus *«pasiones vergonzosas»*, y a una *«mente reprobada»* (1:24,26,28). Hay personas que ven el sexo como no más que un apetito físico que hay que satisfacer. Pero, Cristo nos ha dicho: *«Pero los cobardes e incrédulos, los abominables y homicidas, los fornicarios y hechiceros, los idólatras y todos los mentirosos tendrán su parte en el lago que arde con fuego y azufre, que es la muerte segunda»* (Apocalipsis 21:8). La relación sexual es un don de Dios que trae una satisfacción que dura y nos llena sólo cuando está dentro de la relación matrimonial de un hombre con una mujer.

Por casi todo el mundo hay una gran ignorancia de la Biblia que nos inquieta porque aun sigue creciendo, pues la Biblia es el único Libro que revela el pecado tal y como es – una rebelión contra Dios. Dios solo tiene el derecho de establecer las normas de la justicia.

Hay también en la iglesia una gran negligencia que sigue creciendo en usar el día de reposo y los diezmos del Señor para placeres egocéntricos. El hacer tales cosas usualmente nos lleva a aceptar excusas por el pecado y nos quita todo sentimiento de culpabilidad.

No hay victoria sobre la perversión sexual hasta que se vea por lo que verdaderamente es, no una enfermedad ni un estilo de vida alternativo, pero un pecado. Las buenas nuevas nos dicen: *«Pero ahora estamos libres de la Ley, por haber muerto para aquella en que estábamos sujetos, de modo que sirvamos bajo el régimen nuevo del Espíritu y no bajo el régimen viejo de la letra»* (Romanos 7:6).

**Pensamiento para hoy:** Dios desea cuidar de nuestras vidas. Vamos a confiar en Él.

**EN LA LECTURA DE HOY**

La salvación y la justicia por medio de Jesucristo; el pecado por medio de Adán;
los creyentes están bajo la gracia no bajo la Ley; el bautismo es explicado

*A* la vez que entendemos el sufrimiento horrible y la muerte de Jesucristo
junto con la gloria y el poder de Su resurrección, más vamos a desear: *«(que)
así también nosotros andemos en vida nueva»* diariamente manifestando la
vida de Cristo. *«Porque si fuimos plantados juntamente con Él en la semejanza
de Su muerte, así también lo seremos en la de Su resurrección; sabiendo esto,
que nuestro viejo hombre fue crucificado juntamente con Él, para que el
cuerpo del pecado sea destruido, a fin de que no sirvamos más al pecado»*
(Romanos 6:4-6).

Si nos comprometemos a vivir sólo *«en la semejanza de Su muerte»*, llevando
nuestra propia cruz, y en la abnegación propia, entonces veríamos que esto
sólo producirá una pequeña visión de lo que significa seguir a Cristo. Es el
glorioso poder de Su resurrección física que mora en nosotros que no solamente
nos libra del poder del pecado, sino que también nos da ánimo diariamente y
nos da la fuerza para que *«así también nosotros andemos en vida nueva»*. Los
seguidores de Cristo aceptan el hecho que el pecado ya no más será nuestro
dueño y que: *«Así también vosotros consideraos muertos al pecado, pero vivos
para Dios en Cristo Jesús, Señor nuestro. No reine, pues, el pecado en vuestro
cuerpo mortal, de modo que lo obedezcáis en sus concupiscencias»* (6:11-12).
Esto no quiere decir que ya no pecamos más, pero que ¡Dios nos capacita para
vencer el pecado!

*«No reine* (no controle), *pues, el pecado en vuestro cuerpo mortal, de
modo que lo obedezcáis en sus concupiscencias* (los malos deseos) . . .
*sino presentaos vosotros mismos a Dios como vivos de entre los muertos»*
(6:12-13). La naturaleza de *«nuestro viejo hombre»* todavía es capaz de
rendirse a los deseos pecaminosos de la carne. Pero, Cristo a hecho posible
que nosotros experimentemos la realidad de que *«somos más que vencedores
por medio de Aquel que nos amó»* (8:37).

La vida de Jesús que mora en nosotros hace la diferencia: *«¿No sabéis que si
os sometéis a alguien como esclavos para obedecerle, sois esclavos de aquel a
quien obedecéis, sea del pecado para muerte, o sea de la obediencia para justicia?»*
(6:16). *«Mas ahora que habéis sido libertados del pecado y hechos siervos de
Dios, tenéis por vuestro fruto la santificación, y como fin, la vida eterna»*
(Romanos 6:22).

**Pensamiento para hoy:** El pecado sólo tiene poder sobre nuestras vidas cuando
se lo permitimos.

---

**ℰN LA LECTURA DE HOY**

La ley de la vida en el Espíritu; el sufrimiento es comparado con
la gloria futura; la caída de Israel por la incredulidad;
la medida de misericordia para los gentiles

---

𝒞uando aceptamos a Cristo como Salvador y Señor de nuestras vidas, recibimos la naturaleza espiritual de Dios y sinceramente deseamos que «*la justicia de la Ley se cumpliese en nosotros, que no andamos conforme a la carne, sino conforme al Espíritu. Porque los que son de la carne piensan en las cosas de la carne* (carnalmente)*; pero los que son del Espíritu, en las cosas del Espíritu. Porque el ocuparse de la carne es muerte, pero el ocuparse del Espíritu es vida y paz. Por cuanto los designios de la carne son enemistad* (hostiles) *contra Dios; porque no se sujetan a la Ley de Dios*» (Romanos 8:4-7). Alabado sea Dios que no tenemos que ser gobernados por nuestra naturaleza carnal: «*porque si vivís conforme a la carne, moriréis; mas si por el Espíritu hacéis morir las obras de la carne, viviréis*» (8:13).

El verdadero arrepentimiento resulta en un cambio del corazón y del estilo de vida. Este cambio debe manifestarse en el hecho de estar involucrados en compartir las buenas nuevas, en apoyar los ministerios misioneros, y estar involucrados en la iglesia local siempre que sea físicamente posible. Tristemente, algunas personas se unen a una iglesia, asisten a sus servicios de adoración, dan sus diezmos y ofrendas generosamente, y piensan que estas obras son lo suficiente para entrar en el cielo. Pero, puede que ellos estén solamente expresando una «*apariencia de piedad, pero negarán la eficacia de ella*» (II de Timoteo 3:5). Dios se interesa primeramente de lo que nosotros somos, y después de lo que nosotros hacemos para Él.

«*Poned la mira en las cosas de arriba, no en las de la tierra. . . . Haced morir, pues, lo terrenal en vosotros: fornicación, impureza, pasiones desordenadas* (innatural)*, malos deseos y avaricia, que es idolatría; cosas por las cuales la ira de Dios viene sobre los hijos de desobediencia, en las cuales vosotros también anduvisteis en otro tiempo cuando vivíais en ellas. Pero ahora dejad también vosotros todas estas cosas: ira, enojo, malicia, blasfemia* (la calumnia y relatos abusivos contra Dios)*, palabras deshonestas de vuestra boca. No mintáis los unos a los otros, habiéndoos despojado del viejo hombre con sus hechos, y revestido del nuevo, el cual conforme a la imagen del que lo creó*» (Colosenses 3:2,5-10).

**Pensamiento para hoy:** Sin considerar las circunstancias, «*Bendeciré a Jehová en todo tiempo; Su alabanza estará de continuo en mi boca*» (Salmo 34:1).

## ꟾN LA LECTURA DE HOY

Israel será salvo; los deberes del creyente en su vida personal,
en su iglesia, en la sociedad, y aun hacia el gobierno

*S*er cristiano es recibir una nueva naturaleza – la naturaleza de Dios. *«Os es necesario nacer de nuevo»* (Juan 3:7). Entonces el Espíritu Santo que mora en nosotros nos capacita para dejar que Cristo controle nuestras vidas en vez de controlar nuestras propias vidas bajo nuestro viejo dueño Satanás.

Es nuestro culto racional el querer vivir cada día manifestando la vida de la resurrección de Cristo, libres del control de Satanás. El apóstol Pablo escribió: *«Así que, hermanos, os ruego por las misericordias de Dios, que presentéis vuestros cuerpos en sacrificio vivo, santo, agradable a Dios, que es vuestro culto racional. No os conforméis a este siglo, sino transformaos por medio de la renovación de vuestro entendimiento, para que comprobéis cuál sea la buena voluntad de Dios, agradable y perfecta»* (Romanos 12:1-2).

Mientras que leemos por toda la Biblia y la obedecemos, la Palabra de Dios llega a ser nuestra comida espiritual y nuestra fuente de fuerza y discernimiento espiritual para cumplir la voluntad de Dios. Tal y como la comida física se asimila por nuestros cuerpos para proveer una buena salud y fuerza física, así mismo el Espíritu Santo que mora en nuestras vidas fortalece nuestra vida espiritual por medio de Su Palabra para que podamos estar saludables en nuestra vida espiritual. El Espíritu Santo solo puede guiarnos: *«a toda la verdad»* (Juan 16:13). Sin embargo, Él no nos guiará a *«toda la verdad»* si nos negamos a leer *«toda la verdad»* desde Génesis hasta Apocalipsis. Nosotros somos esclavos del pecado y bajo la influencia de Satanás o somos hijos de Dios y cautivos sólo a Él por Su control sobre nuestras vidas. Esta es la verdadera libertad. La Palabra de Dios ilumina, entonces después nos da el poder para vencer el viejo estilo de vida. *«(Y) conoceréis la verdad, y la verdad os hará libres»* (8:32).

Cada día vivimos en medio de muchas voces que llaman a nuestra atención. En esta vida siempre tendremos la tentación de satisfacer nuestros deseos carnales. También diariamente necesitamos de estar en guarda para no permitir que las «buenas cosas» o ni aun las «buenas personas» ocupen nuestro tiempo y nos roben de lo mejor que Dios tiene para nosotros. La vida es muy corta para permitir que las posesiones materiales y el deseo de cumplir con las metas mundanas dominen nuestras vidas. Nuestras oportunidades para servir al Señor y estar preparados para ver al Señor pronto terminarán. *«Mirad, pues, con diligencia cómo andéis, no como necios sino como sabios, aprovechando bien el tiempo, porque los días son malos»* (Efesios 5:15-16).

**Pensamiento para hoy:** Cuando estamos controlados por el Espíritu Santo que mora en nuestras vidas es que verdaderamente estamos agradando a Dios.

---

### ✒N LA LECTURA DE HOY

La ley del amor sobre las cosas dudosas; los creyentes judíos y gentiles comparten de la misma salvación; el deseo de Pablo de ir a Roma y sus saludos

---

*A*un ahora, Cristo está intercediendo por nosotros por razón de nuestras debilidades y tentaciones (Hebreos 7:25; Romanos 16:25-27).

Ninguna persona en la historia, con la excepción de nuestro Jesús, ha vivido sin pecado. Desde que no podemos conocer los corazones de nadie, Dios nos advierte: *«¿Tú quién eres, que juzgas al criado ajeno? Para su propio señor está en pie, o cae; pero estará firme, porque poderoso es el Señor para hacerle estar firme»* (14:4).

*«Así que, los que somos fuertes debemos soportar las flaquezas de los débiles, y no agradarnos a nosotros mismos. Cada uno de nosotros agrade a su prójimo en lo que es bueno, para edificación. Porque ni aun Cristo se agradó a Sí mismo»* (15:1-3). Nuestro mayor ejemplo de cómo debemos de vivir nuestras vidas es Jesucristo, que sin egoísmo tomó todos nuestros pecados sobre Sí mismo, sufriendo los insultos, las persecuciones, y la cruel muerte física en una cruz por nuestra causa. Su sacrificio personal demostró el modo en que el creyente debe de tratar a otras personas para su bien y para la gloria de Dios.

El hermano «más fuerte» voluntariamente pondrá a un lado sus deseos personales y con amor considerar cómo fortalecer a su hermano «más débil» sin juzgarle, para no darle la oportunidad a Satanás para hacer hincapié por medio de la división o por la hipocresía.

Cuando le permitimos a Cristo ser el Señor de nuestras vidas, esto resulta en un cuidado sincero y compasivo para otras personas, no sólo para un hermano o una hermana débil en Cristo, pero para las personas perdidas también. El discernimiento espiritual nos lleva a tener un entendimiento de otras personas y sus presentes situaciones. La amonestación de *«soportar las flaquezas de los débiles»* requiere, de todos los creyentes que han madurado en la fe, un gran nivel de compasión y de estar involucrados en las vidas de otras personas.

Mientras que es verdad que Dios juzga el pecado y nos deja saber bien claro que tenemos que predicar *«la Palabra; que instes a tiempo y fuera de tiempo; redarguye, reprende, exhorta con toda paciencia y doctrina»* (II de Timoteo 4:2), nuestro amoroso Señor también está diciéndole a todos Sus seguidores: *«En esto conocerán todos que sois Mis discípulos, si tuviereis amor los unos con los otros»* (Juan 13:35).

**Pensamiento para hoy:** Cuando damos – no cuando recibimos – es que encontramos la clave para recibir las bendiciones de Dios.

# INTRODUCCIONES A LOS LIBROS DE
# I y II de &orintios

Había aparentemente una poca aceptación de Jesús como el prometido Mesías y Salvador del pecado de parte de los judíos como también de los gentiles en Atenas (Hechos 17:17,23,30-34). Después de esto el apóstol Pablo salió para la ciudad de Corinto situada unas 80.45 kilómetros al oeste. Él se quedó en Corinto un año y medio (18:11). Durante este tiempo, él se mantenía por medio de su profesión de hacer tiendas, trabajando junto con Aquila y Priscila. Esta pareja judía había huido de Roma porque el emperador Claudio había establecido un decreto y *«había mandado que todos los judíos saliesen de Roma»* (18:1-3), pero ahora tenían una iglesia en su casa en Corinto (I de Corintios 16:19).

Corinto era la capital de Acaya, una provincia romana, y era una de las ciudades más prominentes de Grecia, con una población de más de 400.000 personas. Desde allí Pablo pasó brevemente por Éfeso (Hechos 18:18-19) y así concluyó su segundo viaje misionero.

En su tercer viaje misionero, Pablo volvió a Éfeso (I de Corintios 16:8), donde recibió las malas noticias sobre los problemas de la iglesia en Corinto (1:11; 5:1; 7:1; 11:18). La iglesia en Corinto se había dividido en cuatro partes (1:12) y algunos de sus miembros estaban viviendo inmoralmente sin ser corregidos (5:1-13). Respondiendo a esta situación con gran cuidado y amor, Pablo fue guiado por el Espíritu Santo a escribir para explicarles que todo lo que hacemos debe ser *«para la gloria de Dios»* (10:31). Un propósito primario del libro de I de Corintios fue el clarificar la importancia de *«la Cena del Señor. . . . Así, pues, todas las veces que comiereis este pan, y bebiereis esta copa, la muerte del Señor anunciáis* (proclamáis) *hasta que Él venga»* (11:20,26). Aquí Pablo nos da la explicación más detallada sobre la Cena del Señor que se encuentra registrada en las Escrituras (11:23-34). Los nueve dones del Espíritu Santo para el ministerio son establecidos en los capítulos 12-14. En el capítulo 13 el Espíritu Santo guio a Pablo a registrar la incomparable definición del amor. El propósito y la necesidad de la resurrección de Jesucristo continúa en el capítulo 15.

Un propósito primario del libro de II de Corintios fue para alabarles por la acción disciplinaria que la iglesia había tomado en contra los pecados de sus miembros.

En los capítulos 8-9, Pablo les explicó sobre los principios y los propósitos de ofrendar y les exhortó a que participaran en la ofrenda para los santos que estaban en Judea. Durante los siguientes años, después que Pablo se había ido, parece que se desarrolló un grupo dentro de la iglesia que se negó a seguir el liderazgo de Pablo y tuvieron dudas sobre sus credenciales (capítulos 10-12). Un gran tema de II de Corintios es el ministerio de la reconciliación. Pablo también les dijo: *«os rogamos en nombre de Cristo: Reconciliaos con Dios»* (II de Corintios 5:14-21).

**EN LA LECTURA DE HOY**

La gracia y la fidelidad de Dios; los problemas en Corinto; los creyentes
son considerados el templo de Dios; la autoridad de los apóstoles

*L*a iglesia en Corinto estaba dividida sobre quién era el líder espiritual más adecuado. Pablo no estaba de acuerdo con los que decían que ellos solamente preferían el punto de vista de Pablo y que Apolos y Pedro necesitaban darle a Pablo la razón, por eso escribió: *«¿Qué, pues, es Pablo, y qué es Apolos? Servidores por medio de los cuales habéis creído; y eso según lo que a cada uno concedió el Señor»* (I de Corintios 3:5). No somos competidores, pero todos juntos *«somos colaboradores de Dios»* (3:9). En la epístola a los Romanos, Pablo ilustró esta actitud divisiva al decir: *«Uno hace diferencia entre día y día; otro juzga iguales todos los días. Cada uno esté plenamente convencido en su propia mente»* (Romanos 14:5).

Nosotros somos miembros del Cuerpo de Cristo. Nuestra mayor prioridad siempre debe ser: *«que estéis perfectamente unidos en una misma mente y en un mismo parecer . . . ¿Acaso está dividido Cristo?»* (I de Corintios 1:10,13). Todos nos necesitamos los unos a los otros, pues juntos podemos cumplir la voluntad de Dios en el Cuerpo de Cristo por medio de nuestras oraciones, los diezmos, las ofrendas, los talentos, y el poder testificarles a otros. Nadie debe de sentirse indispensable o inadecuado, pues todos somos *«una misma cosa»* en Cristo (3:8).

Toma toda clase de creyente para hacer el Cuerpo de Cristo, el cual es la iglesia y, sin excepción, todos son necesarios: *«nosotros, con ser muchos, somos un cuerpo; pues todos participamos de aquel mismo Pan (Cristo)»* (10:17), *«Porque nosotros somos colaboradores de Dios»* (3:9).

Esto no deja ninguna oportunidad para envidiar la habilidad o la utilidad de otras personas, ni aun para llenarnos de orgullo como si nosotros mismos hubiésemos hecho algo en nuestra propia fuerza. El celo junto con el orgullo deshonran a Cristo y destruyen el espíritu de unidad. Las diferencias a veces son ignoradas por no reconocer este verdadero problema en nuestras vidas.

Es muy importante reconocer que Pablo no estaba esperando una uniformidad en ver las cosas iguales, pero sí quería que hubiese unidad en el Espíritu aun en medio de las diferencias. *«Pero la sabiduría que es de lo alto es primeramente pura, después pacífica, amable, benigna, llena de misericordia y de buenos frutos, sin incertidumbre ni hipocresía. Y el fruto de justicia se siembra en paz para aquellos que hacen la paz»* (Santiago 3:17-18).

**Pensamiento para hoy:** No vamos a buscar faltas en los dones que Dios les da a otras personas.

## ᴇN LA LECTURA DE HOY
La inmoralidad y otros pecados son condenados;
las normas para el matrimonio y para la conducta del creyente

ᴇl apóstol Pablo recibió las malas noticias que uno de los miembros de la iglesia en Corinto estaba viviendo en fornicación o en adulterio con *«la mujer de su padre»* (I de Corintios 5:1), esto parece decir que estaba en una continua relación sexual con su madrastra. No se sabe si su padre estaba vivo todavía o ya había muerto. Pablo les amonestó a que excomulgaran al miembro ofensivo inmediatamente: *«En el nombre de nuestro Señor Jesucristo, reunidos vosotros y mi espíritu, con el poder de nuestro Señor Jesucristo, el tal sea entregado a Satanás para destrucción de la carne, a fin de que el espíritu sea salvo en el día del Señor Jesús»* (5:4-5).

La mayor consideración no es solamente cómo es que nuestras vidas afectan nuestra relación con Dios, pero de igual importancia es cómo afectan la relación con nuestros amigos cristianos en nuestras iglesias y en nuestras familias.

Cuando los líderes del cuerpo de una iglesia permiten los pecados obvios que se practican continuamente entre sus miembros, esto les anima a los pecadores a excusar sus propios pecados y continuar inculcando a otras personas a seguir su estilo de vida inmoral.

Si nosotros creemos lo que Dios ha dicho en Su Palabra sobre el pecado, veremos que hay consecuencias por ello. Consiguientemente, la decisión de no decir ni hacer nada, meramente por razón de mantener «la armonía», está en oposición a lo que el Espíritu Santo le guio a escribir: *«Más bien os escribí que no os juntéis con ninguno que, llamándose hermano, fuere fornicario, o avaro, o idólatra, o maldiciente, o borracho, o ladrón; con el tal ni aun comáis. . . . Quitad, pues, a ese perverso de entre vosotros»* (5:11-13). *«Y esto erais algunos»* (6:11). La palabra clave aquí es *«erais»*, porque todos los que verdaderamente han recibido a Jesucristo como Salvador y Señor tienen el deseo de abandonar sus pecados.

Por el resultado inevitable del pecado, Pablo continuó su escrito: *«¿No sabéis que los injustos no heredarán el reino de Dios? No erréis; ni los fornicarios, ni los idólatras, ni los adúlteros, ni los afeminados, ni los que se echan con varones, ni los ladrones, ni los avaros, ni los borrachos, ni los maldicientes, ni los estafadores, heredarán el reino de Dios»* (I de Corintios 6:9-10).

**Pensamiento para hoy:** Si descuidamos la Palabra de Dios estamos olvidando al Dios mismo.

**ᴇN LA LECTURA DE HOY**
Las normas para la adoración; la Cena del Señor;
los dones espirituales; el amor (la caridad) el mayor de los dones

*A*unque sea sorprendente al mundo, desde el punto de vista de Dios es más importante ser conocido por la bondad amorosa, el cuidado y la consideración con otras personas que por ser un gran evangelista, o un predicador o un maestro famoso. *«Si yo hablase lenguas humanas y angélicas, y no tengo amor, vengo a ser como metal que resuena, o címbalo que retiñe»* (I de Corintios 13:1).

Es más importante ser conocido por el amor que damos, tal y como Dios ama, que por ser un prominente orador profético en el mundo. El apóstol Pablo siguió revelando esta habilidad dada por Dios para amar: *«Y si tuviese profecía* (predecir o predicar todo)*, y entendiese todos los misterios y toda ciencia, y si tuviese toda la fe, de tal manera que trasladase los montes, y no tengo amor, nada soy»* (llego a ser inútil para Dios) (13:2).

*«El amor es sufrido, es benigno; el amor no tiene envidia»* (13:4), no se jacta con ideas infladas de su propia importancia, que quiere decir que no insiste en su propia manera de pensar y nunca es descortés con otros. Tampoco busca solamente lo suyo, ni busca la ofensa o el rencor. El amor no piensa mal contra otros. Esta clase de amor de Dios es muy paciente – nunca se envanece o es jactancioso.

Otra dimensión del amor es que *«no hace nada indebido, no busca lo suyo, no se irrita, no guarda rencor»* (13:5), que quiere decir que el amor tiene buenos sentimientos, es caritativo, y siempre está dispuesto a perdonar. El amor nos lleva a estar más ocupados con los sentimientos y los derechos de otras personas y menos ocupados en los nuestros. El amor de Dios nos lleva a no estar siempre tratando de coger lo mejor para nosotros mismos o aprovecharnos de las desventajas de otros.

El amor también nos cuida de no oír a esas personas que siempre están ansiosos para darnos los últimos chismes sobre las faltas y los fracasos de otros hermanos y hermanas en Cristo.

El amor *«todo lo sufre . . . todo lo soporta»* (13:7) sin llegar a estar frustrado y airado. *«El amor nunca deja de ser»* (13:8), sin considerar si es para los amigos, personas con problemas, o aun extranjeros. *«Amados, amémonos unos a otros; porque el amor es de Dios. Todo aquel que ama, es nacido de Dios, y conoce a Dios. El que no ama, no ha conocido a Dios; porque Dios es amor»* (I de Juan 4:7-8).

**Pensamiento para hoy:** Cuando amamos al Señor, el amor para con otros fluye naturalmente.

> ## ᴇ̃N LA LECTURA DE HOY
> Los dones espirituales; la resurrección de Cristo;
> la ofrenda para los santos (creyentes) en Jerusalén

ᴇ̃s un hecho triunfante: *«Que Cristo murió por nuestros pecados, conforme a las Escrituras; y que fue sepultado, y que resucitó al tercer día, conforme a las Escrituras»* (I de Corintios 15:3-4). Para el creyente, la muerte no es el final de la vida, pero el verdadero principio a un futuro magnífico con nuestro maravilloso Señor. *«He aquí, os digo un misterio: No todos dormiremos; pero todos seremos transformados, en un momento, en un abrir y cerrar de ojos, a la final trompeta; porque se tocará la trompeta, y los muertos serán resucitados incorruptibles, y nosotros seremos transformados»* (15:51-52).

El apóstol Pablo concluye sus gloriosos pensamientos sobre la segunda venida del Señor Jesús al decir: *«Así que, hermanos míos amados, estad firmes y constantes, creciendo en la obra del Señor siempre, sabiendo que vuestro trabajo en el Señor no es en vano»* (siempre es útil) (15:58). A la vez que el apóstol Pablo escribió sobre una eternidad en gran gozo con Cristo, el apóstol Juan escribió del juicio venidero para todos los incrédulos. *«Y vi un gran trono blanco y al que estaba sentado en él. . . . Y vi a los muertos, grandes y pequeños, de pie ante Dios; y los libros fueron abiertos, y otro libro fue abierto, el cual es el libro de la vida; y fueron juzgados los muertos por las cosas que estaban escritas en los libros, según sus obras. . . . Y el que no se halló inscrito en el libro de la vida fue lanzado al lago de fuego»* (Apocalipsis 20:11-15).

Los creyentes tienen la suma confianza que, *«si el Espíritu de* (Dios) *Aquel que levantó de los muertos a Jesús mora en vosotros, el que levantó de los muertos a Cristo Jesús vivificará también vuestros cuerpos mortales por Su Espíritu que mora en vosotros»* (Romanos 8:11).

Nuestro propósito triplo para vivir está en llegar a ser la persona que Dios ha preparado para que seamos, entonces así poder llegar a cumplir Su voluntad para nuestras vidas aquí en la tierra, y después estar preparados para el esplendor triunfante del cielo. Sobre el cielo, las Palabras de Jesús les ha dado una consolación preciosa a millones de personas cuando Él dijo: *«No se turbe vuestro corazón . . . voy, pues, a preparar lugar para vosotros. Y si Me fuere y os preparare lugar, vendré otra vez, y os tomaré a Mí mismo, para que donde Yo estoy, vosotros también estéis»* (Juan 14:1-3).

**Pensamiento para hoy:** Los creyentes vivirán con Cristo para siempre. ¡Qué seguridad tan preciosa!

## ĒN LA LECTURA DE HOY
El perdón para los que se arrepienten; el Señorío de Jesucristo;
el sufrimiento de los creyentes

*L*as vasijas de barro tienen poco valor en sí mismas. Su valor esencial depende en lo que contienen. Si se quedan vacías, entonces no tienen ningún propósito para existir. Sin embargo, si están llenas de oro, su valor aumenta dramáticamente. El cuerpo de cada creyente se compara a una vasija ordinaria de barro y el tesoro precioso que contiene *«es Cristo en vosotros, la esperanza de gloria»* (Colosenses 1:27). También *«tenemos este tesoro en vasos de barro, para que la excelencia del poder sea de Dios, y no de nosotros»* (II de Corintios 4:7) y para Dios somos preciosos y responsables a Él para sembrar Su Palabra que produce vida abundante. Muchos piensan que nadie tenía más autoridad espiritual que el apóstol Pablo, pero aún él mismo escribió: *«No que nos enseñoreemos de vuestra fe, sino que colaboramos para vuestro gozo; porque por la fe estáis firmes»* (1:24). Los corintios eran responsables a Dios, no a Pablo, de igual manera cada creyente es responsable sólo a Dios en cuestiones de fe.

El estar a cuenta con Dios incluye nuestras reacciones a las experiencias que son comunes a muchos de los hijos de Dios como: *«estamos atribulados en todo, mas no angustiados; en apuros, mas no desesperados; perseguidos, mas no desamparados; derribados, pero no destruidos; llevando en el cuerpo siempre por todas partes la muerte de Jesús, para que también la vida de Jesús se manifieste* (sea conocida) *en nuestros cuerpos»* (4:8-10). Desde que el Espíritu Santo mora en cada creyente, Dios espera que expresemos Sus características durante cada prueba y sufrimiento. También podemos enfrentarnos a las pruebas y a los sufrimientos con la confianza que nuestro Señor está amorosamente obrando lo que es mejor para nuestro bien eterno.

Las pruebas y los problemas, en cualquier forma que vengan, son necesarios para nuestro crecimiento espiritual, y sin ellos, entonces, no pudiéramos ejercitar nuestra fe ni poder desarrollar el discernimiento y la fuerza espiritual. Tal y como fue necesario para Jesús morir, nosotros también tenemos que morir al amor propio egoísta y llegar a ser copartícipes voluntariamente de Sus sufrimientos.

*«Porque esta leve tribulación* (prueba) *momentánea produce en nosotros un cada vez más excelente y eterno peso de gloria; no mirando nosotros las cosas que se ven, sino las que no se ven; pues las cosas que se ven son temporales, pero las que no se ven son eternas»* (II de Corintios 4:17-18).

**Pensamiento para hoy:** Somos llamados a ser *«participantes de los padecimientos de Cristo»* (I de Pedro 4:13).

*N*adie puede negar que estamos viviendo en tiempos de engaños y falsos compromisos y, por desgracia, muchos creyentes son tentados a buscar la satisfacción en las cosas que el mundo nos ofrece. Para darnos las respuestas a este problema, el apóstol Pablo ansiosamente nos hace cinco preguntas que merecen nuestra piadosa consideración porque ellas tienen consecuencias eternas para cada uno de nosotros. *«No os unáis en yugo desigual con los incrédulos; porque ¿qué compañerismo tiene la justicia con la injusticia? ¿Y qué comunión la luz con las tinieblas? ¿Y qué concordia* (armonía) *Cristo con Belial* (Satanás)*? ¿O qué parte el creyente con el incrédulo? ¿Y qué acuerdo hay entre el templo de Dios y los ídolos? Porque vosotros sois el templo del Dios Viviente»* (II de Corintios 6:14-16).

Desde que hay un peligro verdadero de ser atrapado en los diferentes puntos de vista que hay en el mundo los cuales nos aprietan cada día, Santiago fue guiado a amonestarnos así: *«¿No sabéis que la amistad del mundo es enemistad contra Dios?»* (Santiago 4:4). Es muy importante que recordemos esto, desde que los creyentes y los incrédulos cada uno tiene un dueño diferente. El apóstol Pablo fue guiado a escribir: *«Si, pues, habéis resucitado con Cristo, buscad las cosas de arriba, donde está Cristo sentado a la diestra de Dios. Poned la mira* (la mente y las emociones) *en las cosas de arriba, no en las de la tierra»* (Colosenses 3:1-2).

Los creyentes son llamados a cumplir este mandato: *«salid de en medio de ellos, y apartaos, dice el Señor, y no toquéis lo inmundo* (impropio)*; y Yo os recibiré, y seré para vosotros por Padre, y vosotros Me seréis hijos e hijas, dice el Señor Todopoderoso»* (II de Corintios 6:17-18). Para poder *«(salir) de en medio de ellos»* quiere decir, entre otras cosas, que debemos evitar estar involucrados con amistades que son incrédulas o de participar con ellos en actividades que nos alejan en cumplir lo mejor para con Cristo y Su iglesia, aunque sabemos que hemos sido llamados para amar a todas las personas tal y como Dios lo hace.

El apóstol Pablo entonces añadió: *«Así que, amados, puesto que tenemos tales promesas, limpiémonos de toda contaminación de carne y de espíritu, perfeccionando la santidad en el temor de Dios»* (II de Corintios 7:1).

**Pensamiento para hoy:** Es sólo por la gracia de Dios que somos algo o podemos hacer algo de valor eterno.

---

### ⚜ EN LA LECTURA DE HOY

La autoridad espiritual de Pablo; los avisos contra los falsos maestros;
los sufrimientos de Pablo y el aguijón en su carne;
el plan para visitar a Corinto

---

⚜l apóstol Pablo a veces se tuvo que enfrentar a ser rechazado por enemigos hostiles a Cristo y a veces también por los creyentes. Él se recuerda cuando: *«De los judíos cinco veces he recibido cuarenta azotes* (latigazos) *menos uno. Tres veces he sido azotado con varas; una vez apedreado; tres veces he padecido naufragio; una noche y un día he estado como náufrago en alta mar; en caminos muchas veces; en peligros de ríos, peligros de ladrones, peligros de los de mi nación, peligros de los gentiles, peligros en la ciudad, peligros en el desierto, peligros en el mar, peligros entre falsos hermanos; en trabajo y fatiga, en muchos desvelos, en hambre y sed, en muchos ayunos, en frío y en desnudez; y además de otras cosas, lo que sobre mí se agolpa cada día, la preocupación por todas las iglesias»* (II de Corintios 11:24-28). Después de su conversión a Cristo, el apóstol Pablo vivió con sólo un propósito: *«que anunciaremos el evangelio en los lugares más allá de vosotros»* (10:16).

Nosotros también tenemos el gran llamamiento de alcanzar en amor a todas las personas con las Buenas Nuevas de la vida eterna. Por seguro, creemos que todas las personas deben de tener la oportunidad de oír, por lo menos una vez, que al momento de morir ellos serán destinados a la muerte eterna en el lago de fuego o a la vida eterna en el cielo. Aunque nuestras vidas y nuestras buenas obras sean bien notables, nuestro Creador Jesucristo nos dice: *«Yo soy el Camino, y la Verdad, y la Vida; nadie viene al Padre, sino por Mí»* (Juan 14:6). ¿Ha usted seriamente considerado lo que significa para nuestros amigos y para nuestra querida familia morir sin llegar a ser salvos?

Hay una línea bien clara que divide entre las ovejas y los cabritos, entre el trigo y la cizaña, entre los salvos y los perdidos, y todo esto descansa sobre este hecho; Jesucristo nos aseguró esto al decir: *«De cierto, de cierto os digo, que el que guarda* (obedece) *Mi Palabra, nunca verá muerte»* (8:51).

Es de suma importancia que consideremos nuestras propias prioridades. ¿Nos llevan a estar más cerca al Señor y a Su propósito para nuestras vidas o nos llevan a estar lejos de Él? *«Cuando el Hijo del Hombre venga en Su gloria . . . y serán reunidas delante de Él todas las naciones; y apartará los unos de los otros, como aparta el pastor las ovejas de los cabritos. . . . Entonces el Rey dirá a los de su derecha: Venid, benditos de Mi Padre, heredad el reino preparado para vosotros desde la fundación del mundo»* (Mateo 25:31-34).

**Pensamiento para hoy:** *«(Tened) gozo . . . consolaos . . . y vivid en paz; y el Dios de paz y de amor estará con vosotros»* (II de Corintios 13:11).

# INTRODUCCIÓN AL LIBRO DE
# GÁLATAS

El apóstol Pablo escribe esta epístola *«a las iglesias de Galacia»* (Gálatas 1:2) para rechazar las enseñanzas de los falsos maestros sobre la salvación. El apóstol Pablo le llama *«un evangelio diferente. No que haya otro»* (1:6-7). Los creyentes estaban siendo arrastrados, no por una forma superior del mismo evangelio, pero por algo que era esencialmente un evangelio diferente para *«pervertir el evangelio de Cristo»*. El verbo en el griego que se traduce *«pervertir»*, quiere decir, literalmente, de cambiar las cosas al revés, o a lo contrario. Ellos estaban torciendo el único *«evangelio de Cristo»*, y cambiando su significado a decir algo que nunca quiso decir.

El apóstol Pablo no nos deja en duda en cuanto a la naturaleza de la deserción en Galacia. Sus primeras palabras fueron *«Estoy maravillado de que tan pronto os hayáis alejado del que os llamó por la gracia de Cristo, para seguir un evangelio diferente»* (1:6). Ellos habían errado de la absoluta y distinta doctrina del verdadero y único evangelio, que la salvación eterna del alma depende completamente en la Divina Gracia en Cristo.

Este grupo de iglesias incluían Pisidia, Antioquía, Iconio, Listra y Derbe, en diferentes distritos dentro de la provincia romana de Galacia. Los falsos maestros estaban persuadiendo a los creyentes en que la circuncisión y el guardar las leyes de ceremonias dadas por Moisés eran esenciales para llegar a ser cristianos para los judíos y también para los gentiles. *«Todos los que quieren agradar en la carne, éstos os obligan a que os circuncidéis, solamente para no padecer persecución a causa de la cruz de Cristo. Porque ni aun los mismos que se circuncidan guardan* (obedecen) *la Ley; pero quieren que vosotros os circuncidéis, para gloriarse en vuestra carne»* (6:12-13).

## ILUMINA
*«La exposición de Tus Palabras alumbra; hace entender a los simples»* (Salmo 119:130).

## INSTRUYE
*«Toda la Escritura es inspirada por Dios, y útil para enseñar, para redargüir, para corregir, para instruir en justicia, a fin de que el hombre de Dios sea perfecto, enteramente preparado para toda buena obra»* (II de Timoteo 3:16-17).

## ALIMENTA
*«Él* (Jesús) *respondió y dijo: Escrito está: No sólo de pan vivirá el hombre, sino de toda Palabra que sale de la boca de Dios»* (Mateo 4:4).

**ᗉN LA LECTURA DE HOY**
Hay sólo un evangelio; Pablo reprende a Pedro; la justificación
es por la fe, no por la Ley; la Ley fue nuestro ayo para llevarnos a Cristo

ᗉsta epístola establece para siempre la verdad que hay sólo un camino para evitar el infierno eterno y estar seguro de la vida eterna en el cielo tanto para el judío que como para el pagano: *«nuestro Señor Jesucristo, el cual se dio a Sí mismo por nuestros pecados para librarnos del presente siglo malo, conforme a la voluntad de nuestro Dios y Padre»* (Gálatas 1:3-4). Aquí Dios nos recuerda que nadie se merece o puede ganarse la vida eterna en el cielo por cumplir la Ley. Solamente podemos *«ser justificados por la fe de Cristo y no por las obras de la Ley, por cuanto por las obras de la Ley nadie será justificado. Y si buscando ser justificados en Cristo, también nosotros somos hallados pecadores, ¿es por eso Cristo ministro de pecado? En ninguna manera»* (2:16-17). El completo significado de la gracia de Dios y su amorosa bondad, la cual ni aun nos merecemos, fue revelada cuando Jesús murió en la cruz para que nosotros pudiéramos ser rescatados del juicio que nos merecemos por nuestros pecados y finalmente estar en el cielo con Él para siempre.

Desde que nadie tiene la habilidad de cumplir toda la Ley de Dios, *«Cristo nos redimió de la maldición de la Ley, hecho por nosotros maldición»* (3:13). Estos hechos nos guían a reconocer nuestra necesidad del Salvador. *«De manera que la Ley ha sido nuestro ayo, para llevarnos a Cristo, a fin de que fuésemos justificados por la fe. Pero venida la fe, ya no estamos bajo ayo»* (3:24-25). En lugar de esto, somos guiados y habilitados por el Espíritu Santo que mora en nosotros para ser *«hijos de Dios por la fe en Cristo Jesús; porque todos los que habéis sido bautizados en Cristo, de Cristo estáis revestidos. Ya no hay judío ni griego; no hay esclavo ni libre; no hay varón ni mujer; porque todos vosotros sois uno en Cristo Jesús. Y si vosotros sois de Cristo, ciertamente linaje de Abraham sois, y herederos según la promesa»* (3:26-29).

Dios nos ha encomendado para llegarnos al mundo con las buenas nuevas que nuestro Señor Jesucristo, el Impecable Hijo de Dios, tomó nuestro lugar y murió por nuestros pecados. El Señor *«nos ha librado de la potestad de las tinieblas, y trasladado al reino de Su Amado Hijo»* (Colosenses 1:13). Nuestra verdadera ciudadanía está ahora mismo en el cielo, mientras que nosotros aquí en la tierra esperamos la inminente reunión en el aire con Jesús. *«(El) principado sobre Su hombro; y se llamará Su nombre Admirable, Consejero, Dios Fuerte, Padre Eterno, Príncipe de Paz»* (Isaías 9:6).

**Pensamiento para hoy:** Si tememos mucho a los hombres es porque tememos a Dios muy poco.

**ᴇN LA LECTURA DE HOY**
Los dos pactos de la Ley y la Promesa; la libertad del evangelio;
el fruto del Espíritu Santo

ᴇl apóstol Pablo registró diecisiete pecados: «*Y manifiestas* (evidentes) *son las obras de la carne, que son: adulterio, fornicación, inmundicia, lascivia* (sensualidad), *idolatría, hechicerías, enemistades, pleitos, celos, iras, contiendas, disensiones, herejías, envidias, homicidios, borracheras, orgías, y cosas semejantes a estas; acerca de las cuales os amonesto, como ya os lo he dicho antes, que los que practican tales cosas no heredarán el reino de Dios*» (Gálatas 5:19-21).

La inmoralidad sexual, que incluye el adulterio y la fornicación, está a la cabeza de la lista. Estos pecados incluyen las relaciones sexuales entre un hombre soltero con una mujer, como también todas las viles perversiones sexuales, tales como la homosexualidad, sodomía, y el lesbianismo. El pecado sexual es uno de los pecados más engañosos en estos días el cual termina destruyendo las relaciones matrimoniales que han sido ordenadas por Dios.

Sin embargo, «*las obras de la carne*» también incluyen todo lo que contamina nuestra mente, nuestro cuerpo, y nuestro espíritu, tal y como las explícitas revistas sexuales, los programas pornográficos en la televisión y en las películas, los chistes inmorales, los malos pensamientos, y las malas conversaciones y acciones.

La idolatría incluye la avaricia y cualquier otra cosa o persona fuera del mismo Dios que pueda determinar nuestra conducta. El objeto de la idolatría puede incluir el dinero, un empleo o profesión, o los placeres personales. Aunque hay cosas que no son malvadas en sí mismas, si ellas ocupan el tiempo y la lealtad que sólo Dios se merece, tales cosas llegan a ser ídolos en actualidad. No podemos olvidar el daño de las «*hechicerías*», que incluyen el horóscopo, leer las palmas de las manos, el hipnotismo, sesiones de espiritistas, y otras obras del ocultismo.

También en la lista encontramos los siguientes: «*enemistades, pleitos, celos, iras, contiendas, disensiones, herejías*» (5:20). Las «*iras*» y las «*contiendas*» incluyen la rivalidad y la discordia, mientras que las «*envidias*» incluyen los celos y las obsesiones de exceder sobre otras personas a cualquier precio. Todas estas cosas surgen de las actitudes egoístas del corazón.

Podemos darle gracias a Dios que «*los que son de Cristo han crucificado la carne con sus pasiones y deseos*» (5:24). Ya no más somos esclavos de estas obras de la carne, pero hemos sido sellados con el Espíritu Santo y podemos llevar Su fruto que es «*amor, gozo, paz, paciencia, benignidad, bondad, fe, mansedumbre, templanza; contra tales cosas no hay ley*» (Gálatas 5:22-24).

**Pensamiento para hoy:** Quizás el fracaso que vemos en la vida de otras personas es una reflexión de los pecados escondidos en nuestros corazones por el egoísmo.

# INTRODUCCIÓN AL LIBRO DE
# ℰFESIOS

Al empezar su tercer viaje misionero, el apóstol Pablo volvió a Éfeso y se quedó allí por unos dos años, predicando y enseñando (Hechos 19:1,8-10; 20:31). Durante este tiempo, un gran número de personas renunciaron a la falsa adoración de la diosa Diana y llegaron a ser creyentes. Pablo considera con gran atención cómo es que Dios nos da vida en Cristo Jesús. Él nos recuerda: «*Y Él os dio vida a vosotros, cuando estabais muertos en vuestros delitos y pecados, en los cuales anduvisteis en otro tiempo, siguiendo la corriente de este mundo, conforme al príncipe de la potestad del aire* (Satanás), *el espíritu que ahora opera en los hijos de desobediencia . . . haciendo la voluntad de la carne y de los pensamientos, y éramos por naturaleza hijos de ira, lo mismo que los demás*» (Efesios 2:1-3). Todos nosotros tenemos que estar involucrados en «*perfeccionar* (equipar) *a los santos para la obra del ministerio, para la edificación* (el crecimiento) *del cuerpo de Cristo*» (4:12). Tenemos que ser «(renovados) *en el espíritu de* (nuestra) *mente . . . creado según Dios en la justicia y santidad de la verdad*» (4:23-24).

Al contrario a todos los que caminan en la vida nueva en Cristo están las personas que «(andan) *como los otros gentiles, que andan en la vanidad de su mente, teniendo el entendimiento entenebrecido, ajenos de la vida de Dios por la ignorancia que en ellos hay, por la dureza de su corazón*» (4:17-18). Somos amonestados a entender: «*que ningún fornicario, o inmundo, o avaro, que es idólatra, tiene herencia en el reino de Cristo y de Dios*» (5:5).

El libro de Efesios nos enseña a estar preparados para la batalla espiritual, de esta manera: «*Vestíos de toda la armadura de Dios, para que podáis estar firmes contra las asechanzas* (engaños) *del diablo. Porque no tenemos lucha contra sangre y carne, sino contra principados, contra potestades, contra los gobernadores de las tinieblas de este siglo, contra huestes espirituales de maldad en las regiones celestes. Por tanto, tomad toda la armadura de Dios, para que podáis resistir en el día malo, y habiendo acabado todo, estar firmes. Estad, pues, firmes, ceñidos vuestros lomos con la verdad, y vestidos con la coraza de justicia, y calzados los pies con el apresto del evangelio de la paz. Sobre todo, tomad el escudo de la fe, con que podáis apagar todos los dardos de fuego del maligno. Y tomad el yelmo de la salvación, y la espada del Espíritu, que es la Palabra de Dios*» (6:11-17). El libro de Efesios nos lleva a reconocer el poder de la Palabra de Dios para ayudarnos a vencer «*las asechanzas del diablo*» (6:11). Es nuestra protección contra la maldad, pero también incluye nuestra arma ofensiva y la misma arma que Jesús usó para derrotar las tentaciones del diablo (Mateo 4:4). Efesios 4:1-16 es una explicación magnífica de lo que nuestro ministerio como creyentes debe de ser.

## ✒N LA LECTURA DE HOY
Las bendiciones espirituales en Cristo; las oraciones del apóstol Pablo; la unidad entre los creyentes; la misión de Pablo a los gentiles

𝓔l Dios que creó toda la humanidad nos ha elegido a ser Sus hijos. En hecho Dios, *«nos escogió en Él* (Cristo) *antes de la fundación* (del principio) *del mundo, para que fuésemos santos y sin mancha delante de Él. . . . (En) quien tenemos redención por Su sangre, el perdón de pecados según las riquezas de Su gracia»* (Efesios 1:4,7). Ninguna persona ni ningún poder nos puede robar de lo mejor que Dios ha preparado para nuestras vidas. Mientras que diariamente leemos y estudiamos Su Palabra con un gran deseo de hacer Su voluntad, entonces es que podemos orar y depender en el Espíritu Santo para guiar nuestras vidas *«conforme al propósito* (Su plan) *eterno que hizo en Cristo Jesús nuestro Señor»* (3:11).

Antes que Cristo viniera al mundo, solamente los judíos tenían un Pacto de relación con Dios. *«En aquel tiempo estabais sin Cristo, alejados de la ciudadanía de Israel y ajenos a los pactos de la promesa, sin esperanza y sin Dios en el mundo»* (2:12). Los judíos al igual que todos los gentiles que han recibido a Cristo como su Salvador y Señor ahora tienen un Pacto de relación con Dios. *«(Porque) por medio de Él los unos y los otros tenemos entrada por un mismo Espíritu al Padre»* (2:13,18).

En el año 70 D.C., Dios usó a un general romano llamado Tito para destruir el templo, el altar de bronce del sacrificio, y todas las funciones del sumo sacerdocio. Todos estos eran meramente sombras del Mesías Jesús, quien ahora ha llegado a ser el Único Camino por el cual una persona puede acercarse al Único Dios Santo y Verdadero para adorarle: *«en Quien* (en Cristo) *tenemos seguridad y acceso con confianza por medio de la fe en Él»* (3:12).

No es de gran sorpresa ver que Satanás busca cómo engañarnos para mantenernos bien ocupados haciendo aun «buenas obras» en un esfuerzo para quitarnos el tiempo para leer la Palabra de Dios, la cual puede hacer eficaz nuestras oraciones. Por razón de nuestro gran amor para con el Señor, el verdadero creyente anhela ese tiempo diario del diálogo de la oración (para hablar con nuestro Dios) y de leer Su Palabra (para oír a Dios hablarnos).

Oramos para *«que habite Cristo por la fe en vuestros corazones, a fin de que, arraigados y cimentados en amor, seáis plenamente capaces de comprender con todos los santos cuál sea la anchura, la longitud, la profundidad y la altura, y de conocer el amor de Cristo, que excede a todo conocimiento, para que seáis llenos de toda la plenitud de Dios»* (Efesios 3:17-19).

**Pensamiento para hoy:** La oración es una fuerza muy poderosa que va mucho más allá de nuestra sabiduría y fuerza limitadas.

**ᏋN LA LECTURA DE HOY**
La exhortación sobre la unidad; los dones espirituales; la importancia
de la santidad; vamos a caminar en amor; el matrimonio, un símbolo
de la iglesia; los deberes de los niños; la armadura de Dios para el creyente

Ꮚuando dejamos que el amor de Cristo fluya por nosotros y podemos manifestar Su amorosa bondad a todas las personas sin discriminación, es entonces que empezamos a gozarnos de Sus generosas bendiciones. Tenemos que obtener la victoria sobre todos los pensamientos de resentimiento y todos los deseos malvados sin excepción. «*Quítense de vosotros toda amargura, enojo, ira, gritería y maledicencia, y toda malicia*» (Efesios 4:31). Pero, al contrario, «*sed benignos unos con otros, misericordiosos, perdonándoos unos a otros, como Dios también os perdonó a vosotros en Cristo*» (4:32).

El «*enojo*» y la «*ira*» son a veces demostrados en una explosión de palabras abusivas al reaccionar en contra a alguien que no está de acuerdo con nuestro punto de vista. Tristemente, cuando algunas personas se ofenden ellos también se niegan a perdonar. De igual seriedad es el pecado de la «*maledicencia*», el cual es uno de los siete pecados que Dios aborrece (Proverbios 6:16-19).

La presencia de cualquiera de estos males destruyen nuestra paz mental, entristece al Espíritu Santo, y afecta nuestra relación con Dios. Sin embargo, si permitimos al Espíritu Santo gobernar nuestras vidas, entonces veremos que esos sentimientos de ira serán vencidos.

En vez de tener pensamientos de amargura, de venganza, y de ira, debemos de ver esos sentimientos como una oportunidad para orar por las personas que nos hacen daño. Un buen ejemplo de esto fue Esteban, quien oró al momento de ser apedreado a muerte. «*Y puesto de rodillas, clamó a gran voz: Señor, no les tomes en cuenta este pecado*» (Hechos 7:60).

Cada creyente es un embajador del Señor Jesucristo y es responsable de responder en amor a todas las personas que son desagradables en sus palabras, actitudes, o acciones. Jesucristo es la Cabeza del Cuerpo, Su iglesia, y nosotros ese Cuerpo. Es bajo Su dirección que todo el Cuerpo se mantiene junto trabajando perfectamente en armonía «*a fin de perfeccionar* (equipar) *a los santos* (los creyentes) *para la obra del ministerio, para la edificación* (el crecimiento) *del Cuerpo de Cristo, hasta que todos lleguemos a la unidad de la fe y del conocimiento del Hijo de Dios, a un varón perfecto* (maduro), *a la medida de la estatura de la plenitud de Cristo*» (Efesios 4:12-13).

**Pensamiento para hoy:** Los que aman al Señor guardan (cumplen) Sus mandamientos.

continúa en la página 401

# La victoria sobre Satanás es segura

El yelmo de la salvación →

La justicia como la coraza → sobre el corazón

La verdad como el cinto → alrededor de vuestros lomos

La espada → del Espíritu

La salvación

La justicia

La verdad

El escudo de la fe

La Palabra de Dios

← El → evangelio de paz

**«orando en todo tiempo ...**
**por todos los santos»**
(Efesios 6:18)

«*Por lo demás, hermanos míos, fortaleceos en el Señor, y en el poder de Su fuerza. Vestíos de toda la armadura de Dios, para que podáis (con éxito) estar firmes contra (todas) las asechanzas (estrategias, fuerzas, y engaños) del diablo. Porque no tenemos lucha contra sangre y carne, sino contra principados, contra potestades, contra los gobernadores de las tinieblas de este siglo, contra huestes espirituales (fuerzas espirituales) de maldad en las regiones celestes. Por tanto, tomad toda la armadura de Dios, para que podáis resistir en el día malo (al ser tentados), y habiendo acabado todo, estar firmes»* (Efesios 6:10-13).

La victoria que Jesús tuvo sobre Satanás especialmente durante los 40 días que estuvo en el desierto se cumplió al citar las Santas Escrituras. Él nos recuerda: «*No sólo de pan (los alimentos físicos que dan fuerza física) vivirá el hombre (victoriosamente), sino de toda Palabra que sale de la boca de Dios*» (Mateo 4:4). «*(Toda) Palabra*» empieza con el libro de Génesis.

Cada pieza de «*toda la armadura de Dios*» ilustra la Palabra de Dios. Nunca encontramos un tiempo cuando el buen soldado creyente puede dejar atrás su «*armadura*» y decir: «Ya gané la batalla». Tenemos que obedecer este mandato: «*Pelea la buena batalla de la fe, echa mano de la vida eterna, a la cual asimismo fuiste llamado, habiendo hecho la buena profesión delante de muchos testigos*» (I de Timoteo 6:12), y saber que «*...la fe es por el oír, y el oír, por la Palabra de Dios*» (Romanos 10:17). «*Porque la Palabra de Dios es viva y eficaz, ...y discierne (juzga) los pensamientos y las intenciones del corazón*» (Hebreos 4:12). «*Dios es el que en vosotros produce (por medio de Su Palabra) así el querer como el hacer, por Su buena voluntad*» (Filipenses 2:13).

Somos vencedores en este gran conflicto sobre la mundanería como buenos soldados de Cristo cuando nos «*(vestimos) de toda la armadura de Dios*» (Efesios 6:11). Además, no hay ninguna otra alternativa ni ningún otro sustituto. Los títulos universitarios, la teología, y la sicología están todos sin poder para preparar al buen soldado para la batalla espiritual. No tiene propósito alguno ponerse solamente la mitad de «*la armadura*», pues Satanás, con sus tácticas, por seguro atacará con «*todos los dardos de fuego*» (Efesios 6:16), en las partes más débiles. Todos nos ocupamos en fortalecernos contra algunos pecados que reconocemos, pero al mismo tiempo nos descuidamos de las áreas de las cuales pensamos que somos fuertes. Pero el Señor nos amonesta: «*Así que, el que piensa estar firme, mire que no caiga*» (I de Corintios 10:12). Dios conoce bien todos los poderes del enemigo que tenemos que enfrentar, y Él también conoce nuestras debilidades, por esas razones ha provisto una protección y una armadura completa para que podamos ser victoriosos – «*más que vencedores por medio de Aquel que nos amó*» (Romanos 8:37).

### Versículo 10: «*fortaleceos en el Señor*»

Estas son las mismas palabras que Dios les habló a Josué: «*esfuérzate y sé muy valiente*». Josué pudo conquistar a los reyes que estaban en la tierra prometida en sólo siete años. El secreto de su fuerza se señala en Josué 1:8 – «*Nunca se apartará de tu boca este libro de la Ley, sino que de día y de noche meditarás en él, para que guardes y hagas conforme a todo lo que en él está escrito; porque entonces harás prosperar tu camino, y todo te saldrá bien»*. La clave en la conquista que Josué tuvo en la tierra prometida se ve claramente en esta frase: *«y así Josué lo hizo, sin quitar palabra de todo lo que Jehová había mandado a Moisés»* (Josué 11:15). La historia de Israel bien ilustra que cuando habían fracasos, ellos siempre venían por un resultado directo de ignorar la Palabra de Dios.

### *«en el poder de Su fuerza»*

Ser vencidos por el pecado es un fracaso de nuestra fe, pues *«la fe es por el oír, y el oír, por la Palabra de Dios»* (Romanos 10:17). Debemos de orar tal como David: *«Abre mis ojos, y miraré las maravillas de tu Ley»* (Salmo 119:18).

### Versículo 11: *«Vestíos de toda la armadura de Dios»*

Nosotros no podemos proveer nuestra propia *«armadura»*, pues, somos meramente requeridos a tomarla y a vestirnos con ella. Su eficacia depende absolutamente de Aquel quien la hizo. Pues entonces, *«toda la armadura de Dios»* es de suma importancia para ser vencedores en la vida cristiana.

### *«para que podáis estar firmes contra las asechanzas del diablo»*

El propósito de Satanás (el diablo) es destruir nuestra relación y lealtad a Cristo y llevarnos a tener vidas inútiles como soldados de Cristo. Satanás en verdad existe, y los invisibles huestes satánicos que están a nuestro alrededor siempre buscan cómo desanimar y entonces derrotar a cada creyente. El diablo siempre está *«buscando a quien devorar»* (I de Pedro 5:8). Pero, tenemos que resistir al diablo, pues él solamente puede rugir. Dios, por medio de Su Palabra, le ha provisto a cada creyente todo lo necesario para llegar a ser más que vencedor.

### Versículo 12: *«Porque no tenemos lucha contra sangre y carne»*

Nuestro conflicto parece estar a veces con los hombres, las organizaciones, las leyes, y otros obstáculos que tratan de estorbar nuestras actividades cristianas. Pero, en realidad, detrás de toda oposición al evangelio de Jesucristo está Satanás – y por eso estamos en conflicto *«...contra principados, contra potestades, contra los gobernadores de las tinieblas de este siglo»*. Estas tinieblas en que vivimos son el resultado de los esfuerzos satánicos para corromper la verdad.

Jesucristo está sentado *«en los lugares celestiales, sobre todo principado y autoridad y poder y señorío»* (Efesios 1:20-21), y todos los creyentes han vencido; *«porque mayor es el que está en vosotros (Jesucristo), que el que está en el mundo»* – el del mundo es Satanás (I de Juan 4:4). La vida normal de cada creyente está en la continua victoria sobre los ataques satánicos. En la vida normal del hombre o de la mujer natural se encuentran: *«los deseos de la carne, los deseos de los ojos, y la vanagloria de la vida»* – como un estilo de vida (I de Juan 2:15-17). Sin embargo, *«si vivís conforme a la carne, moriréis; mas si por el Espíritu hacéis morir las obras de la carne, viviréis»* (Romanos 8:13).

### Versículo 13: *«Por tanto, tomad toda la armadura de Dios, para que podáis resistir en el día malo»* (al ser tentados).

*«(El) día malo»* de las tentaciones casi siempre viene a una hora que no lo esperamos.

### *«habiendo acabado todo, estar firmes»*.

La razón por nuestro fracaso se encuentra en *«la amistad del mundo. ...Cualquiera, pues, que quiera ser amigo del mundo, se constituye enemigo de Dios»* (Santiago 4:4). Jesucristo nos dijo: *«Ninguno puede servir a dos señores»* (Mateo 6:24). Tenemos que decidir para qué y para quién vamos a vivir. Santiago nos escribió: *«El hombre de doble ánimo es inconstante en todos sus caminos»* (Santiago 1:8). El apóstol Pablo también nos escribió: *«Así que, hermanos míos amados, estad firmes y constantes, creciendo en la obra del Señor siempre, sabiendo que vuestro trabajo en el Señor no es en vano»* (I de Corintios 15:58).

### Versículo 14: *«Estad, pues, firmes, ceñidos vuestros lomos con (el cinto de) la verdad»*

El cinto a veces se hacía de lino, bien ancho para ser doblado varias veces y así poder llevar los artículos de más valor alrededor de la cintura. Así es la Palabra de Dios, nos ceñimos con ella a todo nuestro alrededor, cercando nuestra vida con ella, envolviendo todo nuestro ser en ella, y así nos preparamos para una vida eficaz.

Las palabras *«con la verdad»* tienen un doble significado. Primeramente, nos señala toda la Palabra de Dios para llegar a conocer Su voluntad y cómo cumplir con todos Sus propósitos.

En segundo lugar, nos señala la integridad personal – la honestidad, la sinceridad, la consagración, y la determinación – todo lo cual es lo opuesto a la hipocresía, a la indiferencia, al doble ánimo y a los motivos egoístas.

La verdad es como nuestro cinto que mantiene nuestros objetos de valor. Nada menos que la verdad de Dios es suficiente cuando en actualidad tenemos que enfrentarnos contra *«las asechanzas del diablo»*.

### *«y vestidos con la coraza de justicia»*

*«La coraza»* del soldado romano era usada para proteger su corazón – la fuente de la vida física. Ella es parte de *«la armadura»* del creyente la cual lleva por nombre *«la coraza de justicia»*. *«La justicia»* es un atributo de Dios: *«Jehová, Justicia nuestra»* (Jeremías 23:6; 33:16).

*«La coraza»* cubre el corazón, los motivos, los deseos de lo más íntimo de nuestro ser. Jesucristo oró así: *«Santifícalos en Tu verdad; Tu Palabra es Verdad»* (Juan 17:17). Su mayor deseo para cada creyente es que Él (Cristo) pueda hacernos santos como miembros de la iglesia verdadera, y nos dice: *«para santificarla habiéndola purificado en el lavamiento del agua por la Palabra, ...una iglesia gloriosa, ...que fuese santa y sin mancha»* (Efesios 5:26-27).

### Versículo 15: *«y calzados los pies con el apresto del evangelio de la paz»*.

*«Los pies»* deben de ser protegidos para que podamos *«(correr) con paciencia (resistencia) la carrera que tenemos por delante»* (Hebreos 12:1). Ser *«calzados los pies»* se refiere a las sandalias de los militares – un símbolo de *«el apresto del evangelio de la paz»*. Este *«evangelio de la paz»* nos mantiene en este presente camino bello que nos lleva continuamente a ganar almas para Cristo.

### Versículo 16: *«Sobre todo, tomad el escudo de la fe»*

*«El escudo»* del soldado romano era un instrumento grande, más largo que ancho, que cubría todo su cuerpo. Pero era su responsabilidad sostenerlo. *«El escudo»* llega a ser nuestra completa protección. *«Porque ...esta es la victoria que ha vencido al mundo, nuestra fe»* (I de Juan 5:4-5). *«Pero sin fe es imposible agradar a Dios»* (Hebreos 11:6). Este *«escudo de la fe»* afirma nuestra fe en la Biblia como la infalible Palabra de Dios. Nosotros los creyentes creemos en Dios el Padre; en Jesucristo, nuestro Redentor; y en el Espíritu Santo para que *«Él (nos guíe) a toda la verdad»* (Juan 16:13).

### *«con que podáis apagar (extinguir) todos los dardos (flechas) de fuego del maligno»*.

*«Los dardos de fuego»* tenían en sus puntas un material inflamable, como un hierro ardiente, que se lanzaba por el aire. Su propósito estaba en incapacitar en su servicio o encojar al enemigo. *«Los dardos de fuego»* son las tentaciones de la codicia, de la lujuria, de la inmoralidad, del orgullo, del amor por el dinero, de la venganza, del odio, de la amargura, de las contiendas, y todas son lanzadas para incapacitar al creyente y hacerlo inútil y sacarlo de servicio activo para que no pueda llegar a ser un soldado eficaz de Jesucristo.

### Versículo 17: *«Y tomad el yelmo de la salvación»*

*«El yelmo»* es lo que cubre la cabeza. Es *«el yelmo»* lo que le protegía la cabeza y le permitía al soldado romano poder alzar su cabeza y enfrentarse al enemigo. Y es *«el yelmo de la salvación»* – la experiencia del nuevo nacimiento – *«nacido del Espíritu»* de Dios (Juan 3:5-6) – que lleva a cada creyente a mirar hacia arriba en fe, sabiendo que Dios nuestro Salvador *«nos salvó, no por obras de justicia que nosotros hubiéramos hecho, sino por Su misericordia, por el lavamiento de la regeneración y por la renovación en el Espíritu Santo»* (Tito 3:5).

Además, habiendo aceptado a Jesucristo como nuestro Salvador, tal y como lo hicieron los creyentes que oyeron al apóstol Pedro en aquel día de Pentecostés, entonces con gozo *«(recibimos) Su Palabra (y somos) bautizados»* (Hechos 2:41). La Palabra de Dios no sólo nos da la solución para obtener la vida eterna, pero también nos da la dirección necesaria para ser más que vencedores en los problemas de esta vida.

### *«y la espada del Espíritu, que es la Palabra de Dios»*

*«La espada del Espíritu»* es la Palabra de Dios. Esta Palabra nos lleva a estar conscientes de *«las asechanzas (los proyectos y los trucos) del diablo»*. Ella es el arma del soldado

para poder defenderse contra la incredulez, la avaricia, el orgullo, y la vida mundana. El secreto para la eficacia espiritual se determina a medida que la Palabra de Dios se convierte en una realidad verdadera en nuestras vidas. Tenemos que preguntarnos: «¿De que tamaño es nuestra espada?» ¿Es del tamaño de un palillo – solamente conociendo unos versículos por aquí o por allá?

Tal y como el buen soldado no decide por sí mismo de ir o no ir a la batalla, o por cuál dirección salir, también el buen soldado de Jesucristo tiene que familiarizarse y ser discipulado para poder usar «la espada» bajo la autoridad del Espíritu Santo.

Este mismo Espíritu que mora en cada creyente es el que «(nos guía) a toda la verdad» (Juan 16:13). Pero Él no puede guiarnos a toda la verdad si nosotros nos negamos a leerla. No hay ningún sustituto para la Palabra de Dios. Por esa razón el Espíritu Santo guio al rey David a escribir: «alabaré Tu nombre por Tu misericordia y Tu fidelidad; porque has engrandecido Tu nombre, y Tu Palabra sobre todas las cosas» (Salmo 138:2). Solamente la Palabra de Dios se conoce como la fuente que nos da el nuevo nacimiento: «siendo renacidos, ... por la Palabra de verdad» (I de Pedro 1:23; Santiago 1:18). Y solamente la Palabra de Dios se conoce como la fuente para nuestro crecimiento espiritual: «desead, como niños recién nacidos, la leche espiritual no adulterada (pura), para que por ella crezcáis para salvación» (I de Pedro 2:2).

El mundo religioso tiene miles de imitaciones de espadas – una para cada problema. Usted puede nombrar cualquier cosa y encontrará que alguien ya ha escrito un libro sobre ese tema. Una de las grandes victorias de Satanás sobre los creyentes está en mantenernos ocupados leyendo «buenos libros» que no nos dejan ningún tiempo para leer «EL LIBRO». La Biblia fue creada para nuestro beneficio, pues Dios nos dice: «Toda la Escritura es inspirada por Dios, y útil...» (II de Timoteo 3:16).

**Versículo 18: «orando en todo tiempo con toda oración y súplica en el Espíritu, y velando en ello con toda perseverancia y súplica»**

Es obvio que el soldado creyente no está solo sin ninguna defensa. Pues, «las armas de nuestra milicia no son carnales, sino poderosas en Dios para la destrucción de fortalezas» (II de Corintios 10:4). Al mismo tiempo que la Palabra de Dios llega a ser nuestro estilo de vida es que nuestras peticiones son contestadas. Satanás hará todo lo posible a su alcance para distraernos y así nunca encontramos el tiempo para leer la Palabra de Dios, ni para vivir la Palabra de Dios, ni para orar según la Palabra de Dios. «El que aparta su oído para no oír la Ley (la Palabra de Dios), su oración también es abominable» (Proverbios 28:9).

La batalla del creyente nunca termina en esta vida, ella continúa los 365 días de cada año. En esta batalla no hay días de ausencia, ni hay días de vacaciones, ni hay días de fiestas. Es una batalla continua contra «los deseos de la carne, los deseos de los ojos, y la vanagloria de la vida» – y ese estilo de vida mundana (I de Juan 2:16).

**«por todos los santos»**

El soldado creyente está como voluntario en el ejército del Rey de reyes – no por causa de sus propios intereses – pero para el beneficio de «todos los santos» (todos los creyentes). Es de suma importancia que oremos por los gobernadores, los pastores, los evangelistas, los misioneros, nuestra iglesia, y los líderes de los ministerios cristianos. Pero es también de igual importancia orar por el creyente más débil – aquel que nos ha ofendido. La persona que tiene dificultad en perdonar tiene también una perspectiva inadecuada de la necesidad de todos nosotros de recibir el perdón de Dios. Jesucristo nos advirtió: «mas si no perdonáis a los hombres sus ofensas, tampoco vuestro Padre os perdonará vuestras ofensas» (Mateo 6:15; ver Mateo 18:21-35).

Todo esto nos muestra la importancia de orar sinceramente y de todo corazón. Cuando Jesucristo oró, Él dijo: «Yo ruego por ellos; ...los que Me diste; porque Tuyos son... para que tengan Mi gozo cumplido en sí mismos. Yo les he dado Tu Palabra. ... No son del mundo, como tampoco Yo soy del mundo. Santifícalos en Tu verdad; Tu Palabra es verdad. Como Tú Me enviaste al mundo, así Yo los he enviado al mundo. ...Mas no ruego solamente por éstos, sino también por los que han de creer en Mí por la palabra de ellos, para que todos sean uno; ...para que el amor con que Me has amado, esté en ellos, y Yo en ellos» (Juan 17:9,13-14,16-18, 20-21, 26). Oh, amados, es muy importante reconocer la importancia que hay en orar de corazón – ¡por todos los santos!

continuación de la página 396

# INTRODUCCTIONES A LOS LIBROS DE
# $\mathscr{F}$ILIPENSES y $\mathscr{C}$OLOSENSES

El apóstol Pablo estaba en Troas, en Asia Menor, en su segundo viaje misionero cuando él recibió el llamamiento, en una visión, de llevar las Buenas Nuevas de Jesucristo a Macedonia, *«a Filipos, que es la primera ciudad de la provincia de Macedonia, y una colonia; y estuvimos en aquella ciudad algunos días»* (Hechos 16:12). La iglesia que creció durante su estancia allí fue la primera que Pablo estableció en Europa.

Cuando escribió esta epístola, Pablo era un prisionero bajo la custodia del emperador romano Nerón, pero él mismo decía que él era un romano *«prisionero de Cristo Jesús»*. Como Pablo, tenemos que recordarnos de Aquel que tiene el control de nuestras vidas (Efesios 3:1; 4:1; II de Timoteo 1:8; Filemón 1:1,9). Pablo les asegura a los creyentes en Filipos que Cristo es la fuente de fuerza que nunca falla, especialmente durante las circunstancias adversas, diciéndoles: *«Todo lo puedo en Cristo que me fortalece»* (Filipenses 4:13). El pensamiento clave de esta epístola es: *«Regocijaos en el Señor siempre. Otra vez digo: ¡Regocijaos!»* (4:4). Las diferentes formas de las palabras *«gozo, regocijo, (y) regocijaos»* se encuentran un total de 21 veces en esta corta epístola (1:4,18,25-26; 2:2,16-18,28; 3:1,3; 4:1,4,10).

La ciudad de Colosas estaba situada en una provincia romana de Asia Menor en una ruta de comercio desde el oriente hasta el occidente que llegaba desde Éfeso hasta Tarso, y después hasta Siria. En esta corta epístola, el apóstol Pablo pone gran énfasis sobre las doctrinas fundamentales de nuestra fe en Dios, quien *«nos ha librado de la potestad de las tinieblas, y trasladado al reino de Su Amado Hijo, en Quien* (en Cristo) *tenemos redención por Su sangre, el perdón de pecados»* (Colosenses 1:13-14).

El apóstol Pablo también tuvo que combatir las falsas doctrinas al confirmar la Deidad de Cristo y Su autoridad suprema sobre todas las cosas. *«Porque en Él* (en Cristo) *fueron creadas todas las cosas, las que hay en los cielos y las que hay en la tierra, visibles e invisibles; sean tronos, sean dominios, sean principados, sean potestades; todo fue creado por medio de Él y para Él. Y Él es antes de todas las cosas, y todas las cosas en Él subsisten* (se mantienen juntas); *y Él es la Cabeza del Cuerpo que es la iglesia, Él que es el principio, el Primogénito de entre los muertos, para que en todo tenga la preeminencia* (el primer lugar)*»* (Colosenses 1:16-18).

Algunos de los judíos conversos sentían que ellos debían de seguir cumpliendo la Ley y el día de reposo, pero el Espíritu Santo guio a Pablo a escribir: *«Por tanto, nadie os juzgue en comida o en bebida, o en cuanto a días de fiesta, luna nueva o días de reposo, todo lo cual es sombra de lo que ha de venir; pero el Cuerpo es de Cristo»* (2:16-17).

---

### ᴱN LA LECTURA DE HOY

La oración de Pablo por los filipenses; el privilegio de sufrir por Cristo; la unidad que viene por la humildad; la exhortación de regocijarse en el Señor

---

ᴱl apóstol Pablo predicó por primera vez en Europa en la ciudad de Filipos. En el día de reposo, él fue al lugar donde oraban al lado del río y donde él conoció a Lidia, una mujer negociante de Tiatira que se había salvado junto con otros de allí, y así se estableció la iglesia de Filipos (Hechos 16:13-15). Un tiempo después, mientras que permanecía como prisionero en Roma, Pablo les escribió a estos conversos: *«conforme a mi anhelo y esperanza de que . . . ahora también será magnificado Cristo en mi cuerpo, o por vida o por muerte. Porque para mí el vivir es Cristo, y el morir es ganancia»* (Filipenses 1:20-21).

Su encarcelamiento en Roma le dio la oportunidad de compartir las Buenas Nuevas de Jesucristo con la guardia selecta del imperio romano. Esta fue una gran oportunidad para hablarle a muchos sobre Jesús que es el Mesías predicho en las Escrituras, pues había un cambio de guardia tres o cuatro veces al día. Él pudo escribirles a los filipenses: *«Quiero que sepáis, hermanos, que las cosas que me han sucedido, han redundado* (resultado) *más bien para el progreso del evangelio, de tal manera que mis prisiones se han hecho patentes* (visibles) *en Cristo en todo el pretorio* (cuartel general), *y a todos los demás»* (1:12-13).

Pablo pudo animar a toda la iglesia, diciendo: *«asidos de la Palabra de vida, para que en el día de Cristo yo pueda gloriarme de que no he corrido en vano, ni en vano he trabajado»* (2:16). Nuestro oficio en esta vida puede desenvolverse en la política, el ejército, el comercio, la educación, el trabajo manual, o ser ama de casa, pero nuestra ocupación primaria debe siempre ser: *«de que no he corrido en vano, ni en vano he trabajado»*.

Todos nosotros tenemos un deseo natural por las comodidades físicas, la seguridad, y las cosas materiales. Sin embargo, al tomar nuestras decisiones, nuestra primera lealtad debe de ser a Cristo. Hay un almacén de riquezas y paz espirituales en Jesús que al mismo tiempo nos lleva a ver de poca importancia las posesiones terrenales.

El apóstol Pablo renunció a una carrera prominente por una vida de penalidades y persecución la cual estaba destinada a terminar en una muerte violenta. Sabiendo lo que el futuro le iba a traer, él dijo: *«ciertamente, aun estimo todas las cosas como pérdida por la excelencia del conocimiento de Cristo Jesús, mi Señor, por amor del cual lo he perdido todo, y lo tengo por basura, para ganar a Cristo . . . a fin de conocerle, y el poder de Su resurrección, y la participación de Sus padecimientos, llegando a ser semejante a Él en Su muerte»* (Filipenses 3:8,10).

**Pensamiento para hoy:** La felicidad nunca es el resultado de un acto pecaminoso.

## 𝒪N LA LECTURA DE HOY

La autoridad suprema de Cristo; la reconciliación en Cristo; la advertencia contra las enseñanzas falsas; la nueva vida en Cristo; las virtudes cristianas

𝓜ientras que continuamos la lectura de la Palabra de Dios con un gran deseo de agradar a Dios en todas nuestras decisiones, el Espíritu Santo nos guía a una revelación más profunda de Su voluntad y Sus caminos. No hay ningún límite para el entendimiento, la fuerza, o el poder para continuar firmes los cuales están disponibles a cada creyente. Cristo solo, por medio de Su Palabra, puede revelar y suplir todas nuestras necesidades espirituales. Para ayudarnos a entender la importancia de estos principio, el apóstol Pablo escribió: «*Por lo cual también nosotros, desde el día que lo oímos, no cesamos de orar por vosotros, y de pedir que seáis llenos del conocimiento de Su voluntad en toda sabiduría e inteligencia espiritual, para que andéis como es digno del Señor, agradándole en todo, llevando fruto en toda buena obra, y creciendo en el conocimiento de Dios; fortalecidos con todo poder, conforme a la potencia de Su gloria, para toda paciencia y longanimidad; con gozo dando gracias al Padre que nos hizo aptos* (preparados) *para participar de la herencia de los santos* (los creyentes) *en luz*» (Colosenses 1:9-12). Notemos cuantas veces se usa la palabra «todo o toda» – «*toda sabiduría – agradándole en todo – en toda buena obra – con todo poder – para toda paciencia*».

Lo que sigue en el texto es una explicación bien práctica de la nueva vida en Cristo para todos los creyentes; «*sepultados con Él en el bautismo, en el cual fuisteis también resucitados con Él, mediante la fe en el poder de Dios que le levantó de los muertos. Y a vosotros, estando muertos en pecados y en la incircuncisión de vuestra carne, os dio vida juntamente con Él, perdonándoos todos los pecados*» (2:12-13). Como una evidencia de esta nueva vida como creyentes, Pablo animó a los nuevos creyentes, diciéndoles: «*Haced morir* (tratar como muerto), *pues, lo terrenal* (la naturaleza física) *en vosotros: fornicación, impureza* (inmoralidad sexual), *pasiones desordenadas, malos deseos y avaricia, que es idolatría; cosas por las cuales la ira de Dios viene sobre los hijos de desobediencia*» (3:5-6).

La fuerza del creyente para llegar a cumplir la voluntad de Dios es el resultado de permitir que «*(la) Palabra de Cristo more en abundancia en vosotros, enseñándoos y exhortándoos unos a otros en toda sabiduría, cantando con gracia en vuestros corazones al Señor con salmos e himnos y cánticos espirituales. Y todo lo que hacéis, sea de palabra o de hecho, hacedlo todo en el nombre del Señor Jesús, dando gracias a Dios Padre por medio de Él*» (Colosenses 3:16-17).

**Pensamiento para hoy:** Las oraciones de los justos son delicias para el Señor.

# INTRODUCCIONES A LOS LIBROS DE
# I y II de *T*ESALONICENSES

Después de haber sido golpeado y encarcelado en Filipos junto con Silas y rápidamente rescatado milagrosamente, el apóstol Pablo llegó a Tesalónica en su segundo viaje misionero (Hechos 17:1). Esta era la capital de Macedonia (al norte de Grecia), su puerto principal, y centro de comercio. Algunos de los judíos, y muchos de los griegos, aceptaron a Jesucristo durante este tiempo y una iglesia se estableció allí. *«Por* (la) *cual* (razón) *también nosotros sin cesar damos gracias a Dios, de que cuando recibisteis la Palabra de Dios que oísteis de nosotros, la recibisteis no como palabra de hombres, sino según es en verdad, la Palabra de Dios, la cual actúa en vosotros los creyentes»* (I de Tesalonicenses 2:13).

Forzado a huir de Tesalónica por la oposición tan violenta a su mensaje, el apóstol Pablo viajó a Berea, donde fue bien recibido. Pero, en un corto tiempo, un grupo de judíos fanáticos vinieron de Tesalónica y otra vez ferozmente se le opusieron. Entonces Pablo viajó a Atenas, donde se enfrentó a esa actitud de indiferencia de los intelectuales y tuvo poco éxito allí (Hechos 17:15-33; I de Tesalonicenses 3:1). Después viajó a Corinto (Hechos 18:1).

En esta primera epístola a los tesalonicenses, Pablo indirectamente hace referencia cinco veces a la segunda venida de Cristo: (1:10; 2:19; 3:13; 4:15-16; 5:2-3). Él seriamente les ruega que estén preparados para la segunda venida de Cristo y ora por ellos, diciéndoles: *«Y el mismo Dios de paz os santifique por completo; y todo vuestro ser, espíritu, alma y cuerpo, sea guardado irreprensible para la venida de nuestro Señor Jesucristo»* (I de Tesalonicenses 5:23).

En la segunda epístola de Pablo a los tesalonicenses, él predijo: *«Porque es justo delante de Dios pagar con tribulación a los que os atribulan . . . cuando se manifieste el Señor Jesús desde el cielo con los ángeles de Su poder, en llama de fuego, para dar retribución a los que no conocieron a Dios, ni obedecen al evangelio de nuestro Señor Jesucristo»* (II de Tesalonicenses 1:6-8). Antes de la segunda venida de Cristo, la perversidad y la maldad llegarán a ser muy intensas bajo el control del *«hombre de pecado»,* el anticristo (2:3; ver Daniel 7:25). Durante este tiempo también habrá gran oposición a la Verdad de la Palabra de Dios. El apóstol Pablo también nos advierte que la enseñanza falsa será la causa de una gran apostasía de la fe. *«Nadie os engañe en ninguna manera; porque no vendrá sin que antes venga la apostasía, y se manifieste el hombre de pecado, el hijo de perdición . . . inicuo cuyo advenimiento es por obra de Satanás, con gran poder y señales y prodigios mentirosos, y con todo engaño de iniquidad para los que se pierden, por cuanto no recibieron el amor de la verdad para ser salvos»* (II de Tesalonicenses 2:3,9-10). Se hace referencia a la segunda venida de Cristo más de 20 veces en los ocho cortos capítulos de estas dos epístolas.

### ∉N LA LECTURA DE HOY
La predicación de Pablo; su súplica para vivir en la pureza;
la segunda venida de nuestro Señor

*La* seguridad de la vida eterna del creyente con Cristo está basada en la resurrección física de Jesucristo (I de Corintios 15:20-23). El apóstol Pablo pudo escribir: *«Porque si creemos que Jesús murió y resucitó, así también traerá Dios con Jesús a los que durmieron* (murieron) *en Él. Por lo cual os decimos esto en Palabra del Señor: que nosotros que vivimos, que habremos quedado hasta la venida del Señor, no precederemos a los que durmieron* (han muerto). *Porque el Señor mismo con voz de mando, con voz de arcángel, y con trompeta de Dios, descenderá del cielo; y los muertos en Cristo resucitarán primero. Luego nosotros los que vivimos, los que hayamos quedado, seremos arrebatados juntamente con ellos en las nubes para recibir al Señor en el aire, y así estaremos siempre con el Señor. Por tanto, alentaos* (animaos) *los unos a los otros con estas palabras»* (I de Tesalonicenses 4:14-18).

La segunda venida de Jesucristo será el mayor evento en la historia desde Su ascensión cuando en aquellos días *«viéndolo ellos, fue alzado, y le recibió una nube que le ocultó de sus ojos»* (Hechos 1:9). Su segunda venida fue confirmada el día de Su ascensión por dos testigos celestiales: *«Este mismo Jesús, que ha sido tomado de vosotros al cielo, así vendrá como le habéis visto ir al cielo»* (1:11).

Todos podemos consolar a nuestros hermanos y hermanas creyentes, que han visto a seres queridos ser llamados a su hogar celestial a estar con el Señor con esta seguridad que muy pronto, tendremos una gozosa reunión – no solamente con Cristo, pero también con todos nuestros seres queridos que han sido redimidos. Nuestra gran confianza está en Jesús, nuestro Señor, que nos aseguró esto: *«No se turbe vuestro corazón; creéis en Dios, creed también en Mí. . . . (Voy), pues, a preparar lugar para vosotros»* (Juan 14:1-3).

No hay palabras que puedan explicar esta gran gloriosa venida de nuestro Señor Jesucristo. Toda la historia se puede reducir a dos edades: la edad presente que empezó con Adán, y la edad venidera. *«Porque vosotros sabéis perfectamente que el día del Señor vendrá así como ladrón en la noche»* (I de Tesalonicenses 5:2). Estamos apresurándonos al tiempo determinado como *«el día del Señor»*. Este es el día de gozo anticipado por cada creyente que está esperando fielmente y preparándose para la venida triunfante de nuestro Redentor.

Por razón de esta seguridad que la segunda venida de Cristo viene pronto, *«animaos unos a otros, y edificaos unos a otros, así como lo hacéis»* (I de Tesalonicenses 5:11).

**Pensamiento para hoy:** La seguridad se encuentra en Cristo no en la abundancia de las posesiones materiales.

## ÊN LA LECTURA DE HOY
El ánimo durante las persecuciones; las instrucciones sobre
*«el día del Señor»;* el mandamiento de trabajar

*E*ntristece de gran manera nuestros corazones cuando nos damos cuenta que la gran mayoría de la humanidad se está apresurando ciegamente hacia el lago de fuego eterno, ignorante de los horrores de su juicio y su inminente castigo: *«Porque es justo delante de Dios pagar con tribulación a los que os atribulan, y a vosotros que sois atribulados, daros reposo con nosotros, cuando se manifieste el Señor Jesús desde el cielo con los ángeles de Su poder, en llama de fuego, para dar retribución a los que no conocieron a Dios, ni obedecen al evangelio de nuestro Señor Jesucristo; los cuales sufrirán pena de eterna perdición, excluidos de la presencia del Señor y de la gloria de Su poder»* (II de Tesalonicenses 1:6-9).

Por seguro, muchas personas tienen en sus corazones el deseo de obtener más y más de las riquezas de esta vida y tratar de ganar más dinero que el año pasado. Por eso trabajan más horas u obtienen un segundo trabajo para pagar por esas cosas que no tienen el dinero para comprar. Sus temores y sus frustraciones siguen creciendo como el resultado de su inhabilidad de contender adecuadamente con las cosas que ellos nos pueden cambiar. Esta presión, a veces, lleva a estas personas a un agotamiento físico y emocional acompañado con la depresión, y cómo algunos dicen: «están quemados».

A veces, somos tentados a seguir la influencia del espíritu del mundo que engaña a muchos *«con todo engaño de iniquidad para los que se pierden, por cuanto no recibieron el amor de la verdad para ser salvos. Por esto Dios les envía un poder engañoso* (de incredulidad), *para que* (los incrédulos) *crean la mentira, a fin de que sean condenados* (juzgados) *todos los que no creyeron a la verdad, sino que se complacieron en la injusticia»* (2:10-12). Necesitamos recordar diariamente que estamos en una batalla espiritual contra las fuerzas satánicas.

Sin excepción, todos los que escogen invertir sus vidas en servir a Cristo reciben una verdadera satisfacción que va más allá de lo que se puede explicar con palabras. Estas son las personas que leen todo el consejo de Dios y están preparadas, no meramente para un futuro en el cielo, pero para vivir diariamente en el presente con el ministerio de la Palabra de Dios en el uso de nuestro tiempo, nuestros talentos, y nuestras posesiones.

El apóstol Juan nos dice: *«Pero éstas se han escrito para que creáis que Jesús es el Cristo, el Hijo de Dios, y para que creyendo, tengáis vida en Su nombre* (autoridad)*»* (Juan 20:31).

**Pensamiento para hoy:** ¡Jesucristo viene pronto! Puede ser hoy mismo.

# INTRODUCCIONES A LOS LIBROS DE
# I y II de $\mathscr{T}$IMOTEO

En estas dos epístolas a Timoteo, el apóstol Pablo pone gran énfasis en que el conocer las Escrituras es de suma importancia para adorar al Señor, pero también para derrotar al diablo, y así poder vivir agradando a Dios. Entonces Pablo expresa las cualificaciones importantes de los ancianos y de los diáconos y para que cada líder fuese un *«buen ministro* (siervo) *de Jesucristo, nutrido* (educado) *con las Palabras de la fe y de la buena doctrina* (enseñanzas) *que has seguido.* . . . . *Si alguno enseña otra cosa, y no se conforma a las sanas Palabras de nuestro Señor Jesucristo* (las enseñanzas bíblicas)*, y a la doctrina que es conforme a la piedad, está envanecido, nada sabe»* (I de Timoteo 4:6; 6:3-4). Por causa de la ignorancia de la Palabra de Dios, *«la doctrina que es conforme a la piedad»* no es conocida por muchos. Por consiguiente, muy pocas personas están conscientes que tienen que, *«(seguir) la paz con todos, y la santidad, sin la cual nadie verá al Señor»* (Hebreos 12:14); y *«como hijos obedientes, no os conforméis a los deseos que antes teníais estando en vuestra ignorancia; sino, como aquel que os llamó es santo, sed también vosotros santos en toda vuestra manera de vivir* (conducta)*»* (I de Pedro 1:14-15).

En esta primera carta, el apóstol Pablo claramente declara: *«Porque hay un solo Dios, y un solo Mediador* (Arbitrador) *entre Dios y los hombres, Jesucristo Hombre»* (I de Timoteo 2:5). Pablo amonestó a Timoteo a mantenerse fiel a Jesucristo y a Su Palabra.

Poco antes de su martirio en Roma, el apóstol Pablo escribió su segunda epístola a Timoteo, la cual fue también la última epístola que Pablo escribió (II de Timoteo 4:6-7). Pablo otra vez le ruega a su querido Timoteo, *«verdadero hijo en la fe»* (I de Timoteo 1:2), y le amonesta, diciéndole: *«esfuérzate en la gracia que es en Cristo Jesús»* (II de Timoteo 2:1). Pablo le advierte que si fracasa en estudiar por completo todas las Escrituras que entonces últimamente resultaría en enfrentarse a Dios *«avergonzado».* Él le anima a Timoteo, diciéndole: *«Procura con diligencia presentarte a Dios aprobado, como obrero que no tiene de qué avergonzarse, que usa bien la Palabra de verdad»* (2:15). La Palabra de Dios es la única que provee la sabiduría justa para instruirnos en conocer y hacer Su voluntad (3:15). La lectura y la obediencia a todas las Escrituras es la única seguridad contra el engaño que encontramos en una cultura que mexcla la verdad con el error. El apóstol Pablo declara la completa suficiencia de las Escrituras para revelar las respuestas a todos los problemas de esta vida. A cada creyente Dios le pide que: *«prediques la Palabra; que instes* (estés listo) *a tiempo y fuera de tiempo; redarguye, reprende, exhorta* (anima) *con toda paciencia y doctrina* (enseñanza)*. Porque vendrá tiempo cuando no sufrirán la sana doctrina, sino que teniendo comezón de oír, se amontonarán maestros conforme a sus propias concupiscencias, y apartarán de la verdad el oído y se volverán a las fábulas* (mitos, historietas)*»* (4:2-4).

## ◈N LA LECTURA DE HOY

La amonestación contra la falsa doctrina; la gratitud por la misericordia; los requisitos para los líderes de la iglesia; las instrucciones sobre las viudas y los ancianos; la buena batalla de la fe

**E**l emperador romano Nerón estaba persiguiendo a los creyentes cruelmente y juzgando a muchos a muerte cuando el apóstol Pablo escribió esta epístola a Timoteo. Pero Pablo seguía poniendo énfasis en la importancia para los creyentes de orar por todos los que estaban en autoridad sobre ellos, sin pensar en su conducta. Él escribió: «*Exhorto ante todo, a que se hagan rogativas, oraciones, peticiones y acciones de gracias, por todos los hombres; por los reyes y por todos los que están en eminencia, para que vivamos quieta y reposadamente en toda piedad y honestidad*» (I de Timoteo 2:1-2).

Mientras que oramos por los líderes del mundo, y por nuestros oficiales locales, podemos estar seguro que nuestras oraciones tendrán efecto sobre sus acciones, sean ellos mismos hombres justos o malvados. «*Como los repartimientos de las aguas, así está el corazón del rey en la mano de Jehová; a todo lo que quiere lo inclina*» (Proverbios 21:1).

Cuando el apóstol Pedro y otros fueron mandados por las autoridades religiosas de parar de decir que Jesucristo era el Salvador del mundo, por ser fieles creyentes: «*Respondiendo Pedro y los apóstoles, dijeron: Es necesario obedecer a Dios antes que a los hombres*» (Hechos 5:29).

Los creyentes deben de fielmente testificar de la verdad tal y como fue revelada por Cristo en Su Palabra, aun cuando esto pudiese traerles encarcelamiento o muerte. Mientras que muchos «*apartarán de la verdad el oído y se volverán a las fábulas*», cada creyente entonces debe de ser «*sobrio en todo,* (y soportar) *las aflicciones*» (II de Timoteo 4:4-5). El número de los creyentes que están «(soportando) *las aflicciones*» (Santiago 5:10) y siendo martirizados por su fe en Cristo sigue creciendo.

Después, el apóstol Pedro también puso gran énfasis sobre la responsabilidad de los creyentes de ser ciudadanos que cumplen con la ley, al escribir: «*Por causa del Señor someteos a toda institución humana, ya sea al rey, como a superior, ya a los gobernadores, como por Él enviados para castigo de los malhechores y alabanza de los que hacen bien*» (I de Pedro 2:13-14). El Nuevo Testamento no provee ningún ejemplo para justificar las acciones rebeldes contra los gobiernos corrompidos o para dejar de pagar los impuestos. La Palabra nos enseña que es Satanás quien instiga la rebelión, la violencia, y los tumultos.

«*Porque nosotros también éramos en otro tiempo insensatos, rebeldes, extraviados, esclavos de concupiscencias y deleites diversos* (egocéntricos), *viviendo en malicia y envidia, aborrecibles . . . (Pero) cuando se manifestó la bondad de Dios nuestro Salvador, y Su amor para con los hombres, nos salvó*» (Tito 3:3-5).

**Pensamiento para hoy:** Los creyentes se gozan de la paz de Dios sin considerar las circunstancias.

## EN LA LECTURA DE HOY
### Las exhortaciones a Timoteo; la apostasía venidera; la firmeza en las Escrituras; el encargo de predicar

*N*o había ninguna incertidumbre en la convicción del apóstol Pablo que él era *«apóstol de Jesucristo . . . quien nos salvó y llamó con llamamiento santo, no conforme a nuestras obras, sino según el propósito Suyo y la gracia que nos fue dada en Cristo Jesús antes de los tiempos de los siglos»* (II de Timoteo 1:1,9).

El nombre de *«Jesús»* y Su título *«Cristo»* fueron usados seis veces en los primeros dos versículos. Las Buenas Nuevas del evangelio de Jesucristo es que Él imparte la vida eterna a todos los que le reciben por medio de la fe. El resto de todas las cosas que hacemos toman segundo lugar al propósito supremo por el cual Jesucristo vino: *«Porque el Hijo del Hombre vino a buscar y a salvar lo que se había perdido»* (Lucas 19:10).

La vida del creyente puede que requiera participar *«de las aflicciones por el evangelio»* (II de Timoteo 1:8). Sin embargo, no debemos temer las aflicciones porque *«nuestro Salvador Jesucristo . . . quitó la muerte y sacó a luz la vida y la inmortalidad por el evangelio»* (1:10).

El negar a Cristo viene en muchas formas. Nuestro estilo de vida puede ser una forma de negarle. En medio de un mundo perdido, si nos mantenemos callados en la presencia de vergonzosos pecados, entonces estamos negando al Señor. El no hacer todo lo posible para alcanzar a un mundo perdido con Su Palabra es quizás la forma más seria de negarle. Pues hemos sido amonestados: *«Porque vendrá tiempo cuando no sufrirán la sana doctrina* (enseñanza), *sino que teniendo comezón de oír, se amontonarán maestros conforme a sus propias concupiscencias, y apartarán de la verdad el oído y se volverán a las fábulas* (mitos, historietas)*»* (4:3-4).

Hoy en día, entre algunas personas, hay una cristiandad que se mezcla con el mundo al apoyar la avaricia, el deseo de la comodidad, la riqueza, la ociosidad, y las posesiones materiales. Es un contraste bien chocante que el *«buen soldado»* tiene que sufrir *«penalidades»*, de quien Pablo dijo: *«Ninguno que milita se enreda en los negocios de la vida, a fin de agradar a Aquel que lo tomó por soldado»* (2:3-4). *«Por tanto, tomad toda la armadura de Dios, para que podáis resistir en el día malo, y habiendo acabado todo, estar firmes. Estad, pues firmes, ceñidos vuestros lomos con la verdad, y vestidos con la coraza de justicia . . . Sobre todo, tomad el escudo de la fe, con que podáis apagar todos los dardos de fuego del maligno»* (Efesios 6:13-14,16).

**Pensamiento para hoy:** La voluntad de Dios nunca nos guía adónde la gracia de Dios no provee.

# INTRODUCCIONES A LOS LIBROS DE
# *Tito* y *Filemón*

El apóstol Pablo dejó a Tito en la isla de Creta y esta epístola fue dirigida a él para instruirle, diciéndole: «*para que corrigieses lo deficiente, y establecieses ancianos en cada ciudad, así como yo te mandé*» (Tito 1:5). Por medio de Pablo, el Espíritu Santo claramente establece los requisitos para el obispo — una excelente lista de normas para los líderes de la iglesia (1:6-9).

Desde su prisión en Roma, Pablo le escribió una carta personal a un hombre llamado Filemón, quien puede que haya sido un cristiano de influencia en Colosas y probablemente uno de los conversos que Pablo guio al Señor. Parece que Onésimo, un esclavo que trabajaba para Filemón, se había huido y puede que haya llegado a ser un converso nuevo a Jesucristo por medio del ministerio de Pablo en Roma. Se asume que, después de llegar a ser creyente, Onésimo consintió a volver a su señor en Colosas. Esta hermosa carta le ruega a Filemón que reciba a Onésimo, no como un esclavo que había huido, pero como un hermano querido en el Señor, tal y como si él hubiese recibido a Pablo mismo (Filemón 1:16-17).

Todos hemos pecado contra el Señor
y nos vemos condenados por Su propia Palabra de amor.
Ninguna de nuestras oraciones ni súplicas pueden obtener
el gratuito perdón de Dios por todo nuestro dolor.

Pero Jesús vino y tomó nuestro lugar
para poder salvarnos por Su gracia y amor;
Él llevó nuestros pecados - en sus grandezas y anchuras,
para que nosotros, por Él, pudiéramos ser justificados.

Y mientras que oramos para recibir la completa obra de Cristo en la cruz
- donde Él cumplió con cada acta de los decretos de la justa Ley de Dios -
veremos que así Dios anula cada pecado y defecto
clavándolos en Su propia cruz.

Él habla Su paz adentro del corazón
y le pide que despida toda culpa y temor.
Dios nos cuenta aceptos en el Amado
y ve que la vida de fe ha empezado.

Que nosotros podamos, en gratitud y amor,
buscar todas las cosas de arriba
y dejar que Jesús viva Su vida de nuevo
en todos los que amamos hacer Su perfecta voluntad.

- M.E.H.

## EN LA LECTURA DE HOY

Los requisitos para los oficiales de la iglesia; una advertencia contra los maestros falsos; la conducta del creyente; la súplica de Pablo por Onésimo

La iglesia en la isla de Creta necesitaba un liderazgo espiritual, así fue que el apóstol Pablo le dio instrucciones a Tito de ordenar hombres calificados para estas posiciones. Cada hombre tenía que ser «*irreprensible* (sin reproche), *marido de una sola mujer, y* (que) *tenga hijos creyentes que no estén acusados de disolución ni de rebeldía. Porque es necesario que el obispo sea irreprensible, como administrador de Dios; no soberbio, no iracundo, no dado al vino, no pendenciero* (violento), *no codicioso de ganancias deshonestas, sino hospedador, amante de lo bueno, sobrio, justo, santo, dueño de sí mismo* (disciplinado), *retenedor de la Palabra fiel tal como ha sido enseñada, para que también pueda exhortar con sana enseñanza y convencer a los que contradicen*» (Tito 1:6-9).

La iglesia pertenece a Cristo. Sus requisitos para los líderes espirituales no se deben pasar por alto; todas las otras opciones y alternativas del hombre son inaceptables delante de Dios. Esta epístola de Pablo a Tito le advierte que los líderes tienen que ser irreprensibles en sus vidas personales.

El apóstol Pablo da instrucciones para que los ancianos enseñen a los hombres jóvenes y que las ancianas enseñen a las mujeres jóvenes, instruyéndoles en cómo abandonar las pasiones malvadas y las ambiciones mundanas, y vivir honorablemente delante del Señor. «*Porque la gracia de Dios se ha manifestado para salvación a todos los hombres, enseñándonos que, renunciando a la impiedad y a los deseos mundanos, vivamos en este siglo sobria, justa y piadosamente, aguardando la esperanza bienaventurada y la manifestación gloriosa de nuestro gran Dios y Salvador Jesucristo, quien se dio a Sí mismo por nosotros para redimirnos de toda iniquidad* (maldad, desorden) *y purificar para Sí un pueblo propio, celoso de buenas obras*» (2:11-14). Nuestras enseñanzas deben de estar basadas sobre la triple obra de Cristo por Su pueblo como el resultado de Su muerte en la cruz. [1] Él nos hace libres - «*para redimirnos de toda iniquidad*»; [2] Él nos separa del mundo para Sí mismo para «*purificar para Sí un pueblo propio;*» [3] y Él nos hizo un pueblo «*celoso de buenas obras*» (2:14).

Cada creyente siempre debe de ser «*retenedor de la Palabra fiel tal como ha sido enseñada, para que también pueda exhortar con sana enseñanza y convencer a los que contradicen*» (Tito 1:9).

**Pensamiento para hoy:** Las actitudes de superioridad y de pensar al mismo tiempo que otras personas son inferiores son malvadas.

# INTRODUCCIÓN AL LIBRO DE
# ℋEBREOS

No se sabe por seguro quien es el autor de esta epístola, pero muchos de los eruditos de la Biblia asumen que fue el apóstol Pablo quien lo escribió mientras que él *«permaneció dos años enteros en una casa alquilada»* en Roma (Hechos 28:30). Sin embargo, el Verdadero Autor de cada libro de la Biblia es el Espíritu Santo.

Los judíos tuvieron la única revelación verdadera del Único Dios Verdadero y la única ciudad y templo divinamente establecidos por más de mil años.

Después de la persecución mencionada en los Hechos capítulo ocho, la persecución contra los seguidores de Jesús se intensificó. Algunos cristianos estaban tratando de unir la cristiandad con el judaísmo y otros estaban en duda sobre lo que hacer. Por consiguiente, hay unas 30 citas directa y otras 50 citas indirectamente mencionadas sobre el Antiguo Testamento en la epístola de Hebreos para instruir a los creyentes judíos en cómo el Antiguo Pacto se había cumplido en Jesús, el Mesías, tal y como fue predicho por los profetas.

La superioridad de Cristo y Su Nuevo Pacto son los temas de este libro. *«Dios, habiendo hablado muchas veces y de muchas maneras en otro tiempo a los padres por los profetas, en estos postreros días nos ha hablado por el Hijo, a quien constituyó heredero de todo, y por quien asimismo hizo el universo. . . . Por tanto, es necesario que con más diligencia atendamos a las cosas que hemos oído, no sea que nos deslicemos* (vagando sin rumbo)*»* (Hebreos 1:1-2; 2:1; ver 3:3; 7:21-27).

La infalible *«Palabra de Dios es viva y eficaz, y más cortante que toda espada de dos filos; y penetra hasta partir* (en dos) *el alma y el espíritu, las coyunturas y los tuétanos, y discierne los pensamientos y las intenciones del corazón»* (4:12).

La palabra *«mejor»* (superior) es una de las palabras claves en el libro de Hebreos. *«Queda, pues, abrogado el mandamiento anterior a causa de su debilidad e ineficacia* (pues nada perfeccionó la Ley), *y de la introducción de una mejor esperanza, por la cual nos acercamos a Dios. . . . Pero ahora tanto mejor* (superior) *ministerio es el Suyo* (el de Cristo), *cuanto es Mediador de un mejor pacto, establecido sobre mejores promesas»* (7:18-19; 8:6).

Los diez mandamientos fueron escritos en tablas de piedra, pero el Nuevo Pacto en Cristo nos dice: *«Pondré Mis leyes en la mente de ellos* (Sus discípulos), *y sobre su corazón las escribiré»* (8:10).

El Antiguo Pacto, con su sinfín de sacrificios de animales, está en un contraste impresionante con el Nuevo Pacto que requiere solamente un Sacrificio, el Perfecto Cordero de Dios (Apocalipsis 5:6,12; 13:8). La propia sangre impecable de Cristo es la única que nos limpia de todos nuestros pecados (Hebreos 9:12; 10:1-14).

*«Mantengamos firme, sin fluctuar, la profesión de nuestra esperanza, porque fiel es el que prometió. Y considerémonos unos a otros para estimularnos al amor y a las buenas obras»* (10:23-24).

## EN LA LECTURA DE HOY

La razón por qué Cristo asumió un cuerpo humano; la superioridad de Cristo a los ángeles y a Moisés; la salvación; Cristo, nuestro Sumo Sacerdote

Fueron los ángeles los que rescataron a Lot de Sodoma (Génesis 19:1-26); los ángeles también le ministraron a Jesús al terminar Su ayuno de 40 días (Mateo 4:11); y fueron los ángeles los que rescataron a Pedro de la prisión. Pero, aun de más consuelo para nosotros es saber que los ángeles *«son todos espíritus ministradores, enviados para servicio a favor de los que serán herederos de la salvación»* (Hebreos 1:14). Pensemos un momento, eso incluye a todos los que son *«herederos de la salvación»*. Aun cuando parece que Satanás ha arruinado nuestras vidas, Dios, quien creó y gobierna el universo, está convirtiendo aun las obras de Satanás y la ira de los hombres para continuar Su suma voluntad en cada una de nuestra vidas.

La importancia de los ángeles no se compara a la superioridad de Cristo. Pero, aún, a pesar de Su superioridad eterna como el Creador de los ángeles, por Su gran amor para con nosotros, Jesús voluntariamente *«fue hecho un poco menor que los ángeles, a Jesús, (a quien ahora vemos) coronado de gloria y de honra, a causa del padecimiento de la muerte, para que por la gracia de Dios gustase la muerte por todos. Porque convenía (fue justo) a Aquel por cuya causa son todas las cosas, y por quien todas las cosas subsisten, que habiendo de llevar muchos hijos a la gloria, perfeccionase por aflicciones al Autor de la salvación de ellos. . . . Porque ciertamente no socorrió a los ángeles, sino que socorrió a la descendencia de Abraham. Por lo cual debía (fue mejor) ser en todo semejante a Sus hermanos, para venir a ser misericordioso y fiel Sumo Sacerdote en lo que a Dios se refiere, para expiar los pecados del pueblo»* (2:9-10,16-17).

Consideremos los honores dotados a Moisés quien rescató a Israel de Egipto. Por medio de Moisés la orden levítica completa, el tabernáculo, y el antiguo sistema de adoración fueron instituidos; pero Cristo rescata a todos los que le reciben a Él del castigo de un infierno eterno (Juan 3:16).

*«Temamos, pues, no sea que permaneciendo aún la promesa de entrar en Su reposo, alguno de vosotros parezca no haberlo alcanzado. Porque también a nosotros se nos ha anunciado la buena nueva como a ellos; pero no les aprovechó el oír la Palabra, por no ir acompañada de fe en los que la oyeron. Pero los que hemos creído entramos en el reposo»* (Hebreos 4:1-3).

**Pensamiento para hoy:** Cuando Cristo, el Príncipe de Paz gobierne nuestros corazones, entonces es que no vamos a insistir en nuestros propios caminos.

---

### 𝕰N LA LECTURA DE HOY

Cristo, el Sumo Sacerdote; la súplica para seguir en la fe; el sacerdocio
de Melquisedec; el sacerdocio de Aarón es inferior al sacerdocio de Cristo

---

𝕰stamos muy agradecidos que la misericordia es un atributo de Dios. Es
una de nuestras mayores necesidades. La misericordia es una expresión de Su
buena voluntad para perdonar a los pecadores y rescatarnos del infierno eterno.
La misericordia incluye el amor como también la demostración práctica de la
compasión.

Por razón de que Dios es también santo, Él tiene que enforzar la penalidad
por el pecado, pues *«la paga del pecado es muerte»* (Romanos 6:23). En el
Antiguo Testamento, un cordero inocente e impecable tomaba el lugar del
israelita y era matado en su lugar por sus pecados. El judío piadoso era recordado
continuamente que *«la vida de la carne en la sangre está, y Yo (Dios) os la he
dado para hacer expiación sobre el altar por vuestras almas»* (Levítico 17:11).
Pero, la necesidad de los muchos sacrificios cesó cuando Jesús, el Inocente e
Impecable Hijo de Dios, murió en la cruz por nuestros pecados y vino a
ser *«el Cordero de Dios, que quita el pecado del mundo»* (Juan 1:29).

*«Y aunque (Jesús) era Hijo . . . vino a ser Autor de eterna salvación para
todos los que le obedecen»* (Hebreos 5:8-9). *«(Por) Su propia sangre, entró una
vez para siempre en el Lugar Santísimo, habiendo obtenido (para nosotros)
eterna redención. . . . ¿(Cuánto) más la sangre de Cristo, el cual mediante el
Espíritu eterno se ofreció a Sí mismo sin mancha a Dios, limpiará vuestras
conciencias de obras muertas para que sirváis al Dios Vivo?»* (9:12-14).

Desde que todos nosotros faltamos tantas veces de ser todo lo que podemos
ser y siempre nos merecemos el juicio de Dios, es Su misericordia la que le da
a cada creyente la seguridad de tener una relación continua con Dios. En
cambio, el creyente verdadero expresa la misma misericordia en sus relaciones
con otras personas porque el Espíritu de Dios mora en su corazón. Tenemos
Su promesa: *«Bienaventurados los misericordiosos, porque ellos alcanzarán
misericordia»* (Mateo 5:7).

La verdad, la justicia, y la verdadera misericordia son inseparables. Jesús
ilustró la misericordia al hablar sobre un buen samaritano que cuidó de un
extranjero que no tenía quien le cuidara y que había sido golpeado y dejado
medio muerto (Lucas 10:33-37). *«Vestíos, pues, como escogidos de Dios, santos
y amados, de entrañable misericordia (compasión), de benignidad, de
humildad, de mansedumbre, de paciencia; soportándoos unos a otros, y
perdonándoos unos a otros»* (Colosenses 3:12-13).

**Pensamiento para hoy:** Nosotros no podemos llegar a cumplir un buen
propósito en nuestras vidas sin Dios, tal y como el barro no puede llegar a ser
una vasija útil sin el buen alfarero.

---

### ᐷN LA LECTURA DE HOY

El Nuevo Pacto; el perfecto sacrificio de Cristo comparado a los sacrificios
temporales que estaban bajo la Ley; una súplica para mantenernos fieles

---

ᐷl tabernáculo y el sistema de adoración para Israel le fue revelado a Moisés por Dios en el monte Sinaí. Esto consistía de muchos sacrificios, los cuales no podían limpiar a nadie del pecado sino que solamente «cubrían» a los oferentes temporalmente. Sin embargo, cada detalle de este gran sistema de adoración era simbólico del único sacrificio que vendría de Cristo en la cruz. Jesucristo tomó el lugar del sumo sacerdote de Israel, de los sacerdotes, y de todo el sistema del rito sacrificial de la adoración. Dios predijo por medio de Su profeta un Pacto futuro: *«He aquí que vienen días, dice Jehová, en los cuales haré Nuevo Pacto con la casa de Israel y con la casa de Judá»* (Jeremías 31:31; ver Hebreos 8:6-13).

Bajo el sistema de adoración del Antiguo Pacto, *«la sangre de los becerros y de los machos cabríos»* (9:12,19), los cuales eran animales inocentes, eran sacrificados diariamente por los pecados de los oferentes. Pero Jesucristo, quien es el Dios hecho Hombre, derramó Su propia sangre y entró una vez y para siempre, no en el Lugar Santísimo terrenal, pues *«no entró Cristo en el santuario hecho de mano, figura del verdadero, sino en el cielo mismo para presentarse ahora por nosotros ante Dios»* (9:24).

El Espíritu Santo guio al escritor de la epístola de Hebreos a señalar aquí que el Antiguo Pacto miraba hacia el futuro *«por el más amplio y más perfecto tabernáculo»* (9:10-11). La frase el *«más perfecto tabernáculo»* se refiere a la forma encarnada de Jesús, desde que el contenido del tabernáculo, y el mismo tabernáculo también, simbolizaban a Cristo, como también en Su vida, en Su ministerio, en Su muerte, y en todos los sacrificios del Antiguo Pacto. Los sacrificios de los animales ya no son aceptables porque *«estando ya presente Cristo, Sumo Sacerdote de los bienes venideros, por el más amplio y más perfecto tabernáculo, no hecho de manos, es decir, no de esta creación, y no por sangre de machos cabríos ni de becerros, sino por Su propia sangre, entró una vez para siempre en el Lugar Santísimo, habiendo obtenido eterna redención* (para nosotros)» (9:11-12).

La confesión de nuestra fe es una admisión de que hemos renunciado al mundo y a sus deseos y pasiones para mantenernos fieles a nuestro Señor y Salvador Jesucristo, quien ha hecho tanto por nosotros. *«Mas Dios muestra Su amor para con nosotros, en que siendo aún pecadores, Cristo murió por nosotros»* (Romanos 5:8).

**Pensamiento para hoy:** Sí, Dios es todo Sabio (Omnisciente), Todopoderoso, y siempre está presente (Omnipresente). ¿Cómo es que podemos temer el futuro?

## 𝒠N LA LECTURA DE HOY
Los dignos frutos de la fe, de la paciencia, y de la piedad;
las advertencias contra la desobediencia; el servicio que agrada a Dios

𝒶a historia del pueblo de Dios confirma los muchos que tuvieron que soportar circunstancias hostiles y sufrimientos, pero aún se mantuvieron fieles y pudieron cumplir con la perfecta voluntad de Dios. En la famosa lista de los «héroes de la fe» (Hebreos 11:1-38), Dios nos da un repaso de muchos de ellos. *«Por la fe Abraham, cuando fue probado, ofreció a Isaac . . . pensando que Dios es poderoso para levantar aun de entre los muertos, de donde, en sentido figurado, también le volvió a recibir . . . Por la fe Moisés, hecho ya grande, rehusó llamarse hijo de la hija de Faraón, escogiendo antes ser maltratado con el pueblo de Dios, que gozar de los deleites temporales* (de corta duración) *del pecado, teniendo por mayores riquezas el vituperio de Cristo que los tesoros de los egipcios»* (11:17-26). Los hombres y las mujeres del Antiguo Testamento escritos en esta lista son ejemplos de personas que escogieron obedecer a Dios y vivir piadosamente, sin considerar las consecuencias.

Esto nos recuerda de lo mucho que nuestro Salvador ha dispuesto para nosotros por medio del Espíritu Santo que mora en nosotros y por medio del conocimiento completo de Su voluntad revelado en Su Palabra escrita. En verdad, *«nosotros también, teniendo en derredor nuestro tan grande nube de testigos, despojémonos de todo peso y del pecado que nos asedia, y corramos con paciencia la carrera que tenemos por delante»* (12:1). Los corredores que ganan la carrera de la vida ponen *«los ojos en Jesús, el Autor y Consumador de la fe, el cual por el gozo puesto delante de Él sufrió la cruz, menospreciando el oprobio, y se sentó a la diestra del trono de Dios»* (12:2). La vida del creyente demanda negarse a sí mismo, la disciplina, y un corazón sincero y lleno de amor para con Dios y para Su Palabra. Estas características distinguen al creyente del desenfreno que se practica en el mundo. Tenemos que decidir por nuestra propia cuenta, por medio de la oración y la lectura de las Escrituras y una examinación personal, si hay algo en nuestras vidas que nos está estorbando que necesita ser eliminado.

*«La carrera»* de la cual el apóstol Pablo nos escribe es una vida de lealtad y de obediencia. *«Y* (Jesús) *decía a todos: Si alguno quiere venir en pos de Mí, niéguese a sí mismo, tome su cruz cada día, y sígame»* (Lucas 9:23).

<u>Pensamiento para hoy:</u> *«Hijo mío . . .* (que) *tu corazón guarde Mis mandamientos; porque largura de días y años de vida y paz te aumentarán»* (Proverbios 3:1-2).

# INTRODUCCIÓN AL LIBRO DE
# *S*ANTIAGO

El autor de este libro se identifica a sí mismo como «*Santiago, siervo de Dios y del Señor Jesucristo*» (Santiago 1:1). Él no era uno de los doce apóstoles (Mateo 10:2-4), pero parece ser el primer anciano que preside sobre la iglesia en Jerusalén (Hechos 12:17; 15:13-21). El apóstol Pablo habló de él como «*Jacobo (Santiago) el hermano del Señor*» (Gálatas 1:19).

Santiago muchas veces cita de las Escrituras del Antiguo Testamento, y entonces procede a la aplicación de ellas en la vida diaria del creyente (Santiago 2:8,23; 4:5-6); y así nos advierte: «*Cualquiera, pues, que quiera ser amigo del mundo, se constituye enemigo de Dios*» (4:4).

Santiago presenta una serie de pruebas personales por las cuales podemos reconocer la legitimidad de la fe que salva (2:14,17-18,20,22,24,26; 5:15). Por eso él le amonesta a cada creyente de: «*guardarse sin mancha del mundo*» (1:27).

Santiago nos recuerda que nosotros hemos llegado a ser hijos espirituales de Dios por medio de Su Palabra de Verdad, «*la cual puede salvar vuestras almas. . . . Él* (Jesucristo), *de Su voluntad, nos hizo nacer por la Palabra de verdad, para que seamos primicias de Sus criaturas. . . . Por lo cual, desechando* (quitando de nuestras vidas) *toda inmundicia y abundancia de malicia* (cualquier maldad que todavía esté presente), *recibid con mansedumbre la Palabra implantada, la cual puede salvar vuestras almas. Pero sed hacedores de la Palabra, y no tan solamente oidores, engañándoos a vosotros mismos*» (1:21,18,21-22).

Santiago también explica el gran poder de la oración al recordarnos de Elías. «*La oración eficaz del justo puede* (logra) *mucho. Elías era hombre sujeto a pasiones semejantes* (iguales) *a las nuestras, y oró fervientemente para que no lloviese, y no llovió sobre la tierra por tres años y seis meses. Y otra vez oró, y el cielo dio lluvia, y la tierra produjo su fruto*» (5:16-18; ver I de Reyes 17:1; 18:1,45).

## LA PAZ

Jesucristo nos dijo: «*Estas cosas os he hablado para que en Mí tengáis paz. En el mundo tendréis aflicción; pero confiad, Yo he vencido al mundo*» (Juan 16:33).

«*Justificados, pues, por la fe, tenemos paz para con Dios por medio de nuestro Señor Jesucristo*» (Romanos 5:1).

## LA FIDELIDAD

«*(Pero) el que guarda Su Palabra, en éste verdaderamente el amor de Dios se ha perfeccionado; por esto sabemos que estamos en Él*» (I de Juan 2:5).

---

### ᴇN LA LECTURA DE HOY

Los creyentes deben de regocijarse en las pruebas; atentos a la Palabra de Dios;
la fe que obra; los peligros de la lengua; la vida mundana y el orgullo;
el aviso contra las riquezas; el poder de la oración

---

*A*lgunos de nosotros nos inclinamos a decirles a otras personas lo mucho que estamos sufriendo y sobre nuestras penas con una actitud de «Ay de mí», y aun en desesperación buscamos compasión de aquellos que nos oyen. Algunos de nosotros tenemos también la tendencia de culpar a cualquier otro, aun a Dios, por nuestros problemas. Pero Santiago nos sorprende al escribir: *«Hermanos míos, tened por sumo gozo cuando os halléis en diversas* (múltiples) *pruebas, sabiendo que la prueba de vuestra fe produce* (desarrolla) *paciencia. Mas tenga la paciencia su obra completa, para que seáis perfectos y cabales* (completos), *sin que os falte cosa alguna»* (Santiago 1:2-4).

Sin embargo, Santiago también nos recuerda: *«Bienaventurado el varón que soporta la tentación* (manteniéndose fiel); *porque cuando haya resistido* (aprobado) *la prueba, recibirá la corona de vida, que Dios ha prometido a los que Le aman. Cuando alguno es tentado, no diga que es tentado de parte de Dios; porque Dios no puede ser tentado por el mal, ni Él tienta a nadie»* (1:12-13). Las pruebas de esta vida parecen ser una pérdida de tiempo, pero ellas son de gran beneficio a los que se mantienen educables y fieles. En hecho *«para que sometida a prueba vuestra fe,* (la encontraréis) *mucho más preciosa que el oro»* (I de Pedro 1:7).

Todos nosotros necesitamos ser amonestados: *«Acercaos a Dios, y Él se acercará a vosotros»* (Santiago 4:8). Debemos de tener lástima de la persona que piensa que las pruebas y los tiempos difíciles vienen sólo del diablo y, consecuentemente, se siente frustrada y angustiada. Todas las pruebas y ataques de parte de Satanás solamente pueden llegar a nosotros por permiso de Dios y nos deben mover a alabar al Señor, *«sabiendo que la prueba de vuestra fe produce* (desarrolla) *paciencia».* Pues, no necesitamos temer lo que pueda pasar.

Nosotros poseemos *«toda la armadura de Dios, para que (podamos) estar firmes contra las asechanzas* (designios y trampas) *del diablo»* (Efesios 6:11). Para poder estar firmes contra el diablo durante nuestras pruebas, tenemos que recordar las palabras de exhortación del apóstol Pablo a los creyentes en Éfeso: *«Sobre todo, tomad el escudo de la fe, con que podáis apagar todos los dardos de fuego del maligno. . . . (Y) la espada del Espíritu, que es la Palabra de Dios»* (6:16-17). Sin embargo, tenemos que: *«(Vestirnos) de toda la armadura de Dios. . . . orando en todo tiempo con toda oración y súplica en el Espíritu»* (6:11,18).

**Pensamiento para hoy:** Las cosas pecaminosas manchan nuestras vidas, pero las buenas cosas son el resultado de la oración, la lectura de la Biblia, y la obediencia a la Palabra de Dios.

# INTRODUCCIONES A LOS LIBROS DE
# I y II de 𝒫EDRO

Al escribir estas dos epístolas, el apóstol Pedro estaba obedeciendo dos mandatos específicos que el Señor mismo le dio: *«pero Yo (Jesús) he rogado por ti (Pedro), que tu fe no falte; y tú, una vez vuelto, confirma a tus hermanos»* (Lucas 22:32). Entonces Jesús le dijo la tercera vez: *«Simón, hijo de Jonás, ¿Me amas? Pedro se entristeció de que le dijese la tercera vez: ¿Me amas? y le respondió: Señor, Tú lo sabes todo; Tú sabes que Te amo. Jesús le dijo: Apacienta Mis ovejas»* (Juan 21:17).

El apóstol Pedro se llamaba a sí mismo *«apóstol de Jesucristo. . . . (y) anciano también con ellos, y testigo de los padecimientos de Cristo, que soy también participante de la gloria que será revelada»* (I de Pedro 1:1; 5:1). Puede que él también estaba mandando esta epístola desde Babilonia (5:13). En esta primera epístola, él estaba escribiendo para animar a los creyentes que habían huido de su tierra natal por la gran persecución, y habían llegado a ser *«expatriados de la dispersión en el Ponto, Galacia, Capadocia, Asia y Bitinia»* (1:1). Él les estaba rogando a *«ceñid los lomos de vuestro entendimiento»* (1:13). Cuando ellos tenían que cumplir con algún trabajo arduo, ellos juntaban sus túnicas y las ceñían alrededor de sus cinturas con sus cintos para que no les estorbaran.

Por los últimos dos mil años, los creyentes han sido sometidos a muchos sufrimientos tal y como Jesús lo predijo (Juan 15:18). El apóstol Pedro afirmó esto al escribir: *«Pues para esto fuisteis llamados; porque también Cristo padeció por nosotros, dejándonos ejemplo, para que sigáis Sus pisadas»* (I de Pedro 2:21).

Lo más destacado en la primera epístola es la importancia de la Palabra de Dios como el único guía para vivir nuestras vidas en Cristo: *«siendo renacidos, no de simiente corruptible, sino de incorruptible, por la Palabra de Dios que vive y permanece para siempre»* (1:23). Él nos anima mucho más al decir: *«desead, como niños recién nacidos, la leche espiritual no adulterada, para que por ella crezcáis para salvación»* (2:2).

En el intervalo entre las dos epístolas, una situación surgió que era aun más crítica sobre las enseñanzas falsas que tenían que ser confrontadas por la iglesia. El apóstol Pedro nos advierte en su segunda epístola: *«Por lo cual, hermanos, tanto más procurad hacer firme vuestra vocación y elección; porque haciendo estas cosas, no caeréis jamás. . . . Pero hubo también falsos profetas entre el pueblo, como habrá entre vosotros falsos maestros, que introducirán encubiertamente* (con astucia) *herejías destructoras, y aun negarán al Señor que los rescató, atrayendo sobre sí mismos destrucción repentina. Y muchos seguirán sus disoluciones* (destructoras), *por causa de los cuales el camino de la verdad será blasfemado»* (II de Pedro 1:10; 2:1-2).

## ✐N LA LECTURA DE HOY
El llamamiento a la consagración del creyente; el correcto uso
de la libertad del creyente; el ejemplo del sufrimiento de Cristo

✐l apóstol Pedro le llama a todos los creyentes: *«elegidos según la presciencia de Dios Padre en santificación del Espíritu, para obedecer y ser rociados con la sangre de Jesucristo»* (I de Pedro 1:2). La frase *«ser rociados»* se menciona para hacer referencia a la sangre que fue rociada sobre el altar de bronce como un símbolo de que Dios les aceptaba (Éxodo 24:1-11).

Como creyentes, nosotros esperamos *«una herencia incorruptible, incontaminada e inmarcesible, reservada en los cielos para vosotros, que sois guardados por el poder de Dios mediante la fe, para alcanzar la salvación que está preparada para ser manifestada en el tiempo postrero»* (I de Pedro 1:4-5). Sin embargo, durante nuestro breve tiempo en este mundo, el apóstol Pedro nos ruega como *«extranjeros y peregrinos, que os abstengáis de los deseos carnales que batallan contra el alma»* (2:11).

Pedro aquí nos recuerda del engaño del pecado, al decir: *«como hijos obedientes, no os conforméis a los deseos que antes teníais estando en vuestra ignorancia; sino, como Aquel que os llamó es Santo, sed también vosotros santos en toda vuestra manera de vivir. . . . Habiendo purificado* (limpiado) *vuestras almas por la obediencia a la verdad, mediante el Espíritu, para el amor fraternal no fingido* (genuino), *amaos unos a otros entrañablemente, de corazón puro; siendo renacidos, no de simiente corruptible, sino de incorruptible, por la Palabra de Dios que vive y permanece para siempre. . . . Mas la Palabra del Señor permanece para siempre»* (1:14-15,22-23,25).

Desde que la Biblia es nuestra fuente de dirección y fuerza, el apóstol Pedro les ruega a todos los creyentes: *«desead, como niños recién nacidos, la leche espiritual no adulterada, para que por ella crezcáis para salvación»* (2:2). Pedro señala que el nutrimiento de la Palabra es esencial si vamos a vivir *«como hijos obedientes»*. Esto sólo puede referirse a nuestro rendimiento a la autoridad del Señor desde que todo esto es para nuestro bien. El apóstol Pedro también describe a los creyentes *«como casa espiritual y sacerdocio santo, para ofrecer sacrificios espirituales aceptables a Dios por medio de Jesucristo»* (2:5). Cada uno de nosotros somos un templo sagrado para el Espíritu Santo que mora adentro del creyente. Añadiéndole a esto, todos los creyentes hemos sido escogidos a ser *«linaje escogido, real sacerdocio, nación santa, pueblo adquirido por Dios, para que anunciéis las virtudes de Aquel que os llamó de las tinieblas a Su luz admirable»* (I de Pedro 2:9).

**Pensamiento para hoy:** ¿Pueden otras personas ver una diferencia entre nuestras vidas hoy en día como creyentes y nuestras vidas en otros tiempos como incrédulos?

---

### €N LA LECTURA DE HOY
Los deberes de los esposos y de las esposas;
los sufrimientos y las recompensas; los deberes de los ancianos

---

*H*ay solamente una Fuente para el conocimiento y la fuerza. El Espíritu Santo guio al apóstol Pedro a escribir: «*Si alguno habla, hable conforme a las Palabras de Dios; si alguno ministra, ministre conforme al poder que Dios da, para que en todo sea Dios glorificado por Jesucristo, a quien pertenecen la gloria y el imperio por los siglos de los siglos. Amén*» (I de Pedro 4:11). En contraste a la Palabra de Dios están las opiniones, los razonamientos, las culturas, y las tradiciones de los hombres. Nosotros no debemos de menospreciar, modificar, o ignorar la única guía para la vida que nuestro Creador nos ha dado como el patrón para enseñarnos las normas por las cuales vivir.

Las últimas palabras registradas que Jesucristo le habló personalmente al apóstol Pedro fueron a la orilla del mar de Galilea, cuando Jesús le preguntó tres veces: «*Simón, hijo de Jonás, ¿Me amas? . . . Pedro se entristeció de que le dijese la tercera vez: ¿Me amas? y le respondió: Señor, Tú lo sabes todo; Tú sabes que Te amo. Jesús le dijo: Apacienta Mis ovejas*» (Juan 21:15-17). Pedro cumplió con esta comisión al comunicarnos la Palabra de Dios. El cuidar, defender, y guiar, y muchos más deberes son necesarios en los creyentes; pero la frase «*Apacienta Mis ovejas*» quiere decir enseñarles toda la Palabra de Dios, desde Génesis hasta Apocalipsis. Todos podemos estar involucrados en esto. Algunos saben escribir, otros editar, otros imprimir, mientras que muchos otros ayudan a mantener la distribución de los ministerios que enseñan sobre Jesús, pero Él también nos manda a nosotros, diciéndonos: «*Apacienta Mis ovejas*».

El principio que está escondido detrás de casi todos los empeños mundanos está basado en esta pregunta: «¿Qué puedo yo ganar de esto?» Este espíritu de avaricia, de orgullo, y del poder sobre otros ha penetrado tanto en todas las relaciones de nuestra sociedad presente que aun nuestras iglesias no están libres del peligro de las ambiciones de la auto-gratificación. Porque la Palabra de Dios es viva y nunca cambia, y porque la naturaleza humana permanece sin cambio, el mensaje que el Espíritu Santo le dio al apóstol Pablo para escribirle al joven Timoteo se mantiene igual para todos aun hoy en día: «*Te encarezco delante de Dios y del Señor Jesucristo, que juzgará a los vivos y a los muertos en Su manifestación y en Su reino, que prediques la Palabra; que instes* (estés listo) *a tiempo y fuera de tiempo; redarguye, reprende, exhorta con toda paciencia y doctrina* (enseñanza)» (II de Timoteo 4:1-2).

**Pensamiento para hoy:** El crecimiento del creyente es evidente cuando se encuentra la satisfacción en ayudar a otros descubrir los valores espirituales.

> ## 𝒠N LA LECTURA DE HOY
> Las múltiples gracias de Dios; los falsos maestros;
> la certeza de la segunda venida de Cristo

𝓛a segunda epístola empieza con un pensamiento significante: *«Gracia y paz os sean multiplicadas, en el conocimiento de Dios y de nuestro Señor Jesús. Como todas las cosas que pertenecen a la vida y a la piedad nos han sido dadas por Su divino poder, mediante el conocimiento de Aquel que nos llamó por Su gloria y excelencia»* (II de Pedro 1:2-3). El pensamiento clave del apóstol Pedro es que una vida de piedad es posible por medio de apropiarse de las *«preciosas y grandísimas promesas, para que por ellas llegaseis a ser participantes de la naturaleza divina, habiendo huido de la corrupción que hay en el mundo a causa de la concupiscencia»* (1:4). Es de suma importancia que reconozcamos que nosotros somos el Cuerpo de Cristo. *«Vosotros, pues, sois el Cuerpo de Cristo, y miembros cada uno en particular»* (I de Corintios 12:27). *«(Vosotros también), poniendo toda diligencia* (seriedad) *por esto mismo, añadid a vuestra fe virtud; a la virtud, conocimiento; al conocimiento, dominio propio; al dominio propio, paciencia; a la paciencia, piedad; a la piedad, afecto fraternal; y al afecto fraternal, amor. Porque si estas cosas están en vosotros, y abundan, no os dejarán estar ociosos ni sin fruto en cuanto al conocimiento de nuestro Señor Jesucristo. Pero el que no tiene estas cosas tiene la vista muy corta; es ciego, habiendo olvidado la purificación* (limpieza) *de sus antiguos pecados»* (II de Pedro 1:5-9).

Desde que la primera ocupación de Dios es la vida moral y la salud espiritual de Sus hijos, entonces todo lo que sea contrario a esto por necesidad trae Su amorosa disciplina y corrección. Su santidad y Su ira contra el pecado son inseparables. *«Porque esta leve tribulación* (aflicción) *momentánea produce en nosotros un cada vez más excelente y eterno peso de gloria»* (II de Corintios 4:17). Dios nos ha dado la libertad de escoger o de rechazar *«cada leve tribulación»* y que así ello obrará en nuestro favor o en contra nuestra. *«Así que vosotros, oh amados, sabiéndolo de antemano, guardaos, no sea que arrastrados por el error de los inicuos, caigáis de vuestra firmeza»* (II de Pedro 3:17-18).

La última meta del creyente es de llegar a ser más y más como Cristo. *«Habiendo purificado* (limpiado) *vuestras almas por la obediencia a la verdad, mediante el Espíritu, para el amor fraternal no fingido* (sincero), *amaos unos a otros entrañablemente, de corazón puro; siendo renacidos, no de simiente corruptible, sino de incorruptible, por la Palabra de Dios que vive y permanece para siempre»* (I de Pedro 1:22-23).

<u>Pensamiento para hoy:</u> El Señor perdona a todos los que desean vivir para Él.

# INTRODUCCIÓN AL LIBRO DE
# I de *J*UAN

El escritor de esta epístola no se identifica a sí mismo. Sin embargo, muchos han establecido que fue el apóstol Juan, *«al cual Jesús amaba»* (Juan 13:23). El primero y principal tema del Espíritu Santo es *«el Verbo de vida»*.

El apóstol Juan dijo que él y otros habían visto con sus propios ojos a Jesucristo. *«Lo que era desde el principio, lo que hemos oído, lo que hemos visto con nuestros ojos, lo que hemos contemplado, y palparon nuestras manos tocante al Verbo de vida»* (I de Juan 1:1). *«El que dice: Yo le conozco, y no guarda Sus mandamientos, el tal es mentiroso, y la verdad no está en él; pero el que guarda Su Palabra, en éste verdaderamente el amor de Dios se ha perfeccionado; por esto sabemos que estamos en Él»* (2:4-5).

Juan desenmáscara a los «profesantes de la cristiandad» quienes siguen buscando *«los deseos de la carne, los deseos de los ojos, y la vanagloria de la vida»* (2:16).

Aquí también somos recordados que el amor es el carácter que distingue al creyente. La palabra *«amor»* aparece unas 46 veces en estos cinco cortos capítulos. El amor de Dios que mora en nosotros causa una transformación admirable en las vidas de todos los creyentes. El amor imparte un deseo de vivir en completa obediencia a la voluntad de Dios, tal y como es revelada en Su Palabra. *«(Pero) sabemos que cuando Él (Jesucristo) se manifieste, seremos semejantes a Él, porque le veremos tal como Él es»* (3:2). Satanás hará todo lo posible por medio de los falsos maestros para desviar nuestras vidas de estar consciente de que *«todo aquel que tiene esta esperanza en él (adentro de sí mismo), se purifica a sí mismo, así como Él (Jesucristo) es puro»* (3:3). Consecuentemente, otra vez somos advertidos contra las falsas enseñanzas: *«Amados, no creáis a todo espíritu, sino probad los espíritus si son de Dios; porque muchos falsos profetas han salido por el mundo. . . . Ellos son del mundo; por eso hablan del mundo, y el mundo los oye»* (y el mundo cree en ellos) (4:1,5).

*«Estas cosas os he escrito a vosotros que creéis en el nombre del Hijo de Dios, para que sepáis que tenéis vida eterna, y para que creáis en el nombre del Hijo de Dios»* (para no ser engañados por los falsos profetas) (5:13). La seguridad de la salvación y la vida eterna son prominentes por el número de citas que reflejan el nuevo nacimiento (2:3,5,29; 3:14,19,24; 4:13,16; 5:15,18-20).

## LA VIDA

*«Él (Dios), de Su voluntad, nos hizo nacer por la Palabra de verdad (Jesucristo), para que seamos primicias de Sus criaturas»* (Santiago 1:18).

*«(Siendo) renacidos, no de simiente corruptible, sino de incorruptible, por la Palabra de Dios que vive y permanece para siempre»* (I de Pedro 1:23).

## ✒️N LA LECTURA DE HOY

El compañerismo con Dios; la realidad y el remedio para el pecado; el peligro de los anticristos; los hijos de Dios y la justicia; que nos amemos unos a otros

*T*odos nosotros conocemos a alguien a quien admiramos y respetamos. A veces imitamos a esas personas en nuestras vidas. Nuestro Padre Celestial nos ha provisto el más incomparable Modelo en toda la historia – Jesucristo. Vamos a consagrar nuestras vidas a seguir Su ejemplo, aun como el apóstol Juan nos escribió: *«Si decimos que tenemos comunión con Él, y andamos en tinieblas, mentimos, y no practicamos la verdad; pero si andamos en luz, como Él está en luz, tenemos comunión unos con otros, y la sangre de Jesucristo Su Hijo nos limpia de todo pecado»* (I de Juan 1:6-7).

Hay algunas personas que dicen que ellos tienen una relación con Cristo, pero todavía «(andan) *en las tinieblas»*. Dios dirigió al apóstol Juan a escribir que ellos «(mienten) *y no* (practican) *la verdad»*. *«Las tinieblas»* en la mente de la persona natural les lleva a estar siempre preocupada con sí misma, con el bienestar y el éxito personal. Pero, la mente espiritual que «(anda) *en luz, como Él está en luz»*, está primeramente ocupada en que Cristo sea *«exaltado»* en sus pensamientos, conducta, y conversación con otros (II de Corintios 10:5; Romanos 12:1-2).

Una de las características de *«las tinieblas»* es el deseo de ser reconocido. Tales personas reciben un sentido de superioridad al atraer atención a sí mismas y siempre buscan cómo dominar la conversación. Con otras personas, *«las tinieblas»* aparece en la forma de ser impacientes, o de un espíritu muy sensitivo que fácilmente se ofende, o de una disposición a llevar un rencor o una venganza cuando otras personas les contradicen, o en la forma que critican.

Una disposición de ser celoso, o un espíritu secreto de envidia, o una disposición a hablar de las faltas y de los fracasos de otras personas en vez de hablar de sus virtudes todas son características de *«las tinieblas»*. Algunas personas andan en *«las tinieblas»* con un espíritu de desaliento y de compasión de sí mismas, y están determinadas a pasar ese mismo espíritu a todos los que les presten atención. Dignos de lástima son las personas que siempre están preocupadas con su propia apariencia y sus propias ambiciones que les llevan a vivir sin interés alguno en alcanzar las almas, en un mundo perdido, con las Buenas Nuevas que Jesucristo murió para salvarles.

Vamos a ser como el rey David cuando él oró: *«Examíname, oh Dios, y conoce mi corazón; pruébame y conoce mis pensamientos; y ve si hay en mí camino de perversidad, y guíame en el camino eterno»* (Salmo 139:23-24).

**Pensamiento para hoy:** Las personas que guardan odio o rencor en sus corazones se hacen más daño a sí mismas que lo que pueden hacerles a los que ellos odian.

## ꞒN LA LECTURA DE HOY
Cómo aprender a probar los espíritus; una súplica a continuar
en el amor fraternal; el tesimonio del Espíritu de Dios

Ꞓl Espíritu Santo dirigió al apóstol Juan a escribir: «*Amados, no creáis a todo espíritu, sino probad los espíritus si son de Dios; porque muchos falsos profetas han salido por el mundo*» (I de Juan 4:1). El engaño doctrinal se puede ver esparcido por todas partes y a veces es difícil para discernir. Jesús nos advirtió: «*No todo el que Me dice: Señor, Señor, entrará en el reino de los cielos, sino el que hace la voluntad de Mi Padre que está en los cielos*» (Mateo 7:21).

Muchas personas que creen que son «*hijos del reino serán echados a las tinieblas de afuera; allí será el lloro y el crujir de dientes*» (8:12). La consecuencia de la decepción es horrible. La mayoría de las personas «religiosas» en el mundo serán «*(echadas) el horno de fuego; allí será el lloro y el crujir de dientes*» (13:42). Nada es más importante que poder quitar todas las dudas y saber que nosotros estamos con los «*pocos . . . que la hallan* (la vida eterna)» (7:14). Desde que esto determina nuestro destino eterno, la Palabra de Dios nos dice: «*Examinaos a vosotros mismos si estáis en la fe*» (II de Corintios 13:5). Jesucristo nos advierte: «*Mirad que no seáis engañados*» (Lucas 21:8). El apóstol Pablo nos amonesta: «*mas los malos hombres y los engañadores irán de mal en peor, engañando y siendo engañados*» (II de Timoteo 3:13). El apóstol Juan nos dijo: «*Pues este es el amor a Dios, que guardemos Sus mandamientos . . . (Porque) todo lo que es nacido de Dios vence al mundo; y esta es la victoria que ha vencido al mundo, nuestra fe. ¿Quién es el que vence al mundo, sino el que cree que Jesús es el Hijo de Dios?*» (I de Juan 5:3-5).

«(Ser) *nacido de Dios*» es mucho más que una aceptación intelectual de las doctrinas teológicas. Ello afecta toda la vida – el corazón tanto como la mente. También moldea nuestro carácter y nuestra conducta. Si nuestra confesión de fe que «*Jesús es el Hijo de Dios*» (4:15) es genuina, entonces tenemos un deseo de ser obedientes a Sus mandamientos (5:2). Nosotros diariamente estamos involucrados con Jesús: «*Porque el Hijo del Hombre vino a buscar y a salvar lo que se había perdido*» (Lucas 19:10).

A la vez que verdaderamente creemos en Cristo como el Hijo de Dios, el Salvador del mundo, es que entonces somos participantes de Su vida y compartimos en Su victoria. Para Sus seguidores, Jesucristo nos ha prometido: «*En el mundo tendréis aflicción; pero confiad, Yo he vencido al mundo*» (Juan 16:33). Por consiguiente «*en todas estas cosas somos más que vencedores por medio de Aquel que nos amó*» (Romanos 8:37).

**Pensamiento para hoy:** La sinceridad de nuestro amor para con Cristo se puede medir por la benevolencia que mostramos a otros.

# INTRODUCCIONES A LOS LIBROS DE
# II y III de JUAN y JUDAS

El escritor de II de Juan se refiere a sí mismo como «*(el) anciano*», y la epístola fue dirigida a «*la señora elegida y a sus hijos, a quienes yo amo en la verdad; y no sólo yo, sino también todos los que han conocido la verdad*» (II de Juan 1:1). Aunque hay algunas personas que piensan que la epístola fue escrita a una persona individual, otros creen que, desde que la persecución era tan intensa durante el tiempo de este escrito, el autor estaba escribiéndole a la iglesia, la novia de Cristo, y a Sus miembros, a los cuales él les llama «*hijos, a quienes yo amo en la verdad*». Por esa razón él dice: «*Mucho me regocijé porque he hallado a algunos de Tus hijos andando en la verdad, conforme al mandamiento que recibimos del Padre*» (1:4). La importancia de enseñar la Palabra de Dios se presenta con mucho énfasis. La palabra «*verdad*» se usa cinco veces en los primeros cuatro versículos de II de Juan.

En III de Juan, la palabra «*verdad*» se usa seis veces en sus 14 versículos. Aquí somos introducidos a tres personas: a Demetrio, a quien Juan alaba; después a Gayo, un ayudante generoso y colaborador en la obra del Señor; y entonces a Diótrefes, un hombre de habilidades excepcionales pero que era un tropiezo al ministerio. Estos hombres son ejemplos de muchos hoy en día que son ayudantes o estorbos al ministerio de Cristo.

Judas se identifica a sí mismo como «*Judas, siervo de Jesucristo, y hermano de Jacobo*» y le escribe esta epístola «*a los llamados, santificados en Dios Padre, y guardados en Jesucristo*» (Judas 1:1). Es posible que este Judas era el mismo Judas de Mateo 15:55 y de Marcos 6:3, y, por esa razón, el medio hermano de Jesús.

La epístola de Judas es dedicada a desenmascarar las consecuencias espantosas y destructivas de creer en las falsas doctrinas y en los falsos maestros. «*Porque algunos hombres* (inadvertidos) *han entrado encubiertamente, los que desde antes habían sido destinados para esta condenación, hombres impíos, que convierten en libertinaje la gracia de nuestro Dios, y niegan a Dios el Único Soberano, y a nuestro Señor Jesucristo*» (Judas 1:4). Desde que la salvación se obtiene solamente por la gracia de Dios y no por las obras, estos malvados hombres enseñaban que los cristianos no estaban obligados a cumplir con los mandamientos aunque Jesús había dicho: «*¿Por qué Me llamáis, Señor, Señor, y no hacéis lo que Yo digo?*» (Lucas 6:46); Cristo también dijo: «*Si Me amáis, guardad Mis mandamientos*» (Juan 14:15). El apóstol Pedro citó del libro de Levítico (11:44-45), al decir: «*(Porque) escrito está: Sed santos, porque Yo soy Santo*» (I de Pedro 1:16). Estos hombres eran miembros activos de la iglesia, pero no había ninguna evidencia de la fe que da la victoria sobre el pecado. También el apóstol Pablo nos escribe para avisarnos sobre tal apostasía: «*Porque los que hemos muerto al pecado, ¿cómo viviremos aún en él?*» (Romanos 6:2).

---

### ᴇN LA LECTURA DE HOY

El mandamiento a amar; la advertencia en contra los engañadores;
la reprimenda a Diótrefes; el juicio de los falsos maestros

---

ᴇn su breve pero muy importante epístola a todos los creyentes, Judas escribe: *«Amados, por la gran solicitud que tenía de escribiros acerca de nuestra común salvación, me ha sido necesario escribiros exhortándoos* (rogándoos) *que contendáis ardientemente por la fe que ha sido una vez dada a los santos* (creyentes). *Porque algunos hombres han entrado encubiertamente . . . hombres impíos, que convierten en libertinaje la gracia de nuestro Dios, y niegan a Dios el Único Soberano, y a nuestro Señor Jesucristo. . . . ¡Ay de ellos!»* (Judas 1:3-4,11). *«(Que) contendáis ardientemente por la fe»* implica no solamente la necesidad de creer que *«(toda) la Escritura es inspirada por Dios»*, pero que ella sola es la última Palabra de autoridad sobre todas las doctrinas (II de Timoteo 3:16).

Hay una unidad superficial y bien engañadora que se fomenta hoy en día entre las personas que se han juntado con las religiones que rechazan a Jesús de Nazaret como: *«Dios el Único Soberano . . . nuestro Señor Jesucristo»*. Tales religiones también niegan la completa Deidad de Jesús o la total humanidad de Jesús. Hay personas que creen que hay un Dios pero que a Él se le puede llamar por varios nombres, tal y como Alá o Buda. Ellos concluyen ignorantemente que todas las religiones deben de ser aceptadas igualmente. Hay otras personas que dicen que, mientras que una persona sea sincera, entonces no importa lo que ella crea. Tal persona puede ser muy sincera, pero Jesús dijo: *«Yo soy el Camino, y la Verdad, y la Vida; nadie viene al Padre, sino por Mí»* (Juan 14:6). El apóstol Pedro también proclamó: *«Y en ningún otro hay salvación; porque no hay otro nombre* (sólo en Jesús) *bajo el cielo, dado a los hombres, en que podamos ser salvos»* (Hechos 4:12). Nosotros estamos *«aguardando la esperanza bienaventurada y la manifestación gloriosa de nuestro gran Dios y Salvador Jesucristo»* (Tito 2:13).

Judas nos advierte que los engañadores serán juzgados, *«como Sodoma y Gomorra y las ciudades vecinas, las cuales de la misma manera que aquéllos, habiendo fornicado e ido en pos de vicios contra naturaleza, fueron puestas por ejemplo, sufriendo el castigo del fuego eterno»* (Judas 1:7). *«¡Ay de ellos! porque han seguido el camino de Caín, y se lanzaron por lucro en el error de Balaam, y perecieron en la contradicción de Coré»* (1:11; Números 16:1-3,31-35).

Habiendo sidos iluminados por este breve libro, nosotros podemos añadir un profundo *«Amén»* a las últimas palabras de Judas: *«Y a Aquel que es poderoso para guardaros sin caída, y presentaros sin mancha delante de Su gloria con gran alegría, al Único y Sabio Dios, nuestro Salvador, sea gloria y majestad, imperio y potencia, ahora y por todos los siglos. Amén»* (Judas 1:24-25).

**Pensamiento para hoy:** El conocer y obedecer la Palabra de Dios es lo único que nos da la seguridad para no ser engañados por las falsas enseñanzas.

# INTRODUCCIÓN AL LIBRO DE
# $\mathscr{A}$POCALIPSIS

El anciano apóstol Juan estaba encarcelado en Patmos (Apocalipsis 1:9), una pequeña isla rocosa de unas 16.09ilometres de largo y 9.65 kilómetros de ancho, que está situada unas 56.32 kilómetros al suroeste de la costa de Asia Menor (hoy en día Turquía). Durante su encarcelamiento, Juan recibió *«La revelación de Jesucristo, que Dios le dio, para manifestar a Sus siervos las cosas que deben suceder pronto»* (1:1). Dios le dijo a Juan: *«Escribe en un libro lo que ves, y envíalo a las siete iglesias que están en Asia: a Éfeso, Esmirna, Pérgamo, Tiatira, Sardis, Filadelfia y Laodicea»* (1:11), *« . . . y de Jesucristo el Testigo fiel, el Primogénito de los muertos, y el Soberano de los reyes de la tierra»* (1:5; ver 1:18; 2:8). Este último mensaje de Jesucristo a Su iglesia es de suma importancia. Estas siete iglesias representan los peligros que todavía confrontan a los creyentes de hoy en día. Aun más, por estos mensajes aprendemos la importancia de cada uno llegar a ser *«el que venciere»* y ser parte del futuro glorioso que el Señor ha preparado para nosotros. Al leer este libro, podemos reconocer la progresión del plan de Dios para Sus seguidores mientras que vemos los eventos proféticos desarrollarse.

Aunque puede ser que no entendamos todo en este libro, es de suma importancia leerlo: *«Bienaventurado el que lee, y los que oyen las Palabras de esta profecía, y guardan las cosas en ella escritas; porque el tiempo está cerca»* (1:3). No lo debemos de pasar por alto, porque contiene unas de las más importantes advertencias y algunas de las más preciosas promesas en todas las Escrituras. Desde que no podemos cumplir con algo que nunca hemos leído, entonces necesitamos leerlo cuidadosamente. Más de 300 términos simbólicos por todo el libro describen numerosos eventos sobre Cristo y Su iglesia. El tema primario es el establecimiento del sumo, glorioso, y eterno reino de Cristo. Sus símbolos se pueden entender por sus usos en más de 500 referencias en el Antiguo Testamento.

Hay un peligro de estar tan fascinados por los detalles de los eventos futuros que ignoramos ver que el libro de Apocalipsis es la revelación de la Persona y el propósito de Jesucristo. La frase clave son las primeras cuatro Palabras del libro: *«La revelación de Jesucristo»*. En el libro de Apocalipsis también encontramos el título de nuestro Cristo como Sacrificador, *«el Cordero»*, unas 30 veces. Cuatro aspectos de Jesucristo como *«el Cordero»* se ven a lo largo del libro. En los capítulos 4-5, la adoración *«del Cordero»* se celebra; en los capítulos 6-18, la ira *«del Cordero»* se detalla; las bodas *«del Cordero»* y también el gran trono blanco de Su juicio son revelados en los capítulos 19-20; y en los capítulos 21-22, la esposa *«del Cordero»* es mostrada.

Desde esos tiempos hasta hoy en día el último evento glorioso que recordamos de cuando Cristo estuvo aquí en la tierra es Su ascensión – pero el próximo gran evento será: ¡Su inminente segunda venida!

---

### ✒N LA LECTURA DE HOY
Los saludos a las siete iglesias; la visión del Hijo del Hombre;
Sus mensajes a las iglesias

---

$\mathcal{C}$ada una de las siete iglesias en Asia Menor recibieron una carta dictada por Cristo y registrada por el apóstol Juan mientras que él estaba en la isla de Patmos. Desde que el carácter y la conducta en las iglesias y en los creyentes son iguales en cada generación y cultura, el mensaje entonces es tan indispensable y valioso para nosotros tal y como fue para ellos.

Cristo le da palabras de ánimo a la iglesia en Éfeso por su sana doctrina. Sin embargo, Cristo le dijo: «*Pero tengo contra ti, que has dejado tu primer amor*» (Apocalipsis 2:4). La devoción a Cristo casi siempre se pierde gradualmente. Hay personas que llegan a estar tan involucrados en sus negocios, en sus pasatiempos, o aun en sus responsabilidades religiosas que la adoración a Cristo llega a ser mecánica y meramente una formalidad. Esta acusación es muy seria: «*Recuerda, por tanto, de dónde has caído, y arrepiéntete, y haz las primeras obras; pues si no, vendré pronto a ti, y quitaré tu candelero de su lugar, si no te hubieres arrepentido*» (2:5). Dos veces en un versículo Jesús les advierte de arrepentirse.

La carta que fue dedicada a la iglesia en Esmirna reconoce sus sufrimientos: «*Yo conozco tus obras, y tu tribulación, y tu pobreza* (pero tú eres rico)» (2:9). Esta iglesia parece que estaba destituida de las comodidades de la vida. Algunos fueron encarcelados, otros sufrieron persecución. Pero por su fiel devoción, el Señor les prometió: «*No temas en nada lo que vas a padecer. He aquí, el diablo echará a algunos de vosotros en la cárcel, para que seáis probados, y tendréis tribulación por diez días. Sé fiel hasta la muerte, y Yo te daré la corona de la vida. El que tiene oído, oiga lo que el Espíritu dice a las iglesias. El que venciere, no sufrirá daño de la segunda muerte*» (2:10-11).

La carta que Jesucristo le mandó a la iglesia en Pérgamo dijo que ellos estaban viviendo: «*donde está el trono de Satanás; pero retienes* (eres fiel a) *Mi nombre, y no has negado Mi fe*» (2:13). Sin embargo, algunos «*retienen la doctrina de Balaam, que enseñaba a Balac a poner tropiezo ante los hijos de Israel . . . y a cometer fornicación*» (2:14). Jesús les advirtió: «*Por tanto, arrepiéntete; pues si no, vendré a ti pronto, y pelearé contra ellos con la espada de Mi boca*» (2:16).

Los falsos profetas como Balaam parecen tener algo en común; ellos todos son motivados por la avaricia. Hay otros hoy en día que dicen que ellos han recibido una «revelación especial de la verdad» la cual tiene que ser el patrón por el cual interpretar la Biblia en la iglesia. En la epístola del apóstol Pablo a los hermanos en Galacia, somos advertidos de tales peligros: «*Si alguno os predica diferente evangelio del que habéis recibido, sea anatema*» (Gálatas 1:8-9).

**Pensamiento para hoy:** Nuestros sufrimientos del presente pueden a veces parecer intolerables, pero el Señor siempre nos muestra el camino para sobrellevarlos.

---

### EN LA LECTURA DE HOY
Los mensajes de nuestro Señor a las iglesias de Sardis y de Filadelfia;
la iglesia de Laodicea es desaprobada; el libro sellado

---

*L*as personas en la iglesia en Sardis podían haber estado muy orgullosas de que ellos no tenían falsos maestros, ni enseñaban falsas doctrinas; pero aun tenían un gran mal igualmente serio. El Rey que sabe bien todas las cosas les anunció: «*Escribe al ángel de la iglesia en Sardis . . . Yo conozco tus obras, que tienes nombre de que vives, y estás muerto. Sé vigilante, y afirma las otras cosas que están para morir . . . y arrepiéntete*» (Apocalipsis 3:1-3).

«*Pero tienes unas pocas personas en Sardis que no han manchado sus vestiduras; y andarán conmigo en vestiduras blancas, porque son dignas. El que venciere . . . no borraré su nombre del libro de la vida*» (3:4-5). Durante Su ministerio aquí en la tierra, Jesús también había dicho: «*Si guardareis Mis mandamientos* (obedeciéndolos), *permaneceréis en Mi amor*» (Juan 15:10).

Jesucristo recomendó a la iglesia en Filadelfia por su fidelidad, diciendo: «*Yo conozco tus obras; he aquí, he puesto delante de ti una puerta abierta, la cual nadie puede cerrar; porque . . . has guardado Mi palabra, y no has negado Mi nombre. . . . Yo también te guardaré de la hora de la prueba que ha de venir sobre el mundo entero*» (Apocalipsis 3:8,10).

La mayoría de los miembros en Laodicea probablemente se felicitaban por ser moderados y de mentes bien tolerantes a los de ideas liberales. Ellos seguro tenían lástima de los creyentes en otras iglesias que eran intolerantes. Los creyentes en Laodicea estaban bien orgullosos de su habilidad de hacer amigos y aceptar a los que odiaban a Cristo. Pero Jesucristo severamente condena a esta iglesia: «*Pero por cuanto eres tibio, y no frío ni caliente, te vomitaré de Mi boca*» (3:16). Nuestro Señor nos explica que Él disciplina a todos los que Él ama y les dice: «*sé, pues, celoso, y arrepiéntete*» (3:19). El comprometerse con el mundo trae el engaño y la destrucción.

Jesús, el Señor de Su iglesia, todavía está tocando en las puertas de los corazones de los hombres con las mismas Palabras de amonestación: «*He aquí, Yo estoy a la puerta y llamo; si alguno oye Mi voz y abre la puerta, entraré a él, y cenaré con él, y él conmigo. Al que venciere, le daré que se siente conmigo en Mi trono, así como Yo he vencido, y Me he sentado con Mi Padre en Su trono*» (Apocalipsis 3:20-21).

**Pensamiento para hoy:** Nadie ni nada en la tierra ni en los cielos puede quitarnos nuestros tesoros celestiales.

## ℰN LA LECTURA DE HOY
Los siete sellos; los 144.000 sellados; la innumerable multitud;
las cuatro trompetas suenan

ℰl exilio de Juan a Patmos y el sufrimiento que se estaba experimentando en Esmirna (Apocalipsis 2:8-10) son ejemplos de la persecución que se intensificaba en contra los cristianos por todo el imperio romano.

Sin embargo, somos conmovidos al leer una de las grandes promesas de la Biblia: *«Después de esto miré, y he aquí una gran multitud, la cual nadie podía contar, de todas naciones y tribus y pueblos y lenguas, que estaban delante del trono y en la presencia del Cordero* (el Señor Jesucristo), *vestidos de ropas blancas, y con palmas en las manos; y clamaban a gran voz, diciendo: La salvación pertenece a nuestro Dios que está sentado en el trono, y al Cordero»* (7:9-10). Esta multitud está compuesta de todos los vencedores que, al fin, están en la presencia de su Señor y Salvador. Esta revelación ha fortalecido la fe de muchos de los creyentes que han tenido que enfrentarse a un mundo hostil.

Cada generación de creyentes descubre que la rebeldía contra Cristo y contra los principios bíblicos es cada día mayor, y el engaño tan sutil que, en nuestra fuerza y sabiduría, rápidamente nos lleva a perder el ánimo. Por todas las edades, los que han decidido en sus corazones de vivir para Jesús siempre han sido una pequeña minoría. Jesucristo nos predijo: *«porque estrecha es la puerta, y angosto el camino que lleva a la vida, y pocos son los que la hallan»* (Mateo 7:14). Sin embargo, la población total del cielo será *«una gran multitud, la cual nadie podía contar».* Estos fieles creyentes puede que no hayan tenido muchos de los placeres mundanos, pero la vida en la tierra es extremamente corta comparada a la eternidad. Las pruebas que ahora tenemos que enfrentar van a parecer insignificantes cuando las comparamos al privilegio glorioso de estar en la presencia del Rey de reyes por toda la eternidad.

Dios se merece nuestras más grandiosas alabanzas por quien Él es en Sí mismo, y por Su gran amor en darnos la vida eterna. *«(Porque) el Cordero que está en medio del trono los pastoreará, y los guiará a fuentes de aguas de vida; y Dios enjugará toda lágrima de los ojos de ellos»* (Apocalipsis 7:17).

**Pensamiento para hoy:** Cada día vamos a «alabar al Señor» por lo que Él es y por todo lo que Él ha hecho por nosotros.

---

## ℰN LA LECTURA DE HOY
La quinta y la sexta trompeta; el ángel y el librito pequeño;
los dos testigos; la séptima trompeta

---

*U*na voz del cielo dirigió al apóstol Juan, diciéndole: *«Ve y toma el librito que está abierto en la mano del ángel que está en pie sobre el mar y sobre la tierra. Y fui al ángel, diciéndole que me diese el librito. Y Él me dijo: Toma, y cómelo; y te amargará el vientre, pero en tu boca será dulce como la miel. Entonces tomé el librito de la mano del ángel, y lo comí; y era dulce en mi boca como la miel, pero cuando lo hube comido, amargó mi vientre. Y Él me dijo: Es necesario que profetices otra vez sobre muchos pueblos, naciones, lenguas y reyes»* (Apocalipsis 10:8-11).

El apóstol Juan primeramente recibe *«el librito»*, simbólico de la Palabra de Dios. A la vez que lo había digerido, él estaba preparado para decirle al mundo que *«el librito»* tiene un mensaje que es sumamente dulce a todos los que reciben a Cristo como su Salvador. El comerlo todo habla del entender y apropiar todas las Escrituras en nuestras vidas (ver Ezequiel 2:8-9; 3:1-3).

Jesús entonces dijo: *«Y daré a Mis dos testigos que profeticen por mil doscientos sesenta días* (1.260), *vestidos de cilicio»* (Apocalipsis 11:3). Algunos piensan que ellos son Moisés y Elías y otros piensan que son Enoc y Elías. Ellos se tendrán que enfrentar a gran oposición. *«Cuando hayan acabado su testimonio* (de testificar), *la bestia que sube del abismo hará guerra contra ellos, y los vencerá y los matará»* (11:5-8). Estos *«dos testigos»* de Jesucristo no serán martirizados hasta que ellos *«hayan acabado su testimonio».* Entonces, y sólo entonces, los enemigos de Dios *«los* (matarán)». *«Y los moradores de la tierra se regocijarán sobre ellos y se alegrarán, y se enviarán regalos unos a otros; porque estos dos profetas habían atormentado a los moradores de la tierra»* (11:7,10).

Sin considerar lo temeroso que parezca nuestro futuro, todos podemos gozarnos de la paz de Dios, sabiendo que todo está bajo Su control. *«El séptimo ángel tocó la trompeta, y hubo grandes voces en el cielo, que decían: Los reinos del mundo han venido a ser de nuestro Señor y de Su Cristo; y Él reinará por los siglos de los siglos»* (Apocalipsis 11:15).

**Pensamiento para hoy:** ¡Alabado sea Dios! Nuestra obra para el Señor no terminará hasta que Él lo permita.

---

### ✒N LA LECTURA DE HOY
La mujer vestida del sol; el dragón; el Hijo varón;
la sangre del Cordero; las bestias

---

«*Apareció en el cielo una gran señal: una mujer vestida del sol, con la luna debajo de sus pies, y sobre su cabeza una corona de doce estrellas. Y estando encinta, clamaba con dolores de parto, en la angustia del alumbramiento. También apareció otra señal en el cielo: he aquí un gran dragón escarlata, que tenía siete cabezas y diez cuernos, y en sus cabezas siete diademas . . . Y el dragón se paró frente a la mujer que estaba para dar a luz, a fin de devorar a su Hijo tan pronto como naciese. Y ella dio a luz un Hijo varón, que regirá con vara de hierro a todas las naciones; y su Hijo fue arrebatado para Dios y para Su trono*» (Apocalipsis 12:1-5). Este pasaje se refiere al nacimiento y a la ascensión de Jesucristo.

«*(El) gran dragón, la serpiente antigua, que se llama diablo y Satanás, el cual engaña al mundo entero*» (12:9) está siempre en oposición al pueblo de Dios. A Satanás aquí se le da cuatro diferentes nombres: «*el gran dragon*» representa su carácter monstruoso como el enemigo de Dios; «*la serpiente*» señala a su forma de engañar como lo hizo en el Huerto del Edén; «(el) *diablo*» nos recuerda que él es el gran calumniador; «*y Satanás*» que quiere decir adversario. «*Sed sobrios, y velad; porque vuestro adversario el diablo, como león rugiente, anda alrededor buscando a quien devorar*» (I de Pedro 5:8). Sus métodos más efectivos para derrotar al creyente son las «buenas cosas» que le interesa a la naturaleza humana. El mundo sigue buscando el éxito y la felicidad aquí en la tierra por medio de las cosas materiales. Pero, sólo cuando nos rendimos a la voluntad del Señor es que las bendiciones del Señor nos satisfacen y llegan a ser nuestro estilo de vida. Esto es ilustrado por medio de «*la mujer* (que) *huyó al desierto, donde tiene lugar preparado por Dios, para que allí la sustenten por mil doscientos sesenta días*» (Apocalipsis 12:6). La prueba para el remanente de Dios ocurre en «(el) *desierto*», el cual también parece ser semejante a un desierto que significa la condición moral de este mundo gobernado por «(el) *gran dragón escarlata* (Satanás)*»* (12:3). Pero, hay una paz preciosa que viene aun en el desierto cuando dejamos los resultados en las manos de nuestro Creador. Pues, Dios nunca es derrotado.

«*Y ellos* (los creyentes santos) *le han vencido* (a Satanás) *por medio de la sangre del Cordero y de la palabra del testimonio de ellos, y menospreciaron sus vidas hasta la muerte*» (Apocalipsis 12:11).

**Pensamiento para hoy:** Satanás solamente prospera por medio de la ignorancia bíblica de los creyentes santos.

## ℰN LA LECTURA DE HOY

El Cordero de Dios; los mensajes de los tres ángeles; la tierra es segada;
la preparación para las siete copas de la ira de Dios

ℰn medio del caos que hay en el mundo, el apóstol Juan es guiado a anunciar las Buenas Nuevas: *«Después miré, y he aquí el Cordero estaba en pie sobre el monte de Sion, y con Él ciento cuarenta y cuatro mil, que tenían el nombre de Él y el de Su Padre escrito en la frente. Y oí una voz del cielo como estruendo de muchas aguas, y como sonido de un gran trueno; y la voz que oí era como de arpistas que tocaban sus arpas. Y cantaban un cántico nuevo delante del trono, y delante de los cuatro seres* (criaturas) *vivientes, y de los ancianos; y nadie podía aprender el cántico sino aquellos ciento cuarenta y cuatro mil que fueron redimidos de entre los de la tierra. Estos son los que no se contaminaron con mujeres, pues son vírgenes. Estos son los que siguen al Cordero por dondequiera que va. Estos fueron redimidos de entre los hombres como primicias para Dios y para el Cordero»* (Apocalipsis 14:1-4). *«(El) Cordero»* es el Cristo triunfante en el monte de Sion, el lugar de Su templo. Sus ovejas, a quienes Satanás no puede engañar, son los que no se contaminaron.

*«Aquí está la paciencia de los santos* (los creyentes santos), *los que guardan* (obedecen) *los mandamientos de Dios y la fe de Jesús. Oí una voz que desde el cielo me decía: Escribe: Bienaventurados* (favorecidos divinamente) *de aquí en adelante los muertos que mueren en el Señor. Sí, dice el Espíritu, descansarán de sus trabajos, porque sus obras con ellos siguen»* (14:12-13).

Si hay personas que han vivido una vida respetable, aunque tales personas no hayan vividos dedicadas a Cristo, en sus entierros todos queremos pensar que Jesús les dará las bienvenidas al cielo. Pero *«los muertos que mueren en el Señor»* solo pueden ser aquellos por los cuales Jesús había orado, diciéndole a Dios: *«Tuyos eran, y Me los diste, y han guardado Tu Palabra. . . . No son del mundo, como tampoco Yo soy del mundo. Santifícalos* (creyentes santos) *en Tu verdad; Tu Palabra es verdad»* (Juan 17:6,16-17). Tales son los creyentes que han tomado la cruz de Jesús diariamente negándose a sí mismos (Lucas 9:23), y están verdaderamente sirviendo al Señor. Todos los del mundo que nunca han sido salvos no tendrán nada en común con los que estarán alabando al Señor con *«una gran voz de gran multitud en el cielo, que decía: ¡Aleluya! Salvación y honra y gloria y poder son del Señor Dios nuestro»* (Apocalipsis 19:1).

**Pensamiento para hoy:** El cuidado amoroso de Dios para con nosotros no tiene límite (Romanos 8:38-39).

## &#x2130;N LA LECTURA DE HOY
Babilonia la grande, la madre de las abominaciones;
la destrucción de Babilonia es predicha; la caída de Babilonia

*&#x2130;l* apóstol Juan reportó, diciendo: «*Y me llevó en el Espíritu al desierto; y vi a una mujer sentada sobre una bestia escarlata llena de nombres de blasfemia, que tenía siete cabezas y diez cuernos. . . . (Y) tenía en la mano un cáliz de oro lleno de abominaciones* (pecados detestables) *y de la inmundicia de su fornicación* (infidelidad); *y en su frente un nombre escrito, un misterio: BABILONIA LA GRANDE, LA MADRE DE LAS RAMERAS Y DE LAS ABOMINACIONES DE LA TIERRA*» (Apocalipsis 17:3-5). La Babilonia del Antiguo Testamento llegó a ser la capital más magnífica del mundo antiguo, y su rey, Nabucodonosor, controlaba el mundo conocido en aquel entonces. Durante sus conquistas, él destruyó el reino de Judá, como también el templo de Dios y la santa ciudad de Jerusalén.

*«BABILONIA LA GRANDE, LA MADRE DE LAS RAMERAS»* ilustra las fuerzas que desafían a Dios en la política y en la religión que muy pronto controlarán al mundo. Esta federación apóstata de iglesias y religiones del mundo darán su completo apoyo al sistema político y económico de un gobierno mundial llamado *«una bestia escarlata»* que será gobernado por el anticristo.

La *«mujer»* y la *«bestia»* representan la alianza que existirá entre el gobierno mundial, llamado la bestia, y la ramera, Babilonia, la cual va a pretender ser la iglesia verdadera.

Esta iglesia falsa promoverá la «igualdad de todas las religiones». Finalmente, todos ellos juntos se opondrán en gran furia contra Jesucristo como el único camino para obtener la vida eterna. El mensaje de esta super-iglesia estará basado en sus agendas sociales, sus objetivos humanitarios, y un formalismo sin vida, todo lo cual le será de gran interés a la mayoría de las personas en el mundo.

Las fuerzas del mundo *«(pelearán) contra el Cordero, y el Cordero los vencerá, porque Él es Señor de señores y Rey de reyes; y los que están con Él son llamados y elegidos y fieles»* (17:14).

Cada día nuestros corazones piensan en nuestra preparación sobre la segunda venida de Jesucristo. Pues, nuestro Señor nos dijo: *«He aquí Yo vengo pronto, y Mi galardón conmigo, para recompensar a cada uno según sea su obra»* (Apocalipsis 22:12).

**Pensamiento para hoy:** Alabado sea el Señor, Jesús de Nazaret, el Rey de Paz que pronto vendrá otra vez.

> ### *E*N LA LECTURA DE HOY
> La cena de las bodas del Cordero; el Jinete en el caballo blanco;
> Satanás es atado y condenado; el juicio del gran trono blanco

*«E*ntonces vi el cielo abierto; y he aquí un caballo blanco, y el que lo montaba se llamaba Fiel y Verdadero, y con justicia juzga y pelea»* (Apocalipsis 19:11). *«Y vi a la bestia, a los reyes de la tierra y a sus ejércitos, reunidos para guerrear contra el que montaba el caballo, y contra Su ejército»* (19:19).

Otra escena toma lugar delante del: *«gran trono blanco y del que estaba sentado en él, de delante del cual huyeron la tierra y el cielo, y ningún lugar se encontró para ellos. Y vi a los muertos, grandes y pequeños, de pie ante Dios; y los libros fueron abiertos, y otro libro fue abierto, el cual es el libro de la vida; y fueron juzgados los muertos por las cosas que estaban escritas en los libros, según sus obras. Y el mar entregó los muertos que había en él; y la muerte y el Hades entregaron los muertos que había en ellos; y fueron juzgados cada uno según sus obras. Y la muerte y el Hades fueron lanzados al lago de fuego. Esta es la muerte segunda. Y el que no se halló inscrito en el libro de la vida fue lanzado al lago de fuego»* (20:7,11-15). Este es el destino de Satanás y de todos los que rechazan a Jesucristo como Salvador y Señor. Dios no empuja Su voluntad en la vida de nadie. El arrepentimiento es la experiencia redentora que nos lleva al perdón. Ello entierra el pasado bajo la esperanza bienaventurada del mañana *«y la manifestación gloriosa de nuestro gran Dios y Salvador Jesucristo»* (Tito 2:13).

Vamos a pensar en lo gozoso que será para todos los que se arrepientan y acepten a Jesucristo como el Salvador y el Señor de sus vidas, y poder ver otra vez a sus queridos y a los santos de todas las edades: Abraham, Jacob, José, David, y Pablo. Sin embargo, primeramente, y aun de mayor valor, veremos a Jesús, nuestro maravilloso Redentor. *«Y salió del trono una voz que decía: Alabad a nuestro Dios todos Sus siervos, y los que le teméis* (que le dan reverencia), *así pequeños como grandes. Y oí como la voz de una gran multitud, como el estruendo de muchas aguas, y como la voz de grandes truenos, que decía: ¡Aleluya, porque el Señor nuestro Dios Todopoderoso* (el Omnipotente) *reina! Gocémonos y alegrémonos y démosle gloria; porque han llegado las bodas del Cordero, y Su esposa se ha preparado»* (Apocalipsis 19:5-7).

**Pensamiento para hoy:** Satanás falsifica los hechos, pero la Palabra de Dios siempre revela la verdad.

## 𝒆N LA LECTURA DE HOY
El cielo nuevo y la tierra nueva;
el Jerusalén celestial; la segunda venida de Cristo

𝒆l Señor no nos dejó en la inseguridad sobre lo que habrá después del sepulcro. Todos los seguidores verdaderos de Cristo morarán en *«un cielo nuevo y una tierra nueva; porque el primer cielo y la primera tierra pasaron, y el mar ya no existía más. Y yo Juan vi la santa ciudad, la nueva Jerusalén, descender del cielo, de Dios, dispuesta como una esposa ataviada para su marido. Y oí una gran voz del cielo que decía: He aquí el tabernáculo de Dios con los hombres, y Él morará con ellos; y ellos serán Su pueblo, y Dios mismo estará con ellos como su Dios»* (Apocalipsis 21:1-3).

Nuestra batalla contra el pecado pronto terminará *«y ya no habrá muerte, ni habrá más llanto, ni clamor, ni dolor; porque las primeras cosas pasaron»* (21:4).

¡Vamos a pensar en esto! Ya no habrá más llanto, ni angustia física, y no habrán más sufrimientos; ni ninguna condenación que apresione nuestras consciencias. No habrá tampoco más temor del mal, porque *«(no) entrará en ella* (en la santa ciudad, el nuevo Jerusalén) *ninguna cosa inmunda, o que hace abominación y mentira* (cosas sucias y detestables), *sino solamente los que están inscritos en el libro de la vida del Cordero»* (21:27) estarán allí.

¡Oh! Que gran gozo nos espera cuando todo se cumpla. ¡Alabemos a Su admirable Nombre! Pronto nuestro maravilloso Señor nos dará las bienvenidas a nuestro hogar celestial. *«Así que, amados, puesto que tenemos tales promesas, limpiémonos de toda contaminación de carne y de espíritu, perfeccionando la santidad en el temor de Dios. . . .* (Vivamos) *derribando argumentos y toda altivez* (orgullo) *que se levanta contra el conocimiento de Dios, y llevando cautivo todo pensamiento a la obediencia a Cristo»* (II de Corintios 7:1; 10:5).

Terminamos esta gloriosa revelación de Jesucristo, habiendo cumplido la lectura de esta entera «Guía» (la Biblia) para la Vida (eterna) que el mismo Dios nos ha dado. *«Y el Espíritu y la Esposa dicen: Ven. Y el que oye, diga: Ven. Y el que tiene sed, venga; y el que quiera, tome del agua de la vida gratuitamente»* (Apocalipsis 22:17).

**Pensamiento para hoy:** La muerte promueve a todos los creyentes a la vida eterna.

# GUÍA DE REFERENCIAS POR TEMAS

Esta guía de referencias por temas ha sido preparada para los estudiantes más serios de la Biblia. Estos temas importantes han sido seleccionados para ayudar a buscar las grandes verdades de la Biblia. Las citas presentadas indican las fechas y las introducciones donde se explica cada tema.

feb. 10, 15

**Mesa de la proposición** ene. 26-27, 29; feb. 10, 15

**Misericordia** nov. 23

**Misericordioso/amor de, Cristo/Dios** sept. 20, 24; oct. 13, 27; nov. 2

**Misericordioso/merced/amor/amado** ene. 15, 19, 21, 24; feb. 3, 11, 15, 22; mar. 5, 8, 31; abril 9; jun. 4, 8, 23-24; jul. 3, 9, 11-12, 17, 19, 23-27, 31; agos. 9, 12, 18, 31; oct. 8, 17, 25; dic. 13, 17-19; Intro. a Dt., Intro. a Rt., Intro. a Cnt., Intro. a Os., Intro. a 1 de Jn.

**Moralidad/inmoralidad** ene. 7, 24, 28; feb. 23; mar. 29-30; abril 14, 27; mayo 6, 8; jul. 3, 21; nov. 19; dic. 2, 19; Intro. a Stg., Intro. a 1 de Jn.

**Motivo del corazón** feb. 20

**Motivos** mar. 9; jul. 9-10, 29; oct. 14, 19

**Muerte/huesos secos** ene. 1, 3, 21; feb. 6; abril 9, 13; jun. 19; jul. 1; agos. 5; sept. 7, 11; nov. 27, 30; dic. 5-8, 16, 28, 30-31; Intro. a Nm., Intro. a Ef.

**Mundanería/materialismo/sistema del mundo** ene. 4-5, 7, 9, 12, 14, 16, 30; feb. 27; mar. 13, 28; abril 22, 25-26; mayo 6, 12, 26; jun. 10-11; jul. 28-30; agos. 4, 15, 29; oct. 14; dic. 8, 15, 18; Intro. a Ec.

**Nacer de nuevo** nov. 1

**Nicodemo** nov. 1

**Obediencia/desobediencia** ene. 1, 3-4, 8, 12, 21, 24-25, 31; feb. 4, 8, 10-11, 16-17, 19, 24, 27; mar. 2, 4-8, 10-12, 14-15, 17-18, 21-22, 24; abril 2-4, 6, 10, 13, 16, 18-19, 22, 25-28, 30; mayo 3-4, 8, 10, 18, 20, 25; jun. 3, 7-8, 10, 12, 18, 20, 26, 28; jul. 2, 10-13, 15, 22-23, 27, 29-30; agos. 17-18, 23, 30-31; sept. 5; oct. 3, 14-16, 28, 30; dic. 6, 15-17; Intro. a Éx., Intro. a Dt., Intro. a Jos., Intro. a Jue., Intro. a Ec., Intro. a 1 de Jn.

**Ovejas** oct. 4

**Obras/hechos** mayo 18

**Ofrendas/reconocimiento para** feb. 15; nov. 10

**Oposición/persecución** feb. 20; oct. 4; Intro. a Esd.

**Opresión/servidumbre** ene. 17; agos. 5; Intro. a Jue.

**Oración/interceder** ene. 7, 11, 22, 29; feb. 2, 16, 21-22; mar. 5, 8, 15-16, 23-24, 26, 30; abril 1, 10-11, 13, 16-17, 19-21, 24, 28-29; mayo 8-10, 16-17, 20, 22, 26, 28, 30; jun. 4, 6-7, 22-25; jul. 1, 3, 5, 7, 9, 11, 13, 20-21, 26-27, 29; agos. 7-8,

11-13; sept. 15-16; oct. 4; nov. 7; dic. 3, 9; Intro. a Jue., Intro. a 1 y 2 de S., Intro. a Neh., Intro. a Sal., Intro. a Stg.

**Orgullo/arrogancia/confianza en sí mismo** ene. 4; feb. 18; mar. 15, 19, 25, 27; abril 3, 5, 7, 12, 17; jun. 23, 25; jul. 17, 22, 24, 27; agos. 2; sept. 23; oct. 3; dic. 18, 20

**Paciencia** ene.20, jul. 17, 23-24; dic. 15-16

**Pacto/bendiciones** mar. 8; agos. 16, 22, 28, 30; Intro. a Rt., Intro. a Mi.

**Pactos/juramentos/promesas/votos** ene. 6-7, 9, 11, 30; feb. 2, 23, 27; mar. 7, 11, 14, 16, 26-28; abril 1, 19; mayo 5, 8; jun. 8; agos. 31; dic. 14; Intro. a Éx., Intro. a Dt., Intro. a 1 y 2 de Cr., Intro. a He.

**Padres, los/hijos** ene. 12; feb. 27; mar. 2, 5; jul. 23; agos. 1

**Palabra de Dios** ene. 1, 3-4, 6-8, 10, 18, 20, 23-24, 26-28, 30-31; feb. 4, 8, 10-11, 13, 16-17, 27, 29; mar. 1-2, 4-6, 9-12, 15, 17-18, 20-24, 26, 29; abril 2, 4, 7, 10, 13-14, 18-30; mayo 3, 5, 8, 10, 13, 17, 20, 24; jun. 3, 5, 7-9, 12, 18, 20-22, 26, 28; jul. 8, 10, 12-16, 19-20, 22, 27, 29-31; agos. 1, 4-5, 9, 15-26, 30-31; sept. 1, 4-5, 19; oct. 2-3, 6, 10, 14-15; nov. 7; dic. 3, 9, 17-19, 26, 28; Intro. a Éx., Intro. a Dt., Intro. a Jos., Intro. a Jue., Intro. a Esd., Intro. a Sal., Intro. a Pr., Intro. a Lm., Intro. a Hch., Intro. a Ef., Intro. a 1 y 2 de Ti., Intro. a He., Intro. a 1 y 2 de P., Intro. a 1 de Jn., Intro. a 2 y 3 de Jn. y Jud.

**Palabra del Señor** sept. 27

**Panes sin levadura, fiesta de los** feb. 9

**Parábolas de Jesús** oct. 6

**Parábolas** sept. 5; oct. 9; Intro. a Mr., Intro. a Lc.

**Pariente más cercano, el** Intro. a Rt.

**Pascua** ene. 21; feb. 16; mar. 14; oct. 5, 30; nov. 5, 9

**Pascua , fiesta de** feb. 9

**Paz/contentamiento** ene. 23; feb. 3, 11; mar. 24; jun. 1, 26; agos. 22; oct. 4; Intro. a Pr.

**Pecado/consecuencias del** ene. 1-2, 7, 12, 15, 21, 24-26, 28; feb. 1, 4-8, 11, 13, 18, 21-24, 26; mar. 1, 10-12, 15, 17, 21-22, 24, 27-30; abril 2, 4-5, 7, 10, 13-15, 18-22, 26-27, 30; mayo 3-5, 7, 9-10, 14, 27-29, 31; jun. 2, 4-5, 8, 26; jul. 3-4, 8, 13, 15, 21, 25, 27; agos. 2, 5-6, 11, 13, 15-18, 20, 23, 26, 30-31; sept. 7, 13, 19-22; oct. 11, 13, 15, 20, 27; nov. 3, 19,

444